झारखंड इन्साइक्लोपीडिया

(खंड-2)

बिर-बुरु के आसपास

झारखंड इन्साइक्लोपीडिया

(खंड-2)

बिर-बुरु के आसपास

संपादक

रणेन्द्र, सुधीर पाल

वाणी प्रकाशन

वाणी प्रकाशन

4695, 21-ए, दरियागंज, नयी दिल्ली-110 002

फ़ोन : +91 11 23273167 फ़ैक्स : +91 11 23275710

शाखाएँ

अशोक राजपथ, पटना-800 004, बिहार

कॉफ़ी हाउस कैम्पस, महात्मा गांधी मार्ग, इलाहाबाद-211 001, उत्तर प्रदेश

महात्मा गांधी अन्तरराष्ट्रीय हिन्दी विश्वविद्यालय, वर्धा-442 001, महाराष्ट्र

www.vaniprakashan.com
marketing@vaniprakashan.in
sales@vaniprakashan.in

Jharkhand Encyclopedia
Bir-Buroo Ke Aaspaas-2
Edited by Ranedra, Sudhir Pal

ISBN : 978-81-8143-691-7
Encyclopedia

प्रथम संस्करण 2019

मूल्य : ₹ 6000 (चारों खंड)

आर. टेक ऑफ़सेट प्रिंटर्स, दिल्ली-110 032 में मुद्रित

वाणी प्रकाशन का लोगो मक़बूल फ़िदा हुसेन की कूची से

समर्पण

झारखण्डी आवाम को जिसने अपने सीने में आदिकाल की विरासत की संजो कर रखा है। उन अनाम लोक साहित्यकारों को जिन्होंने झारखण्ड की तेरह भाषाओं एवं अनगिनत बोलियों में साहित्य का समुद्र सा रचा है जिसके मंथन से न जाने कितनी बार अमृत–कलश प्रकट होने की संभावना है। उन तमाम महापुरूषों को जिन्होंने हाशिये की समुदाय की पीड़ा को समझने और उबारने में अपना जीवन होम किया।

रणेन्द्र, सुधीर पाल

बिर-बुरु के आसपास

अनुक्रम

भूमिका

(बिर-बुरु के आसपास)

रणेन्द्र

बिर और बुरु यानी जंगल और पहाड़। झारखंड का नाम लेते ही प्रकृति के जो दो रूप आँखों के सामने झलकते हैं वे यही जंगल और पहाड़ हैं। झारखंडी जन, समुदाय और संस्कृति इन्हीं जंगलों-पहाड़ों में पलती-बढ़ती आज इस मुकाम तक पहुँची है। ये जंगल और पहाड़ इनके आराध्य भी हैं और पालनहार भी। जंगलों और पहाड़ों के साथ-साथ झारखंड के समस्त भौगोलिक विकास, परिस्थिति- परिवेश की चर्चा अपने विषय के विभिन्न विद्वान-विशेषज्ञों ने इस खंड में की है।

झारखंड के भूगोल के विद्वान प्राध्यापक डॉ. रामकुमार तिवारी के आलेख 'झारखंड की भौगोलिक संरचना' से इस खंड की शुरुआत हुई है। यह तो सर्वविदित है कि यह क्षेत्र भौगर्भिक दृष्टिकोण से एक संश्लिष्ट क्षेत्र है। यह अति प्राचीन संरचना के प्रतीक गोण्डवाना भूखंड का उत्तर-पूर्व छोर है। यह क्षेत्र लम्बे भौगर्भिक काल (60 से 450 करोड़ वर्ष पूर्व) में अनेक भौगर्भिक हलचल व परिवर्तन देखता रहा है। इन परिवर्तनों के कारण ही यहाँ अनेक युगों की विविध गुणवत्ता की चट्टानें और खनिजों के निक्षेप पाए जाते हैं।

झारखंड क्षेत्र के आधार का निर्माण आर्कियन युग की प्राचीनतम चट्टानों से हुआ है जिसमें ग्रेनाइट, नीस और आग्नेय अन्तर्वेधन प्रमुख हैं। इस पठार के 90 प्रतिशत भाग पर इन्हीं चट्टानों का विस्तार पाया जाता है। अन्य प्रमुख चट्टानों में जो 10 प्रतिशत भूक्षेत्र में पाई जाती हैं, गोण्डवाना युग की परतदार कोयला प्रधान चट्टानें, विंध्यन युग की बलुआ पत्थर एवं चूना पत्थर प्रधान चट्टानें, राजमहल ट्रेप, लेटेराइट निर्मित बॉक्साइट और नदियों द्वारा निक्षेपित जलोढ़ प्रमुख हैं। डॉ. तिवारी के झारखंड की जलवायु एवं मिट्टी से सम्बन्धित आलेख भी इस खंड में सम्मिलित किए गए हैं।

राँची विश्वविद्यालय के भूगोल विभाग के पूर्व विभागाध्यक्ष डॉ. देवीदत्त पिनाकपाणि प्रसन्न शतपथी ने अपने नजरिए से 'झारखंड की भू-आकृति' की व्याख्या की है। उन्होंने विस्तार से यह बतलाया है कि टरशियरी युग में हिमालय पर्वतमाला के उत्थान के साथ-साथ इस क्षेत्र में भी उत्थान देखने को मिला। प्रथम उत्थान में उत्तर पश्चिम में स्थित नेतरहाट एवं आसपास के क्षेत्रों का उत्थान हुआ। द्वितीय चरण में राँची एवं हजारीबाग के पठारों का उत्थान हुआ लेकिन इस उत्थान के साथ-साथ पहले से उत्थित नेतरहाट क्षेत्र भी ऊपर उठा। तृतीय एवं अन्तिम उत्थान में निचला हजारीबाग पठार एवं अन्य सारे क्षेत्रों का भी उत्थान हुआ। परन्तु

नेतरहाट का क्षेत्र तीनों उत्थानों से संबद्ध होने के कारण सबसे ऊँचा उठ गया।

इसी आलेख से हमें यह जानकारी मिलती है कि टरशियरी युग से पहले राजमहल की पहाड़ी एवं सीलम का पठार (मेघालय) एक साथ जुड़े हुए थे। लेकिन टरशियरी युग के द्वितीय चरण में जो अधिक प्रभावकारी उत्थान हुआ उसके कारण राजमहल की पहाड़ी एवं मेघालय के बीच का क्षेत्र नीचे धँस गया। वहाँ एक निम्न भूमि का निर्माण हुआ जिससे होकर गंगा नदी प्रवाहित होने लगी।

साथ ही राँची शहर में स्थित पहाड़ी ग्रेनाइट एवं नीस से भिन्न खुण्डालाइट (Khondalite) चट्टानों से निर्मित है जिसका अधिकतम विस्तार पूर्वीघाट पर्वतश्रेणी (उड़ीसा-आन्ध्रप्रदेश) में देखा जा सकता है।

सुश्री मरियम प्रतिमा लकड़ा ने झारखंड की नदियों का परिचय एवं प्रकृति प्रस्तुत की है। झारखंड में आठ नदी बेसिन हैं यथा, उत्तरी कोयल, दक्षिणी कोयल, शंख, दामोदर, स्वर्णरेखा, खरकई, अजय और मयूराक्षी। झारखंड में प्रवाहित होने वाली नदियों को दो समूहों में रखा जाता है—

(i) वे नदियाँ जो पठारी भाग से निकलकर उत्तर की ओर प्रवाहित होती हुई गंगा या उसकी सहायक नदियों से मिलती हैं।

(ii) वे नदियाँ जो पठार के दक्षिणी भाग से निकलकर पूर्व और दक्षिण की ओर प्रवाहित होती हैं।

प्रथम प्रकार की गंगावर्ती नदियाँ पठार के लगभग आधे उत्तरी एवं पश्चिमी भाग का जल अप्रवाहित करती हैं जिनमें प्रमुख हैं—सोन, उत्तरी कोयल, पुनपुन, सकरी और चानन।

दूसरे प्रकार की नदियों में प्रमुख हैं—दामोदर, स्वर्णरेखा, मयूराक्षी, गुमानी, ब्राह्मणी, बांसलोई, अजय, दक्षिणी कोयल, बराकर और शंख।

राष्ट्रीय प्रौद्योगिकी संस्थान, जमशेदपुर के प्राध्यापक डॉ. रणजीत प्रसाद ने झारखंड के भूजल की वैज्ञानिक व्याख्या की है। भूजल की महत्ता को दर्शाते हुए उसके पुनर्भरण व्यवस्था को रेखांकित किया है।

'झारखंड की वन सम्पदा' पर एक विस्तृत आलेख, बिरसा कृषि विश्वविद्यालय राँची के वानिकी संकाय के विभागाध्यक्ष डॉ. ओंकारनाथ पाण्डेय का है। इस आलेख में झारखंड की वनस्पतियों, जीवजन्तु, वातावरण, सुरक्षित क्षेत्र, लघु वन पदार्थों पर हम एक विशेषज्ञ के नजरिए से परिचित होते हैं। साथ ही साथ झारखंड में प्रमंडलवार वनों की विवरणी, विभिन्न जिलों में वनावरण, आश्रयणी एवं राष्ट्रीय उफान पर अद्यतन आँकड़े हमारा ज्ञानवर्द्धन करते हैं।

डॉ. रणजीत प्रसाद 'झारखंड के भूविज्ञान' की चर्चा के क्रम में यहाँ पाए जाने वाले खनिजों-अयस्कों के बारे में पूर्ण विस्तार से हमारा परिचय कराते हैं।

सेंट्रल कोल फील्ड के वरीय अभियन्ता ई. प्रमोद कुमार ने अपने आलेख 'कोयला' में न केवल कोयला के इतिहास एवं वर्तमान का वैज्ञानिक परिचय दिया है बल्कि सी.सी.एल. के विभिन्न खनन उपक्रमों से भी हमें रूबरू करवाया है।

झारखंड में खाद्यान्न का कुल उत्पादन 22.07 लाख टन है जबकि कुल आवश्यकता

45.98 लाख टन की है यानि कि 23.91 लाख टन (52%) खाद्यान्न की कमी है। परिणामस्वरूप प्रति व्यक्ति प्रतिदिन 480 ग्राम खाद्यान्न की आवश्यकता की जगह उपलब्धता मात्र 230 ग्राम की है। इसी चिन्ता से नि:सृत है बिरसा कृषि विश्वविद्यालय के कृषि प्रसार विभाग के विभागाध्यक्ष डॉ. आर.पी.सिंह 'रतन' का आलेख—'झारखंड में कृषि वर्तमान, अवरोध एवं भविष्य'।

अर्थशास्त्री डॉ. एम.एल. सिंह ने भी झारखंड की कृषि अर्थव्यवस्था के अवरोध एवं क्षमताओं पर टिप्पणी की है।

सिंचाई से संबद्ध श्री सुधीर पाल के आलेख से परत-दर-परत यह रहस्य खुलता है कि परंपरागत सिंचाई साधनों पर समुदाय का अधिकार घटता गया, करोड़ों की लागत बहुउद्देशीय सिंचाई परियोजनाएँ बढ़ती गईं किन्तु सिंचित भूमि का क्षेत्रफल घटता गया।

खनिज संसाधन झारखंडी जन के लिए एवं पर्यावरण के लिए प्रतिकूलता का संदेश देते रहे हैं। अनियोजित दोहनों ने जनसमुदाय को विस्थापन की मार दी है और पर्यावरण को अपूरणीय क्षति पहुँचाई है।

श्री प्रदीप्तो राय का शोध आलेख इसी समस्या को समझने की एक कोशिश है। पिपरवार केस स्टडी के माध्यम से तस्वीरें ज्यादा साफ होती हैं।

पशुपालन भी कृषि का ही एक हिस्सा है। इसी दृष्टि से पशुचिकित्सक डॉ. नीरज कुमार वर्मा का विस्तृत आलेख 'झारखंड में पशुपालन की वर्तमान स्थिति एवं भविष्य की संभावनाएँ' को हमने इस खंड में सम्मिलित किया है।

मगध विश्वविद्यालय, बोधगया के भूगोल विभाग के विद्वान प्राध्यापक डॉ. जनार्दन मिश्र ने 'झारखंड में ऊर्जा' एवं 'झारखंड में परिवहन' जैसे महत्त्वपूर्ण विषय पर अपनी विशेषज्ञ दृष्टि के साथ आलेख प्रस्तुत किया है।

डॉ. वी.के. सिंह झारखंड सरकार के पूर्व अभियन्ता प्रमुख ने 'झारखंड के सड़क संसाधन' पर अपनी लेखनी चलाई है।

राँची विश्वविद्यालय में भूगोल विभाग के प्राध्यापक एवं प्रादेशिक नियोजन के विशेषज्ञ डॉ. डी.के. सिंह ने अपने शोध आलेख 'झारखंड के ग्रामीण विकास में हाट बाजारों की भूमिका' से इस खंड को सम्पन्न किया है।

झारखंड के विभिन्न उद्योगों पर प्रो. शिशिर चौधरी, श्री के.के. कुमार एवं श्री ललन कुमार चौबे के आलेख समाहित किए गए हैं।

2001 की जनगणना के विश्लेषण का श्रमसाध्य कार्य डॉ. श्रुति चौधरी ने सम्पन्न किया है। यह विस्तृत आलेख इस खंड की महत्ता को रूपायित करेगा।

श्रीमती भारती ने झारखंड के पर्यटन स्थलों पर विस्तार से अपनी लेखनी चलाई है।

सम्पादक द्वय इन सभी विद्वान लेखकों के प्रति हार्दिक कृतज्ञता व्यक्त करते हैं जिनकी सहभागिता के बिना यह खंड प्राणहीन रहता।

भौगर्भिक संरचना : एक अवलोकन

डॉ. रामकुमार तिवारी

भौगर्भिक संरचना

भौगर्भिक दृष्टिकोण से झारखंड एक संश्लिष्ट क्षेत्र है। इसकी स्थिति प्राचीन संरचना के प्रतीक गोंडवाना भूखंड के उत्तरी-पूर्वी छोर पर है। इस क्षेत्र में अनेक भौगर्भिक हलचल एवं परिवर्तन होते रहे हैं जिसके परिणामस्वरूप अनेक युगों की विविध चट्टानों और खनिजों का निक्षेपण यहाँ होता रहा है। यही कारण है कि इस क्षेत्र में प्राचीनतम से लेकर नवीनतम संरचनाएँ दृष्टिगत होती हैं जिन्हें निम्नलिखित क्रम में रखा जा सकता है—

1. आद्य महाकल्प या प्राचीन युग का आर्कियन निर्माण
   (मोड़, भ्रंश एवं अन्तर्वेधित संरचनाएँ)
2. नवीन आग्नेय निर्माण या नया डोलेराइट
3. विन्ध्य युगीन निर्माण
4. गोंडवाना युगीन निर्माण
5. राजमहल ट्रेप
6. तृतीय कल्प के निर्माण
7. लैटेराइट निर्माण
8. नवीनतम जलोढ़ निक्षेप

आद्य महाकल्प (Pre-cambrian Era)

झारखंड क्षेत्र के भौगर्भिक आधार का निर्माण आद्यकल्प की प्राचीनतम चट्टानों से हुआ है। आद्यकल्प की चट्टानें किस प्रकार निर्मित हुईं, यह प्रश्न अभी तक पूर्ण रूप से नहीं सुलझाया जा सका है। इनकी उत्पत्ति के संबंध में भू-वैज्ञानिकों ने अनेक मत प्रस्तुत किए हैं। आम एवं सर्वमान्य विचार यह है कि प्रारंभिक काल से पृथ्वी के वाष्प अथवा तरल रूपी द्रव्य के ठंडे होने से सतह पर प्रारंभिक धरातल बना होगा। यह परत या धरातल आग्नेय था। कालान्तर में इस परत पर निर्मित प्रारंभिक समुद्रों में अन्य परतदार चट्टानों का जमाव हुआ होगा। स्मरणीय है कि ये दोनों चट्टानें आज अपने मूल रूप में कहीं भी नहीं पाई जाती हैं। प्रारंभिक धरातल बाद में हुए संरचनात्मक विक्षोभ, आग्नेय उद्भेदन एवं कायान्तरण के कारण अत्यधिक रूपांतरित हो गईं और जटिल संरचना वाली बन गईं। इस समूह के शैलों में यह सबसे नीचे

पाई जाती है जिसे आधार जटिल शैल संघ (Basement Complex) अथवा मूल नाइस (Fundamental gneiss) कहते हैं। यहाँ अवसादों के निक्षेपण से निर्मित चट्टानें भी रूपांतरित हो गई हैं। वितलीय चट्टानों के विरूपण एवं रूपांतरण से कुछ चट्टानें निर्मित हुई हैं। मेगमा उद्भेदन के कारण भी अनेक प्रकार की चट्टानें निर्मित हुईं अर्थात् आद्यकल्प की चट्टानें मूलत: आग्नेय एवं परतदार ही थीं किन्तु रूपांतरण, संरचनात्मक विरूपण एवं विक्षोभ द्वारा ये विभिन्न रूपों में बदल चुकी हैं।

आद्यकल्प का तात्पर्य केम्ब्रियन से पूर्व की चट्टानों से है। इस विशाल कालावधि को दो भागों में बाँटा जाता है—आद्यकल्प समूह (Archean Group) और प्रोटेरोजोइक (Proterozoic Group)। भूवैज्ञानिक मानते हैं कि आद्यकल्प में जीवों का विकास नहीं हुआ था किन्तु प्रोटेरोजोइक काल में आरंभिक जीव अस्तित्व में आ चुके थे। आर्कियन और प्रोटेरोजोइक को पृथक् करने वाले विषम विन्यास को आद्यकल्पेत्तर विषम-विन्यास (Eparchean Unconformity) कहते हैं। यह भी स्मरणीय है कि आर्कियन का काल 250 से 450 करोड़ वर्ष पूर्व की चट्टानों का काल है जबकि प्रोटेरोजोइक का काल 60 से 250 करोड़ वर्ष पूर्व मानते हैं।

आर्कियन समूह की चट्टानें

आर्कियन समूह की चट्टानों की उत्पत्ति के संबंध में कहा जाता है कि पृथ्वी के धरातल पर निर्मित प्रथम परत आग्नेय चट्टानों की रही होगी। कालान्तर में इन चट्टानों पर अपक्षय कारकों से उत्पन्न पदार्थ के समुचित स्थितियों में निक्षेपण से परतदार चट्टानों का निर्माण हुआ होगा। आधारभूत चट्टानों पर सर्वप्रथम निक्षेपित परतदार चट्टानों को ही धारवार समूह की चट्टान कहा गया है। झारखंड में इस समूह की चट्टानें प्रमुख हैं एवं अत्यधिक क्षेत्रों में विस्तृत हैं, खासकर उत्तरी झारखंड क्षेत्र एवं दक्षिणी झारखंड क्षेत्रों में इस समूह की चट्टानें विस्तृत हैं। उत्तरी तथा दक्षिणी भागों में प्राचीन परतदार चट्टानों तथा आधारभूत अन्तर्वेधन से निर्मित चट्टानों की प्रधानता है जबकि मध्यवर्ती भाग में प्राचीन ग्रेनाइट की आधारभूत संरचना है। ये चट्टानें 250-450 करोड़ वर्ष पुरानी हैं। धारवार समूह की चट्टानों का निर्माण देश के विभिन्न भागों में हुआ है किन्तु इनका नामकरण स्थानीय विशेषता के आधार पर किया गया है। झारखंड क्षेत्र में धारवार समूह की चट्टानों का स्वरूप राँची तथा हजारीबाग के उत्तर में सोनघाटी तक शिस्टी है जो दो भागों में विभाजित की जाती है, निचले समूह को अगोरी समूह कहते हैं जिसमें स्लेट, क्लोराइट, शिस्ट, जैस्पर, चूना पत्थर एवं अल्प सिलिक ग्रेनाइट आदि संयुक्त हैं। ऊपरी समूह में पॉर्सिलेनाइट और स्लेट की प्रधानता है। हजारीबाग, कोडरमा, चतरा में अनेक प्रकार की शिस्ट चट्टानें मिलती हैं जो अभ्रक युक्त पेग्मेटाइट, बेरिस, मोनानजाइट एवं पिच ब्लैंड से संयुक्त हैं। दक्षिणी झारखंड क्षेत्र अर्थात् सिंहभूम जिलों में इस समूह का विधिवत् अध्ययन किया गया है। यहाँ की चट्टानों में लोहे की मात्रा होने के कारण धारवार समूह की चट्टानें लौह अयस्क श्रेणी या संघ के नाम से भी जानी जाती हैं। यहाँ एक विशाल अधिक्षेपण क्षेत्र (Thrust zone) है। इसका विस्तार प. सिंहभूम में पोराहाट से आरंभ होकर चक्रधरपुर, जामदा, राखा, मुसाबनी, सुंगरी होते हुए उड़ीसा में

मयूरभंज तक 160 किमी तक है। अध्ययन से स्पष्ट होता है कि इस अधिक्षेपण के दक्षिणी भाग की चट्टानों में कम रूपांतरण या अरूपांतरण है जबकि उत्तरी भागों में अधिक रूपांतरण हुआ है। अधिक्षेपण क्षेत्र की चौड़ाई 2 से 5 किमी है। अधिकतर खान इसी क्षेत्र में हैं।

आर्कियन समूह की चट्टानों का क्रमबद्ध अध्ययन किया जाए व उनमें मिलने वाली चट्टानों का प्रकार देखा जाए तो संक्षेप में निम्नवत् स्वरूप दृष्टिगत होगा—

पूर्ववर्ती रूपांतरित चट्टानें

ये आधारभूत चट्टानें हैं। इनमें अभ्रक, क्लोराइट, सिलिमेनाइट, हार्नब्लैंड और क्वार्ट्ज पाए जाते हैं। ये सभी लौह अयस्क संघ के निक्षेपण के पूर्व वलित होकर अपरदित भी हो चुके थे। इस आधारभूत चट्टान के ऊपर विषम विन्यास पाया जाता है जिसके ऊपर लौह अयस्क का निक्षेपण पाया जाता है। ये लौह अयस्क फाइलाइट चट्टानों के साथ पट्टी रूप में हेमाटाइट क्वार्टजाइट और जैस्पेरॉड के रूप में मिलते हैं।

सिंहभूम शैलक्रम—लौह अयस्क संघ

सिंहभूम के 2 से 5 किमी चौड़े अधिक्षेपण क्षेत्र में रूपांतरित चट्टानों से युक्त ज्वालामुखी का स्वरूप पाया जाता है। मेग्माइटीकरण के कारण ये चट्टानें अभ्रकी शिस्ट और नाइस में बदल गई हैं। कई स्थानों पर ये फेल्सपार युक्त ग्रेनोफायर में बदल चुके हैं। चक्रधरपुर नाइस इन्हीं के भाग हैं अथवा समकक्ष हैं।

सिंहभूम शैलक्रम में सिंहभूम ग्रेनाइट का विशेष महत्त्व है। यह बैथोलिथिक आकार में कई सौ वर्ग किमी में फैला हुआ है। इसमें बायोटाइट, ग्रेनोडायोराइट से लेकर एडामेलाइट, ट्रोजेमाइट तथा हल्के रंग के ग्रेनाइट के गुम्बदाकार अन्तर्वेध पाए जाते हैं। सिंहभूम के अधिक्षेपण क्षेत्र में एपेटाइट, मेगनेटाइट, यूरेनियम, ताँबा का अयस्क आदि खनिजों का भरपूर निक्षेपण हुआ है। यहाँ एक और विशिष्ट चट्टान मिलती है जिसे खोंडालाइट कहा जाता है। उड़ीसा की खोंड जाति के नाम पर इसका नामकरण हुआ है। इसे बैजवाड़ा नाइस के नाम से भी जाना जाता है। राँची पहाड़ी का निर्माण खोंडालाइट चट्टानों से ही हुआ है (डिस्ट्रिक्ट गजेटियर, राँची, पृ. 9)। यह हल्के रंग की गार्नेटयुक्त नाइस है जिसमें सिलिमेनाइट एवं ग्रेफाइट तथा अन्य खनिज मिश्रित होते हैं। यदा कदा फेल्सपार भी मिलता है। यह शैल संकर उत्पत्ति का है किन्तु यह मूलतः आग्नेय क्रिया द्वारा निर्मित है। यह चट्टान अत्यधिक अलूमिना युक्त मिट्टी, जिसमें लौह अंश भी पर्याप्त था, के उच्च कोटि के रूपांतरण द्वारा निर्मित हुई है। कई स्थानों पर ग्रेनाइटीकरण के कारण इनमें फेल्सपार के बड़े-बड़े रवे दृष्टिगत होते हैं।

इस प्रकार 450-250 करोड़ वर्ष पूर्व का भौगर्भिक इतिहास जिसे लौह अयस्क संघ का इतिहास या धारवाड़ क्रम का वर्णन कहा जा सकता है, का संक्षिप्त ब्यौरा यहीं समाप्त होता है। आगे आद्यकल्पेत्तर विषमविन्यास मिलता है। (देखें तालिका-1)

तालिका–1 : आद्य महाकल्प का स्तर विन्यास एवं कालक्रम

महाकल्प	समूह		
		60 करोड़ वर्ष	पुराजीव महाकल्प
आद्यमहाकल्प (Pre-Cambrian Era)	प्रोटेरोजोइक समूह (250 से 60 करोड़ वर्ष) पुराण संघ	विंध्यन समूह —	रोहतास समूह खेंजुआ समूह सेमरी संघ पोर्सलेनाइट समूह निचला विंध्यन—तलीय समूह
		कुड़प्पा समूह —	नए डोलेराइट अरकनसानी ग्रेनोफायर एवं सोडा ग्रेनाइट चक्रधरपुर नाइस छोटानागपुर नाइस अत्यल्प सिलिक शैल, गैब्रो, अनार्थोसाइट कोल्हान संघ
			दालमा और धनजोरी लावा निस्सरण, धनजोरी बलुआ पत्थर व कांग्लोमरेट
		250 करोड़ वर्ष	आद्यकल्पेत्तर विषम विन्यास
	आर्कियन समूह (450 से 250 करोड़ वर्ष)	धारवाड़ समूह — लौह अयस्क संघ	सिंहभूम, ग्रेनाइट शैलक्रम, ऊपरी शैल, बालू पत्थर, ज्वालामुखी शैल, पट्टित हेमाटाइट, क्वार्टजाइट, खोंडालाइट, निम्न शैल, लावा प्रवाह, बलुआ पत्थर, कांग्लोमरेट

(आधारभूत पूर्ववर्ती रूपांतरित चट्टानें 450 करोड़ वर्ष पूर्व एवं अधिक)

आद्यकल्पेत्तर विषम विन्यास

यह विषम विन्यास आर्कियन समूह और प्रोटेरोजोइक समूह के बीच की विभाजन रेखा के समान अवस्थित है। यह कहा जा सकता है कि आद्य महाकल्प को दो खंडों में बाँटता है।

आर्कियन शैलों की उत्पत्ति के पश्चात अर्थात् आधारभूत चट्टानें, धारवार क्रम की चट्टानें या लौह अयस्क श्रेणी की चट्टानें, सिंहभूम शैल क्रम की चट्टानों की उत्पत्ति के बाद पृथ्वी पर अचानक विशाल पैमाने पर भौगर्भिक हलचल शुरू हुई तथा ग्रेनाइट चट्टानों में व्यापक अन्तर्वेधन की क्रियाएँ हुईं। इसके परिणामस्वरूप आर्कियन काल के महासमुद्र पीछे हट गए और अनेक पहाड़ों और पठारों का निर्माण हुआ। इसके बाद वातावरण शान्त होने लगा तथा लम्बे समय तक इन पहाड़ों, पठारों और पूर्व में निर्मित चट्टानों का अपरदन तथा अपक्षयण वायुमंडलीय एवं भौमिकीय क्रियाओं द्वारा सतत होता रहा। परिणामस्वरूप धरातलीय बनावट में जो असमानता थी, वह सपाट होने लगी। अवसादों का लगातार निक्षेपण होता रहा। अवसादों के निक्षेपण के

इस अवकाश को ही आद्यकल्पेत्तर विषम विन्यास कहते हैं। इस काल में स्थानीय संवसन एवं अवतलन हुआ जिससे समुद्रों का विस्तार हुआ और वे आंध्र प्रदेश, मध्य प्रदेश एवं हिमालय क्षेत्रों में फैल गए। इन द्रोणियों में जो निक्षेप हुए, उसे ही कुड़प्पा संघ कहा जाता है। कुड़प्पा की चर्चा बाद में होगी। यहाँ यह स्पष्ट ज्ञात कर लेना चाहिए कि इस विषम विन्यास के बाद झारखंड में कुड़प्पा की जो तनिक छाया कोल्हान संघ के रूप में मिलती है, उसके पूर्व दालमा घनजोरी लावा का प्रवाह यहाँ हुआ था। संभवत: यह 150 से 250 करोड़ वर्ष पूर्व हुआ होगा।

प्रोटेरोजोइक समूह (पुराण संघ) की चट्टानें

भूवैज्ञानिकों का अध्ययन है कि आद्यकल्पेत्तर विषम विन्यास के पूर्व आर्कियन समूह की चट्टानें जीवाश्म रहित थीं जबकि इसके बाद की चट्टानें जीवाश्म युक्त हैं। जीवों की उपस्थिति या प्राथमिक जीवों की उपस्थिति के कारण इसे प्रोटेरोजोइक या अलगोनकियन (प्राग्जैविक) समूह कहा गया है। यह समूह 250 से 60 करोड़ वर्ष पूर्व की कालावधि में विस्तृत है। इसके आधार में धनजोरी बालू पत्थर व कांग्लोमरेट स्थित है। जिसके उपरद क्रमश: दालमा धनजोरी का लावा प्रवाह है। दक्षिणी सिंहभूम में कोल्हान संघ है। छोटानागपुर नाइस, चक्रधरपुर नाइस, नए डोलेराइट इसके ऊपर हैं। इसके बाद फिर एक विषम विन्यास स्थित है जिसके ऊपर विन्ध्यन क्रम की चट्टानें स्थित हैं। कुड़प्पा क्रम और विन्ध्यन क्रम को सम्मिलित रूप में एक विशाल संघ कहा जाता है जिसका नाम पुराण संघ है। कुड़प्पा समूह पुराना संघ का निचला भाग है, उपरी भाग है विन्धयन समूह।

कुड़प्पा समूह

भूवैज्ञानिक स्पष्ट करते हैं कि झारखंड में कुड़प्पा समूह का निक्षेपण नहीं हुआ है। लेकिन दक्षिण सिंहभूम में कोल्हान उच्चभूमि एवं उड़ीसा के क्योंझर जिले के उत्तरी क्षेत्र में बहुत ही अल्प निक्षेपण देखा जाता है। यह निक्षेपण लौह अयस्क संघ के ऊपर स्पष्ट विषम विन्यास के साथ कांग्लोमरेट, बलुआ पत्थर, शैल तथा चूना पत्थर के साथ हुआ है। इनके कांग्लोमरेट पूर्ववर्ती चट्टानों की गुटिकाओं से या सिंहभूम ग्रेनाइट, पट्टित हेमाटाइट, जेस्परॉइड तथा लौह अयस्क के टुकड़ों से निर्मित हैं। कोल्हान श्रेणी अरूपांतरित है तथा पश्चिमी भाग में वलित है। इस श्रेणी में निक्षेपित बालू पत्थर की मोटाई 13 मीटर है। ऊपर की ओर कोल्हान संघ की चट्टानें (बालू पत्थर, शैल) फाइलाइट में परिवर्तित हो गए हैं जो नील लोहित एवं भूरे रंग के हैं। इसके ऊपर अल्प सिलिक शैल का जमाव है।

अत्यल्प सिलिक शैल

ऐसी चट्टानें दक्षिण सिंहभूम क्षेत्र में परिवर्तित पेरिडोटाइट के रूप में पाई जाती हैं। चाइबासा के पास सेक्सोनाइट जैसे अल्पसिलिक चट्टान के साथ क्रोमाइट का निक्षेपण मिलता है। इसके ऊपर छोटानागपुर नाइस का निक्षेपण है।

छोटानागपुर नाइस

सिंहभूम की शिस्ट चट्टानों के उत्तर में फैली हुई नाइस को छोटानागपुर नाइस कहा जाता है। यह

पारफोराइट चट्टान है। इसमें क्वार्ट्ज, माइक्रोकलीन, आर्थोक्लेज, आलिगोक्लेज तथा बायोटाइट आदि खनिज मिलते हैं। यह लौह अयस्क श्रेणी में अंतर्वेधित है। इसे ही डोम नाइस या बंगाल नाइस भी कहा जाता है।

नए डोलेराइट

झारखंड में नए डोलेराइट चट्टानों का विस्तार सिंहभूम ग्रेनाइट क्षेत्र में है जो मुख्यत: उत्तर उत्तर-पूर्व से दक्षिण दक्षिण-पूर्व दिशा में फैले हुए हैं। इन चट्टानों की परतें 700 मीटर तक मोटी हैं। ये मुख्यत: डोलेराइट चट्टानें ही हैं किन्तु कई स्थानों पर विभेदन के कारण अन्य शैल भी निर्मित हो गए हैं।

नए डोलेराइट चट्टानी परतों के साथ कुड़प्पा समूह की समाप्ति हो जाती है तथा विन्ध्यन समूह की शुरुआत होती है। यहाँ एक बार फिर स्मरण कर लेना उचित है कि जिस प्रकार झारखंड में कुड़प्पा समूह बहुत ही अल्प एवं सीमित क्षेत्र में देखा जाता है ठीक उसी तरह विन्ध्यन समूह की चट्टानें भी बहुत अल्प मात्रा में यहाँ उपलब्ध हैं।

विन्ध्य समूह

कुड़प्पा कालीन चट्टानों के निक्षेपण के बाद प्रायद्वीपीय भारत में भू-हलचल एवं अपरदन की क्रिया चलती रही। कालान्तर में इस हलचल के तीव्र होने के कारण पूर्ववर्ती श्रेणियों का अवतलन हुआ जिसमें अपरदित पदार्थों का निक्षेपण हुआ और इन्हीं निक्षेपणों से निर्मित अवसादी चट्टानों को विन्ध्य समूह कहा गया।

विन्ध्य युग की परतदार चट्टानों का विस्तार झारखंड क्षेत्र में उत्तर-पश्चिम छोर पर स्थित सोनघाटी के क्षेत्र में मिलता है। यह रोहतास पठार का दक्षिणी छोर है। सोनघाटी में ये लगभग 900 मीटर मोटी परतों के रूप में स्थित है। यह चूना पत्थर प्रधान है इसीलिए यह निचला विन्ध्यन महासंघ का सेमरी संघ के नाम से जाना जाता है। साथ में शैल का प्रत्यावर्तित स्तर भी सोन नदी घाटी क्षेत्र में देखा जाता है। क्रम में देखा जाए तो आधार में आधारी समुदाय है जिसे कजरहट चूना पत्थर एवं कांग्लोमरेट का सम्मिलित रूप कहते हैं। इसके ऊपर पोर्सलेनाइट समुदाय है जिसके ऊपर क्रमश: खेंजुआ और रोहतास समूह है। तलीय समूह 600 मीटर, पोर्सलेनाइट समूह 100 मीटर, खेंजुआ समूह 180 मीटर और रोहतास समूह 120 मीटर से 150 मीटर मोटा है।

विन्ध्य समूह में उपरिविन्ध्यन संघ भी एक विषम विन्यास के ऊपर विकसित हुआ है जिसमें कैमूर, रीवा और भंडेर संघ निक्षेपित हैं किन्तु इनका निक्षेपण झारखंड क्षेत्र में कहीं नहीं है। अत: इसी के साथ आज से 60 करोड़ वर्ष पूर्व से लेकर 450 करोड़ वर्ष पूर्व तक की भौगर्भिक क्रियाओं के ऐतिहासिक लेखा का संक्षिप्त ब्यौरा प्रस्तुत हुआ। इसके बाद प्रारंभ होता है प्रथम महाकल्प या पुराजीव महाकल्प (Paleozoic Era)। (देखें तालिका -1)

पुराजीव महाकल्प (Paleozoic Era)

प्रत्यक्षजीवी (phanerozoic) भू-भौतिकीय अतीत के प्रथम महाकल्प पुराजीवी

(paleozoic) में छः कल्प हैं। कैम्ब्रियन सबसे पुराना है जिसका प्रारूपिक क्षेत्र वेल्स में कैम्ब्रियन नामक स्थान के पास है। वहाँ हार्लेकडोम (Harlech Dome) में यह सुविकसित है तथा इसी के नाम पर आर.एल. मार्कीसन के इस समूह का नाम कैम्ब्रियन रखा।

प्री-कैम्ब्रियन महाकल्प में ज्वालामुखी, पर्वतोत्पत्ति तथा अपरदन के कारण जिन स्थिर महाद्वीपों का निर्माण हुआ उन महाद्वीपीय खंडों के बीच निर्मित सँकरी भू-अभिनतियों में पुराजीवी महाकल्प के आरंभ से अपक्षरित पदार्थों की निक्षेपण क्रिया चलती रही जिससे यह उथली होती गई। पुराजीवी महाकल्प के समस्त भारत में या विश्व स्तर पर दो भाग मिलते हैं— पहला कैम्ब्रियन से मध्य कार्बनी का निचला स्तर और दूसरा ऊपरी कार्बोनीफेरस से परमियन काल तक का ऊपरी स्तर।

झारखंड में इस महाकल्प के अन्तर्गत यह एक स्मरणीय तथ्य है कि कैम्ब्रियन कल्प से लेकर परमियन कल्प तक यह क्षेत्र न केवल समुद्र तल से ऊपर रहा बल्कि यह किसी व्यापक विवर्तनिक घटना से भी मुक्त रहा। ज्ञात हो कि इसी समय समस्त पृथ्वी का धरातल व्यापक महाद्वीपीय विवर्तनिक भू-हलचलों से प्रभावित था। पृथ्वी पर अनेक पर्वतों के निर्माण भी हुए किन्तु गोंडवाना लैंड का यह भूभाग इन भू-हलचलों से बिल्कुल मुक्त रहा। हाँ, इसी समय के हर्सीनियन भूगति या पर्वत निर्माणकारी भू-हलचल काल में यहाँ दामोदर भ्रंश का निर्माण हुआ था। इसी भ्रंश क्षेत्र में मध्य कार्बनीफेरस से लेकर क्रिटेशियस के आरंभिक काल तक तलछटों का निक्षेपण चलता रहा। इसी निक्षेपित चट्टानी सतह को गोंडवाना अनुक्रम कहा गया है जो पुराजीवी एवं मध्यजीवी दोनों कल्पों तक विस्तृत है।

केवल सम्पूर्ण पुराजीवी कल्प को देखा जाए तो 60 से 40 करोड़ वर्ष पूर्व तक अर्थात् कैम्ब्रियन से लेकर डेवोनियन कल्प तक यहाँ किसी भी तरह की कोई रचना नहीं हुई है। लेकिन कर्बनी कल्प से परमियन कल्प तक दामोदर क्षेत्र में निक्षेपण हुआ है। इन दोनों कल्पों में बहुत स्पष्ट विभाजन रेखा नहीं होने के कारण इस काल में निक्षेपित चट्टानों को एक साथ 'एन्थ्रोकोलिथिक' समूह या 'परमो कार्बनीफेरस समूह' के नाम से जाना जाता है।

परमो कार्बनीफेरस के अंतिम कल्प परमियन कल्प के साथ पुराजीवी महाकल्प का अंत हो जाता है। इसके बाद प्रारंभ होता है मध्यजीवी महाकल्प, किन्तु दामोदर घाटी में गोंडवाना निक्षेपण जारी था। परमो-कार्बनीफेरस कल्प में निर्मित तालचीर एवं दामुदा संघ के ऊपर मध्यजीवी महाकल्प के ट्राइएशिक कल्प में महादेव संघ का निक्षेपण होता है। यह ऊपरी गोंडवाना कहा जाता है। इसके बाद जुरैसिक कल्प में राजमहल संघ तथा क्रिटेशियस कल्प में इन्फ्राट्रेपेन चट्टानों का निक्षेपण होता है जिसके ऊपर प. राँची में लावा प्रवाह की घटना होती है। अर्थात् ऊपरी गोंडवाना के बाद डेकान ट्रेप का लावा प्रवाह दर्ज किया जाता है। क्रिटेशियस कल्प के साथ मध्यजीवी महाकल्प का अंत आज से लगभग 13.5 करोड़ वर्ष पूर्व समाप्त हो जाता है। (देखें तालिका-2)

इस पुराजीव महाकल्प के अनुक्रम तथा कालक्रम का अध्ययन प्रस्तुत करने के लिए यहाँ एक अलग उपशीर्षक रखना उचित मालूम पड़ता है, वह है झारखंड में गोंडवाना महासंघ क्योंकि इसका विकास कार्बनीफेरस कल्प से लेकर ट्राइएशिक कल्प तक दोनों महाकल्पों (पुराजीवी एवं मध्यजीवी) में हुआ है।

तालिका-2 : पुराजीवी महाकल्प और मध्यजीवी महाकल्प तथा झारखंड में गोंडवाना समूह का अनुक्रम एवं कालक्रम

महाकल्प	*कल्प*	*संघ*	*समूह*	*वर्गीकरण*
द्वितीय महाकल्प या मध्यजीवी महाकल्प (Mesozoic Era)	क्रिटेशियस (13.5 करोड़ वर्ष)	प. राँची में लावा निस्सरण इन्फ्रा-ट्रेफेन चट्टान		डेकान ट्रेप
	जुरैसिक कल्प राजमहल (18 करोड़ वर्ष)	राजमहल लावा निस्सारण अंतराल ?		
	ट्राइएशिक कल्प (22.5 करोड़ वर्ष)	महादेव पंचेत	महादेव	ऊपरी गोंडवाना
प्रथम महाकल्प या पुराजीवी महाकल्प (Paleozoic Era) — एंथ्रोकोलिथिक समूह अथवा पर्मो-कार्बोनीफेरस समूह	परमियन कल्प दामुदा (27 करोड़ वर्ष)	रानीगंज	अनुत्पादक लौह प्रस्तर समूह	
		बराकर करहरबारी		मध्य गोंडवाना
		तालचीर		हिमयुगीन गोलकम मृतिका
	तालचीर	कांग्लोमरेट तालचीर टिलाइट		निम्न गोंडवाना
	कर्बनीफेरस कल्प (35 करोड़ वर्ष)			
			दामोदर भ्रंशघाटी का निर्माण	
	डेवोनियन कल्प (40 करोड़ वर्ष)			
	सिल्यूरियन कल्प (44 करोड़ वर्ष)			
	आर्डोविसियन कल्प (50 करोड़ वर्ष)			
	कैम्ब्रियन कल्प (60 करोड़ वर्ष)			

झारखंड में गोंडवाना महासंघ

भूगर्भ वैज्ञानिक गोंडवाना अवसादों को समूह (system) मानते थे किन्तु भौगोलिक विस्तार एवं भौगर्भिक निक्षेपण में कालावधि की विशालता को देखते हुए इसे महासंघ (super group) कहना प्रारंभ कर दिया है।

गोंडवाना निक्षेपण काल में भारत के प्रायद्वीपीय एवं प्रायद्वीपेत्तर क्षेत्रों की भौमिकीय स्थितियों में पूर्ण भिन्नता थी। जब प्रायद्वीपेत्तर (Extra Peninsula) भारत में पुराजीवी महाकल्प के जीवाश्म युक्त चट्टानों का निक्षेपण हो रहा था उस समय पहले तो प्रायद्वीपीय क्षेत्र में अपरदन का साम्राज्य था लेकिन बाद में ऊपरी कार्बनी काल से क्रिटेशियस तक नदी और सरोबरीय निक्षेपों का निर्माण हो रहा था। यही कारण है कि प्रायद्वीपीय क्षेत्र में विन्ध्य समूह के ऊपर सीधे ऊपरी कार्बनीफेरस काल की चट्टानें निक्षेपित हैं। एच.बी. मेडलीकाट (1872) ने सर्वप्रथम इन चट्टानों को मध्य प्रदेश की एक जनजाति गोंड के नाम पर 'गोंडवाना' नाम से संबोधित किया है। यह स्मरणीय है कि ऊपरी कार्बनीफेरस काल में घटित पर्वत निर्माणकारी भू-हलचल को हर्सिनियन या बेरिस्कन नाम दिया गया है। इन हलचलों के कारण उस काल में जल और थल का पुनः वितरण हुआ था जिसके कारण अंगारा लैंड, गोंडवाना लैंड और यूरोपीय लैंड तीन टुकड़े हुए थे। गोंडवाना लैंड में दो स्थानों पर निक्षेपण हो रहा था—टेथिस सागर में और प्रायद्वीप के महाद्वीपीय भागों में। इन्हीं महाद्वीपीय निक्षेपों को 'गोंडवाना संघ' कहा गया है।

गोंडवाना निक्षेप भारत में मुख्यतः तीन पट्टियों में वितरित हैं—

1. पश्चिम से पूर्व की ओर नर्मदा, सोन एवं दामोदर नदी घाटी
2. गोदावरी घाटी के समानांतर
3. महानदी घाटी क्षेत्र में

झारखंड में सोन एवं दामोदर नदी घाटी क्षेत्र में निक्षेपित गोंडवाना समूह की चट्टानों का विस्तार हम देख पाते हैं। इस संघ के तीन उपविभाग हैं—निचला गोंडवाना, मध्य गोंडवाना एवं ऊपरी गोंडवाना। निचला के अंतर्गत तालचीर समूह का निक्षेपण है। मध्य के अन्तर्गत करहरबारी, बराकर और रानीगंज समूह निक्षेपित हैं। जबकि ऊपरी गोंडवाना में पंचेत और महादेव समूह को रखा गया है। प्रस्तुत है गोंडवाना महासंघ के विभिन्न समूहों का विवरण।

तालचीर समूह/संघ

गोंडवाना महासंघ का सबसे निचला समूह है तालचीर। यह उन सभी स्थानों पर पाया जाता है जहाँ निचला गोंडवाना का विकास हुआ है। उड़ीसा के तालचीर नामक स्थान पर आधारित तालचीर श्रेणी के सबसे नीचे हिम निक्षेपित टिलाइट और गोलाश्म हैं। इनके ऊपर हरे रंग की चट्टान है जो बालुकाश्म से आच्छादित है। ये 100 से 125 मीटर मोटे हैं। इनके ऊपर पादपाश्म मिलते हैं जिससे यहाँ उस समय गर्म जलवायु थी, का पता चलता है। के.पी. सिनोर ने 1923 में रींवा संभाग के उमरिया रेलवे स्टेशन के पास समुद्री जीवाश्मयुक्त करीब तीन मीटर मोटे संस्तर की खोज की थी। बाद में ऐसे ही संस्तर अन्य भागों में मिले जो कांग्लोमरेट के ऊपर स्थित हैं। लेकिन बराकर में यह बगैर विषमविन्यास के ही नीचे स्थित हैं। इनमें परमो-कार्बनीफेरस कल्प के जीवाश्म मिलते हैं। ऐसे संस्तर झारखंड के डाल्टनगंज में पाए जाते हैं।

दामुदा संघ

तालचीर संघ के ऊपर कोयले के स्तरों से युक्त चट्टानों की श्रृंखला पाई जाती है। दामोदर नदी

घाटी क्षेत्र में विकसित होने के कारण इसे दामुदा संघ कहा जाता है। इस समूह की चट्टानें तालचीर श्रेणी की चट्टानों पर विषमविन्यस्त रूप में स्थित हैं। वस्तुतः तालचीर काल के हिमोढ़ो द्वारा निर्मित झीलों और दलदलों में दामुदा क्रम के अवसाद निर्मित हुए हैं। तालचीर संघ के ऊपर कोयले के स्तरों से युक्त चट्टानों की यह मोटी शृंखला चार समूहों में विभाजित है—रानीगंज समूह, अनुत्पादक लौह प्रस्तर समूह, बराकर समूह, करहरबारी समूह।

करहरबारी समूह केवल दामोदर घाटी में सुविकसित है। यह समूह गिरिडीह कोयला क्षेत्र में तालचीर श्रेणी से स्पष्ट रूपेण विषमविन्यास द्वारा पृथक् होता है। इसमें 60 से 120 मीटर मोटी ग्रिड, बालू पत्थर, शैल आदि पाए जाते हैं। इन्हीं परतों के साथ कोयला परतें सुरक्षित हैं। इसमें कर्णपुरा, हुटार, डाल्टनगंज, डमरिया इत्यादि कोयला क्षेत्र विकसित हुए हैं। इस श्रेणी के पौध जीवाश्मों में ग्लोसोप्टेरिस, गैगमोप्टेरिस, सिजोन्यूरा, वर्टीब्रेरिया इण्डिका, बरियाडिया सेवार्डी, कैलिप्टेरिडियम आदि प्रमुख हैं।

बराकर समूह का नाम बराकर नदी पर आधारित है। यह समूह गोंडवाना महासंघ में सबसे प्रमुख कोयलायुक्त समूह है। इसमें 750 मीटर मोटे सफेद या भूरे रंग के बलुआ पत्थर, जो कहीं-कहीं कांग्लोमरेट जैसे हो जाते हैं, पाए जाते हैं। इन्हीं के बीच कोयले की परतें सुरक्षित हैं। झरिया कोयला क्षेत्र में इनकी संख्या 24 से ज्यादा है। झरिया के इन कोयला क्षेत्रों में पाई जाने वाली बलुआ चट्टानों में अपक्षयित फेल्सपार देखा जाता है। इस श्रेणी के पौध जीवाश्मों में से सिजोन्यूरा गोंडवानेसिस, स्फीनोफिलस, ग्लोसोप्टेरिस, गैंगमोप्टेरिस, साइबलोटेरा—इड्स, डेडाक्सीलान इण्डिकम, राइपीडोप्सिस डिक्टियोटेरीडियम इत्यादि प्रमुख हैं।

अनुत्पादक लौह प्रस्तर समूह के रूप में झरिया कोयला क्षेत्र में बराकर और रानीगंज श्रेणियों के बीच 600 मीटर मोटा अनुत्पादक बड़े कणों वाला बालुकाश्म है। इसी प्रकार रानीगंज कोयला क्षेत्र में झरिया और रानीगंज श्रेणियों के बीच 420 मीटर मोटी लोहाश्म चट्टानें हैं। बीच के इस कोयलाविहीन क्रम को 'अनुत्पादक संस्तर' के अन्तर्गत रखा जाता है। इनमें कई स्थानों पर लिमोनाइट की ग्रंथियाँ उपस्थित हैं। इनका उपयोग कुल्टी के इस्पात कारखाने में अयस्क के रूप में किया जाता है। इसीलिए इस संस्तर के नामकरण में अनुत्पादक लौह प्रस्तर समूह भी लिखा जाता है। इनके समतुल्य संस्तर सतपुड़ा क्षेत्र में उपलब्ध है। इसमें प्राप्त पाँच जीवाश्मों में ब्रोथोडेन्ड्रान, ग्लोंसोप्टेरिस, गैंगमोप्टेरिस एवं निगेराथियोसिस प्रमुख हैं।

रानीगंज समूह की स्थिति इन्हीं अनुत्पादक लौह प्रस्तर समूहों के ऊपर है। रानीगंज समूह 1000 मीटर मोटी कोयले की परतों का समूह है। रानीगंज क्षेत्र में इनका सर्वोत्तम विकास होने के कारण ये रानीगंज समूह के नाम से जाने जाते हैं। इसमें पाए जाने वाले बलुआ पत्थर बराकर समूह के बलुआ पत्थरों की तुलना में अपेक्षाकृत महीन कणों वाले हैं। रानीगंज समूह के कोयला संस्तरों में वाष्पशीलता एवं नमी की मात्रा बराकर कोयला संस्तरों की तुलना में अधिक पाई जाती है। इस श्रेणी के अभिलाक्षणिक पौध जीवाश्मों में सिजोन्यूरा गोंडवानेन्सिस एलिथोप्टैरिस रायली, ग्लोसोप्टेरिस एवं गैलामोप्टेरिस की विभिन्न स्पीशिज़ प्रमुख हैं।

यहीं पर मध्य गोंडवाना का क्रम समाप्त होता है और साथ ही पुराजीवी महाकल्प का भी अंत होता है। इसके बाद जलवायु और तत्कालिक प्राणियों एवं पौधों में स्पष्ट अन्तर परिलक्षित

होता है। इसके ऊपर ऊपरी गोंडवाना के चट्टानी निक्षेप निश्चय ही मध्य महाजीवी कल्पकालीन हैं। गोंडवाना निक्षेपण जारी रहा और रानीगंज के ऊपर पंचेत समूह की परतें निक्षेपित हुईं। इसके ऊपर विषम विन्यास के बाद महादेव संघ का निक्षेपण है। इसी के साथ गोंडवाना क्रम समाप्त होता है। आगे इस महादेव संघ का अध्ययन मध्य महाजीवी कल्प के अन्तर्गत किया जाएगा।

मध्यजीवी महाकल्प (Mesozoic Era)

पुराजीवी महाकल्प के परमियन कल्प की समाप्ति के बाद पृथ्वी के अनेक स्थानों पर जीवों के प्रकार और उनके वितरण में विशाल परिवर्तन हो गया। ट्राइलोविटा नामक समूह के जीव पूर्णत: लुप्त हो गए। ब्रेकियोपोट नामक समूह के जीवों में भी अनेक परिवर्तन हुए और सीफेलोपोडा समूह में सेराटाइट वर्ग के जीवों का विकास होने लगा था। इसी प्रकार वनस्पतियों में भी परिवर्तन हुए थे। फर्न के स्थान पर कानिफर बढ़ने लगे थे। रेप्टाइल्स समूह के जीवों का विकास हो रहा था और उनकी संख्या भी बढ़ रही थी। इन सबके बावजूद भौगोलिक स्थिति में विशेष परिवर्तन नहीं हुआ था। इस कल्प में जलवायु गर्म तथा शुष्क थी।

इस महाकल्प में तीन कल्प हैं। सबसे प्रारंभिक काल को ट्राइएशिक, मध्यकाल को जुरैसिक और अंतिम काल को क्रिटेशियस कल्प कहते हैं। (तालिका-2) पुराजीवी महाकल्प और मध्यजीवी महाकल्प के बीच कोई स्पष्ट विषमविन्यास रहे या न रहे लेकिन उक्त कालों में उपस्थित अभिलाक्षणिक जीवों की संख्या एवं स्पीशिज़ के आधार पर इन्हें आसानी से अलग किया जा सकता है। प्रस्तुत है प्रत्येक कल्प का संक्षिप्त विवरण—

ट्राइएशिक कल्प

अधिकांश क्षेत्रों में परमियन काल की चट्टानें और ट्राइएशिक काल की चट्टानें इस प्रकार संक्रमित हो जाती हैं कि पहचानना मुश्किल हो जाता है। किन्तु इस समूह की चट्टानों में सेराटाइटीज नामक जीवाश्म सबसे प्रमुख होने के कारण इसकी पहचान सुगम हो जाती है। भारत में इस कल्प की चट्टानें सर्वाधिक स्पिति कुमायूं, कश्मीर और साल्टरेंज में विकसित हैं। लेकिन प्रायद्वीपीय भारत में इस कल्प की चट्टानें गोंडवाना समूह में भी पाई जाती हैं। यहाँ यह ऊपरी गोंडवाना के नाम से जाना जाता है जिसमें महादेव संघ व पंचेत समूह विकसित हुए हैं।

महादेव संघ/समूह

दामुदा शैल समूह के पश्चात् गैंग्मोप्टेरिस एवं स्फीनोफिल्लेल पूर्णतया लुप्त हो जाते हैं। रानीगंज श्रेणी के ऊपर स्पष्ट विषमविन्यास है। इसके ऊपर के शैल शुष्क जलवायु वाले महाद्वीपीय लाल रंग के निक्षेप हैं। ये नम जलवायु में निक्षेपित कोयलायुक्त चट्टानें नहीं हैं। यह प्रमाण दामुदा की ऊपरी चट्टानों को उनसे अलग करने के लिए पर्याप्त हैं। यही स्पष्ट करते हैं कि ये ट्राइएशिक कालीन चट्टान हैं क्योंकि ये यूरोप के नए लाल बालू पत्थरों से मिलते हैं तथा रेप्टाइल्स जीवाश्मों के आधार पर इंग्लैंड के ट्राइएस से मिलते-जुलते हैं। यही कारण है कि ऊपरी गोंडवाना को ट्राइएशिक कालीन माना जाता है। झारखंड क्षेत्र के दामोदर

घाटी में ऊपरी गोंडवाना क्रम को दो श्रेणियों में विभाजित करते हैं—महादेव और पंचेत जो महादेव संघ के अन्तर्गत है।

पंचेत समूह का जमाव महादेव संघ के निचले स्तर में है। रानीगंज के दक्षिण में रानीगंज समूह के ऊपर विकसित 450 से 600 मीटर मोटे बलुआ पत्थर तथा चट्टानें ही पंचेत समूह के नाम से जानी जाती हैं। रानीगंज में पंचेत समूह के निचले भाग में हरे और भूरे रंग के बालुकाश्म एवं चट्टान तथा ऊपरी भाग में भूरे रंग के अभ्रकी और फेल्सपारीय बालुकाश्म एवं चट्टान हैं। बोकारो और औरंगाबाद कोयला क्षेत्र इन्हीं के समतुल्य हैं। इस समूह में ग्लोसोप्टेरिस, साइजोन्यूरा, पेकाप्टेरिस, पोडोजे-माइटिस डाइकाइडियम आदि वनस्पतियों के जीवाश्म मिलते हैं। रानीगंज क्षेत्र में इसी आयु के देवली संस्तर में जोनियोएलप्ट्स, पेचीगोनिया तथा डाइसोइनोडान व इयूकेम्पोडान जीवाश्म मिले हैं।

महादेव समूह का जमाव मध्यप्रदेश के पंचमढ़ी में स्थित महादेव पहाड़ियों के क्षेत्र में होने के कारण इसका नाम महादेव संघ तथा महादेव श्रेणी पड़ा है। कुछ विद्वानों ने पंचेत समूह के साथ ऊपरी गोंडवाना माना है तो कुछ विद्वानों ने पंचेत समूह को मध्य गोंडवाना में और केवल महादेव समूह को ही ऊपरी गोंडवाना में माना है। इसका कारण है पंचेत समूह और महादेव समूह के बीच एक विषम विन्यास का मिलना। यह विषम विन्यास 700 मीटर मोटे बालू पत्थर के रूप में स्थित है जिसके ऊपरी और निचले हिस्सों में शैल मिलती है। इन शैलों को पंचमढ़ी समूह के नाम से जाना जाता है। रानीगंज क्षेत्र में पाई जाने वाली 'सुप्रा पंचेत' चट्टानें भी संभवतः इसी के समतुल्य हैं। राजमहल क्षेत्र के दुबराजपुर बलुआ पत्थर भी इसी समय के हैं।

जुरैसिक कल्प

'जुरैसिक सिस्टम' नामक पुस्तक के लेखक प्रख्यात भूवैज्ञानिक आर्केल के अनुसार संभवतः गोंडवाना संघ में जुरैसिक कल्प का प्रतिनिधित्व अन्तराल द्वारा हुआ है। जुरैसिक कल्प में ही राजमहल क्षेत्र लावा निस्सरण से प्रभावित हुआ जिसके फलस्वरूप इस क्षेत्र में ग्रेनाइट का अपरदित धरातल तथा गोंडवाना के अवसादी बेसिन लावा की परत से ढँक गए। यह 600 मीटर मोटी परत थी। इसे ही राजमहल ट्रैप या राजमहल संघ कहते हैं।

राजमहल संघ/समूह

झारखंड और बंगाल की सीमा पर विस्तृत राजमहल पहाड़ियों में बराकर शैलों पर विषमविन्यस्त रूप में स्थित 600 मीटर मोटे लावा प्रवाह के साथ सिलिकामय एवं कार्बनी शैल एवं गृत्तिका के अन्तरास्तरित अनुक्रम ही राजमहल संघ है। यहाँ अवसादी शैलों की मोटाई 30 मीटर है। इन अन्तराट्रैपी (Intertrappean) अवसादी शैलों से पौध जीवाश्म प्रतिवेधित है। अन्तराट्रैपी स्तरों में पाए जाने वाले पादपाश्मों में फिलिकेल्स, टेरोडोस्पर्मी, साइकेडोफायटा, कोनिफेरल, इनसारटी महत्त्वपूर्ण हैं। राजमहल समूह साइकेड़ा पादपाश्मों का युग कहा जाता है। टेरीडोस्पर्मी तथा कार्डेटेल्स प्रायः लुप्त हो चुके थे। इक्विसिटेल्स अपनी अंतिम अवस्था में थे। फिलीकेल्स का अत्यधिक विकास हो चुका था। कौनीफर भी विकसित होने लगे थे किन्तु इस समय वे फिलीकेल्स से कम थे।

राजमहल ट्रैप प्रवाह डेकन ट्रैप से काफी समानता रखते हैं और ये डोलेराइट तथा बेसाल्ट के हैं। स्मरण रहे कि डेकन ट्रैप का अध्ययन ऊपरी गोंडवाना क्रम के अन्तर्गत ही किया जाता है। यह ऊपरी जुरैसिक से निम्न क्रिटेशियस कालीन प्रवाह है। एस.एस. कृष्णन ने भी लिखा है कि राजमहल ट्रैप संरचना की दृष्टि से डेकन ट्रैप के समान है किन्तु क्रिस्टलों के आपसी संबंध अर्थात् गठन (texture) की दृष्टि से यह डोलेराइट से बसाल्ट हो जाता है।

क्रिटेशियस कल्प

जुरैसिक कल्प में निक्षेपों के कारण समुद्री द्रोणियाँ उथली हो गई थीं और शायद इसी कारण क्रिटेशियस कल्प में केवल तटवर्ती भागों पर समुद्र का विशाल अतिक्रमण हुआ। विश्व स्तर विन्यास में यह सेनोमेनियन अतिक्रमण कहलाता है। भारतीय स्तर विन्यास में इस कल्प के निक्षेपों की यह विशिष्टता है कि इस समूह में संलक्षणाओं की सर्वाधिक विभिन्नता देखी जाती है। टेथिस भूसम्मति में जमे सागर (टेथिस सागर) ने कच्छ और नर्मदा घाटी में सिंध की ओर से आक्रमण किया था। मद्रास, असम भी इस समुद्री चपेट में आ गए थे। इसी समय अर्थात् क्रिटेशियस कल्प के अंत में आग्नेय क्रिया विशाल पैमाने पर हुई। प्रायद्वीपी भारत में ज्वालामुखी प्रवाह के कारण लाखों वर्ग किलोमीटर क्षेत्र ढँक गया। यही लावा प्रवाह डेकन ट्रेप कहा गया है।

किन्तु एक महत्त्वपूर्ण एवं स्मरणीय तथ्य यह है कि गोंडवाना महासंघ की ऊपरी आयु सीमा कच्छ में डमिया समूह द्वारा निर्धारित होती है। ये निचले क्रिटेशियस युग का है। इससे यह सिद्ध होता है कि गोंडवाना महासंघ का निक्षेपण क्रिटेशियस कल्प के निचले समय तक चलता रहा अर्थात् जुरैसिक काल को या राजमहल ट्रैप को गोंडवाना निक्षेप के रूप में भी मान सकते हैं किन्तु मेरी दृष्टि से गोंडवाना निक्षेप चूंकि जलीय (नदी, नद व द्रोणी में) था और ट्रैप निक्षेप आग्नेय था, अतः इसे एक साथ नहीं देखा जा सकता। इसीलिए मैंने यहाँ महादेव निक्षेप के साथ ऊपरी गोंडवाना काल को समाप्त होते प्रदर्शित किया है। जुरैसिक का राजमहल ट्रैप संक्रमण काल का लावा प्रवाह था। ऐसा अनेक भू-वैज्ञानिक भी सिद्ध करते हैं।

डेकन ट्रैप/पश्चिमी राँची पठार में लावा निस्सरण

प्रायद्वीपीय भारत में हुए विशाल लावा उद्गार का विस्तार लगभग 20 लाख वर्ग मील क्षेत्र में था। आज इनके दृश्य शैल लगातार मुंबई से लेकर अमरकंटक तक तथा बेलगाम से मध्य प्रदेश के गुना तक विस्तृत हैं। इनके पुरान्तःशायी मध्य प्रदेश में सरगुजा, तटीय क्षेत्र में, राजमहेन्द्री तथा पश्चिम में कच्छ में भी विकसित हैं। पश्चिमोत्तर में सिंध क्वेटा क्षेत्र में भी इसके समतुल्य विस्तृत हैं। बुन्देलखंड और झारखंड के बॉक्साइट और लेटेराइट की पहाड़ियाँ (जिसे यहाँ स्थानीय नाम में 'पाट क्षेत्र' कहते हैं) डेकन ट्रैप के वहाँ तक विस्तृत होने के सूचक हैं।

कुछ विद्वानों का विचार है कि राँची पठार के पश्चिमी भाग में स्थानीय रूप से क्रिटेशियस कल्प में लावा प्रवाह हुआ था। लेटेराइट और बॉक्साइट का निक्षेपण पाट क्षेत्र में इन्हीं के क्षैतिज प्रवाह के कारण हुआ है। इसी संकल्पना के आधार पर राजमहल ट्रेप को भी स्थानीय बताया

जाता है। मध्य प्रदेश एवं संलग्न पश्चिमी प्रदेशों के अध्ययन के आधार पर मैटले, वुडवर्ड ने निष्कर्ष दिया कि डेकन ट्रैप का उद्‌गार पश्चिम की अपेक्षा पूर्व में ही पहले आरंभ हो गया था। अतः यह तथ्य सही प्रमाणित होता है कि राजमहल ट्रैप जुरैसिक कल्प से निःसृत है जबकि पश्चिमी राँची या पाट क्षेत्र का ट्रैप क्रिटेशियस काल का है।

डेकन ट्रैप लगभग क्षैतिज है। इसकी ढाल 50 से कम ही है। डेकन बैसाल्ट का औसत आपेक्षिक घनत्व 2.9 है। यह अधिकांशतया धूसर-हरे रंग के हैं तथा काले और गहरे भूरे भी हैं। ये रंध्रयुक्त (vesicular) एवं स्कोरिया युक्त (scorialeous) हैं।

ट्रैप चट्टानों के अपक्षय से काली मिट्टी (रेगुर) का निर्माण हुआ है, जैसे राजमहल क्षेत्र। यहाँ काली मिट्टी से आच्छादित धरातल ट्रैप से अपरदित होकर बना है। यह अत्यधिक उपजाऊ होती है। मानसून जलवायु में ट्रैप के अपक्षयण से लेटेराइट का निर्माण होता है जिसमें सिलिका, क्षार तथा क्षार मिट्टी के निक्षालन द्वारा अल्यूमिना अर्थात् बॉक्साइट, लौह अयस्क, मैगनीज तथा टाइटेनियम का संकेन्द्रन होता है। लौह पोषित चट्टान लेटेराइट तथा अल्युमिना पोषित चट्टान बॉक्साइट कहलाती है।

झारखंड में ऐसे पाटों की संख्या अनेक है जहाँ बॉक्साइट का निक्षेपण हुआ है। प्रमुख पाटों में नेतरहाट पाट, बगड़ पाट, पाखर पाट, गणेशपुर पाट, जमीरा पाट, खामर पाट, मड़ुवा पाट, गढ़ पाट, बंगला पाट, धौता पाट, महुआ पाट, रूदनी पाट, मैदान पाट, ललमटिया पाट, दुधापाट, मनहे पाट, कचकी पाट, लचुपाट आदि का नाम उल्लेखनीय है।

नूतनजीवी महाकल्प (Cenozonic or Kainozoic Era)

मध्यजीवी कल्प की समाप्ति के साथ पृथ्वी के भीमकाय जन्तु डायनोसार लुप्त हो गए। वनस्पतियों में भी इसी प्रकार साइकाडोफाइट एवं जिमनोस्पर्म विलुप्त हो गए तथा उनके स्थान में एंजियोस्पर्म बहुतायत में पाए जाने लगे। इस महाकल्प की सबसे बड़ी घटनाओं में अनेक स्तनधारी जीवों के साथ मानव की उत्पत्ति हिमालय का उत्थान तथा हिमनदन है। इस कल्प में झारखंड में जीवों एवं वनस्पतियों की क्या स्थिति थी, यह शोध का विषय है। किन्तु भू-वैज्ञानिकों ने भौगर्भिक स्थिति का लेखा-जोखा बहुत ही व्यापक ढंग से प्रस्तुत करते हुए कहा है कि झारखंड में यह कल्प पठारों के निर्माण का काल था। पाट क्षेत्र, राँची पठार, हजारीबाग पठार, राजमहल गैप, मोरवान क्षेत्रों का निर्माण इसी कल्प में हुआ।

इस महाकल्प की शुरुआत पेलियोसीन युग से होती है जिसके बाद क्रमशः इयोसीन, अलिगोसीन, मायोसीन और प्लायोसीन नामक युग आते हैं जिन्हें एक साथ तृतीय कल्प के नाम से जाना जाता है। इसके बाद चतुर्थक कल्प आता है जिसमें सिर्फ दो युग हैं—प्लेस्टोसीन और होलोसीन। होलोसीन वर्तमान युग को कहा गया है।

तृतीय कल्प

झारखंड में संरचनात्मक विकास की प्रक्रिया तृतीयक कल्प की विवर्तनिक प्रक्रियाओं द्वारा सम्पन्न होती है। इसके लिए हिमालय के क्रमिक उत्थान को उत्तरदायी माना जाता है। हिमालय

का प्रथम उत्थान इयोसीन से ओलिगोसीन के मध्य हुआ। द्वितीय उत्थान मध्य मायोसीन में हुआ तथा तृतीय उत्थान प्लेस्टोसीन युग में हुआ। इसी क्रम में तथा इन्हीं कालों में भू-संतुलन प्रक्रिया के तहत झारखंड में भी तीन उत्थान हुए। उत्थान की प्रथम घटना के कारण पश्चिमी राँची के लावा क्षेत्र का भू-भाग ऊपर उठा और लगभग 300 मीटर ऊँचा पठार बन गया। द्वितीय उत्थान के कारण पश्चिमी उत्थित पठार तथा छोटानागपुर का मध्यवर्ती भाग दोनों 300 मीटर तक ऊपर उठ गए। इसके परिणामस्वरूप पश्चिमी पठारी भू-भाग की ऊँचाई 600 मीटर तथा मध्यवर्ती पठारी भूभाग की ऊँचाई 300 मीटर हो गई। द्वितीय उत्थान के बारे में भू-वैज्ञानिक कहते हैं यह बहुत ही तीव्र एवं शक्तिशाली उत्थान था जिससे प्रभावित होकर राजमहल गैप का निर्माण हुआ। कहीं वहीं राजमहल गैप का निर्माण तृतीय उत्थान में बताया जाता है। द्वितीय उत्थान का काल आज से लगभग डेढ़-दो करोड़ वर्ष पूर्व का काल रहा होगा। इस काल के निक्षेपों को शिवालिक संघ के नाम से जाना जाता है। इस काल की चट्टानों में पाए जाने वाले प्रमुख जीवाश्मों में प्राइमेट, काटनीवोरा, प्रोवोसाइडिया, सुइडी ड्रायोपिथेकस, जिराफिडी आदि हैं। प्राइमेट के अंतर्गत शिवापिथेकस, ड्रायोपिथेकस, ब्रह्मापिथेकस, रामापिथेकस आदि प्रमुख थे। अभी तक होमोसेपियन्स का विकास नहीं हुआ था। उपर्युक्त जीवाश्मों को आज के जीवों के पूर्वज कहा जा सकता है। अनेक जीव लुप्त भी हुए जैसे हाथी वंश की 30 प्रजातियाँ थीं, जो आज नहीं हैं। लेकिन ये सभी जीवाश्म शिवालिक संघ के अंतर्गत हिमालय के पादप प्रदेशों में ब्रह्मपुत्र की घाटी से लेकर पश्चिम में पोत्वार के पठार तक फैले हैं। इस काल में झारखंड क्षेत्र की स्थिति पर भू-वैज्ञानिकों द्वारा विशेष प्रकाश नहीं डाला गया है। लेकिन झारखंड क्षेत्र में पुराना निम्न पाषाण युग (Old Palealithic or lower paleolithic age) के अनेक औजार, आभूषण और साक्ष्य मिले हैं जो प्रमाणित करते हैं कि यहाँ पर तत्कालीन जीव-जन्तु या आदिमानव निवास करते थे। इसी के आधार पर मुझे यह विश्वास जगता है कि निश्चय ही यहाँ प्राइमेट के जीवाश्म मिल सकते हैं। इसके लिए पश्चिमी सिंहभूम, हजारीबाग, पलामू, राँची एवं संतालपरगना के पुरा-पाषाणकालीन क्षेत्रों में खोज की आवश्यकता है।

चतुर्थ कल्प

इस कल्प का प्रारंभ होता है 10 लाख वर्ष पूर्व प्लेस्टोसीन युग के आरंभिक काल से। इस काल की सबसे बड़ी घटना थी झारखंड की समग्र धरती का 200 से 300 मीटर तक ऊपर उठना जिससे बाह्य पठारों का निर्माण होता है। इस कल्प को 'हिम कल्प' भी कहा जाता है क्योंकि इस कल्प में चार हिमनद युगों का आगमन हुआ जो क्रमशः गुंज, मिंडल, रिस और वर्म के नाम से जाने जाते हैं। ये एक दूसरे से अन्तरा हिमयुगों द्वारा पृथक् होते हैं।

हिमयुग का प्रभाव झारखंड में था या नहीं, इस प्रश्न पर भू-वैज्ञानिकों का कहना है कि हिमालय क्षेत्र में हिम रेखा काफी नीचे आ चुकी थी। वर्तमान हिमनदों की पहुँच से भी नीचे अनेक हिमोढ़, झीलें आदि के प्रमाण कुमायूँ, लद्दाख क्षेत्र में मिलते हैं। दूसरी ओर प्रायद्वीपीय भारत के बारे में कहा जाता है कि यद्यपि वहाँ हिमनद नहीं थे

किन्तु इस भाग में भी तापक्रम अत्यधिक कम हो गया था। नीलगिरि, शिवराय, अन्नामलाय आदि पहाड़ियों में ऐसे जीवों वनस्पतियों के अवशेष पाए गए हैं जो उन क्षेत्रों में स्वाभाविक नहीं है। वर्तमान में ये हिमालय के पादप क्षेत्रों में मिलते हैं। मारटेश जाति की बकरी केवल हिमालय क्षेत्र में ही मिलती है लेकिन वहाँ अवशेष देखा गया। अब ऐसी स्थिति में लगता है कि हिमालय और अन्नामलाय अगर हिमयुग से प्रभावित था तो झारखंड अछूता कैसे रह सकता है।

आल्फ्रेड रसेल वेलैस के अनुसार शिवालिक क्षेत्र में अनेक प्राणी समूह इसलिए घट गए व विलुप्त हो गए क्योंकि इस हिमयुग में अतिशीतलता थी। तीव्र शीत के प्रभाव से बचने के लिए अनेक जीव अन्नामलाय, शिवराय, नीलगिरि, माउंट आबू और पारसनाथ जैसे ऊँचे पर्वत शिखरों पर चले गए थे। स्पष्ट है कि पारसनाथ (पुराना हजारीबाग जिला क्षेत्र) में और उसके आसपास हिमयुग कालीन जीवाश्म मिल सकते हैं।

प्लेस्टोसीन युग 10 लाख से 25 हजार वर्ष पूर्व तक का काल है। इस बीच चार हिमयुगों का पदार्पण एवं गमन हुआ। चतुर्थ हिमयुग का काल पुरापाषाण काल बताया जाता है जो 2,50,000 से 5,00,000 वर्ष पूर्व का समय है। आज से 25 हजार वर्ष पूर्व से होलोसीन युग की शुरुआत मानी जाती है। होलोसीन अर्थात् आधुनिक या वर्तमान युग। यूँ कहें कि इसकी शुरुआत मध्य पाषाणकाल से है। इस समय तक मानव सभ्यता विकसित हो चुकी थी।

झारखंड में इस समय नवीन जलोढ मृदा एवं लेटेराइट और बॉक्साइट का निर्माण हो रहा था। नवीन जलोढ उत्तरी पलामू (कोयल एवं सोन क्षेत्र), पूर्वी संतालपरगना (गंगा, ब्राह्मणी, बांसलोई, मोर नदी घाटी में) और सिंहभूम के स्वर्णरेखा नदी घाटी क्षेत्र में निक्षेपित होते रहे हैं।

तालिका-3 : नूतनजीवी महाकल्प
(झारखंड में पठारों का निर्माण काल एवं भारतीय तथा वैश्विक जीवाश्मों में निहित मानव विकास का कालक्रम)

चतुर्थ कल्प	रिसेन्ट या होलोसीन युग	लोहा काल	जलोढ मृदा लेटेटाइट,
	(25 हजार वर्ष पूर्व)	ताम्र /कांस्य	*बॉक्साइट निर्माण*
		नवपाषाण काल निक्षेपण	
	प्लीस्टोसीन युग	पुरा-मध्य	संपूर्ण छोटानागपुर पठार का तिरछा
	(10 लाख वर्ष पूर्व)	पाषाण काल	उत्थान, मोरवान क्षेत्र का निर्माण, राँची-हजारीबाग पठार का द्वितीय एवं पश्चिमी पठार का तृतीय उत्थान। 3.5 लाख वर्ष पूर्व तक चार हिमयुग पूर्ण हो चुका था। पुरा पाषाणकाल

कल्प	युग	घटना
तृतीय कल्प	प्लायोसीन युग (60 लाख वर्ष पूर्व)	पश्चिमी राँची पठार (पाट क्षेत्र) का द्वितीय उत्थान एवं राँची-हजारीबाग पठार का प्रथम उत्थान राजमहल गैप का निर्माण
	मायोसीन युग (2.2 करोड़ वर्ष पूर्व)	
	ओलिगोसीन युग (3.6 करोड़ वर्ष पूर्व)	आर्कियन काल के समप्राय मैदान का प्रथम उत्थान तथा पश्चिमी राँची पठार (पाट क्षेत्र) का निर्माण
	इयोसीन युग (5.8 करोड़ वर्ष पूर्व)	
	पेलियोसीन युग (7.5 करोड़ वर्ष पूर्व)	

संदर्भ ग्रंथ

1. डॉ. रामकुमार तिवारी, झारखंड का भूगोल, राजेश पब्लिकेशन्स, दिल्ली, 2001
2. Dr. E. Ahmad, Bihar : A Physical, Economical Regional Geography, Ranchi University, 1965
3. अनिल कुमार, बिहार का भूगोल, नेशनल बुक ट्रस्ट ऑफ इंडिया, दिल्ली, 1995
4. डॉ. विद्यासागर दुबे, डॉ. प्रभाशंकर मिश्र, भू-विज्ञान : एक परिचय, म.प्र. हिन्दी ग्रंथ अकादमी, भोपाल, 1986
5. डॉ. अम्बिका प्रसाद, भारतवर्ष भू-वैज्ञानिक समीक्षा, म.प्र. हिन्दी ग्रंथ अकादमी, भोपाल, 1987
6. Man & Social Development Foundation course in Huminity and Social Sciences, (Ed.) Prof. Yegendra Singh, IGNOU, 2001
7. M.S. Krishnan, Geology of India and Burma, CBS Publishers & Distributers, New Delhi, 1982
8. B.M. Das, Outline of Physical Anthropology, Kitab Mahal, Allahabad, 1994
9. P.K. Mukerjee, A Textbook of Geology, The World press, Calcutta, 1982

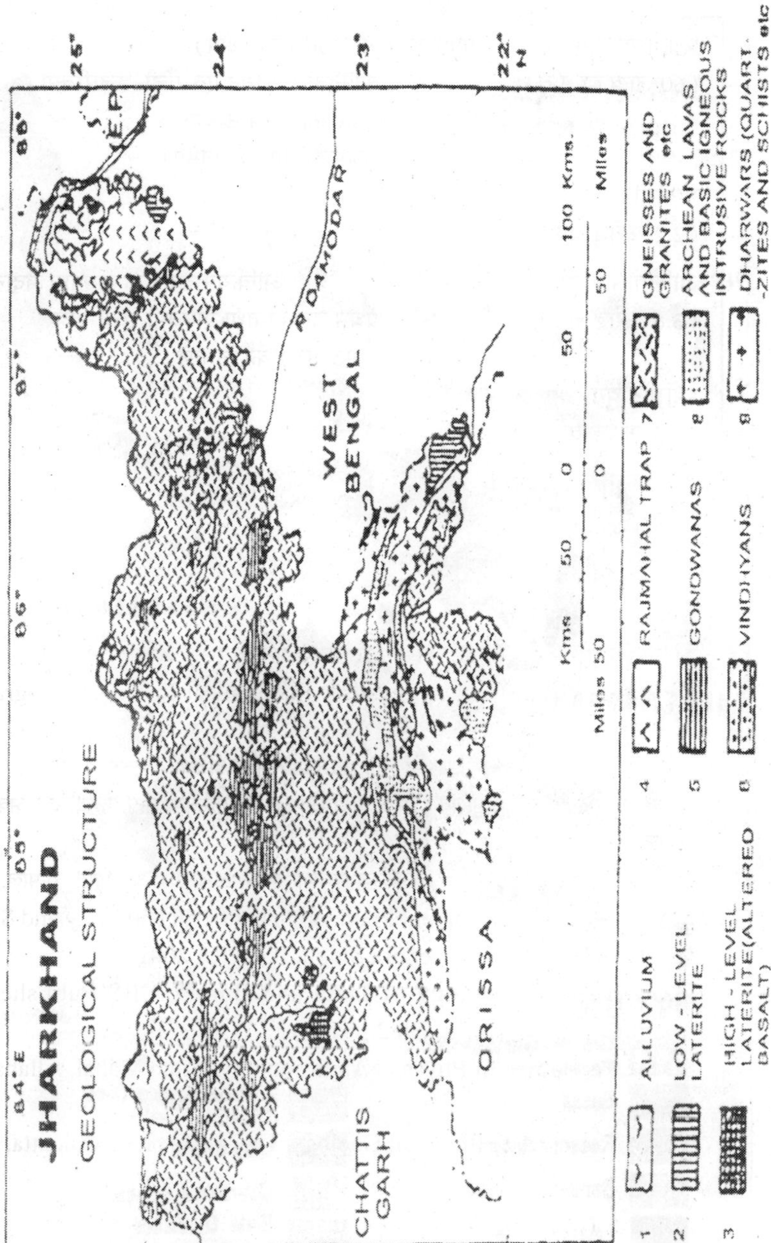

JHARKHAND
GEOLOGICAL STRUCTURE
84°E
85°
86°
87°
88°
25°
24°
23°
22° N
CHATTIS GARH
ORISSA
WEST BENGAL
R DAMODAR
Kms 50 0 50 100 Kms.
Miles 50 0 50 Miles
1 ALLUVIUM
2 LOW - LEVEL LATERITE
3 HIGH - LEVEL LATERITE (ALTERED BASALT)
4 RAJMAHAL TRAP
5 GONDWANAS
6 VINDHYANS
7 GNEISSES AND GRANITES etc
8 ARCHEAN LAVAS AND BASIC IGNEOUS INTRUSIVE ROCKS
9 DHARWARS (QUARTZITES AND SCHISTS etc

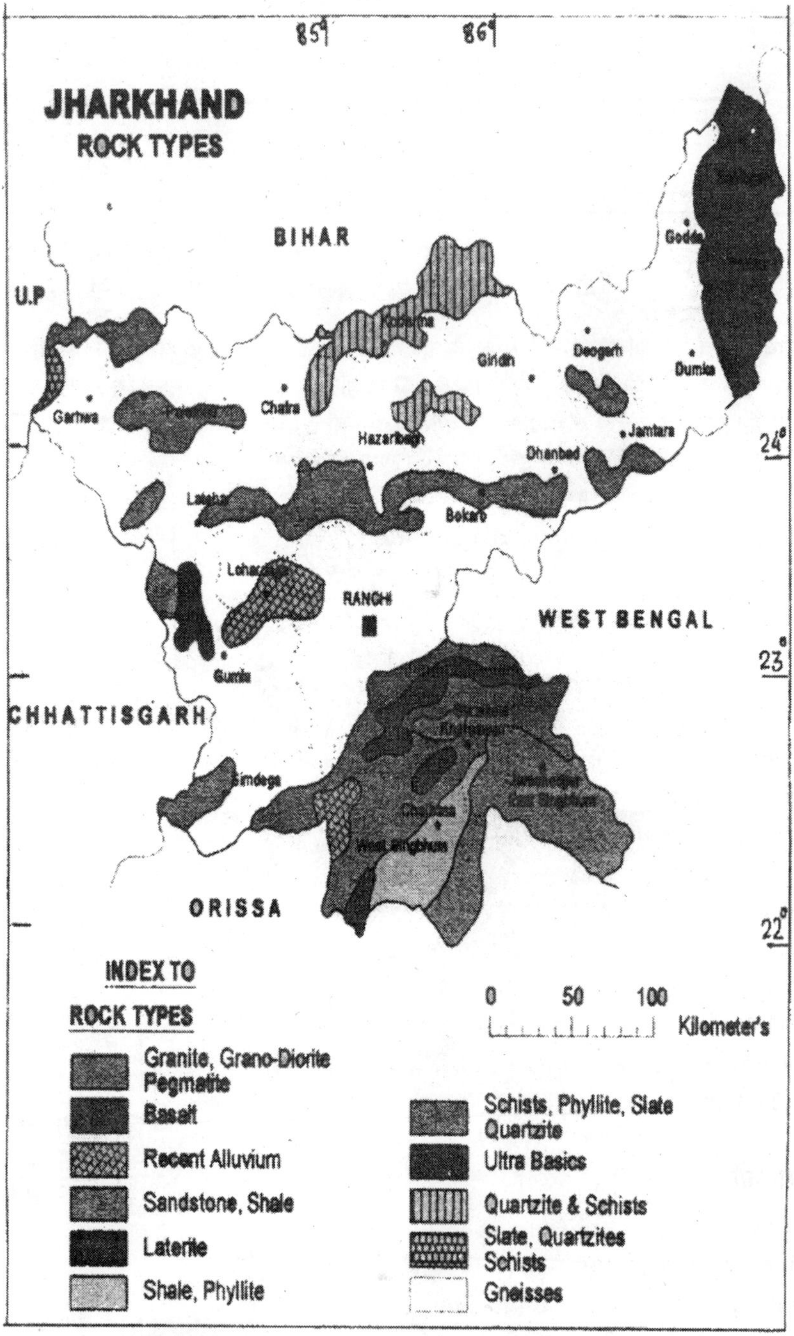
85°
86°
JHARKHAND
ROCK TYPES
BIHAR
U.P
Godda
Giridih
Deogarh
Dumka
Garhwa
Chatra
Hazaribagh
Jamtara
24°
Dhanbad
Latehar
Bokaro
RANCHI
WEST BENGAL
23°
Gumla
CHHATTISGARH
Simdega
West Singhbhum
ORISSA
22°
INDEX TO
ROCK TYPES
0 50 100
Kilometer's
Granite, Grano-Diorite Pegmatite
Basalt
Recent Alluvium
Sandstone, Shale
Laterite
Shale, Phyllite
Schists, Phyllite, Slate Quartzite
Ultra Basics
Quartzite & Schists
Slate, Quartzites Schists
Gneisses

जटिल भू-आकृति

डॉ. देवीदत्त पिनाकपाणि प्रसन्न शत्पथी

करीब-करीब पूरा झारखण्ड क्षेत्र भारत के प्रायद्वीपीय पठार का उत्तर-पूर्वी भाग में आता है। उत्तर-पूर्वी भाग में गंगा नदी का किनारा छोड़ देने से बाकी सभी क्षेत्रों में पठारी विशषताएँ देखी जाती हैं। यह क्षेत्र प्राचीन गोंडवाना लैंड का एक हिस्सा है। यह क्षेत्र उत्पत्ति के बाद समुद्र के नीचे कभी गया ही नहीं, न कोई समुद्री अतिक्रमण का खास प्रमाण यहाँ मिलता है।

किसी भी क्षेत्र के भू-आकृतिक अध्ययन में बहुत सारी बातों को ध्यान में रखा जाता है जैसे भू-गर्भिक संरचना, जलवायु, अक्षांशीय विस्तार, इत्यादि। जहाँ तक भूगर्भिक संरचना की बात है इस क्षेत्र में प्राचीन काल की कठोरतम चट्टानें पाई जाती हैं। यहाँ संसार के सबसे प्राचीन चट्टान ग्रेनाइट तथा नीस मिलते हैं जिन्हें प्रि. कैम्बिरियन अथवा आर्कियन अर्थात् पुरा-जीव कल्प का चट्टान माना जाता है। ग्रेनाइट एवं नीस के अलावा यहाँ ज्वालामुखी उद्‌भेदन एवं लावा प्रवाह के कारण बेसल्ट चट्टान भी पाया जाता है। झारखंड की संरचना में आधारशिला के रूप में धारवाड़ चट्टानें मिलती हैं जिनमें आग्नेय अन्तर्भेदन बैथोलिथ के रूप में हुआ है। बैथोलिथ के आवरण के रूप में स्लेट, क्वार्टजाइट, सिष्ट इत्यादि धारवाड़ युग की चट्टानें थीं जो आज भी झारखंड में मिलती हैं लेकिन जिन प्रारम्भिक चट्टानों पर धारवाड़ चट्टानों का जमाव हुआ उसका कहीं पता नहीं। लेकिन यह सत्य है कि धारवाड़ चट्टानों का निक्षेपण पुरा-जीवकल्प में प्रारम्भिक सतह पर हुआ। कालक्रम में इन चट्टानों का रूपान्तरण हुआ। इन अत्यन्त परिवर्तित चट्टानों में ग्रेनाइट का अन्तर्भेदन हुआ। तत्पश्चात् पर्वत निर्माणकारी हलचलों ने धारवाड़ युग के अवसादों को वलित एवं भ्रंशित कर पर्वतों का निर्माण किया। धारवाड़ चट्टानें जो प्राचीनतम परतदार एवं रूपान्तरित चट्टानें हैं वे मुख्यतः शिष्ट, क्वार्टजाइट एवं चूना पत्थर के रूप में देखे जाते हैं। धारवाड़ युग की चट्टानें जो झारखंड के दो क्षेत्रों में फैली हुई हैं, वे हैं हजारीबाग से उत्तर एवं उत्तर-पूर्व की ओर फैला हुआ क्षेत्र उच्च कोटि के अभ्रक का मुख्य स्रोत है। दक्षिण का क्षेत्र जो झारखंड के सिंहभूम जिले में विस्तृत है वह लौह, तांबा, क्रोमाइट, मैगनीज इत्यादि का स्रोत है।

पुरा-जीवकल्प

पुरा-जीवकल्प (Pre-cambrian age) में कडुप्पा एवं विन्ध्यन युग के चट्टानों की भूमिका कम है। विन्ध्यन युग की चट्टानें कैमुर की पहाड़ी में पाई जाती हैं जो झारखंड से बाहर हैं। पुरा-जीवकल्प में पर्वत निर्माण जिन पर्वत-निर्माणकारी गतियों के द्वारा हुआ, उनकी दिशा उत्तर-

दक्षिण थी। इसके उदाहरण सिंहभूम, दक्षिणी राँची, धालभूम इत्यादि क्षेत्र में पूर्व से पश्चिम की ओर फैली हुई पहाड़ियाँ हैं जो अपक्षरण के कारण विखंडित हैं एवं विषम संरचना प्रस्तुत करती हैं। इसी युग में ही सिंहभूम में दलमा एवं धनजुड़ी लावा का उद्गार हुआ। धनजुड़ी लावा उद्गार के नीचे धारवाड़ युग के कमलोमेंटैट चट्टानें मौजूद हैं जबकि दलमा के नीचे इस प्रकार के चट्टान का अभाव है। सिंहभूम के लौह अयस्क स्तर के ऊपर कोल्हान-क्रम के चट्टान मिलते हैं जिनमें बलुआ पत्थर, चूना पत्थर एवं क्ले की प्रधानता है।

विन्ध्यन युग की चट्टानें पलामू के उत्तरी-पश्चिमी भाग में मिलती हैं। रवेदार चूना पत्थर तथा बलुआ पत्थर ग्रेनाइट की सतह पर आउटक्राप के रूप में अनेक स्थान पर दिखते हैं।

प्रामोकार्बोनिफेरस भूसंचलन के कारण पृथ्वी के विभिन्न भागों में जब पर्वतों का निर्माण हुआ उस समय झारखंड में लम्बवत दरारें उत्पन्न हो गईं और धसान-घाटियों का निर्माण हुआ। इसका प्रतिफलन दामोदर घाटी में मिलता है। ये धसान घाटी अवसादों के जमाव-क्षेत्र बन गए। अवसादों के दबाव के कारण यह घाटी और भी नीचे धँस गई और इस पर वनस्पति के जमाव होने लगे जो काल-क्रम में ताप और चाप के कारण कोयले में परिवर्तित हो गए। अपर कार्बोनीफेरस से लेकर जुरासिक काल तक की इस बृहत् अवधि को गोंडवाना-काल के नाम से जाना जाता है। इस समय झारखंड का पठारी क्षेत्र समुद्री सतह से ऊपर रहा। गोंडवाना-काल के अन्तिम भाग में आग्नेय उद्गार से लावा निःसृत हुआ और इस तरह राजमहल पहाड़ी का निर्माण हुआ। इस युग में उत्तरी कोयल बेसीन में भी निक्षेपण हुआ। भ्रंश के चिह्न राजमहल पहाड़ी में मिलते हैं।

इन गोंडवाना चट्टानों में आग्नेय अन्तर्भेदन भी मिलते हैं जिसे मध्य जुरासिक काल का माना जाता है। राजमहल की उच्च भूमि करीब-करीब समूचे संतालपरगना में विस्तृत है। इसकी औसत ऊँचाई 500 से 1000 फीट यानी 305 से 610 मीटर है। यह पहाड़ी संरचना तथा धरातलीय स्वरूप की दृष्टि से अगल-बगल के पेनी-लेंन से अलग है। यह एक कटा-छटा पठार है। इसका पठारी भाग जुरासिक काल के बेसल्ट से ढँका हुआ है। लेकिन इसके बाहर ग्रेनाइट एवं नीस द्वारा निर्मित ऊबड़-खाबड़ पेनी-लेन हैं। बेसल्ट स्तरों के बीच में कहीं-कहीं शैल, बलुआ पत्थर आदि परतदार चट्टानें पाई जाती हैं जो लावा उद्गार के बीच हुए अन्तराल की बातें बताती हैं। इन्हें अन्तर-ट्रैपियन चट्टानें कहते हैं। राजमहल की पहाड़ी घिरे हुए पेनी-प्लेनों से अधिक ऊँची है क्योंकि यह अधिक कठोर चट्टानें बेसल्ट से निर्मित हैं।

क्रिटेशियस के अन्तिम चरण में तथा इयोशिन युग में झारखंड में लावा का उद्गार हुआ जिसका विस्तार गुमला जिले का उत्तर-पश्चिमी भाग एवं पलामू प्रमंडल के दक्षिण-पश्चिमी भाग में है। इसकी ऊँचाई करीब 1000 मीटर या उससे अधिक है। यह एक चौरस मेज के आकार का पठार है जिसे पाट-प्रदेश कहा जाता है। यह दक्कन-लावा से निर्मित पठार है और इसके ऊपर के बेसल्ट रूपान्तरित होकर लैटराइट में परिवर्तित हो गए हैं। अधिकांश पाट की ऊँचाई समुद्रतल से 1000 मीटर से अधिक है उनमें गणेशपुर पाट, नेतरहाट तथा जमीरापाट इत्यादि की ऊँचाई करीब 1200 मीटर के आसपास है। लोहरदगा एवं आसपास के क्षेत्र में इन्हीं पाट-क्षेत्रों से ही बाक्साइट निकाला जाता है। भारत में बाक्साइट का यह महत्त्वपूर्ण स्रोत है।

झारखंड के भू-आकृतिक विकास के लिए टरशियरी युग का महत्त्व बहुत अधिक है।

भूगर्भिक प्रमाणों से यह साबित होता है कि इस क्षेत्र में कैम्बिरियन से टरशियरी युग तक कोई उत्थान नहीं हुआ एवं अपरदन की क्रिया अबाधित रूप से होती गई। भू-आकृतिक विज्ञान की दृष्टि से यह अवधि किसी भी क्षेत्र को समतलप्राय -भूमि में परिवर्तित करने के लिए यथेष्ट थी। इस तरह से यह अनुमान लगाया जाता है कि झारखंड का यह पठारी भाग एवं इसके उत्तरी विस्तार जो काप-मिट्टी के नीचे ढके हुए हैं, वे टरशियरी युग की प्रारम्भिक अवस्था में एक पेनी-प्लेन अथवा समतलप्राय-भूमि में शामिल हो गए थे। इस तरह के भूमिरूप में संरचना का महत्त्व अधिक नहीं रह जाता है एवं इस पर कठोर एवं मुलायम दोनों तरह की चट्टानों का अपरदन समान रूप से होता है। इस तरह की भूमि पर न स्कार्प और न ही जल-प्रपात दिखते हैं। लेकिन अभी जो भूमिरूप झारखंड के पठारी भाग में दिखता है उसमें जलप्रपात एवं स्कार्प दोनों ही दिखते हैं अब प्रश्न उठता है कि टरशियरी के प्रारम्भिक समय से बाद वाले काल में इस क्षेत्र का भू-आकृतिक परिवर्तन किस कारण से एवं किस प्रकार हुआ? इसके लिए हमें उस समय के भू-हलचल एवं पर्वत निर्माणकारी प्रक्रिया से सहायता लेनी होगी।

टरशियरी युग में हिमालय पर्वतमाला का उत्थान तीन चरणों में हुआ। पहला इयोशिन युग में, दूसरा जो कि अधिक प्रभावशाली था, वह मध्य मायोशिन युग में हुआ एवं तीसरा तथा अन्तिम उत्थान क्लेशवेशिन युग में हुआ। इन उत्थानों के पार्श्ववर्ती प्रभाव के रूप में झारखंड क्षेत्र में भी उत्थान हुआ। टरशियरी युग से पहले यह क्षेत्र अपरदन के द्वारा समतल प्राय भूमि में परिवर्तित हो चुका था लेकिन हिमालय के इस महान हलचल के साथ-साथ यह क्षेत्र भी उत्थित्त होने लगा। प्रथम उत्थान में उत्तर-पश्चिम में स्थित नेतरहाट एवं आसपास के क्षेत्रों का उत्थान हुआ। वित्तीय चरण में राँची एवं हजारीबाग के पठारों का उत्थान हुआ लेकिन इस उत्थान के साथ-साथ पहले से उत्थित नेतरहाट का क्षेत्र भी ऊपर उठा। तृतीय एवं अन्तिम उत्थान में निचला हजारीबाग पठार एवं अन्य सारे क्षेत्रों का भी उत्थान हुआ। लेकिन इस उत्थान के समय भी नेतरहाट का क्षेत्र, राँची एवं हजारीबाग का पठारी भाग भी शामिल हो गए। परन्तु नेतरहाट का क्षेत्र तीनों उत्थानों से सम्बन्धित होने के कारण सबसे ऊँचा हो गया। उसकी ऊँचाई औसतन 1000 मीटर के आसपास है जबकि राँची एवं ऊपरी हजारीबाग के पठार की ऊँचाई औसतन 610 मीटर मानी गई है। स्थानीय रूप में कहीं-कहीं इससे भी ऊँचाई वाले क्षेत्र पाए जाते हैं। तीसरे उत्थान में सम्मिलित क्षेत्र जो हिमालय के शिवालिक उत्थान के समकक्ष है, उसकी ऊँचाई समुद्रतल से करीब 305 मीटर है।

टरशियरी युग से पहले राजमहल की पहाड़ी एवं सीलम का पठार (मेघालय) एक साथ जुड़े हुए हैं। लेकिन टरशियरी युग के द्वितीय चरण में जो अधिक प्रभावकारी उत्थान हुआ उसके फलस्वरूप राजमहल की पहाड़ी एवं सीलम के पठार के बीच का क्षेत्र नीचे धँस गया और वहाँ एक निम्न भूमि का निर्माण हुआ जिससे होकर गंगा नदी प्रवाहित होने लगी। इस गैप को राजमहल गैप के नाम से जाना जाता है।

इस तरह से हम देखते हैं कि झारखंड का यह क्षेत्र टरशियरी युग में समुद्रतल से 100 मीटर ऊपर उठा एवं इसके क्षेत्रों में एक सीढ़ी जैसी व्यवस्था दिखने लगी। सबसे ऊँचे भाग में नेतरहाट का पठार है जिसकी अधिकतम ऊँचाई 1200 मीटर तक चली जाती है। उसके बाद वाला अपरदन तल जो राँची तथा ऊपरी हजारीबाग में पठार के नाम से जाना जाता है, उसकी

ऊँचाई समुद्रतल से करीब 610 मीटर है। लेकिन इन दोनों के बीच दामोदर की घाटी है जोकि एक निम्न भूमि है एवं संभवत: च्युति या भ्रंशन के कारण गोंडवाना युग में इसका निर्माण हुआ। हजारीबाग पठार के उत्तरी भाग में यह पर्वत-निर्माणकारी प्रक्रिया एक टिल्ट के रूप में हुई जिसके कारण वहाँ का भूमि-रूप कोडरमा की तरफ क्रमश: ढालू हो गया। राजमहल पहाड़ी के पश्चिमी भाग में यह टिल्ट तीव्र हो गया है एवं कोडरमा से गया तक भूमि-रूप बहुत कम दूरी पर बहुत नीचा हो गया है।

हिमालय की पर्वत-निर्माणकारी प्रक्रिया के अन्तिम चरण का प्रभाव दक्षिणी धालभूम के मानपुर नामक स्थान के दक्षिणी भाग में एवं पूर्वी धालभूम के टरशियरी युग के अन्तिम चरण के समुद्रतटीय के बजरियों में दिखाई देता है। यह भू-हलचल अभी भी जारी है जिसके कारण गांगेय काप मिट्टी प्रदेश के दक्षिणी भाग अभी भी धीरे-धीरे ऊपर उठ रहे हैं।

झारखंड के भू-आकृतिक प्रदेशों में चाईबासा का मैदान का एक महत्त्वपूर्ण स्थान है। इसका क्षेत्रफल लगभग 2500 वर्गमील है। भूगर्भ-शास्त्रियों का अनुमान है कि राँची एवं उत्तरी हजारीबाग पठार एवं कोल्हान के विखंडित पठारी प्रदेश की ऊँचाई करीब एक ही थी। साथ ही दोनों एक ही तल में थे। लेकिन इन दोनों के बीच का यह विस्तृत क्षेत्र इनसे करीब 300 मीटर नीचा हो गया। रीपन डन साहब के मत में सापेक्षिक अपरदन के कारण यह नीचा हो गया। उनका तर्क यह है कि इस क्षेत्र में अपेक्षाकृत मुलायम चट्टानें जैसे बलुआ पत्थर, सिष्ट शैल इत्यादि पाए जाते हैं। जिन्हें इस क्षेत्र में प्रवाहित होने वाली नदियों ने आसानी से काट दिया और यह क्षेत्र समतल बन गया। इस क्षेत्र में प्रवाहित होने वाली मुख्य नदियाँ हैं खरकाई, संजय, टोटो इत्यादि। लेकिन कुछ विद्वानों का मत है कि ऊपर वर्णित नदियाँ बड़ी नदियाँ नहीं हैं। स्वाभाविक रूप से इनमें अपरदन करने की इतनी अधिक क्षमता नहीं होनी चाहिए जिससे ये समतल भूमि बन सकें। लेकिन इस मैदान के दोनों किनारे भ्रंशन का भी कोई साक्ष्य प्रमाण नहीं मिलता।

झारखंड के दक्षिणी-पश्चिमी भाग में एक बृहत् पर्वतीय क्षेत्र है जिसे शारंडा क्षेत्र के नाम से जाना जाता है। यहाँ इतनी पहाड़ियाँ हैं कि रीपन साहब ने इसे सात सौ पहाड़ियों की भूमि अथवा land of seven hundred hills के नाम से अभिहित किया। यह क्षेत्र धारवाड़ युग की चट्टानों से निर्मित है। खासकर फिलाइट, सिस्ट, क्वार्टजाइट इत्यादि चट्टानों के द्वारा यहाँ की स्थलाकृतियाँ निर्मित हैं। बहुत स्थानों पर अधिक रूपांतरित चट्टानों के उभार तथा अपरदन की विशेषता के कारण विभिन्न भू-आकृतियाँ मौजूद हैं। यहाँ की पहाड़ियों एवं इनसे उत्तर में स्थित पोड़ाहाट की पहाड़ियों में काफी अन्तर है। पोड़ाहाट का क्षेत्र ग्रेनाइट तथा नीस से बना हुआ है किन्तु यहाँ भी धारवाड़ युग की चट्टान जैसे क्वार्टजाइट, सिस्ट एवं आग्नेय उद्भव वाली चट्टान जैसे अल्ट्राबेसिक चट्टानें मौजूद हैं। इन पर अपरदन का अच्छा-खासा प्रभाव पड़ा है। शारंडा की पहाड़ियों की औसतन ऊँचाई 610 मीटर है किन्तु कहीं-कहीं 900 मीटर से ऊँचे पहाड़ भी मौजूद हैं।

यहाँ की अपरदन सतहों की सीढ़ीनुमा व्यवस्था को देखते हुए कुछ विद्वानों ने इस 'ट्रेपियन प्लेन' कहा है। राँची पठार के अध्ययन के बाद कुछ विद्वानों का मत था ये समतलप्राय मैदान को एक फॉसिल अपरदन सतह कहा जा सकता है। इस पर लैटराइट का निर्माण हो चुका है जो किसी भी समतलप्राय मैदान के विकास का अन्तिम चरण समझा जाता है। इस क्षेत्र की

नदियाँ मंथर गति में प्रवाहित हो रही हैं और इनके द्वारा अपरदन नहीं के बराबर होता है। लेकिन नदियों के दोनों किनारे जो टेरेशेस या सीढ़ीनुमा दिखाई देते हैं उनसे यह साबित होता है कि इस क्षेत्र का उत्थान अभी भी जारी है।

अतः देखा जा रहा है कि झारखंड क्षेत्र के भूमि-रूप का अध्ययन वैज्ञानिक दृष्टि से बहुत ही महत्त्वपूर्ण एवं आकर्षक है। यहाँ धारवाड़ युग की परतदार चट्टानें भी हैं, आर्केयन युग के ग्रेनाइट एवं नीस भी हैं। आग्नेय उद्‌भेदन के द्वारा जो बेसल्ट निकला है वह भी दलमा, धनजूटी (धालभूम) नेतरहाट एवं राजमहल की पहाड़ियों में मौजूद है। आर्केयन युग के अन्त में अन्तरभेद के द्वारा कुछ अल्ट्राबेसिक चट्टानें निकलीं जो अभी भी सिंहभूम के क्षेत्रों में नग्न चट्टानों के रूप में मौजूद हैं। ग्रेनाइट का निर्माण भी इस क्षेत्र में दिखाई देता है। राँची एवं हजारीबाग पठारों पर कुछ अवशेष पहाड़ों में दिखते हैं जो ग्रेनाइट एवं नीस से निर्मित हैं। इसके अपवादस्वरूप राँची पहाड़ी जो राँची शहर में है, उसका निर्माण खुंडालाइट चट्टानों से हुआ जिसका अधिकतम विस्तार पूर्वीघाट पर्वतश्रेणी (उड़ीसा-आन्ध्रप्रदेश) में देखा जा सकता है।

झारखंड की भू-आकृति का अध्ययन आकर्षक तो है किन्तु जटिल भी है। ऐसे भू-आकृति विज्ञान में बहुत स्थानों पर भू-आकृति विकास में ढेर सारे प्रश्नचिह्न दिखते हैं जिनका उत्तर अधिक सघन एवं वैज्ञानिक अध्ययन के द्वारा ही दिया जा सकता है। झारखंड क्षेत्र की भू-आकृति विकास में भी बहुत सारे प्रश्नचिह्न विद्यमान हैं। अभी तक जो ज्ञान हमें प्राप्त हुआ है उसे यहाँ समाकलित किया गया है।

सात जलवायु प्रदेशों वाला राज्य

डॉ. रामकुमार तिवारी

भारत के जलवायु के नक्शे में वर्तमान झारखंड क्षेत्र को 'अधिक वर्षा और पर्याप्त आर्द्रता' का क्षेत्र माना जाता है। (केंड्रीव, 1961, पृ. 185)। वह प्रमुख रेखा जो 'महाद्वीपीय भारत' को 'उष्णकटिबंधीय भारत' से अलग करती है, इसी झारखंड क्षेत्र के उत्तरी भाग से गुजरती है। इस प्रकार सम्पूर्ण पठारी भूभाग उष्णकटिबंधीय क्षेत्र में स्थित है। किन्तु ऊँचे पठारी भूभाग होने के कारण यहाँ की जलवायु की स्थिति आसपास से भिन्न है। (प्रसाद, 1973, पृ. 31) यह क्षेत्र मानसूनी जलवायु के अन्तर्गत आने वाले प्रत्येक मौसम के उतार-चढ़ाव को झेलता है।

ग्रीष्म ऋतु की शुरुआत मार्च से ही होने लगती है जो मई तक अधिकतम हो जाती है। यहाँ का मासिक औसत तापमान 290 से.ग्रे. से 430 से.ग्रे. के बीच रहता है जिसमें ग्रीष्मकाल में पठार के उत्तरी-पूर्वी भाग में निम्नदाब उत्पन्न हो जाता है। इसी समय वायुप्रवाह सामान्यतः पछुआ अधिक होती है जिसकी गति लगातार बढ़ती जाती है और 9.6 से 14.4 कि.मी. प्रति घंटा के बीच रहती है। मई के अंत तक पछुआ प्रवाह बंद हो जाता है। वातावरण शांत होने लगता है और उत्तर-पश्चिमी भारत में निम्नदाब का प्रभाव यहाँ तक दिखाई पड़ने लगता है। यहाँ अप्रैल में बंगाल के नार्वेस्टर के प्रभाव से थोड़ी-बहुत वर्षा अवश्य हो जाती है।

वर्षा ऋतु यहाँ जून से अक्तूबर तक की होती है। अतः जून के बाद से ग्रीष्म का प्रभाव कम होने लगता है क्योंकि इसी समय यहाँ मानसून का प्रभाव आरम्भ हो जाता है। इस मौसम का निम्नदाब क्षेत्र जो जुलाई में गंगा के मैदानी क्षेत्र में स्थित होता है, वह दक्षिण पठारी भाग में स्थानान्तरित होने लगता है। यह अगस्त-सितम्बर तक पठारी भाग में चला आता है। इस समय पवन प्रवाह सामान्यतः वेगहीन होने लगता है और पूरब तथा दक्षिण-पूरब से प्रवाहित होने लगता है। इस वर्षा ऋतु में सामान्यतः कुल वार्षिक वर्षा का 80 प्रतिशत पानी बरस जाता है। 1901 से 1991 तक के आंकड़ों के आधार पर इस क्षेत्र में 100 से 150 से.मी. वर्षा दर्ज की जाती रही है। यह दर कभी कम और कभी अधिक भी हो सकती है। उदाहरण के लिए राँची, हजारीबाग और धनबाद में क्रमशः 163, 164 और 184 से.मी. वर्षा 1959 में दर्ज की गई थी जबकि वहाँ की सामान्य दर क्रमशः 151, 134 और 131 से.मी. थी। इसी तरह 1990 में राँची, हजारीबाग, धनबाद में यह क्रमशः 122, 119 और 161 से.मी. वर्षा दर्ज की गई जबकि वहाँ की सामान्य दर क्रमशः 133, 120 और 123 से.मी. थी। वर्षा का सामान्य वितरण प्रतिरूप यह प्रदर्शित करता है कि वर्षा की मात्रा दक्षिण से उत्तर तथा पूरब से पश्चिम की ओर घटती जाती है। इस क्षेत्र में स्थानीय या क्षेत्रीय भिन्नताएँ बहुत अधिक मिलती हैं जहाँ वर्षा की मात्रा में

भिन्नता देखी जाती है। इसका मूल कारण है यहाँ का उच्चवचन। ऊँचे भूभाग अपेक्षाकृत अधिक वर्षा दर्ज करते हैं। सर्वाधिक मात्रा नेतरहाट में दर्ज की जाती है (1000 मी. से अधिक ऊँची) जो पाट क्षेत्र में स्थित है, जबकि चाईबासा के मैदानी भागों में (जो 300 मी. की ऊँचाई है) कम वर्षा दर्ज की जाती है।

शीत ऋतु नवम्बर से फरवरी तक का समय होता है। जनवरी माह का सामान्य तापमान हजारीबाग और राँची में क्रमश: 16.40 से.ग्रे. और 17.30 से.ग्रे. हो जाता है। उत्तर-पश्चिम से एक सामान्य कोटि के उच्चदाब का विस्तार यहाँ आता है। अत: हवाएँ यहाँ कुछ तेज हो जाती हैं लेकिन यह इतनी धीमी होती हैं कि 4-6 कि.मी. प्रति घंटा की रफ्तार दर्ज कराती हैं। उत्तरी-पश्चिमी हवा में सामयिक व्यवधान के कारण हल्की-फुल्की वर्षा भी यहाँ हो जाती है। आसपास के इलाकों से कुछ अलग जलवायु होते हुए भी ग्रीष्म ऋतु में तापमान लगभग मैदानी इलाके के समान हो जाता है लेकिन मैदानी इलाके की लू यहाँ नहीं दिखाई देती है। यद्यपि यह पठार उष्णकटिबंधीय है फिर भी यहाँ अपेक्षाकृत ठंडा वातावरण रहता है खासकर ऊँचे स्थानों में।

अत: जलवायु के आधार पर इस क्षेत्र में जिसे जंगलों से आच्छादित होने के कारण झारखंड कहा जाता है, उपर्युक्त केवल तीन ऋतुओं को रेखांकित करना कुछ असंगत-सा प्रतीत होता है। इस क्षेत्र में वसंत ऋतु को भी स्पष्ट करना होगा। स्पष्ट है कि ग्रीष्म ऋतु का आरम्भ यद्यपि यहाँ मार्च से हो जाता है किन्तु फरवरी, मार्च तथा मध्य अप्रैल तक का समय यहाँ वसंत ऋतु का होता है जिस काल में समस्त झारखंड के वनप्रांतर विविध फूलों, मंजरों एवं कलियों और कोपलों से आच्छादित व सुवासित हो उठते हैं। अयोध्या प्रसाद (1973) ने इस क्षेत्र को आर्द्रता, वर्षा एवं तापमान के आधार पर सात जलवायु प्रदेशों में विभक्त किया है—

(1) उत्तरी एवं उत्तरी-पश्चिमी क्षेत्र (महाद्वीपीय प्रकार)
(2) मध्यवर्ती क्षेत्र (उप-महाद्वीपीय प्रकार)
(3) पूर्वी संतालपरगना (डेल्टा प्रकार)
(4) पूर्वी सिंहभूम (सागरीय प्रभावित क्षेत्र)
(5) दक्षिण-पश्चिम वर्षा क्षेत्र अथवा आर्द्र वर्षा प्रकार (पश्चिम सिंहभूम का दक्षिणी भाग)
(6) राँची हजारीबाग पठार (तीव्र एवं सुखद प्रकार)
(7) पाट क्षेत्र प्रकार (शीत वर्षा प्रकार)

1. उत्तरी एवं उत्तरी-पश्चिमी क्षेत्र (महाद्वीपीय प्रकार)

इस जलवायु क्षेत्र का विस्तार पलामू, गढ़वा, चतरा और हजारीबाग जिले के मध्यवर्ती भाग, गिरिडीह जिले के मध्यवर्ती भाग तथा संतालपरगना क्षेत्र के पश्चिमी भागों (देवघर, उत्तरी दुमका, गोड्डा) में है। इस जलवायु क्षेत्र की विशिष्टता है इसका अतिरेक स्वभाव का होना अर्थात् जाड़े में अत्यधिक जाड़ा और गर्मी के मौसम में अधिक गर्मी का होना। दिसम्बर में यहाँ (डाल्टनगंज) का औसत निम्नतम तापमान 39० फारनेहाइट तक होता है। यहाँ कम से कम 32० फारेनहाइट तक तापमान दर्ज किया गया है। जाड़े में ठंडी एवं भारी हवा पाट-क्षेत्र के

जंगलों से प्रवाहित होती है जिससे तुषार या जमा हुआ पाला का निर्माण होने लगता है। यह समस्त उत्तरी कोयल घाटी क्षेत्र में फैल जाता है। कभी-कभी ऐसी स्थिति रातभर तथा प्रात: 10 बजे तक रह जाती है। कोहरा भी इसी मैदान में सामान्यत: लगातार देखा जाता है। ठीक इसके विपरीत ग्रीष्मकालीन मौसम काफी गर्म एवं लू से युक्त होता है। तूफान सदैव आते हैं। मई और जून में औसत अधिकतम तापमान 112० फारेनहाइट से अधिक रहता है। मानसून के आरंभिक काल में 2″ से कम वर्षा दर्ज की जाती है। इस क्षेत्र में कुल औसत वार्षिक वर्षा दक्षिणी भाग में 50″ तथा दक्षिण-पूर्व में 45″ से कम प्राप्त होती है। उत्तर तथा उत्तर-पश्चिम में इससे भी कम वर्षा प्राप्त होती है।

2. मध्यवर्ती क्षेत्र (उपमहाद्वीपीय प्रकार)

इस जलवायु का विस्तार दक्षिणी हजारीबाग, बोकारो और धनबाद जिला क्षेत्रों में पाया जाता है। इसका विस्तार देवघर के दक्षिणी क्षेत्र अजय बेसिन तक है। ताप का दैनिक एवं वार्षिक अन्तर अत्यधिक रहता है। उत्तरी क्षेत्र में औसतन अधिकतम तापमान निम्न और निम्नतम औसत तापमान उच्च रहता है। वर्षा स्थानीय उच्चावच के कारण काफी भिन्नता दर्शाती है। वार्षिक वर्षा 50 से 65 इंच के बीच होती है। यह क्षेत्र लू और आँधी-तूफान से वंचित नहीं रहता है किन्तु इसकी तीव्रता एवं संख्या कम होती है। उत्तरी क्षेत्र की तुलना में ग्रीष्म का प्रभाव जंगल एवं ऊँचाई के कारण अपेक्षाकृत कम रहता है। शीत ऋतु ठण्डी किन्तु स्फूर्तिदायक होती है।

3. पूर्वी संतालपरगना जलवायु (डेल्टा प्रकार)

इस प्रकार की जलवायु का विस्तार जलोढ़ उच्च भूमि और पूर्वी राजमहल पहाड़ी ढाल क्षेत्र में है। इस क्षेत्र (जलोढ़ उच्च भूमि क्षेत्र) का गुण यह है कि यहाँ बंगाल क्षेत्र की तरह मिट्टी आर्द्र, गर्म एवं तर होती है। इस जलवायु क्षेत्र में राजमहल की पहाड़ियाँ एक दीवार की तरह खड़ी हैं तथा एक सुनियोजित वाताग्र की तरह उष्ण पछुआ हवाओं और बंगाल की खाड़ी की आर्द्र हवाओं के बीच कार्य करती हैं। यह क्षेत्र पूरी तरह लू से मुक्त रहता है तथा धूल भरी आँधियाँ भी यहाँ नहीं मिलतीं। यह 'नार्वेस्टर' का क्षेत्र है। ग्रीष्मकाल में यहाँ अत्यधिक वर्षा होती है। नार्वेस्टर से 5.30'' तक वर्षा होती है जबकि औसत वार्षिक वर्षा 60'' से अधिक होती है। सापेक्षिक आर्द्रता तथा छिटपुट वर्षा के कारण तापमान में अन्तर बहुत ही कम रहता है। उच्च आर्द्रता मौसम को अति उष्ण बनाए रखती है। इसी के कारण अधिक वर्षा होती है। शीत ऋतु सुखद एवं सामान्य होती है। दिसम्बर ही शीतलतम माह होता है।

4. सागरीय प्रभावित क्षेत्र (पूर्वी सिंहभूम)

यह जलवायु स्वर्णरेखा घाटी तथा चाईबासा और पंचपरगना क्षेत्र के मैदानी समतलप्राय भागों में विस्तृत रहती है। यह क्षेत्र समुद्र के निकटतम है तथा खाड़ी एवं नार्वेस्टर के क्षेत्र में स्थित है। यहाँ साल में अधिक समय दक्षिण-पूर्वी हवा प्रवाहित होती है। इन हवाओं से समुद्री आर्द्रता यहाँ तक चली आती है। ग्रीष्मकाल में और खासकर मानसून के आरम्भिक दौर में यह क्षेत्र अत्यधिक तड़िज्झांझा से आक्रांत रहता है। औसतन प्रति वर्ष लगभग 71 तड़िज्झांझा और कम

से कम 10 तड़िज्झांझा इस क्षेत्र में आ जाते हैं। ओलावृष्टि भी इनके साथ हो जाती है। यह क्षेत्र झारखंड का सर्वाधिक वर्षा प्राप्त करने वाला क्षेत्र है। वार्षिक वर्षा औसतन 55'' से 60'' तक होती है। लू और धूल भरी आँधियाँ यहाँ नहीं के बराबर चलती हैं किन्तु जमशेदपुर इन दोनों से मुक्त नहीं रहता। शीत ऋतु इस क्षेत्र में अन्य भागों की तुलना में छोटी और आरामदायक होती है किन्तु ग्रीष्म उत्तरी क्षेत्र की तरह गर्म होता है।

5. दक्षिण-पश्चिम वर्षा क्षेत्र (प. सिंहभूम का दक्षिणी भाग)

यह जलवायु शंख और दक्षिणी कोयल नदी घाटी के उन क्षेत्रों में विस्तृत है जो पश्चिमी सिंहभूम क्षेत्र का हिस्सा है। इस क्षेत्र का उच्चावच यहाँ की जलवायु में स्थानीय भिन्नता उपस्थित करती है। आन्तरिक स्थिति एवं पहाड़ों की उपस्थिति के कारण समुद्री समीर का प्रभाव यहाँ तक नहीं पहुँच पाता है, अत: यह क्षेत्र पूरी तरह से शुष्क जलवायु का क्षेत्र बन जाता है। मध्यवर्ती भारत से गर्म पछुआ हवा यहाँ तक चली आती है और तापमान में वृद्धि करती है जो 112० फारेनहाइट तक चला जाता है। किन्तु हवा की शुष्कता और वनस्पति की अधिकता के कारण ग्रीष्म ऋतु इसके कठोर प्रभाव को कम कर देती है। यहाँ मानसून की दोनों शाखाओं के द्वारा वर्षा होती है। सामान्य वार्षिक वर्षा 60'' से अधिक होती है। जंगल क्षेत्रों में शीत ऋतु काफी शीतल होती है। यहाँ रात में कभी-कभी पाला भी जमा हुआ दिखाई देता है।

6. राँची-हजारीबाग पठारी जलवायु (तीव्र एवं सुखद प्रकार)

यह जलवायु राँची एवं हजारीबाग के पठारी क्षेत्रों में विस्तृत है। यहाँ की जलवायु अपने आप में अनोखे किस्म की है जो समस्त झारखंड के किसी भी क्षेत्र में नहीं मिलती। 2000' से अधिक ऊँचाई पर जलवायु सामान्य व सुखद प्रकार की हो जाती है। यह जलवायु किसी अन्य हिल स्टेशन की तरह सुखद अनुभूति कराती है। यह जलवायु समान रूप से इस पठारी क्षेत्र में चारों ओर निम्न तापमान बनाए रखती है। यहाँ औसत वार्षिक तापमान 73० फारेनहाइट (राँची में) रहता है तथा पाट क्षेत्र में इससे भी कम रहता है जिसके कारण यह झारखंड का सबसे ठंडा क्षेत्र कहलाता है। यहाँ अप्रैल और मई दो माह को छोड़कर कभी भी औसत अधिकतम तापमान 90० फारेनहाइट से अधिक नहीं होता है। अप्रैल के उत्तरार्द्ध में और मई के पूर्वार्द्ध में पारा दिन में एक दो घण्टों के लिए ही 100० फारेनहाइट से अधिक बढ़ता है। दिन में इस अत्यधिक तापमान के बावजूद रात्रि काफी शीतल होती है। मैदानी क्षेत्र की उष्ण पछुआ हवा का प्रभाव यहाँ नहीं पहुँचता है। इस प्रकार यह पठारी भूभाग लू तथा धूल भरी आँधी से मुक्त रहता है। नार्वेस्टर और छिटपुट वर्षा के कारण तापमान में पर्याप्त कमी आ जाती है। मानसून के आरम्भिक काल में औसतन प्रति सप्ताह एक तूफान अवश्य देखने को मिल जाता है। किसी वर्ष मई के अन्तिम सप्ताह में अथवा जून के प्रथम सप्ताह में तूफान के साथ वर्षा इस तरह आती है कि उसकी उग्रता देखकर यह भ्रम होने लगता है कि कहीं मानसून का आरम्भ तो नहीं हो गया। जबकि मानसून यहाँ सामान्यत: जून के द्वितीय सप्ताह में पहुँचता है। इस वर्षा के होते ही तापमान इस प्रकार गिर जाता है कि इसकी तुलना विविध हिल स्टेशनों से की जा सकती है। हवा इतनी संपृक्त भी नहीं होती कि किसी को आरामदायक न लगे। यहाँ शीत ऋतु का प्रवेश नवम्बर के प्रथम सप्ताह में

हो जाता है। इस समय यहाँ का तापमान औसतन 70० फारेनहाइट से अधिक नहीं पहुँचता। दिसम्बर के उत्तरार्द्ध और जनवरी के पूर्वार्द्ध में यहाँ शीत वायु चलने लगती है। कुल मिलाकर यहाँ की जलवायु सुखद होती है तथा किसी भी यूरोपीय देश से कम आनन्ददायक नहीं होती। यहाँ की जलवायु में कोई न तो ग्रीष्म का कष्ट झेलता है और न ही शीत की ठिठुरन सहता है।

7. पाट क्षेत्र

इस क्षेत्र की जलवायु राँची पठार की तरह ही है किन्तु कुछ ऐसे खास तथ्य हैं जिनके आधार पर इन्हें अलग-अलग पहचाना जा सकता है। जैसे पाट क्षेत्र में राँची पठार की अपेक्षाकृत अधिक वर्षा होती है। यहाँ बादल भी अधिक आते हैं तथा ग्रीष्म में यह शीतल क्षेत्र बना रहता है जबकि शीत काल में यह शीतलतम हो जाता है। रात्रि काफी ठंडी और प्रातः की हवाएँ कठोर होती हैं। दिसम्बर और जनवरी में घास का तापमान हिमांक तक चला जाता है। लगभग 20 दिनों से अधिक समय तक रात्रि में तुषार जमने लगता है जो प्रातः सूर्योदय के बाद तक बना रहता है। इससे शीत ऋतु की फसलों को नुकसान उठाना पड़ता है। यह क्षेत्र औसतन 80'' वर्षा प्राप्त कर झारखंड के सर्वाधिक वर्षा क्षेत्र के नाम से जाना जाता है।

माटी की कहानी

डॉ. रामकुमार तिवारी

झारखंड की मिट्टी क्षेत्र विशेष की आधारभूत चट्टानों की प्रकृति के अनुसार अलग-अलग प्रकार की है। यह सभी जानते हैं कि मिट्टी का उद्भव अपने पैतृक चट्टानों के अपक्षय, अपरदन के द्वारा होता है। सम्पूर्ण क्षेत्र का पठारी भूभाग नीस और ग्रेनाइट चट्टानों की आधारभूत संरचना से निर्मित है जिसके अनावृत्तिकरण से निर्मित लाल मिट्टी ही सम्पूर्ण क्षेत्र में व्याप्त है किन्तु और तीन प्रमुख क्षेत्र ऐसे हैं जहाँ कुछ अलग संरचना के कारण अलग प्रकार की मिट्टी पाई जाती है। ये क्षेत्र हैं (क) दामोदर घाटी क्षेत्र, गोंडवाना, बालू पत्थर की आधारभूत संरचना के ऊपर हल्की एवं ढीली बलुआ मिट्टी विस्तृत है। (ख) पाट एवं राजमहल क्षेत्र की उच्च भूमि में लेटेराइट मिट्टी विस्तृत है तथा (ग) राजमहल की उच्च भूमि जिसकी आधारभूत लावा निर्मित चट्टानों के ऊपर लेटेराइट और रेगुर मिट्टी आच्छादित है जो काली मिट्टी भी कही जाती है। इस प्रकार कुल चार प्रकार की मिट्टियाँ झारखंड क्षेत्र में हैं। वृहद् रूप में उत्तरी एवं दक्षिणी छोटानागपुर के लगभग 90 प्रतिशत क्षेत्र में लाल मिट्टी पाई जाती है। उत्तरी छोटानागपुर के उत्तरी भाग में तथा संतालपरगना के पूर्वी किनारे प्रदेश में जलोढ़ मिट्टी पाई जाती है। (चित्र 1)

उत्पत्ति की दृष्टि से ग्रेनाइट और नीरा धरातलीय सतह के ऊपर गहरी लाल मिट्टी अथवा रंग से काली मिट्टी की प्रधानता है। काले रंग का कारण है उस मिट्टी में लौहयुक्त बायोटाइट और हॉर्नब्लेंड की अत्यधिक मात्रा का होना। यहाँ की मिट्टी में पर्याप्त चूना और पोटाश की मात्रा है लेकिन नाइट्रोजन, फास्फोरिक एसिड और जैविक खाद (Humus) की उपलब्धता की कमी आँकी जाती है। सामान्यत: उच्च भूमि में यह पतली परत के रूप में उपलब्ध है जहाँ यह बलुआही और दानेदार अवस्था में है किन्तु गहरी घाटियों व निम्न भूभागों में मोटी परत के रूप में तथा दोमट प्रकार की पाई जाती है। राजमहल की रेगुर मिट्टी बैसाल्टिक मिट्टी है अर्थात् वसाल्ट निर्मित मिट्टी है जिसमें सिलिकन पदार्थों की प्रधानता रहती है। इसमें केयोलीन, पोटाश और मैग्नेशिया तथा लौह ऑक्साइड की मात्रा रहती है। इसके ऊपर काली मिट्टी के रूप में विकसित हुई है जो नमी पाकर तुरन्त गीली हो जाती है किन्तु हल्की धूप से ही वह सूख जाती है। यह काफी उपजाऊ है। पाट क्षेत्र की लेटेराइट मिट्टी जो सिंहभूम क्षेत्र में भी कहीं-कहीं बिखरी है प्राय: अनुपजाऊ है। यहाँ उच्चावच की भिन्नता और चट्टानी संरचना में भिन्नता के कारण अलग-अलग क्षेत्रों की मिट्टी के उपजाऊपन एवं मोटाई में अन्तर देखा जाता है। दामोदर बेसिन क्षेत्र में बालू पत्थर और शैल चट्टानों से निर्मित मिट्टियाँ हैं जो अम्लीय प्रतिक्रिया में उदासीन एवं उर्वरता की दृष्टि से उत्तम होते हुए

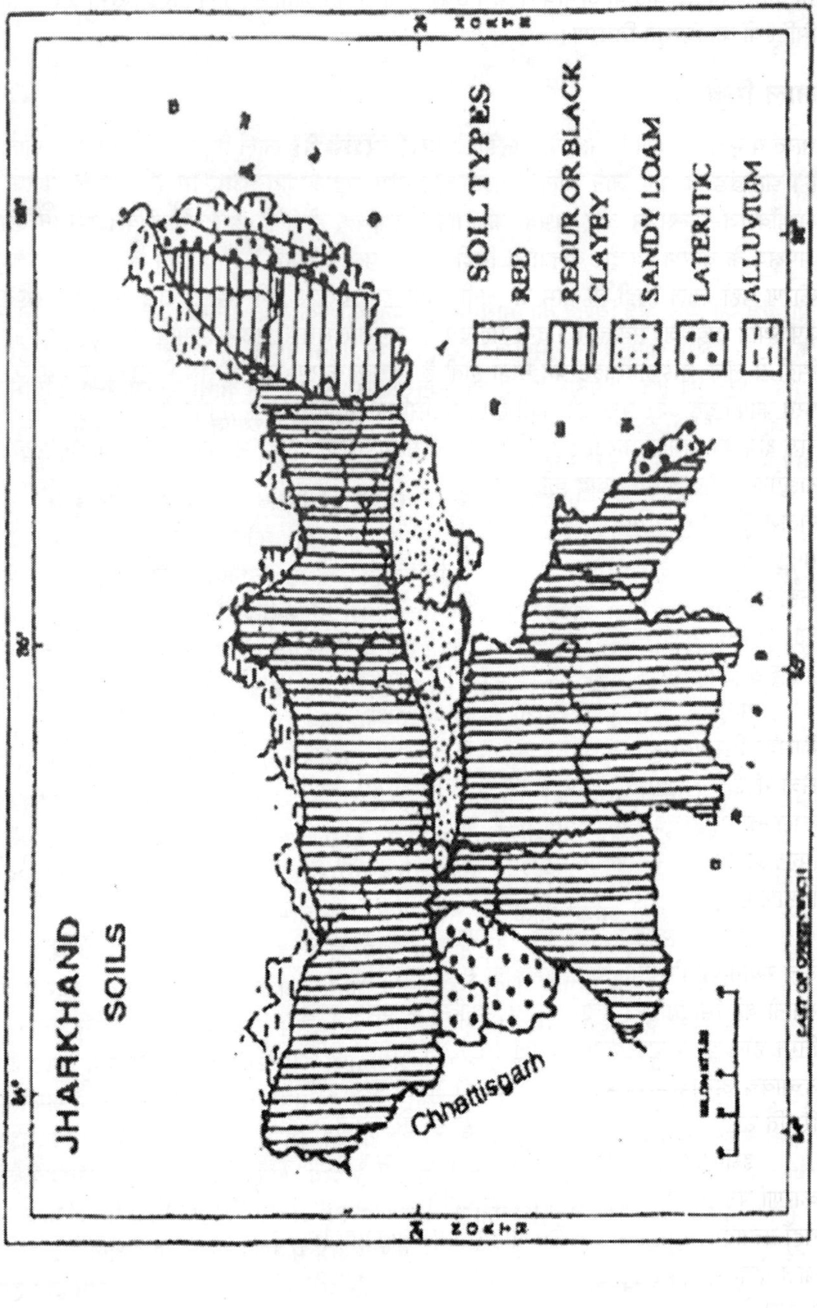
JHARKHAND
SOILS
SOIL TYPES
RED
REGUR OR BLACK CLAYEY
SANDY LOAM
LATERITIC
ALLUVIUM
Chhattisgarh
NORTH
NORTH

भी आवश्यक सिंचाई के अभाव में कम उर्वरता वाली बन जाती हैं। प्रस्तुत है इन सभी प्रकार की मिट्टियों का विस्तृत विवरण।

लाल मिट्टी

भारतीय मृदा सर्वेक्षण विभाग के अनुसार समस्त झारखंड क्षेत्र लाल मिट्टी वाला क्षेत्र कहा जाता है। झारखंड में पाए जाने वाले ग्रेनाइट और नीस चट्टानें प्राय: अम्लीय हैं जिनमें क्वार्ट्ज, आर्थोक्लेज-फेल्सपार और अभ्रक की मात्रा अत्यधिक होती है। इन चट्टानों के अपरदन एवं अपक्षय के कारण रवादार बलुआही मिट्टी सम्यक क्ले के साथ निर्मित होती है। अपने रंग के कारण यही लाल मिट्टी के नाम से जानी जाती है। झारखंड की समस्त टांड भूमि में इसकी उपस्थिति देखी जा सकती है। दन्न महोदय के अनुसार समस्त पठारी भूभाग में ग्रेनाइट निर्मित मिट्टी में लौह-हाइड्रोक्साइड की मात्रा होती है जिसके कारण सूखे मौसम में खुली मिट्टियों की परत काफी दृढ़ और सख्त हो जाती है। ऐसी मिट्टियाँ कृषि के लिए अनुपयोगी मानी जाती हैं जो टांड क्षेत्र का निर्माण करती हैं। एसिड चट्टानों से प्राप्त लाल मिट्टी में चूना, मैग्नेशिया, फॉस्फेट, नाइट्रोजन और जैविक खाद की कमी रहती है किन्तु मस्कोभाइट और ऑर्थोक्लाज के कारण पोटाश की मात्रा अधिक पाई जाती है। वैसे ग्रेनाइट चट्टान जिसमें अभ्रक न होकर हार्नब्लेंड की मात्रा पाई जाती है उनसे बनी लाल मिट्टी में चूने की उपलब्धता अधिक रहती है जिसे लाल मिट्टी कहा जाता है। यह सामान्यत: लाल होता है किन्तु इसका रंग भूरा, चॉकलेटी, पीला, राखनुमा और लगभग काला भी होता है। लाल मिट्टी के अनेक उप-प्रकार हैं जिनमें लाल रंग नहीं होता है। कुछ लाल मिट्टियाँ लेटेराइट से बनी होती हैं।

पठार के उत्तरी और दक्षिणी छोर में क्वार्टजाइट और क्वार्ट्ज शिस्ट से निर्मित भूभाग है जिसका विस्तार बहुत ही सीमित क्षेत्र में है और ऊबड़-खाबड़ धरातल का निर्माण करता है। इन क्षेत्रों में ऊँचे भूभाग के पादप प्रदेशों में अपरदित एवं अनाच्छादित मलबे निक्षेपित होते हैं जो कालान्तर में बलुआही दानेदार मिट्टी का निर्माण करता है। इसी प्रकार माइका शिस्ट और फिलाइट दोमट और पंकीली (क्ले) मिट्टी का निर्माण करता है। लावा द्वारा भारी मिट्टी का निर्माण होता है जबकि चूना पत्थर के चट्टानी धरातल से क्षारीय मिट्टी का निर्माण होता है।

स्थानीय मिट्टियों के प्रकार निर्माण में उच्चावच का बहुत ही महत्त्वपूर्ण स्थान होता है। ऊँचे स्थान की मिट्टियाँ स्थानीय चट्टानों से उद्भूत होती हैं जबकि निम्न स्थानों की मिट्टियाँ ऊँचे स्थानों की मिट्टियों का प्रवाहित एवं एकत्रित संस्करण होता है। पठार के उत्तरी भाग में उनके निम्न होने के कारण दानेदार बालू मिट्टी का निर्माण होता है जबकि दक्षिणी भाग में उनके उच्चावच अधिक होने के कारण बहुत ही महीन कणों वाली मिट्टी का निक्षेपण होता है। यह स्थिति उत्तरी हजारीबाग और दक्षिणी सिंहभूम में तुलना कर समझी जा सकती है।

इसी प्रकार मिट्टियों की स्थिरता, मोटाई और उत्पादकता तीनों गुण भी अलग-अलग कारणों पर आधारित होते हैं। मिट्टी का टेक्सचर महीन होगा तो उसकी उत्पादकता बढ़ती है। यहाँ उत्पादकता भी इसलिए ऊँचे भाग से निम्न दोन तक भिन्न दिखाई देती है। अत: लाल मिट्टी वाले क्षेत्रों में सीढ़ीदार खेतों का निर्माण कर कई प्रकार की शुष्क और आर्द्र फसलें उगाई जा सकती हैं।

काली पंकीली मिट्टी या रेगुर

झारखंड के पठारी भूभाग पर पाई जाने वाली यह अवशिष्ट मिट्टी है। इसकी तुलना पश्चिमी भारत की काली कपासी मिट्टी से की जा सकती है। इस मिट्टी का विकास राजमहल ट्रेप के लावा निर्मित भूभाग की क्षारीय नीस चट्टानों से हुई है। यही कारण है कि यह राजमहल पहाड़ी क्षेत्रों से संबद्ध भूभाग तक ही विस्तृत है किन्तु इसका विस्तार पहाड़ी के पश्चिमी ढाल में सर्वाधिक हुआ है। पूर्वी ढाल खड़ी स्थिति में होने के कारण मिट्टियों का पर्याप्त आपरहन कर देती है। यह काली मिट्टी क्लेयुक्त (Argillaceous) होती है जिसके कारण नमी ग्रहण करने की सर्वाधिक क्षमता होती है। यह मिट्टी नमी पाकर पूरी तरह फैलती है और नमी समाप्त हो जाने पर तुरंत सिकुड़ कर कड़ी हो जाती है। ग्रीष्मकाल में इसमें दरारें भी पड़ने लगती हैं। दरारें प्रायः षट्भुजाकार निर्मित होती हैं और मिट्टी अलग-अलग टुकड़ों में बँटने लगती है। किन्तु वर्षा का जल पड़ते ही ये ढीली हो जाती हैं और जोत-कोड़ करना आसान हो जाता है। यह सिर्फ क्ले के कारण होता है। इस मिट्टी का प्रमुख अंश क्ले ही होता है। इस मिट्टी के अतिरिक्त या अन्य उत्पादक अंश होते हैं कैलशियम और मैग्नेशियम कार्बोनेट, लौह आक्साइड तथा अल्युमिना जो सदैव बने रहते हैं। इनके अतिरिक्त इस मिट्टी में पोटाश, फॉस्फेट, नाइट्रोजन और जैविक खाद भी अल्प मात्रा में रहते हैं जो स्थान विशेष पर मात्रा की कमी-वेसी की विशेषता रखते हैं। इस मिट्टी के रंग के लिए उत्तरदायी कारकों का ठीक-ठीक पता नहीं चल पाया है फिर भी कहा जाता है कि इसकी मोटाई के साथ-साथ टिटानियमं-लोहे का यौगिक और अंशतः कार्बन एवं जैविक पदार्थ ही उत्तरदायी हैं।

काली मिट्टी की मोटाई पूरे क्षेत्र में 1 फीट से 50 फीट तक है। ऊँचे भूभाग में यह मिट्टी पतली परतों के रूप में, अपेक्षाकृत कम पंकीली, हल्के रंग की तथा कम उपजाऊ होती है जबकि निम्न भूभागों में खासकर 'दोन' और नदी घाटी क्षेत्रों में यह काफी मोटी परतों में, गहरे रंग की एवं उपजाऊ होती है। यहाँ इस मिट्टी में क्ले की मात्रा अधिक होती है। निम्न भागों में वर्षा जल के अपवाह के साथ आए महीन कणों वाले निक्षेप भी इन्हें उपजाऊ बनाने में मदद करते हैं। ऐसे क्षेत्र सर्वश्रेष्ठ धान उत्पादक होते हैं। पर्वतीय ऊँचे भाग की मिट्टियाँ इसके विपरीत अनुपजाऊ होती जा रही हैं।

लेटेराइट मिट्टी

लेटेराइट मिट्टी भारत में अजीब या विलक्षण किस्म की मिट्टी है। अनुमानतः भारत के करीब 12 लाख वर्ग कि.मी. क्षेत्र पर इस वर्ग की मिट्टी विस्तृत है। इसका प्रमुख क्षेत्र है झारखंड, मध्यप्रदेश, पू. कर्नाटक, द. महाराष्ट्र, केरल, उड़ीसा और असम के कुछ भाग। झारखंड में इस मिट्टी के प्रमुख तीन क्षेत्र हैं—पाट क्षेत्र, राजमहल पहाड़ी का पूर्वी प्रदेश और पूर्वी सिंहभूम। इस मिट्टी की उपस्थिति विभिन्न ऊँचाई पर दृष्टिगत होती है। पाट क्षेत्र के लोहरदगा और पलामू में यह 3000 फीट की ऊँचाई पर स्थित है तो राजमहल पहाड़ी क्षेत्र में 150 फीट की ऊँचाई पर है।

लेटेराइट मिट्टी का विकास उपार्द्र जलवायु तथा लोहा और अल्यूमिना अंश प्रधान चट्टानों के क्षेत्र में होता है। लेटेराइट एक रंध्रमय लाल, पीले, भूरे एवं चितकबरे रंग की पिसोलाइटी मृत्तिकामय चट्टान है। इसके ऊपर लिमोनाइटी परत होती है। नीचे मृत्तिका की एक परत होती है

जिसे लिथोमार्ज कहते हैं। लेटेराइट चट्टान लोहा और अल्युमिनियम की जलयोजित ऑक्साइड की बनी होती है। इसके अतिरिक्त मैग्नीज, टाइटेनियम, वैनेडियम एवं जिरकोनियम के जल अपघट से भी निर्मित होते हैं। यह सामान्यत: डेकन ट्रेप, खेंडालाइट, नेफेलीन साइनाइट पर तथा कुछ स्थितियों में शैल एवं अशुद्ध चूना पत्थर स्थित क्षेत्रों में पाए जाते हैं। वस्तुत: लेटेराइट अल्प सिलिक एवं मध्य सिलिक चट्टानों के उष्णकटिबंधीय अपक्षय के परिणाम हैं। इन चट्टानों का मानसून की जलवायु परिस्थिति में रासायनिक प्रतिक्रिया के कारण मिट्टी में रूपान्तरण होता है। इसमें जैविक पदार्थों एवं अन्य उपजाऊ पदार्थों की कमी होती है। यह कृषि के लिए उपयोगी नहीं होती। लेटेराइट मिट्टी दो प्रकार की होती है—ऊँचे स्थान की मिट्टी और निम्न स्थान की मिट्टी। पाट और राजमहल की पहाड़ियों पर प्रथम प्रकार की मिट्टी मिलती है जबकि पूर्वी सिंहभूम में तथा पूर्वी राजमहल के पादप प्रदेशों में गंगा के अल्युवियम के साथ द्वितीय प्रकार की मिट्टी है। निम्न लेटेराइट मिट्टी में नमी ग्रहण की क्षमता अत्यधिक होती है क्योंकि यह भारी चिकनी मिट्टी के समान क्लेयुक्त होती है। हालाँकि इसमें चूना, मैग्नेशियम, नाइट्रोजन और पोटाश की कमी रहती है। जहाँ स्थानीय कारणों से इसकी अधिकता होती है वहाँ यह उपजाऊ होती है। संतालपरगना की निम्न लेटेराइट मिट्टी उपजाऊ किस्म की है जहाँ धान की अच्छी फसल होती है।

दामोदर घाटी क्षेत्र की बलुआही मिट्टी

मिट्टी के संदर्भ में समस्त दामोदर घाटी क्षेत्र का भौगोलिक आधार गोंडवाना चट्टान ही है। इन क्षेत्रों में बालू पत्थर और शैल सर्वप्रधान चट्टानें हैं जो कोयला परतों और लौह पत्थर शैल के साथ स्तरीकृत हैं। अपक्षयण के प्रभाव में आकर इन चट्टानों से निम्न कोटि की मिट्टी विकसित हुई है जो अभी भी पूर्ण विकसित नहीं हो पाई है और उत्पादकता की दृष्टि से आसपास की मिट्टी से अपेक्षाकृत कम लाभदायक है। यहाँ बराकर, पंचेत और महादेव श्रेणी के बालू पत्थरों से निर्मित मिट्टियों में बड़े कणों वाले बालुओं की अत्यधिक मात्रा पाई जाती है। उपर्युक्त श्रेणियों के ऊपरी भागों का निर्माण मरुस्थलीय वातावरण में हुआ था अत: वे अल्प क्षारीय एवं अधिक लौहयुक्त हैं। इन श्रेणियों में चूना पत्थर और शैल की कुछ परतें हैं जो यहाँ की मिट्टियों में स्थानीय भिन्नता के कारक प्रतीत होते हैं। समग्रता में यही कहा जा सकता है कि गोंडवाना चट्टानों से निर्मित मिट्टियाँ पीली, पतली एवं बलुआही किस्म की हैं। इनमें जैविक खाद की कमी तथा अन्य उत्पादक पदार्थों के अंश भी नगण्य हैं।

कोयला क्षेत्रों में मिट्टियों का भारी एवं पंकीली होना मृदाविज्ञानिक सत्य है। यहाँ की चट्टानें परिवर्तित शैल और बालू पत्थर के रूप में हैं किन्तु बालू पत्थर में पर्याप्त फेल्सपार के कणों की मात्रा होती है जो केओलीन के निर्माण (क्ले) के लिए उत्तरदायी हैं। स्पष्टत: रागरत चौरस निम्न भूभागीय कोयला क्षेत्र पुनर्निर्मित धरातल से आच्छादित है। यहाँ कार्बनिक धरातल के संपर्क की मिट्टी का रंग गहरा काला होता है किन्तु इसकी संरचना एवं गठन तंत्र में किसी प्रकार का बदलाव नहीं आता है। कार्बनिक मिट्टी गर्मी के दिनों में काफी ढीली हो जाती है और धूल के रूप में दिखाई पड़ने लगती है। आँधियों के साथ ये उड़कर बिखरने लगती है। इसी प्रकार शैल का धरातलीय भाग बालू पत्थरों की पहाड़ियों के बीच लम्बवत् निम्न भूमि का

निर्माण करती है जिसमें क्ले मिट्टी की प्रधानता होती है। यही यहाँ के दोन क्षेत्र होते हैं जहाँ धान की खेती सर्वाधिक होती है।

मिट्टी के सेम्पल विश्लेषण से निम्न प्रकार के परिणाम मिलते हैं जिसे मिट्टी के रासायनिक संयोजन के अनुसार किए गए प्रकार भी कह सकते हैं—

(1) राँची, गुमला और लोहरदगा जिले की मिट्टियों में औसतन 0.040% नाइट्रोजन, 0.002% P2O5, 0.010% K2O और PH क्षमता 5.0 से 6.5 है। नाइट्रोजन की अधिकतम मात्रा 0.112% और कम से कम 0.019% देखी गई है।

(2) हजारीबाग, गिरिडीह, बोकारो, कोडरमा, चतरा जिले में मिट्टियों में रासायनिक पदार्थों की मात्रा में 0.05% नाइट्रोजन, 0.001% P2O5 और 0.010% K2O होता है। PH क्षमता 5.5 से 6.8 तक है। नाइट्रोजन की अधिकतम सीमा 0.106% तथा निम्नतम मात्रा 0.027% तक पाई गई है।

(3) पलामू और गढ़वा जिले की मिट्टी में 0.060% नाइट्रोजन की मात्रा रहती है। 0.005% P2O5 तथा 0.010% K2O रहता है और PH की क्षमता 5.0 से 6.6 तक होती है। अधिकतम नाइट्रोजन 0.125% तथा निम्नतम 0.056% तक देखी गई है।

(4) पूर्वी एवं पश्चिमी सिंहभूम जिलों की मिट्टी में 0.040% औसतन नाइट्रोजन, 0.002% P2O5, 0.010% K2O और PH क्षमता 4.7 से 6.0 तक देखी गई है। नाइट्रोजन की सर्वाधिक मात्रा यहाँ 0.112% तथा कम से कम मात्रा 0.019% तक देखी गई है।

(5) धनबाद जिला क्षेत्र की मिट्टी में औसतन 0.040% नाइट्रोजन, 0.003% P2O5, 0.010% K2O देखा गया है। PH की मात्रा 5.5 से 7.2 तक है और सर्वाधिक नाइट्रोजन 0.087% तथा निम्नतम नाइट्रोजन की मात्रा 0.036% तक देखी गई है। (आइवर्न, 1962, पृ. 51-52)

यहाँ ऊँची भूमि को 'टांड' तथा नीची भूमि को 'दोन' कहा जाता है। टांड कम उपजाऊ होता है जबकि दोन अधिक उपजाऊ होता है। टांड भूमि जो गाँव के चारों ओर पाई जाती है उसे स्थानीय नाम में दिहारी, भीठा, बहारसी कहते हैं जबकि गाँव के भीतर मकान से सटी टांड भूमि को 'बारी' कहते हैं। बारी अधिक उपजाऊ होता है क्योंकि उसमें घर के मवेशियों के खाद निरंतर डाले जाते हैं। नीची दोन भूमि को विविध नामों से जानते हैं। यथा—गड़हा, बहियार, घोघरा, जाह, चौउरा, कनारी। झारखंड में मिट्टियों के स्थानीय नाम इस प्रकार हैं : पंकीली मिट्टी को केवाल, चीटा, नगरा, गोरी, नारगदहासा, हलमाद, हासा, नाका हासा, गोबरा चीटा, दुधी चीटा, धावा चीटा, करना आदि कहते हैं। दोमट मिट्टी को खेरसी दुधा, चरका, पकुआ, लोवो, हालुरान्द, बालुसुन्दर, बालुमुहा, बालीपट, वालसुरा, पौउर, पौउरसी, भुरसी, डोरसा, पाली, आराहासा, कनकल हासा, कुंदर हासा कहते हैं। इसी तरह बलुआही दोमट मिट्टी को बाला, गोरिस, पाउर, जेरिया, बगुड हासा, गिटाला हासा और बाली कहते हैं। इसके अतिरिक्त कुछ मिट्टियों को रुगरी, गंगटी, रेहरा, सिगिड हासा, बालूहासा कहते हैं।

मृदाक्षरण

झारखंड क्षेत्र के पठारी भागों में मिट्टी अपरदन या मृदाक्षरण एक विकट संकट के रूप में व्याप्त है। इसके लिए यहाँ के उच्चावच में असमानता का होना और अत्यधिक वर्षा का होना ही कारण है। उच्चावच में असमानता के कारण ऊँचे भू-भागों से अनेक नदियाँ, नाले उद्‌भूत होते हैं जिससे सम्पूर्ण झारखंड क्षेत्र में वृक्षाकार प्रवाह प्रणाली का जाल-सा बिछ गया है। उष्ण-आर्द्र क्षेत्र में स्थित होने के कारण इन नदियों और नालों को वर्षा का जल पर्याप्त प्राप्त होता रहता है। अत: नदियों नालों से पर्याप्त मृदाक्षरण होता रहता है। क्षेत्र में अत्यधिक वर्षा के कारण आवरण अपक्षरण (Sheet Erosion) का भी बहुत प्रभाव देखने को मिलता है। चूंकि यह क्षेत्र ऊबड़-खाबड़ है अत: यह समस्या यहाँ स्थायी रूप से व्याप्त है। भारत सरकार के अध्ययन के द्वारा एक अनुमान में कहा गया है कि झारखंड क्षेत्र में 45 वर्षों की अवधि में कुल कृषि भूमि का लगभग 17 प्रतिशत भूभाग नालों में परिवर्तित हो गया है।

इस समस्या से निपटने के लिए सरकार द्वारा मिट्टी संरक्षण विभाग की स्थापना की गई किन्तु इसका परिणाम बहुत सकारात्मक नहीं दिखाई पड़ा है। राँची के एस.एफ.डी.ए. के अनुमान के आधार पर यह कहा गया है कि वर्तमान कार्य सम्पादन की रफ्तार के अनुसार प्रभावित क्षेत्रों में सुधार कार्य करने में और 50 वर्ष लगेंगे। यह भी कहा गया है कि कार्य प्रणाली का केवल धीमा होना ही नहीं बल्कि स्तरहीन होना भी एक कारण है।

मृदा संरक्षण कार्यक्रम को सफल बनाने के लिए सरकार द्वारा वर्तमान समय में बंजरभूमि विकास कार्यक्रम के अन्तर्गत वन्यीकरण, नदीघाटी योजना के अन्तर्गत मिट्टी संरक्षण, सामाजिक वानिकी तथा जनजातीय उपयोजना (Tribal Subplan) में वन्यीकरण और भूमि संरक्षण की योजनाएँ चलाई जा रही हैं। जनजातीय उपयोजना में प्रत्येक वैसे पठारी क्षेत्र जहाँ प्रति पाँच हजार में जनजातीय लोगों की 50 प्रतिशत से अधिक संख्या है, वहाँ विशेष अनुदान द्वारा कृषि परंपरागत उद्योग वानिकी और मिट्टी संरक्षण का भी विकास करना है।

मृदा प्रबंधन

झारखंड क्षेत्र पठारी भूभाग है जहाँ अधिकतर चट्टानी क्षेत्र व्याप्त है। इसके अधिकतर हिस्से में जंगल लगा है तथा अधिकतर भाग अपवाह तंत्र के जाल से भरा पड़ा है। इसके अलावा अधिवास समेत अन्य गैर कृषि कार्यकलापों के लिए भूमि का उपयोग होने के बाद कृषि कार्य के लिए यहाँ मात्र 20 लाख हेक्टेयर क्षेत्र ही उपलब्ध रह जाता है। यह समस्त भूमि का 25 प्रतिशत ही है। ऐसे में इस सीमित क्षेत्र की मिट्टी का प्रबंधन सुनियोजित ढंग से आवश्यक हो जाता है ताकि उसका सही-सही उपयोग हो सके। बढ़ती जनसंख्या के साथ अब झारखंड क्षेत्र की मिट्टी को 'आराम करने' का अवसर कम मिलता जाएगा। पहले जब जनसंख्या कम थी तो मिट्टी पर उनका भार कम था। अत: मिट्टी को 'आराम करने' का अवसर अधिक प्राप्त होता था। किन्तु अब अधिक खाद्यान्न की माँग के कारण यह संभव नहीं है। अब अधिक उत्पादन के लिए लगातार रासायनिक खादों का उपयोग हो रहा है किन्तु गाँवों में बगैर जाँच किए ही रासायनिक खादों का उपयोग मिट्टी की क्षमता में तथा गुणवत्ता में ह्रास उत्पन्न करता है। मृदा में असंतुलित रासायनिक खाद डालने से उसमें विकृति उत्पन्न होना अवश्यंभावी है किन्तु किसान ईश्वर को

दोष देकर शांत हो जाते हैं।

झारखंड के पठारी क्षेत्र में मृदा प्रबंधन के रूप में निम्नलिखित प्रबंधन की आवश्यकता है—(अ) मृदा की आम्लता, (ब) मृदा की उत्पादकता (स) मृदा अपक्षरण।

अनावृतिकरण एवं अपक्षरण के कारण इस क्षेत्र की मिट्टी अम्लीय हो गई है एक अनुमान के अनुसार लगभग 1600 लाख हेक्टेयर क्षेत्र की भूमि जो उच्च एवं मध्यम ऊँचाई क्षेत्र में है, अम्लीय प्रकृति की है। इसमें से 4.87 लाख हेक्टेयर कृषिगत भूमि बंजर पड़ी हुई है। यह भूमि सम्यक् सुधार के बाद कृषियोग्य बन सकती है। इसके लिए निम्नलिखित कार्यक्रमों का प्रावधान किया जा सकता है—

1. खरीफ एवं रबी फसलों के लिए मिट्टी में चूना मिलाया जाना जो लगातार पाँच वर्षों तक हो। इसके लिए चूने का मूल्य सरकार अनुदान के रूप में, ऋण के रूप में किश्तों में उपलब्ध करा सकती है।

2. इस क्षेत्र की मृदा में नाइट्रोजन एवं फास्फेट की कमी है जिसके कारण मिट्टी में सूक्ष्म पोषण की कमी आ गई है। इसके लिए कम्पोस्ट खाद तैयार करने की पद्धति सुनिश्चित करनी होगी तथा किसानों को इसकी शिक्षा देनी होगी। नीले एवं हरे शैवाल की खाद भी इसके लिए प्रभावी होती है। अत: किसानों को इन शैवालों के बारे में प्रशिक्षित करना होगा।

3. खाद का उपयोग इस क्षेत्र में बहुत ही कम मात्रा में किया जाता है। समस्त झारखंड क्षेत्र में प्रति हेक्टेयर मात्र 18.8 किलोग्राम खाद का प्रयोग किया जा रहा है। इसमें वृद्धि के लिए योजना बनानी होगी।

4. जलछाजन कार्यक्रम के तहत मृदाक्षरण कार्यक्रम को जन-जन तक पहुँचाने एवं समझाने की जरूरत है। इसके लिए बाँध, सीढ़ीनुमा कृषि आदि की महत्ता को जनता के बीच समझाना होगा तथा सरकारी कार्यक्रमों को सही जगह पर कार्यान्वित कराना होगा। इसके अतिरिक्त भूमि समतल, नालिका संरक्षण, तलछट अवरोधन, जल संग्रहण तालाब आदि सही-सही समस्याओं की जगह पहचान कर इनसे सम्बन्धित कार्यक्रमों को लागू करना होगा।

Jharkhand : Erosion affected Area 1995-96

(in 000 Hact.)

District	*Area affected by water erosion*	*degraded in non- irrigated area*	*Total*
Dumka	177.99	45.17	223.16
Godda	72.30	18.53	90.83
Deoghar	79.80	20.85	100.65
Sahibgunj	101.85	31.25	133.11
Hazaribag	128.18	25.60	153.78
Chatra	54.01	13.19	67.20
Giridih	123.17	30.76	153.93

Bokaro	70.52	6.98	77.50
Dhanbad	44.90	4.84	49.74
Ranchi	158.18	70.42	228.60
Lohardaga	53.56	13.41	66.97
Gumla	255.85	83.83	339.68
Palamu	171.63	45.92	217.55
Garhwa	92.77	23.65	116.42
E.Singhbhum	110.28	21.71	131.99
W.Singhbhum	110.85	31.24	142.09
Total Jharkhand	1785.84	487.36	2273.20

भू-जल-सुरक्षित है पाताल का पानी

डॉ. रणजीत प्रसाद

भूजल अर्थात् जमीन के अन्दर उपस्थित जल। यह दो प्रकार का होता है—वेदोज जल और भूजल। अधिभौम जल जमीन की सतह से नीचे की ओर जाता हुआ जल है। वह मिट्टी या चट्टान जिससे होकर यह नीचे की ओर जाता है, वायुयुक्त क्षेत्र कहलाता है। यह जल से असंतृप्त होता है। भूजल जमीनी सतह से नीचे पाए जाने वाले वे सभी जल हैं जो उस गहराई तक पहुँच गए हैं जिससे नीचे सभी मिट्टी और चट्टानों के छिद्र जल से भरे हुए हैं। यह संतृप्त संस्तर कहलाता है। भूजल की ऊपरी सतह को भूजल स्तर (coater table) कहते हैं।

यह भूजल स्तर की प्रत्येक योजना के लिए बहुत महत्त्वपूर्ण स्थान रखता है। यदि हम ध्रुवीय प्रदेश में जमी हुई बर्फ को छोड़ दें तो विश्व में स्थित स्वच्छ जल का 90% भूजल ही है। झरना, नदी आदि केवल 3% ही भरपाई करते हैं। ये भूमिगत जल प्राकृतिक रूप से उन मिट्टी या चट्टानों से छन जाते हैं जो इसे ग्रहण किए हुए होते हैं। परन्तु साथ ही साथ पृथ्वी की सतह पर स्थित प्रदूषित करने वाले तत्त्व के कारण प्रदूषित भी हो जाते हैं। इसका ध्यान घर पर, स्थानीय स्तर पर, राष्ट्रीय स्तर पर और विश्व स्तर पर रखा जाना आवश्यक है।

भूमिगत जल के मुख्य तीन स्रोत हैं—

(i) वर्षा और बर्फ से प्राप्त होने वाला जल : बारिश के बाद एवं बर्फ के पिघलने के बाद समुद्र तक की यात्रा के क्रम में कुछ जल तो वाष्पित होकर पुनः वातावरण में चला जाता है। बहने वाले जल का कुछ भाग जमीन की सतह के अन्दर प्रवेश कर जाता है। ये ही जल अधिभौम जल (vadose water) कहलाता है जो बाद में भूजल स्तर तक पहुँच कर भूजल कहलाता है।

(ii) सहजात जल (Connate water) : ये वैसे भूजल हैं जो अवसादी चट्टानों के बनते समय से उसके साथ हैं। चूना पत्थर बालुकानम (Sand stone) आदि में ये प्राप्त होते हैं। ये प्रायः खारे स्वाद के होते हैं और पेयजल के रूप में उपयोग नहीं किए जा सकते हैं।

(iii) मैग्मज जल (Javenile water) : इसे मैग्मा से प्राप्त जल भी कहते हैं। मैग्मा में स्थित वाष्प ठंडा होने पर जल के रूप में परिणत होकर चट्टानों के छिद्रों में पाए जाते हैं। गर्म जल के स्रोत इसी के कारण होते हैं।

वेदोज जल जो सतह के सबसे नजदीक 9 मी. की गहराई तक पाया जा सकता है। पेड़-पौधों एवं कृषि के लिए यह बहुत उपयोगी होता है और इसका विकास बहुत हद तक मृदातल पर निर्भर करता है। उसके ठीक बाद इण्टरमीडियट वेदोज जल पाया जाता है जो असंतृप्त क्षेत्र

में होता है और गुरुत्व के कारण नीचे की ओर इसकी गति होती है। कहीं-कहीं यह नहीं भी हो सकता है। उपरोक्त दोनों क्षेत्रों को मिलाकर वायुयुक्त क्षेत्र (Zone of aeration) कहा जाता है। वेदोज जल का तीसरा भाग भूजल से सटा होता है और कैपलरी-एक्शन के द्वारा ऊपर की ओर इसकी गति होती है।

ये जल जिन चट्टानों या मिट्टी में रहते हैं उसे जलमृत (Aquifer) कहते हैं। ये जलधारी संस्तर कितना जल संगृहीत रख सकते हैं और कितना जल इससे निकाला जा सकता है, इसके आधार पर जलमृत को भी तीन भागों में बाँटा गया है—

(i) एक्वीक्लूड (Aquiclude) : वैसे जल संगृहीत चट्टानें हैं जिसमें जल संग्रह करने की क्षमता तो बहुत होती है परन्तु इसमें से आसानी से जल्दी से जल का बहाव सम्भव नहीं होता है।

(ii) जलवर्जित संस्तर (Aquifuge) : वैसे चट्टानें हैं जिसमें जल संग्रहण या बहाव बिल्कुल ही सम्भव नहीं है।

(iii) एक्वीटार्ड (Aquitard) : वैसे एक्वीफ्यूज या एक्वीक्लूड चट्टानें हैं जिसमें स्थानीय जाइंटस या क्रेक के कारण जल बहाव सम्भव होता है।

जलमृत (Aquifer) तीन प्रकार से स्थित रह सकते हैं—

(i) अपरिरुद्ध जलमृत (Unconfined aquifer) : ये ऐसे एक्वीफर हैं जिनका भूजल स्तर सीधे-सीधे वातावरण के दबाव से संबंधित होता है। कहीं-कहीं पर स्थानीय स्तर पर छोटे क्षेत्र में भूजल संग्रह हो जाता है और उसका स्तर मूल भूजल स्तर से ऊपर होता है। ऐसे भूजल स्तर को स्थानीय भूजल स्तर (perched water table) कहते हैं।

(ii) परिरुद्ध जलमृत (confined aquifer) : ये ऐसे एक्वीफर हैं जिनके ऊपर एक ऐसी चट्टान का स्तर रहता है जिससे होकर जल का बहाव संभव नहीं होता है। इसलिए इसमें स्थित भूजल वातावरणीय दबाव से अलग बहुत अधिक दबाव में होता है।

(iii) उत्स्तुत जलभाव (Artesian aquifer) ऐसे एक्वीफर हैं जो भूगर्भीय स्थिति के कारण ऊपर और नीचे दोनों ओर से ऐसी चट्टान से घिरे होते हैं जिनसे जल बहाव नहीं होता और अलग-अलग ऊँचाई पर उसमें स्थित भूजल पर पड़ने वाला दबाव अलग-अलग होता है। जल ग्रहण क्षेत्र यदि कहीं ऊपर हो और नीचे कहीं यह एक्वीफर सतह के सम्पर्क में आ जाता है तो जल स्वत: सतह से बाहर निकलने लगता है।

किसी भी जलमृत (aquifer) की जलदोहन क्षमता को निम्नलिखित गुणों के आधार पर परखा जाता है—

(i) सरंध्रता (porosity) : यह मिट्टी चट्टान का आयतन और संगृहीत हो सकने वाले जल के आयतन का अनुपात है। यह प्रतिशत में व्यक्त किया जाता है।

(ii) पारगम्यता (permeability) : यह मिट्टी या चट्टान के रंध्रों (pores) और उसके आपस में जुड़े होने पर निर्भर करता है उससे होकर बहने वाले जल या वायु की मात्रा। किसी तरल या गैस के किसी चट्टान से होकर गुजर सकने की क्षमता को पारगम्यता कहते हैं।

(iii) विशिष्ट धारण (specific Retention) : मिट्टी या चट्टान के द्वारा धारित

जल का आयतन और जलमृत-पदार्थ के आयतन के अनुपात को विशिष्ट धारण कहते हैं।

(iv) विशिष्ट बहाव (Specific field) : भूजल के कारण किसी संतृप्त जलमृत से जितना जल बह जाता है उसका आयतन और कुल संगृहीत जल के आयतन को specific field कहते हैं।

झारखंड में पाई जाने वाली चट्टानों में से कुछ के भूजलीय गुण इस प्रकार हैं—

चट्टान /मिट्टी	*सरंध्रता*
चिकनी मिट्टी	45-60%
बालु	25-40%
बालुकाश्म (Sand Stone)	5-30%
चूना पत्थर	4-20%
आग्नेय एवं कायान्तरित चट्टान	0-10%
संगमरमर	<1

चट्टान या मिट्टी	*पारगम्यता*
चिकनी मिट्टी	3-5 से.मी. प्रतिदिन
बालु	300-400 मी. प्रति दिन

चट्टान /मिट्टी	*विशिष्ट बहाव (specific field)*
बालु	10-30%
बालुकाश्म	5-15%
चूना पत्थर	1-5%

इस प्रकार हम देखते हैं कि सरंध्रता अधिक रहने पर भी पारगम्यता कम हो सकती है। जैसा कि चिकनी मिट्टी और बालू के उदाहरण में देखते हैं। फिर संस्तरों में पाए जाने वाली संरचना भी बहुत महत्त्वपूर्ण स्थान रखती है। इसके साथ ही साथ भूजल इस बात पर भी निर्भर करता है कि कोई चट्टान का कितना अपक्षयन (weathering) हुआ है। झारखंड में निम्न भूभाग में ग्रेनाइट नाइस का अपरदन 15 मीटर से अधिक हुआ है जबकि उच्च भूभाग में यह अपरदन 5-15 मीटर तक हुआ है। कायांतरित अवसादी चट्टानों का भी अपरदन 5 मी. से कम गहराई तक हुआ है।

उपरोक्त सभी बातों को ध्यान में रखकर यदि हम झारखंड की स्थिति को देखें तो यहाँ का बहुत बड़ा भाग आग्नेय चट्टान ग्रेनाइट का बना हुआ है। और पठारी भाग है जैसे छोटानागपुर का पठार जिसे हम सिमडेगा का पठार, पंचपरगना पठार, राँची का पठार, में बाँट सकते हैं। उत्तर में कोडरमा-हजारीबाग का पठार है। दक्षिण में सिंहभूम मैदानी भाग भी मुख्यत: ग्रेनाइट का ही बना हुआ है। धन्जोरी और कोल्हान बेसिन अवसादी चट्टानों के बने हैं जो कायान्तरित हैं। धन्जोरी में लावे का बहाव भी हुआ है। दक्षिण में पोड़ाहार एवं दालमा का पठार है और उत्तर-पूर्व में राजमहल का पठार लावा बहने से ज्वालामुखीय आग्नेय चट्टानों से बना हुआ है। उत्तर पूर्व

में ही गंगा के मैदानी भाग का छोटा हिस्सा और उत्तर-पश्चिम में विन्ध्य काल की अवसादी चट्टानें हैं। इसके अलावा नाइस, सिस्ट, क्वार्जाइट चट्टानें भी हैं।

झारखंड की अवसादी और कायान्तरित अवसादी चट्टानों में तो भूजल ग्रहण की प्रचुर क्षमता है। आग्नेय चट्टानों में भी फ्रेक्चर (Fracture) और संधि (joints) अधिक होने के कारण भूजल के अच्छे भण्डार हैं।

(i) आरकियन और प्री-कैम्ब्रियन काल की आग्नेय तथा परिवर्तित चट्टान जैसे ग्रेनाइट, नाइस, स्लेट, क्वार्जाइट, सिस्ट, संगमरमर और चूना पत्थर में भूजल 75 मी. की गहराई तक पाया जाता है जहाँ इसका बहुत अधिक अपक्षयन हुआ है या जहाँ ये विभंगित (fractured) हैं। यहाँ के कुएँ भी प्रायः 3-18 मी. व्यास वाले होते हैं। और इन चट्टानों से 20,000 से 400,000 लीटर प्रतिदिन के हिसाब से जल निकाला जा सकता है। क्वार्जाइट और संगमरमर की निष्कासन क्षमता लगभग 10,000 लीटर प्रतिदिन है। ये चट्टानें झारखंड के लगभग दो तिहाई क्षेत्र में फैली हुई हैं और मुख्यतः प. सिंहभूम जिले के दक्षिणी भाग, सिमडेगा, गुमला, राँची जिले का उत्तरी हिस्सा, लोहरदगा, पलामू, गढ़वा, लातेहार, चतरा, हजारीबाग कोडरमा, गिरिडीह, देवघर, दुमका में हैं।

(ii) प्री-केम्ब्रियन काल की कायान्तरित अवसादी चट्टानें बालुकाश्म (Sand Stone), शैल, फिलाइट, चूना पत्थर प. सिंहभूम जिले में चाईबासा के आसपास हैं। ये चट्टानें बहुत संपीड़ित (consolidated) हैं इसलिए इनमें ज्वाइंट्स (joints), फिसर (fissures) और संस्तर सतहों में भूजल मिलता है। ये चट्टानें सिंहभूम ग्रेनाइट आधारों के ऊपर हैं। सिंहभूम में भी joint और fracture में ही भूजल संगृहीत होता है। सतह पर अपक्षयन के कारण भी अपक्षयित ग्रेनाइट भूजल की अच्छी मात्रा धारण करती है। शैल और फिलाइट से भूजल का रिसाव बहुत कम होता है। यही कारण है कि ग्रेनाइट से बनी हुई मिट्टी में खेती अच्छी होती है जबकि शैल और फिलाइट से बनी मिट्टी में खेती ठीक से नहीं होती है। ग्रेनाइट और सेण्डस्टोन में बने हुए कुओं में प्रायः सालों पानी रहता है और साफ होता है। शेल या फिलाइट में बने हुए कुओं से पानी अधिक मात्रा में नहीं निकलता और ये कुएँ प्रायः गर्मियों में सूख जाते हैं। प. सिंहभूम जिले में ही अथिरन ऑर सीरीज की चट्टानें भी मिलती हैं। इनमें बेंडेड हेमाटाइट क्वार्जाइट, फिलाइट, बैंडेड हेमाटाइट जसपर चट्टानें हैं। इनके आधार में ग्रेनाइट चट्टानें हैं। बैंडेड हेमाटाइट क्वार्जाइट एवं बैंडेड हेमाटाइट जसपर तथा क्वार्जाइट भी बहुत संपीड़ित चट्टानें होने के कारण इनके joints एवं fissures में जल संगृहीत रहता है। यहाँ पाए जाने वाले भूजल में लौह की मात्रा अधिक होती है।

(iii) गोंडवाना की अवसादी (sedimentary) चट्टानों में सेण्डस्टोन और शैल मुख्य चट्टानें हैं। इनमें से सेण्डस्टोन अच्छे जलमृत हैं। गोंडवाना के कण (sediments) विषम विन्यास (unconformity) के कारण निम्न गोंडवाना (lower gondwana) और उच्च गोंडवाना (upper godwana) में बँटे हुए हैं।

निम्न गोंडवाना चट्टानों में सेण्डस्टोन बहुत अच्छे जलमृत हैं। इनके कुओं से 40,000 से लेकर 1,00,000 लीटर से अधिक प्रतिदिन जल निष्कासित किया जा सकता है। इतने अधिक भूजल

के कारण बहुत बार यहाँ कोयला खनन में भी कठिनाई उत्पन्न हो जाती है। यहाँ के भूजल हल्के कठोर होते हैं और इसमें कुल घुलनशील कण (T.D.S.= Total Disolve Substance) 1000 ppm से कम होते हैं। कुछ भागों में इस जल में लौह अधिक होता है तो कहीं-कहीं कोयले वाले क्षेत्र में हाइड्रोजन सल्फाइड अधिक रहता है। ये चट्टानें रानीगंज, बराकर आदि क्षेत्रों में मुख्यत: हैं जो धनबाद और बोकारो जिले से सटे हुए क्षेत्र हैं।

अपर गोंडवाना चट्टानों में भी सेण्डस्टोन का मुख्य जलमृत है। इस समूह में स्थित कुएँ 2500 लीटर प्रति मिनट से अधिक जल दे सकते हैं। ये जल कुछ खारा भी होता है। ये चट्टानें बोकारो, कर्णपुरा, पंचेत और राजमहल क्षेत्र में हैं।

(iv) राजमहल और दालमा लावा बहाव लावे के बहाव से बना हुआ है। इनमें भूजल अपरदित (weathered) क्षेत्र में मिलता है। अपरदन या फ्रेक्चर का प्रभाव बहुत गहराई तक नहीं होने के कारण यहाँ भूजल लगभग 45 मी. गहराई तक ही है। लगभग 30 मी. गहरे कुओं से इस जलमृत से 1,00,000 लीटर प्रतिदिन से अधिक भूजल निष्कासित किया जा सकता है। इसमें कुल घुलनशील कण (T.D.S) 1000 ppm से कम होते हैं। राजमहल लावा पाकुड़, साहेबगंज और गोड्डा जिलों में फैला हुआ है तो दालमा लावा सिंहभूम पूर्वी जिले में है।

(v) टरसरी ग्रेवल और ग्रीट सिंहभूम पू. जिले के धाकझमगढ़ इलाके में पाए जाते हैं। ये ग्रेवल और ग्रीट बहुत ही अच्छे जलमृत हैं। इनमें आसानी से पुनर्भरन संभव है और इसमें से जल निष्कासन भी बहुत गति से 200 से 2000 लीटर प्रति मिनट की गति से किया जा सकता है। कुल घुलनशील कणों की मात्रा भी इसमें कम होती है।

(vi) विन्ध्यन सेण्डस्टोन झारखंड के उत्तर-पश्चिम में सोन नदी के दक्षिण में मिलता है। यह बहुत ही अच्छा जलमृत है। इसमें भूजल उत्पादन की भी बहुत क्षमता है।

इस तरह हम देखते हैं कि झारखंड प्राय: कठोर चट्टानों वाले जलमृतों से बना हुआ है। भूजल संसाधन के सही प्रबंधन से इस राज्य की जल की आवश्यकता को पूर्ण किया जा सकता है। भूजल का उपयोग करना झारखंड राज्य की आवश्यकता है क्योंकि यहाँ की अधिकतर नदियाँ बरसाती हैं जो गर्मी में या तो सूख जाती हैं या फिर उनका जलस्तर बहुत नीचे चला जाता है। झारखंड के उत्तर-पश्चिम में सोन नदी का थोड़ा भाग और उत्तर-पूर्व में गंगा नदी के थोड़े भाग को छोड़ दें तो सतही जलस्त्रोत सभी झारखंड से ही हैं। झारखण्ड की प्रमुख पाँच नदियाँ भूजल के भी पाँच प्रमुख क्षेत्र बनाते हैं-

(i) दामोदर (ii) बराकर (iii) स्वर्णरेखा (iv) दक्षिणी कोयल और (v) उत्तरी कोयल।

वर्षा का पानी अलग-अलग सहायक नदियों से आकर इनमें मिलता है और बंगाल की खाड़ी में जाकर गिर जाता है। ये नदियाँ भूजल संग्रहण का प्रमुख स्त्रोत हैं। इनके कारण स्वत: ही आसपास के क्षेत्र में भूजल का पुनर्भरण होता रहता है। कई स्थानों पर भूजल भी इन नदियों के जलस्तर को बनाए रखने में सहायक होता है। यदि ठीक तरह से जल प्रबंधन किया जाए तो गर्मी के दिनों में होने वाली पानी की कमी को दूर किया जा सकता है। साथ ही साथ सिंचाई की अच्छी व्यवस्था कर साल में दो या तीन फसलें ली जा सकती हैं। भूजल के अत्यधिक मात्रा में

निष्कासन से कई क्षेत्रों में भूजल स्तर नीचे हो रहे हैं परन्तु पुनर्भरण की कृत्रिम तथा वैज्ञानिक पद्धति से भूजल स्तर को नीचे जाने से रोका जा सकता है। साथ ही बाढ़ की विभीषिका पर भी नियंत्रण पाया जा सकता है।

दामोदर नदी 538 कि.मी. लम्बी है जिसमें से 290 किमी झारखंड में है और यह उच्च दामोदर जलग्रहण क्षेत्र कहलाता है। शेष 248 कि.मी. पश्चिमी बंगाल में पड़ता है। झारखंड में यह जलग्रहण क्षेत्र 11.1 हजार वर्ग किलोमीटर है।

उत्तरी कोयल नदी का जलग्रहण क्षेत्र 12,749 वर्ग किलोमीटर है और लगभग पलामू और गढ़वा जिलों में फैला हुआ है। इस बेसिन पर 25 हजार से अधिक जनसंख्या निर्भर है।

स्वर्णरेखा नदी जलग्रहण क्षेत्र राँची का ऊपरी और निम्न पठार के साथ-साथ सिंहभूम पू. और प. जिला भी है।

बराकर नदी का जलग्रहण क्षेत्र कोडरमा, गिरिडीह, दुमका तक फैला हुआ है। तथा दक्षिणी कोयल नदी का जलग्रहण गुमला, सिमडेगा, राँची और प. सिंहभूम का हिस्सा है।

यदि वर्षा की मात्रा को जिलेवार देखें (सारणी) तो हम देखते हैं कि लगभग चार महीने ही झारखण्ड में अधिक वर्षा होती है। इस वर्षा के जल का संचयन कर सतही जल के रूप में तो उपयोग किया ही जा सकता है, उचित शैलसमूह (जलमृतों) में भी भूजल के स्तर को बढ़ाया जा सकता है।

पूरे देश में 18690 करोड़ घनमीटर पुन: भरे जाने वाले भूजल में से हम केवल 9320 करोड़ घनमी. भूजल का ही उपयोग कर पा रहे हैं। देश का छठवाँ भाग सूखाग्रस्त है तो एक बड़ा भूभाग बाढ़ से भी ग्रसित रहता है। संतुलित प्रबंधन से दोनों समस्याओं का समाधान किया जा सकता है। 2002-2003 में सभी राज्यों ने अपने कुल खर्च का केवल 0.31% ही मिट्टी और जल संरक्षण में खर्च किया है। 2002-2003 में झारखंड ने भी अपने बजट का 4.83% सिंचाई, खाद्य, मिट्टी और जल संरक्षण में खर्च किया है।

Source Net irrigated Area By UnderGround Water of Jharkhand (1997-98) (in hectares)

S.No.	Name of District	Tank	Wells
1.	Dumka	1995	4914
		23.59	58.11
2.	Godda	4628	3988
		48.40	41.70
3.	Deoghar	2307	2004
		36.63	31.82
4.	Sahebganj	561	251
		11.15	4.99
5.	Pakur	1096	353

		55.30	17.81
6.	Hazaribagh	2272	4639
		17.08	34.80
7.	Kodama	310	749
		12.57	30.37
8.	Bokaro	372	849
		17.77	40.53
9.	Dhanbad	246	670
		15.91	43.34
10.	Ranchi	192	6058
		1.14	35.89
11.	Purbi Singhbhum	420	99
		29.27	6.90
12.	Pas. Singhbhum	574	33
		7.11	0.41

Source : LKP. Singh (Land & People) Jharkhand

भारत में भूजल संसाधन

भूजल बेसीन	*कुल पुनः भरे जाने योग्य भूजल*	*कुल निष्कासन*	*शेष भूजल*
गंगा	17.17	4.50	12.67
गोदावरी	4.68	0.60	4.08
ब्रह्मपुत्र	2.79	0.05	2.74
कृष्णा	2.67	0.65	2.02
सिन्धु	2.55	1.71	0.84
उ.पू. कोयल	2.28	0.26	2.02
महानदी	2.13	0.07	2.06
तमिलनाडु	2.09	0.07	2.02
नर्मदा	1.19	0.15	1.04
शेष	7.67	2.58	5.09
कुल	45.22	10.64	34.58

इससे स्पष्ट है कि हम उपलब्ध भूजल संसाधन का अधिकतम उपयोग नहीं कर पा रहे हैं। भविष्य में यह बेहतर रूप से उपयोग किया जा सकेगा। कुल भूजल का 390 लाख हेक्टेयर सिंचाई के लिए और 650 लाख हेक्टेयर पीने के लिए उपयोग हो।

औसत वर्षा

M	*Dumka*	*Ranchi*	*Daltonganj*	*Chaibasa*	*Dhanbad*
J	13.21	26.07	27.03	20.06	14.09
F	17.17	43.09	35.05	33.04	25.06
M	25.02	29.00	19.05	21.08	19.08
A	22.05	21.08	09.06	28.08	17.06
M	88.02	54.06	18.06	72.02	51.01
J	251.7	216.7	165.4	212.0	192.6
J	337.0	296.7	367.0	279.8	345.5
A	239.0	·373.1	395.1	352.0	323.2
S	233.7	232.4	212.6	210	212.1
O	94.05	90.04	61.08	81.01	93.05
N	10.02	20.04	17.01	16.06	10.05
D	02.05	07.01	05.06	04.03	4.2

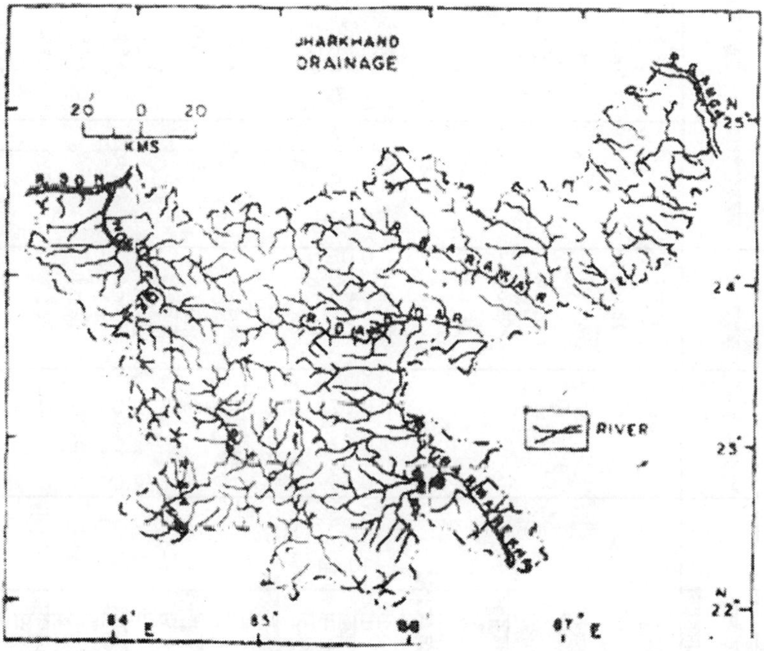

स्थहल्ष्द्र2द्वह्यद्र ङ्घद्रह्ल ड्डह्लद्धदड्डुह्लद्गस्त्र ह्दड्ड, १९९७-९८ (द्वठ्ठ ब्धद्गष्ड्ढडुह्लद्गह्य)

स. हृथ.	ह्डुद्वद्ग शद्ध ष्ठद्वह्यहल्द्धष्ह्ल	ष्ड्डठुड्डुह्य	अड्डठुह्य	अहड्डद्ग2द्गह्यह्य	2द्गह्यह्य	ह्लह्द्धद्गह्ल ह्यशहल्ष्द्ह्य	अशहलड्डुह्य	ल शद्ध ड्डह्लद्धदड्डुह्लद्गस्त्र हृ
१.	ष्ठह्लद्वह्यड्डु	७४	१९९५	–	४९१४	१४७४	८४५७	
		०.८८	२३.५९		५८.११	१७.४२	१००.००	५.१४
२.	तशस्त्रस्त्रड्डु	५७	४६२८	४	३९८८	८८५	९५६२	
		०.६०	४८.४०	०.०४	४१.७०	९.२६	१००.००	१२.३८
३.	ष्ठद्गशदद्धड्डुह्ल	–	२३०७	–	२००४	१९८७	६२९८	
		–	३६.६३	–	३१.८२	३१.५५	१००.००	८.६७
४.	स्ड्डुद्धद्गड्डदड्डुठ्ठ्द्ध		५६१	१७५	२५१	४०४३	५०३०	
			११.१५	३.४८	४.९९	८०.३८	१००.००	१०.९१
५.	क्ष्डुद्यहह्ल	–	१०९६	३	३५३	५०	१९८२	
			५५.३०	०.१५	१७.८१	२६.७४	१००.००	३.२३
६.	।।ड्डु5ड्डुह्लद्धड्डुड्डुद	१०६२	२२७२	२८२५	४६३९	२५२६	१३३२४	
		७.९७	१७.०८	२१.२०	३४.८०	१८.९५	१००.००	१३.६१
७.	चशस्त्रड्डुह्लद्धड्डु	–	३१०	८६०	७४९	५४७	२४६६	
			१२.५७	३४.८७	३०.३७	२२.१९	१००.००	१३.९३
८.	ष्द्धड्डुह्लहड्डु	४४५	१००८	१५४८	१९९२	७६०	५७५३	
		७.७४	१७.५२	२६.९१	३४.६३	१३.२०	१००.००	१२.२१
९.	तद्वह्लद्धस्त्रड्डुद्ध	–	३८.१	३४७२	४३९८	४०१	८६५२	
		–	४.४०	४०.१३	५०.८३	४.६७	१००.००	१०.०७

१०.	क्षभ्द्मड्डह्र्थ	–	३७२	८५२	८४९	२२	२०९५	
			१७.७७	४०.६७	४०.५३	१.०७	१००.००	५.७७
११.	ष्ठ्द्धड्डठ्ठड्डड्डस्र	१६	२४६	७	६७०	६०७	१५४६	
		१.०४	१५.९१	०.४५	४३.३४	३९.२६	१००.००	४.१०
१२.	ऋड्डठ्ठष्द्धद्ध	४९७५	१९२	३५८२	६०५८	२०७२	१६८७९	
		२९.४७	१.१४	२१.२२	३५.८९	१२.२८	१००.००	६६.९८
१३.	स्मद्धड्डह्स्रड्डद्ददु	५१३	१२४२	–	१५९२	१७५	३५२२	
		१४.५७	३५.२६	–	४५.२०	४.९७	१००.००	७.६२
१४.	तह्लद्बद्यड्डु	१४२	१७२	–	३७३७	३५४२	७५९३	
		१.८७	२.२७	–	४९.२१	४६.६५	१००.००	२.८७
१५.	क स्द्धठ्ठदद्धड्डह्लद्द	१०८	४२०	७३	९९	७३५	१४३५	
		७.५३	२९.२७	५.०८	६.९०	५१.२२	१००.००	१.५७
१६.	क्ड्डह्य. स्द्धठ्ठदद्धड्डह्लद्ध	४८७४	५७४	१५४	३३	२४४२	८०७७	
		६०.३४	७.११	१.९१	०.४१	३०.२३	१००.००	४.०२
१७.	क्ड्डयड्डद्धह्ल	१०६२	५१६४	४९६५	८९११	६८१०	३४९१२	
		२५.८१	१४.७६	१४.११	२५.६१	१९.४७	१००.००	२३.८८
१८.	तड्डह्ल्द्धड्डु	४३२२	१७७२	२५११	३९३०	६५०१	१९०३६	
		२२.७०	९.३१	१३.१९	२०.६५	३४.१५	१००.००	३०.१७
ज्ञथह्लड्डद्य छ्द्धड्डह्ल्द्मद्धड्डठ्ठस्र		२५६५०	२४७१२	२१०३१	४९२४७	३६२५१	१५६८९१	
		१६.३५	१५.७५	१३.४०	३१.३९	२३.११	१००.००	

स्थह्लह्ल्ष्द्ध = स्ल्ड्डह्लद्बद्यह्लद्बष्ड्डद्य ह्लद्बद्बद्बष्द्ध, क्ष्द्धड्डह्ल

नदियाँ-सालों भर पानी की आस

मरियम कुजूर

किसी क्षेत्र में जब वर्षा होती है या बाहर से पानी आता है तो धरती की ढाल के अनुसार वह अपना मार्ग पकड़ता है। पानी के ऐसे बहाव से सरिताओं व नदियों का निर्माण होता है।

किसी क्षेत्र की प्रवाह प्रणाली को उस क्षेत्र के जल की मात्रा, धरती की बनावट, ढाल की मात्रा, वनस्पति का घनत्व, मिट्टी की संरचना आदि प्रभावित करते हैं। भू-आकृति के अनुसार और धरती की ढाल के अनुरूप पृथ्वी की सतह पर जल की रूपरेखा निर्भर करती है। अगर ढाल बहुत है तो सतह पर जलपिंड दिखाई नहीं पड़ेंगे या कम होंगे। जहाँ ढाल कम है वहाँ जलस्रोत अधिक दिखाई देंगे। फिर मिट्टी की बनावट से भी जलप्रवाह प्रभावित होता है। बलुआही मिट्टी में पानी प्रवेश कर गुम हो जाता है जबकि केवल मिट्टी में जल धरती की सतह पर बहने लगता है। झारखण्ड में ढाल अधिक होने के कारण झील, तालाब कम हैं, नदियों में भी पानी कम रहता है। ऐसे तो झारखंड क्षेत्र में कृत्रिम जलाशय बहुत मिलते हैं, जहाँ नदियों के बहाव को रोक लिया जाता है। पहाड़ी क्षेत्रों में जमीन ऊबड़-खाबड़ रहती है और प्राकृतिक गड्ढे भी रहते हैं। इसलिए पहाड़ी क्षेत्रों में ऐसे जलाशय आसानी से बनाए जा सकते हैं, जबकि समतल मैदान में ऐसा करना कठिन है। जिस क्षेत्र में जलाशय अधिक होगा, वहाँ भूमिगत जल भण्डार भी बढ़ेगा। झारखंड में जल पूँजी कम है इसलिए यहाँ भूमिगत जल भण्डार भी सीमित है। भूमिगत जल की मात्रा नीचे की चट्टानों की बनावट पर निर्भर करती है। झारखंड में अधिक चट्टानें रवेदार हैं जो आग्नेय या परिवर्तित चट्टानों के रूप में मिलती हैं। ऐसी चट्टानों में जल का प्रवेश नहीं हो पाता, जबकि स्तरी चट्टानों में जल प्रवेश कर जाता है। झारखंड में जल का प्रवेश वहीं होता है जहाँ जोड़ या दरारें हैं और इनकी मात्रा सीमित है। इसलिए झारखंड में कुएँ जल्द सूख जाते हैं, चापानल में भी जल सीमित रहता है। बड़े 'ट्यूबवेल' बनाने की संभावना कम है। कहीं-कहीं जल का जमाव झीलों के रूप में नहीं तो भीगी मिट्टी के रूप में पाया जाता है। अधिक ढाल के कारण झारखंड में इसकी भी संभावना सीमित है। अधिक ढाल के कारण ही यहाँ बाढ़ की संभावना नहीं के बराबर है।

यहाँ की नदियों की एक विशेषता यह है कि कठोर चट्टान वाले प्रदेश से गुजरने के कारण वे गहरी घाटी और जलप्रपात का निर्माण करती हैं। ऐसा विश्वास किया जाता है कि भूगर्भिक हलचल के कारण झारखंड पठार का अधिकांश भाग एक विशेष रेखा पर ऊपर उठ गया है जिसके कारण ही जलप्रपातों का निर्माण हुआ है। फलस्वरूप यहाँ विभिन्न क्षय स्तर मिलते हैं। स्वर्णरेखा नदी पर 'दुउरू जलप्रपात', रारू नदी पर 'जोन्हा जलप्रपात' और 'सीता जलप्रपात',

कांची नदी पर 'दसम जलप्रपात', कोयल नदी पर 'बूढ़ा घाघ' तथा शंख नदी पर 'सदनी जलप्रपात' विशेष हैं। प्राय: सभी प्रपात ग्रेनाइट नीस चट्टानों से बहने वाली नदियों पर हैं, केवल एक 'हिसी प्रपात' चूना पत्थर इलाके से गुजरने वाली नदी पर है। दामोदर और भेड़ा नदी के संगम पर 'रजरप्पा प्रपात' है जहाँ नदी चक्करदार यात्रा तय करती है। यह मार्ग घाटी के अन्दर घाटी का अनुपम उदाहरण पेश करता है। संतालपरगना में 'मोतीझरा प्रपात' विशेष उल्लेखनीय है।

प्राकृतिक रचना और जलवायु की भिन्नता के कारण झारखंड की नदियों का स्वरूप उत्तर की मैदानी नदियों से भिन्न है। उत्तर की नदियों में प्रवाहपथ चौड़ा है, ढाल मंद है एवं बहाव-भूमि प्राय: समतल है और प्रवाहपथ में बहुत बदलाव आता रहता है जिसके कारण उपजाऊ भूमि या गाँव कट कर बह जाते हैं, किन्तु झारखंड की नदियों का बहाव-पथ सँकरा व ऊबड़-खाबड़ है, धारा तेज होती है और ऊँचाई से नदियों के गिरने के कारण जलप्रपात का निर्माण होता है। झारखंड की नदियाँ बरसाती हैं, उनमें साल भर पानी शायद ही पाया जाता है। वे नौकागम्य भी नहीं हैं। यहाँ एक मात्र नदी दामोदर ही भ्रंश घाटी से होकर गुजरती है। यहाँ की वार्षिक औसत वर्षा 125-150 से.मी. के मध्य होती है। यहाँ की नदियों की क्षमता 18.18 बिलियन क्यूबिक मीटर है। झारखंड में आठ नदी बेसिन हैं—उत्तरी कोयल, दक्षिणी कोयल, शंख, दामोदर, सुवर्णरेखा, खरकई, अजय और मयूराक्षी।

झारखंड क्षेत्र में प्रवाहित होने वाली नदियों को दो समूहों में रखा जाता है—

1. वे नदियाँ जो पठारी भाग से निकलकर उत्तर की ओर प्रवाहित होती हुई गंगा या उसकी सहायक नदियों से मिलती हैं।

2. वे नदियाँ जो पठार के दक्षिणी भाग से निकलकर पूर्व और दक्षिण की ओर प्रवाहित होती हैं।

प्रथम प्रकार की नदियों को गंगावर्ती नदियाँ भी कहते हैं। ये पठार के लगभग आधे उत्तरी एवं पश्चिमी भाग का जल अपवाहित करती हैं। इनमें प्रमुख नदियाँ हैं—सोन एवं उसकी सहायक उत्तरी कोयल, पुनपुन, फल्गु, सकरी और चानन। द्वितीय प्रकार की नदियों में दामोदर, स्वर्णरेखा, मयूराक्षी, गुमानी, ब्राह्मणी, बांसलोई, अजय, दक्षिणी कोयल, बराकर और शंख हैं। इन नदियों का संक्षिप्त विवरण इस प्रकार है—

1. सोन नदी : यह नदी पलामू की उत्तरी सीमा बनती हुई प्रवाहित होती है जो झारखंड के उत्तरी-पश्चिमी छोर पर सीमा का निर्माण करती है। इसकी सहायक उत्तरी कोयल है जिसका उद्भव पठारी भूखंड है। वैसे सोन नदी का उद्भव मैकाल पर्वत के अमरकंटक नामक पठारी भाग से है। सोन नदी को सोनभद्र तथा हिरण्यवाह नाम से भी पुकारा जाता है। कहा जाता है कि सोन और नर्मदा नदी का उद्भव ब्रह्मा के आँसू की बूँदों से हुआ है जो अमरकंटक पठार की दो ढालों पर गिर पड़ी हैं और दोनों विपरीत दिशा में नदी के रूप में प्रवाहित हुई हैं। स्वर्णकण तथा सुनहली रेत के कारण सोन नदी का नाम हिरण्यवाह पड़ा। दूसरी ओर यह नदी अपने प्रत्येक कार्य के द्वारा अपने क्षेत्र में बसे लोगों को धनधान्य से पूरित करती है, अत: इसे हिरण्यवाह कहना तर्कसंगत है। इसका महत्त्व झारखंड

में सिर्फ सीमा के रूप में ही है। पलामू की सीमा छूते ही यह सीधे पूर्व की ओर प्रवाहित होती है। यह नदी झारखंड की उत्तरी-पश्चिमी सीमा 45 मील के लिए बनाती है। जहाँ यह भवनाथपुर थाना क्षेत्र के पहाड़ी के उत्तरी छोर और कैमूर पहाड़ी की खड़ी ढाल के बीच प्रवाहित होती है, जहाँ इसकी चौड़ाई दो मील है।

2. उत्तरी कोयल : यह नदी राँची पठार के मध्य से निकलकर पाट के घुमावदार क्षेत्रों से प्रवाहित होती हुई उत्तर की ओर जाती है। राँची एवं हजारीबाग पठार से होते हुए आने वाली औरंगा नदी और अमानत नदी इसकी प्रमुख सहायक नदियाँ हैं। औरंगा नदी सोहिदा गाँव (राँची जिला) से निकलकर 80 किमी की यात्रा तय कर कोयल में मिल जाती है किन्तु अमानत नदी हजारीबाग जिले से निकलकर कोयल में डाल्टनगंज के पास 10 किमी उत्तर-पूर्व में कोयल से मिलती है। इसके अलावा कई अन्य छोटी-छोटी नदियों को समाहित करती हुई उत्तरी कोयल सोन नदी में 255 किमी की दूरी तय करने के बाद मिल जाती है। यह नदी गर्मी के मौसम में सूख जाती है किन्तु वर्षा के दिनों में तुरन्त उमड़ कर बहने लगती है। यह नदी कैमूर पहाड़ी को छोटानागपुर पठार से अलग करती है।

3. कन्हर : यह नदी झारखंड के उत्तरी-पश्चिमी क्षेत्र में पलामू के दक्षिणी-पश्चिमी सीमा का निर्माण करते हुए उत्तर की ओर प्रवाहित होती है। इस नदी की उत्पत्ति छत्तीसगढ़ के सरगुजा से होती है किन्तु भण्डारिया प्रखंड से पलामू में प्रवेश करती है। यह छत्तीसगढ़ के सरगुजा को पलामू से 50 मील तक बाँटती है। यह रंका प्रखंड की पश्चिमी सीमा बनाती हुई धरकी प्रखंड में प्रवेश करती है तथा इसकी पश्चिमी सीमा बनाती हुई यह पश्चिम की ओर मुड़ जाती है।

4. पुनपुन : झारखंड में इसकी सहायक नदियों का उद्भव हजारीबाग पठार तथा पलामू के उत्तरी क्षेत्रों से होता है। यह नदी तथा इसकी सहायक नदियाँ उत्तरी कोयल प्रवाह क्षेत्र के उत्तर से उद्भूत होकर सोन नदी के समानान्तर प्रवाहित होती हैं। पुनपुन नदी का महत्त्व हिन्दू लोगों में बहुत अधिक है। इसे भी पवित्र नदी माना जाता है। इस नदी को कीकट भी कहा जाता है। कहीं-कहीं तो इसे वमागधी भी कहा जाता है। इसकी सहायक नदियों में ढारधा और मोरहर हैं जो गंगा नदी में मिलने से पहले इसमें मिलती हैं। झारखंड के साथ पुनपुन नदी का संबंध इतना ही है कि इसकी सहायक नदियों व खुद इसका मूल स्रोत भी इसी उपत्यका की देन है।

5. सकरी : यह नदी झारखंड के पठारी भाग से निकल कर हजारीबाग, पटना, मुंगेर और गया जिलों से होकर बहती है। झारखंड से उद्भूत होकर उत्तर-पूर्व प्रवाहित होती हुई अंत में किउल तथा मोरहर नदियों में मिलकर गंगा में मिल जाती है। रामायण में इस नदी को सुमागधी कहा गया है। उस समय यह नदी राजगीर के निकट से प्रवाहित होती थी, अभी यह नदी काफी दूर हट गई है। यह नदी अपना मार्ग बदलती रहती है। इसका प्रमाण गया और पटना जिलों में उसके कई प्रवाहपथों को देखकर मिलता है।

6. फल्गु : यह नदी भी झारखंड के छोटानागपुर पठार के उत्तरी भाग से उद्भूत होती है। अनेक छोटी-छोटी सरिताओं के मिलने से इसकी मुख्यधारा बनती है जिसे नीरांजना या लीलांजना

भी कहते हैं। इसे अंत:लीला भी कहा जाता है। बोधगया के पास मोहना नामक सहायिका से मिलकर विशाल रूप धारण करती है। गया के निकट इसकी चौड़ाई सबसे अधिक है। पितृपक्ष के समय दूर-दूर से यात्री फल्गु स्नान के लिए आते हैं और पिंडदान करते हैं। झारखंड में इसका संबंध सिर्फ उद्‌भव स्रोत से है।

7. **चानन :** इस नदी को पंचाने भी कहा जाता है। वास्तव में इसका नाम पंचानन है जो अपभ्रंशित होकर 'चानन' बन गया है। यह नदी पाँच जलधाराओं के मेल से बनी है इसलिए यह नदी पंचानन कहलाई। छोटानागपुर के पठार से इसकी सभी धाराएँ निकलती हैं। पैमार, तिलैया, घरानरजे, महाने सभी धाराएँ राजगीर की पहाड़ी के अवरोध के कारण एक साथ गिरियक के निकट मिलती हैं। यहाँ से आगे यह बिहार शरीफ की ओर बढ़ती हैं जहाँ पुन: कई धाराओं में विभक्त हो जाती हैं। आगे चलकर यह सकरी में मिल जाती हैं।

8. **दामोदर :** यह पलामू जिले के दक्षिण-पूर्व किनारे की पहाड़ियों से निकलती है तथा पश्चिम बंगाल में कलकत्ता के नजदीक भागीरथी नदी में मिल जाती है। दामोदर नदी को देवनदी भी कहा जाता है। यह नदी पलामू जिले से निकल कर हजारीबाग, गिरिडीह, धनबाद होते हुए बंगाल में प्रवेश करती है जहाँ रानीगंज, अण्डाल, आसनसोल औद्योगिक क्षेत्र में घूमती हुई दुर्गापुर से होती हुई बर्धमान तथा बाँकुड़ा की सीमारेखा बनती है। हजारीबाग से लेकर बर्धमान जिले तक दामोदर की धारा काफी तेज रहती है क्योंकि इस स्थिति में यह छोटानागपुर के पठारी क्षेत्र से नीचे उतरती है। यह नदी हावड़ा के निकट होती हुई हुगली के साथ मिलकर बंगाल की खाड़ी में गिरती है। इसकी सहायक नदियाँ बोकारो, कोनार, बराकर हैं। ये नदियाँ हजारीबाग, गिरिडीह तथा बोकारो जिले में हैं। धनबाद में दामोदर नदी जहाँ पर प्रवेश करती है वहीं पर जमुनियाँ नदी मिलती है। इससे पूर्व दामोदर कतरी नदी में मिल जाती है। यह नदी धनबाद की पश्चिमी सीमा गिरिडीह जिले के साथ बनाती है। चिरकुण्डा के पास दामोदर में बराकर नदी मिलती है। इसी बराकर नदी में मैथन बाँध बना है।

यह एक भयंकर नदी है जिसने अपने प्रवाह क्षेत्र में तबाही मचा रखी थी। हर साल अपनी बाढ़ों से यह नदी सैकड़ों घरों तथा हजारों एकड़ खेती की जमीन बर्बाद कर देती थी। ऐसी होने वाली बर्बादी के कारण लोग इसे दुखदायी और शोकपूर्ण नदी कहकर पुकारते थे। लेकिन अब ऐसा नहीं है। अब यह नदी विकसित करने वाली या समृद्धि देने वाली नदी के रूप में उभर गई है। अब यह अभिशाप नहीं, वरदान बन चुकी है जिस पर झारखंड एवं बंगाल को ही नहीं वरन् पूरे भारत को नाज है।

संयुक्त राज्य अमेरिका के टेनेसी घाटी परियोजना की तर्ज पर दामोदर घाटी परियोजना की रचना जवाहर लाल नेहरू के कार्यकाल में की गई जिसके कारण बाढ़ रुक गए और नई-नई सिंचाई परियोजनाएँ एवं पनबिजली उत्पादन केन्द्र स्थापित हुए। दामोदर नदी घाट का क्षेत्र भारत का समृद्ध खनिज क्षेत्र है। खनिजों के कारण ही यह क्षेत्र भारत का एक वृहत् औद्योगिक क्षेत्र बन गया है। इसी के कारण यहाँ जमशेदपुर, सिंदरी, मूरी, झींकपानी, हीरापुर उद्योग हैं। अनेक बाँध बनाकर बाढ़ की त्रासदी रुकवाई गई जैसे मैथन, पंचेत, तिलैया आदि। यहाँ से बिजली का उत्पादन भी हो रहा है। इसके अतिरिक्त ताप विद्युत उत्पादन केन्द्र भी स्थापित किए गए जैसे

दुर्गापुर, चन्द्रपुरा, पतरातू, तेनूघाटा आदि। इसी के कारण आज लगभग सवा लाख किलोवाट से भी अधिक पनबिजली प्राप्त हो रही है।

9. स्वर्णरेखा : यह नदी दक्षिणी छोटानागपुर के पठारी भू-भाग में राँची जिले के नगड़ी गाँव से निकलती है। इसी गाँव के एक छोर से दक्षिण कोयल तो दूसरे छोर से स्वर्णरेखा नदी का उद्‌गम होता है। राँची जिले से प्रवाहित होते हुए यह सिंहभूम जिले में प्रवेश करती है जहाँ से यह उड़ीसा राज्य में चली जाती है। स्वर्णरेखा की सुनहली रेत में सोने की मात्रा पाई जाती है किन्तु इसकी मात्रा अधिक न होने के कारण कोई व्यावसायिक उपयोग नहीं किया जाता। यह बरसाती नदी है। पठारी भाग की कड़ी चट्टानों वाले प्रदेश से प्रवाहित होने के कारण स्वर्णरेखा नदी तथा इसकी सहायक नदियाँ गहरी घाटियाँ तथा जलप्रपात बनाती हैं। इसकी सहायक नदियों में रारू, काँची, खरकई, गारा नाला, जमार, शंख आदि हैं। राँची से 28 किलोमीटर उत्तर-पश्चिम दिशा में यह नदी दुंडरू जलप्रपात बनाती है, जहाँ यह 320 फीट नीचे गिरती है। इस नदी की सबसे बड़ी विशेषता यह है कि उद्‌गम से लेकर बंगाल की खाड़ी में मिलने तक किसी की सहायक नदी नहीं बनती है। यह सीधे बंगाल की खाड़ी में गिरती है।

10. बराकर : यह नदी छोटानागपुर की पहाड़ियों से निकलती है जो हजारीबाग, गिरिडीह, धनबाद जिले से होकर पश्चिम बंगाल की सीमा में प्रवेश करती है। करीब 200 किलोमीटर दामोदर के समानान्तर बहते हुए पूर्व दिशा में मुड़ जाती है। फिर दामोदर में ही मिल जाती है। अन्य पहाड़ी नदियों की तरह यह भी बरसाती नदी है जिसमें बरसात के दिनों में तेज जलधारा का बहाव रहता है लेकिन बाद में जल का अभाव हो जाता है। इस नदी का उल्लेख बौद्ध एवं जैन धर्मग्रंथों में मिलता है। गिरिडीह के पास इस नदी के तट पर दराकर नामक स्थान है जहाँ जैन मंदिर बने हैं। दामोदर नदी घाटी परियोजना के अन्तर्गत बराकर नदी पर बाँध बनाकर एक विशाल जलाशय का निर्माण किया गया है जो मैथन बाँध है। इस बाँध का पानी बंगाल और बिहार दोनों की सीमा में विस्तृत है। इस बाँध के जल से विद्युत उत्पन्न की जाती है। इसकी सहायक धाराएँ सकरी, बरसाती, खेरो, बकरा, इंगरा, उसरी, चिकरी, खुड़िया, बेरी, रजोया आदि हैं। इस नदी में बाँध बन जाने से दामोदर की बाढ़ का संकट समाप्त हो गया है। अब बंगाल भयमुक्त है।

11. दक्षिणी कोयल : इस नदी का उद्‌गम स्थल राँची जिले से 10 किलोमीटर पश्चिम नगड़ी गाँव से है। यहाँ से निकल कर सीधे पश्चिम दिशा में प्रवाहित होती हुई लोहरदगा तक पहुँचती है। लोहरदगा से 8 किलोमीटर उत्तर-पूर्व में यह दक्षिण दिशा की ओर मुड़ जाती है और लोहरदगा, गुमला जिला होते हुए सिंहभूम में प्रवेश करती है। अंत में यह उड़ीसा में प्रवेश करती है जहाँ से आगे चलकर गंगपुर के पास शंख नदी में मिल जाती है। इसके आगे यह ब्राह्मणी नदी कहलाती है और बंगाल की खाड़ी में मिल जाती है। राँची के पाट क्षेत्र से निकलने वाली अनेक छोटी-छोटी नदियाँ और नाले इसमें आकर मिलते हैं। इसकी सबसे बड़ी सहायक नदी कारो है। इसी स्थान पर कोयलकारो परियोजना का निर्माण किया जा रहा है। देव-माडी, खटतानाला, बड़कीनाला, अनरिया, डोका, शंख, सपही, कड़नू, नंदनी, कंस, हरसा, फुलझरो, कारो, कोयना, टोरपा आदि इसकी सहायक धाराएँ हैं।

12. शंख : इस नदी का उद्गम स्थल गुमला जिला के चैनपुर प्रखंड की पहाड़ी है। यह करीब 1020 मीटर की ऊँचाई से निकलती है। यह छोटानागपुर पठार के पश्चिमी छोर में उत्तरी कोयल के विपरीत प्रवाहित होती है। यह नदी प्रारम्भ में काफी सँकरी एवं 2000 फीट की गहरी खाई का निर्माण करती है तथा लगभग 50 किलोमीटर तक सीधी चलती है। इसके बाद घाटी चौड़ी होने लगती है। दक्षिण कोयल से मिलने पर यह ब्राह्मणी कहलाती है। झिकदाह, बासा, चिर्रा, छिंदा, बंदरजोर, डेंगोजोर, सप्ती, कोदारी, पालमारा, लुरगी आदि इसकी प्रमुख धाराएँ हैं।

13. अजय : इस नदी का उद्‌गम क्षेत्र मुंगेर है जहाँ से प्रवाहित होती हुई देवघर जिले के उत्तर-पश्चिम भाग में प्रवेश करती है तथा दक्षिण-पूर्वी दिशा में बढ़ती हुई इसके बीच से प्रवाहित होती है। इसमें पथरो नदी पश्चिम से आकर मिलती है तथा आगे दक्षिण में जयन्ती नदी मिलती है। ये दोनों सहायक नदियाँ हैं जो हजारीबाग तथा गिरिडीह जिले से उद्‌भूत होती हैं। अजय नदी जामताड़ा जिले में कजरा के पास प्रवेश करती है जहाँ यह सीमा बनाती है। संतालपरगना के पास दक्षिण छोर में यह कुशवेदिया से अफजलपुर तक प्रवाहित होती है। करीब 132 किमी प्रवाहित होकर काली पहाड़ी के पास पश्चिम बंगाल में प्रवेश करती है।

14. मयूराक्षी : यह नदी देवघर जिले के उत्तरी-पूर्वी छोर पर स्थित तिउर पहाड़ी से उद्‌भूत होती है तथा संतालपरगना के मध्यवर्ती भाग में प्रवाहित होती है। यह दुमका जिले के उत्तरी-पश्चिमी कोने में प्रवेश करती है तथा दक्षिण-पूर्व दिशा में प्रवाहित होती हुई अमजोरा के पास इसे छोड़ती है। झारखंड को छोड़कर यह बंगाल में सैंथिया रेलवे स्टेशन के पास गंगा में मिल जाती है। यह नदी अपने ऊपरी प्रवाह क्षेत्र में मोतीहारी के नाम से जानी जाती है। नवादा में यह भूरभूरी नदी के साथ मिलकर मोर या मयूराक्षी के नाम से जानी जाती है। इसका दूसरा नाम मोराँखी है। इसकी सहायक नदियों में धोवाई, टिपरा, पुसरो, भामरी, मूर्नबिल, सिंध, दउना इत्यादि प्रमुख हैं।

15. ब्राह्मणी : इसका उद्‌गम स्थल दुमका जिले के उत्तर में स्थित दुधवा पहाड़ी के पश्चिम भाग से है। यह दामिनी लोह में झिलीमिली और मोसनिया बंगला होते हुए प्रवाहित होती है। यह झारखंड से निकलकर नलहाती रेलवे स्टेशन के पास गंगा में मिल जाती है। गुमरो तथा ऐरो इसकी प्रमुख सहायक नदियाँ हैं जो रामगढ़ और दामिनी पहाड़ी के बीच के क्षेत्रों में जलप्रवाह को धारण करती हैं।

16. गुमानी : इस नदी का उद्‌गम दमाऊ राजमहल के पहाड़ी जंगल में तेतरिया के पास करीब 380 मीटर की ऊँचाई पर है। यह राजमहल की पहाड़ियों से निकलकर उत्तर-पूर्वी खड्ड का निर्माण करती है। बुरहैत में इससे मेरेल नदी उत्तर से आकर मिलती है जहाँ से गुमानी थोड़ी दूर चलकर तेजी से दक्षिण की ओर मुड़ जाती है। 30-40 मील पहाड़ी प्रवाहित सफलता के बाद पूर्व की ओर मुड़ जाती है जहाँ मैदानी भाग को पार करती है तथा झारखंड की सीमा पार करने के बाद यह गंगा में मिल जाती है। इसकी सहायक नदियों में मोरंग या मराल, दरमोनाला, पखा आदि मुख्य हैं।

17. बांसलोई : यह नदी गोड्डा जिले के बांस पहाड़ से निकलती है तथा पूर्व की ओर प्रवाहित होती हुई दुमका जिले की उत्तरी सीमा बनाती हुई उसे गोड्डा और पाकुड़ से अलग करती है। यह दुमका में पंचवारा 'पास' के द्वारा प्रवेश करती है। यह महेशपुर के पास जिले को छोड़ती है तथा मुराराई रेलवे स्टेशन के करीब गंगा में मिल जाती है।

झारखंड की नदियों की विशेषताएँ

स्थलाकृति, प्रवाह क्षेत्र की चट्टानें, जल वैज्ञानिक स्थिति आदि के फलस्वरूप इनकी निम्नलिखित विशेषताएँ हैं—

1. झारखंड क्षेत्र की वे नदियाँ जो उत्तर में प्रवाहित होती हैं, पठारी भाग से उतरने पर मंद गति से प्रवाहित होने लगती हैं। दक्षिण की ओर प्रवाहित होने वाली नदियाँ अपेक्षाकृत दूर तक तेज गति से प्रवाहित होती हैं जिससे कटाव की क्रिया अपेक्षाकृत अधिक होती है।
2. झारखंड की नदियाँ कठोर चट्टानी क्षेत्रों से होकर प्रवाहित होती हैं। अत: उत्तर बिहार की तरह नदियों में मार्ग बदलने की प्रवृत्ति कम पाई जाती है। कहीं नहीं के बराबर पाई जाती है।
3. झारखंड क्षेत्र की नदियाँ उत्तर बिहार की नदियों की तरह केवल चौड़ा मार्ग नहीं बनातीं बल्कि गहरी घाटी का भी निर्माण करती हैं।
4. झारखंड क्षेत्र की नदियों का प्रवाहपथ भू-आकृति के द्वारा नियंत्रित है। जैसे दामोदर नदी विभ्रंश घाटी से प्रवाहित होने के लिए विवश है।
5. झारखंड की सभी नदियाँ बरसाती हैं। पानी के लिए मानसून पर निर्भर रहती हैं किन्तु बरसात के दिनों में बाढ़ से भरी रहती हैं। यहाँ सोन को छोड़कर अन्य कोई भी नदी ऐसी नहीं है जिसमें साल भर जलस्रोत बना रहे।
6. यहाँ की नदियाँ नाव चलाने के लिए उपयोगी नहीं हैं।
7. यहाँ कठोर चट्टानों के कारण भौगोलिक जलस्रोत बहुत ही कम बनता है। भूमिगत जल का स्तर नदियों से अलग रह जाता है।
8. जलप्रपात यहाँ के लिए विशिष्ट स्थिति है जो नदियों द्वारा तथा भू-आकृति के कारण प्रकट होते हैं।
9. झारखंड क्षेत्र में गर्म जल के कुण्ड अनेक हैं जैसे हजारीबाग का सूर्यकुण्ड, धनबाद का बेतुलिया, पलामू में ततहा इत्यादि हैं।

झारखंड के आर्थिक एवं प्राकृतिक परिदृश्य में यहाँ की नदियों का बहुत बड़ा प्रभाव है। नदियों में उपलब्ध जल का उपयोग झारखंड में दूरस्थ पेयजल के रूप में किया जाता है। साथ ही इस जल का उपयोग तमाम घरेलू कार्यों से लेकर औद्योगिक जरूरतों की पूर्ति के लिए भी किया जाता है। कुछ नदियों में तो बाँध बनाकर सिंचाई के साथ-साथ जलविद्युत निर्माण के लिए भी वहाँ का जल प्रयुक्त होता है। इस तरह हम देखें तो झारखंड में नदियाँ ही जल का बड़ा स्रोत हैं और उपयोगी भी। मगर इस जल के संरक्षण के अभाव, अविवेकपूर्ण उपयोग, नदी में घरेलू एवं औद्योगिक गंदगियों को प्रवाहित करने की वजह से इनमें से कुछ मुख्य नदियाँ भारत की सबसे अधिक प्रदूषित नदियों में गिनी जा रही हैं। अब जल के प्रदूषित होने से बहुत बड़ी

आबादी यहाँ के जल के उपयोग से वंचित रह जाती है। अत: नदी के जल की उपयोगिता और प्राकृतिक महत्त्व को देखते हुए यहाँ के जल का संरक्षण एवं इसे प्रदूषण मुक्त रखने के आवश्यक कदम उठाने होंगे।

संदर्भ सूची

झारखंड का भूगोल, रामकुमार तिवारी

छोटानागपुर का भूगोल, बिमलाचरण शर्मा/ केशरी विक्रम

झारखंड, हेमंत

दक्षिण बिहार की नदियाँ धार और कछार, हवलदार त्रिपाठी 'सहृदय'

आदिवासी युवा सोच, गति और दिशा, आइकफ

सिंचाई-पारंपरिक व्यवस्था को संजोने की जरूरत

सुधीर पाल

किसी भी राज्य के लिए भूमि और जल संपदा महत्त्वपूर्ण है। झारखंड एक कृषि प्रधान राज्य है और 75 प्रतिशत से ज्यादा आबादी आज भी कृषि पर निर्भर है। झारखंड का दुर्भाग्य है कि इसे हमेशा खान-खदानों वाले प्रदेश के तौर पर प्रोत्साहित किया जाता रहा है। वनोत्पादों में लगातार हो रहे ह्रास और कृषि की उत्पादकता में कमी की वजह से पलायन एक महत्त्वपूर्ण समस्या है। कृषि की कम उत्पादकता का सीधा संबंध सिंचाई व्यवस्था से जुड़ा है। झारखंड में जल संसाधन प्रचुर मात्रा में हैं और सिंचाई की कारगर व्यवस्था कर आजीविका के प्रमुख स्रोत के तौर पर कृषि को विकसित करने की दीर्घकालिक रणनीति तैयार की जा सकती है। दुर्भाग्य है कि यहाँ परियोजनाएँ कम उत्पादकता की समस्या को कारगर ढंग से हल करने में विफल हुई हैं। राज्य में केवल आठ फीसदी ही सिंचाई की व्यवस्था हो पाई है।

झारखंड में औसत वर्षा 1000 से 1400 मिलीमीटर है। औसत 75 प्रतिशत की निर्भरता के आधार पर सतही जल 29,200 लाख क्यूबिक मीटर और भूगर्भ जल 5800 लाख क्यूबिक मीटर है। राज्य में 23.22 लाख हेक्टेयर जंगल (29.33 प्रतिशत) है, 5.66 लाख हेक्टेयर बंजर भूमि, 7.24 लाख हेक्टेयर गैर-कृषि योग्य भूमि (9.10 प्रतिशत), 3.97 लाख हेक्टेयर चरागाह (5 प्रतिशत) तथा 30 लाख हेक्टेयर कृषि योग्य भूमि (37.6 प्रतिशत) है। वर्तमान में सिर्फ 18.04 लाख हेक्टेयर में ही खेती हो रही है। लेकिन कुल सिंचित क्षेत्र मात्र 1.57 लाख हेक्टेयर है। धनबाद में सिंचित क्षेत्र सबसे कम केवल 2.08 प्रतिशत है जबकि पलामू में सबसे ज्यादा 24.25 प्रतिशत सिंचित क्षेत्र है। झारखंड में वर्षा बेहद अनियमित है। औसत वर्षा का 82 प्रतिशत केवल चार महीने जून-सितम्बर में प्राप्त होता है। झारखंड की विशेष टोपोग्राफी के चलते बारिश का 75 प्रतिशत हिस्सा बह जाता है और भू-स्खलन की समस्या को जन्म देता है। यहाँ का मौसम फलों और सब्जियों के लिए काफी अनुकूल है। अभी 33,692 हेक्टेयर भूमि पर फलों के पेड़ लगे हैं और इससे 390 हजार टन फल हर साल प्राप्त होते हैं। इसी प्रकार 2,23,595 हेक्टेयर जमीन पर 3,395 हजार टन सब्जियाँ उपजती हैं।

झारखंड में वर्तमान सिंचाई स्थिति

क्र.	जिला	कुल खेती भूमि में सिंचाई का प्रतिशत
1.	गोड्डा	14.21
2.	दुमका (जामताड़ा)	9.47

3.	साहेबगंज (पाकुड़)	3.86
4.	देवघर	14.22
5.	धनबाद (बोकारो)	2.08
6.	हजारीबाग (चतरा)	10.51
7.	गिरिडीह	6.99
8.	पलामू (गढ़वा+लातेहार)	24.25
9.	राँची	6.12
10.	लोहरदगा	8.87
11.	गुमला (सिमडेगा)	2.45
12.	पूर्वी सिंहभूम	5.0
13.	पश्चिमी सिंहभूम (सरायकेला-खरसवां)	4.0

स्रोत : सी.एम.आई.ई.

झारखंड में सिंचाई स्रोत

नहर	17.53 प्रतिशत
तालाब	19.07 प्रतिशत
नलकूप	08.25 प्रतिशत
कुएँ	29.38 प्रतिशत
अन्य	25.77 प्रतिशत
कुल	100.00

यहाँ भूमि की उत्पादकता 2772 रुपए प्रति हेक्टेयर (सकल फसल क्षेत्रफल) है और श्रम की उत्पादकता 502 रुपए प्रति व्यक्ति है। सिंचाई की सुविधाओं का अभाव और भूमि के अपरदन के चलते राज्य में कृषि की उत्पादकता पर प्रतिकूल प्रभाव पड़ा है। यहाँ की 60 फीसदी भूमि का साइज एक हेक्टेयर से कम है और अधिकृत तौर पर यह सीमांत श्रेणी में आता है। चावल राज्य का प्रमुख खाद्यान्न है और इसकी औसत उत्पादकता 0.8 मीट्रिक टन प्रति हेक्टेयर है। यह औसत राष्ट्रीय उपज की औसत से आधा है। स्थानीय स्तर पर रोजगार के अवसर कम होने के चलते पंजाब, पश्चिग बंगाल और आसाम में ज्यादातर लोग कुछ खास अवधि के लिए पलायन करते हैं।

द्वितीय राज्य सिंचाई आयोग के आकलन के मुताबिक झारखंड में प्रचुर जल संसाधन हैं और ज्यादातर को इस्तेमाल में नहीं लाया जा सका है। उत्तर कोयल, शंख, दक्षिण कोयल, स्वर्णरेखा, दामोदर, अजय मोर और गुमानी राज्य के प्रमुख नदी बेसिन हैं। झारखंड के नदी बेसिनों की सालाना उपलब्धता 28,781 लाख/ क्यूबिक मीटर है जिसमें 23,789 लाख क्यूबिक मीटर (83 प्रतिशत) सतही विकास के लिए डैम, लिफ्ट इरीगेशन तथा तालाबों की उपयोगिता मानी है। इन जल संरचनाओं में तालाबों पर राज्य सरकार का ध्यान सबसे कम है जबकि तालाबों

से 28,340 हेक्टेयर भूमि पर सिंचाई हो रही है। लिफ्ट इरीगेशन पर सरकार का जोर रहा है लेकिन परिणाम अच्छे नहीं आए हैं। ज्यादातर योजनाएँ अकार्यशील हैं। झारखंड में उपलब्ध जल का सिर्फ 23.4 प्रतिशत हिस्से का इस्तेमाल अब तक संभव हो सका है। बाकी 76.6 प्रतिशत पानी बिना उपयोग के समुद्र में चला जाता है। इसी तरह उपलब्ध भू-गर्भ जल के सिर्फ 26.6 प्रतिशत हिस्से का ही इस्तेमाल होता है। 73.4 प्रतिशत भूगर्भ जल बचा हुआ है। भूगर्भ जल का इस्तेमाल भी ज्यादातर निजी कोशिशों से ही संभव हो पाया है। अधिकारिक सूत्रों के मुताबिक राज्य में और 8-10 लाख कुएँ खोदे जा सकते हैं। इससे राज्य में सिंचाई क्षमता का विकास हो सकता है। राज्य की खास प्राकृतिक बनावट के चलते भू-गर्भ जल के संसाधन सीमित हैं लेकिन सतही जल की प्रचुरता के चलते तालाबों और लिफ्ट इरीगेशन से सिंचाई सुविधाओं का विकास संभव है।

गरीबी उन्मूलन और कृषि संबंधी उत्पादकता बढ़ाने के उद्देश्य से झारखंड सरकार ने वार्षिक योजना 2001-02 में सिंचाई पर जोर दिया है। लघु सिंचाई परियोजनाओं के विकास के लिए 60.84 करोड़ और मध्यम तथा बड़ी परियोजनाओं के लिए 288.60 करोड़ रुपए आवंटित किए गए थे। हालाँकि संसाधनों का आवंटन जमीनी हकीकत के मद्देनजर नहीं हुआ है। नीचे के दो दशकों में सिंचाई सुविधाओं के विकास के आँकड़े दिए गए हैं—

वर्ष	*सतही जल-स्रोत*				*भू-गर्भ जल-स्रोत*			
	कैनाल	*टैंक*	*अन्य*	*प्रतिशत*	*ट्यूबवेल*	*अन्य वेल*	*प्रतिशत*	*कुल*
1981	50	24	44	66	13	49	34	180
1985	36	24	42	65	10	45	35	157
1991	21	25	51	62	18	42	38	157
1995	28	32	44	58	15	60	42	179

स्रोत : ए.आर.पी.यू. रिपोर्ट

आँकड़ों से स्पष्ट है कि राज्य में सिंचाई संसाधनों के विकास की स्थिति अच्छी नहीं है। भूगर्भ जल की हिस्सेदारी 34 से बढ़कर 42 प्रतिशत है जबकि सतही जल की हिस्सेदारी में कमी आई है। इसका प्रमुख कारण यह है कि भूगर्भ जल के स्रोतों के विकास में ज्यादातर काम निजी हाथों या सामुदायिक स्तर पर हुआ है जबकि सतही जल संसाधनों के विकास पर सरकार का नियंत्रण रहा है।

झारखंड में कुल 11 नदी बेसिन हैं—(1) गुमानी (2) शंख (3) बराकर (4) स्वर्णरेखा (5) मयूराक्षी (6) दक्षिण कोयल (7) दामोदर (8) अजय (9) उत्तर कोयल (10) खरकाई (11) अन्य धाराएँ जिनके उद्‌गम या निकासी राज्य के बाहर हैं।

गुमानी नदी दमाऊ राजमहल की पहाड़ी से निकलकर पश्चिम बंगाल में गंगा नदी से मिलती है। इस नदी बेसिन के दायरे में साहेबगंज का 48.15 प्रतिशत और गोड्डा का 11.48 प्रतिशत हिस्सा आता है। अजय नदी कटवा के पास भागीरथी में मिलती है। इस नदी बेसिन में झारखंड के तीन जिले देवघर (76.27 प्रतिशत), दुमका (17.28 प्रतिशत) और गिरिडीह

(5.58 प्रतिशत) कवर होते हैं। मयूराक्षी नदी देवघर के त्रिकुटी पहाड़ से निकलती है और पश्चिम बंगाल में भागीरथी में मिलती है। इसके बेसिन के दायरे में साहेबगंज के 36.52 प्रतिशत, दुमका के 68.72 प्रतिशत तथा गोड्डा के 4.6 प्रतिशत भू-भाग आते हैं। उत्तर कोयल सोन नदी में गिरती है। दामोदर नदी पलामू के दक्षिण पूर्वी किनारे की पहाड़ियों से निकलती है और पश्चिम बंगाल में कोलकाता के नजदीक भागीरथी नदी में मिलती है। इस नदी बेसिन के दायरे में धनबाद-बोकारो जिले के 61.94 प्रतिशत, राँची जिले के 14.08 प्रतिशत, हजारीबाग-चतरा जिले के 35.99 प्रतिशत, पलामू के 5.28 प्रतिशत, लोहरदगा जिले के 7.33 प्रतिशत तथा गिरिडीह जिले के 32.44 प्रतिशत भू-भाग आते हैं। बराकर नदी दामोदर नदी के समानांतर बहते हुए दामोदर में ही समा जाती है। इस नदी बेसिन के दायरे में हजारीबाग-चतरा जिले के 38.05 प्रतिशत और दुमका के 8.08 प्रतिशत भू-भाग आते हैं।

स्वर्णरेखा नदी बंगाल की खाड़ी में समाती है। इस नदी बेसिन के दायरे में चार जिले आते हैं। पूर्वी सिंहभूम जिले के 79.07 प्रतिशत, पश्चिम सिंहभूम के 16.26 प्रतिशत, राँची के 54 प्रतिशत और हजारीबाग के 0.83 प्रतिशत भूभाग इस नदी के बेसिन के अन्तर्गत आते हैं। खरकई नदी के बेसिन के दायरे में पश्चिम सिंहभूम के 42.01 प्रतिशत, पूर्वी सिंहभूम के 0.36 प्रतिशत और राँची के 0.52 प्रतिशत भू-भाग आते हैं। शंख नदी उड़ीसा में दक्षिण कोयल से मिलती है। यहाँ यह ब्राह्मणी नदी कहलाती है। शंख नदी बेसिन के दायरे में झारखंड के दो जिले गुमला (44.27 प्रतिशत) और पलामू (0.08 प्रतिशत) आते हैं। दक्षिण कोयल नदी उड़ीसा में ब्राह्मणी नदी कहलाती है और बंगाल की खाड़ी में गिरती है। इस नदी बेसिन के दायरे में गुमला के 44.24 प्रतिशत, राँची के 31.29 प्रतिशत, लोहरदगा के 59.78 प्रतिशत और पश्चिम सिंहभूम के 34.49 प्रतिशत भू-भाग आते हैं। ये सभी नदियाँ बरसाती हैं और मानसून के बाद सिर्फ दामोदर और स्वर्णरेखा में ही पर्याप्त पानी रोकने को मिलता है।

इन 11 नदियों में 75 प्रतिशत निर्भरता के आधार पर सतही जल और भूगर्भ जल की सालाना उपलब्धता इस प्रकार है—

1. सतही जल 2,37,890 लाख क्यूबिक मीटर
2. भूगर्भ जल 49,920 लाख क्यूबिक मीटर

   कुल 2,87,810 लाख क्यूबिक मीटर
3. सिंचाई के लिए उपयोग (लाख क्यूबिक मीटर में)

   (क) बड़ी और मंझौली परियोजनाओं में सतही जल 33,730

   (ख) लघु सिंचाई परियोजनाओं में सतही जल 5,910

   (ग) भू-गर्भ जल 7,720

   कुल 47,360
4. घरेलू इस्तेमाल (लाख क्यूबिक मीटर में)

   (क) सतही जल 820

   (ख) भूगर्भ जल 5560
5. मवेशियों के लिए सतही जल 590 लाख क्यूबिक मीटर
6. उद्योग और रेलवे के लिए सतही जल 6,710 लाख क्यूबिक मीटर

7. गैर सिंचाई कार्यों में जल का उपयोग (लाख क्यूबिक मीटर में)

(क) सतही जल 8,120

(ख) भूगर्भ जल 5,560

8. झारखंड में पानी का कुल इस्तेमाल

सतही जल 47,760 लाख क्यूबिक मीटर

भूगर्भ जल 13,280 लाख क्यूबिक मीटर

9. इस्तेमाल के बाद बचने वाला जल

सतही जल 1,90,130 लाख क्यूबिक मीटर (79.9 प्रति.)

भूगर्भ जल 36,640 लाख क्यूबिक मीटर (73.4 प्रति.)

हम देखते हैं कि झारखंड में उपलब्ध सतही जल की मात्रा का 20.1 प्रतिशत ही इस्तेमाल किया जा सका है। बाकी पानी बिना उपयोग के समुद्र में चला जाता है। इसी तरह भूगर्भ जल का सिर्फ 26.6 प्रतिशत ही जल उपयोग में लाया जा सका है। बाकी भूगर्भ जल बचा हुआ है। यह अच्छी स्थिति नहीं है। एक ढंग से कहा जाए तो प्रचुरता के बाद भी जलसंकट है। सामाजिक और आर्थिक विकास के लिए जल प्रबंधन और संवर्द्धन पर बल दिया जाना जरूरी है।

सिंचाई परियोजनाएँ

द्वितीय बिहार सिंचाई आयोग के आकलन के अनुसार झारखंड राज्य की कुल कृषि भूमि 29.74 लाख हेक्टेयर में से बृहत् एवं मध्यम सिंचाई परियोजनाओं द्वारा 12.765 लाख हेक्टेयर में सिंचाई क्षमता सृजित की जा सकती है। अब तक बृहत् एवं मध्यम सिंचाई परियोजनाओं से मात्र 2.04 लाख हेक्टेयर सिंचाई क्षमता सृजित की जा सकी है।

राज्य में कृषि के लिए सिंचाई की माँग लगातार बढ़ रही है। इसके साथ ही शहरीकरण/औद्योगिकीकरण के कारण गैर-कृषि प्रयोजनों के लिए भी पानी की माँग बढ़ रही है। सृजित सिंचाई क्षमता के इष्टतम उपयोग एवं जल प्रबंधन में कृषकों की सहभागिता सुनिश्चित करने की दिशा में सरकार सक्रिय है। दसवीं पंचवर्षीय योजना में जिन योजनाओं से सिंचाई क्षमता का सृजन प्रस्तावित है, वे निम्न हैं—

क्र. सं.	*योजना*	*सिंचाई क्षमता का सृजन (हजार हेक्टेयर में)*
1.	अजय बराज परियोजना	40.18
2.	सुवर्ण परियोजना	265.00
3.	गुमानी बराज परियोजना	12.15
4.	कोनार सिंचाई परियोजना	62.80
5.	पुनासी जलाशय योजना	24.00
6.	क़तरी जलाशय योजना	2.32
7.	धनसिंह टोली जलाशय योजना	2.99
8.	कंसजोर जलाशय योजना	4.76

9.	लतरातू जलाशय योजना	2.90
10.	कंस जलाशय योजना	3.73
11.	पंचखेरो जलाशय योजना	2.80
12.	सुरंगी जलाशय योजना	2.60
13.	सोनुआ जलाशय योजना	8.01
14.	तपकरा जलाशय योजना	0.66
15.	तोरई जलाशय योजना	8.00
16.	अपर शंख जलाशय योजना	7.11
17.	भैरवा जलाशय योजना	4.88
18.	बासुकी जलाशय योजना	7.98
19.	झरझरा जलाशय योजना	4.85
20.	केशो जलाशय योजना	3.56
21.	नकटी जलाशय योजना	2.02
22.	सतपोटका जलाशय योजना	2.35
23.	सलैया जलाशय योजना	2.67
24.	सुरु जलाशय योजना	4.44
25.	रामरेखा जलाशय योजना	4.24
26.	सुकरी जलाशय योजना	0.60
	कुल	482.60

स्रोत : जल संसाधन विभाग झारखंड सरकार का प्रतिवेदन— 2002-03

नौ पंचवर्षीय योजना में अधूरी 12 मध्यम सिंचाई योजनाओं के निर्माण कार्य को आगे बढ़ाने का फैसला राज्य सरकार ने किया था। लतरातू एवं तपकरा जलाशय योजना को वित्तीय वर्ष 2002-03 में पूरा कर लिया गया और इससे 3500 हेक्टेयर क्षेत्र में सिंचाई उपलब्ध कराई जा रही है। लतरातू में अनुमान से कम सिंचाई का कार्य होना सरकार के चुनौती का विषय है।

सुवर्णरेखा परियोजना झारखंड, उड़ीसा और पश्चिम बंगाल राज्यों की एक अन्तर्राज्यीय योजना है जिससे झारखंड राज्य के अधीन 1,70,000 हेक्टेयर, उड़ीसा के 90,000 हेक्टेयर, पश्चिम बंगाल के 5,000 हेक्टेयर में सिंचाई सुविधा उपलब्ध कराए जाने की दावेदारी है। साथ ही औद्योगिक एवं घरेलू उपयोग हेतु 4 लाख एकड़ फीट जलापूर्ति के साथ-साथ 8 मेगावाट ऊर्जा उत्पन्न करने का भी लक्ष्य रखा गया है। 1982-83 में विश्व बैंक की सहायता से इस परियोजना का कार्य प्रारंभ हुआ। परियोजना की अद्यतन स्थिति इस प्रकार है—

1.	चांडिल बाँध	98 प्रतिशत
2.	ईचा बाँध	30 प्रतिशत
3.	गालुडीह बराज	98 प्रतिशत
4.	चांडिल बाईं मुख्य नहर	75 प्रतिशत
5.	ईचा दाईं नहर	65 प्रतिशत

6.	ईचा बाईं नहर	30 प्रतिशत
7.	गालुडीह दाईं नहर	70 प्रतिशत
8.	खरकई नहर	25 प्रतिशत

स्रोत : जल संसाधन विभाग, झारखंड सरकार का प्रतिवेदन 2000–03

कनहर जलाशय योजना गढ़वा के बाराडीह ग्राम में तत्कालीन बिहार तथा मध्यप्रदेश की संयुक्त योजना थी। वर्ष 1982 में कनहर नदी के जल बँटवारे पर बिहार एवं मध्यप्रदेश सरकार के बीच समझौता भी हुआ था। उसी के अनुसार यह योजना तैयार की गई किन्तु अर्थाभाव के कारण कार्य नहीं हो सका। अगस्त 2001 में छत्तीसगढ़ ने बाँध निर्माण पर आपत्ति जताई क्योंकि इतने लंबे अंतराल में भू–परिदृश्य बदल गए हैं और डूब क्षेत्र में काफी आबादी बस गई है। कनहर नदी की जल उपलब्धता 1.3 एम.ए.एफ. में से झारखंड को कुल 0.43 एम.ए.एफ. आवंटित किया जा रहा है।

सिंचाई के अन्य साधन

कुआँ

झारखंड में सिंचाई का प्रचलन इसी माध्यम से अधिक रहा है। अपने खेत तक पानी पहुँचाने के लिए किसानों ने स्वयं कुएँ खोदे। जलधारा तथा दूसरी योजनाओं की मार्फत भी झारखंड में हजारों कुएँ बने। इन कुओं से ही स्वयं कहीं तो छोटे और मंझौले किसान अपने खेत तक पानी पहुँचाने में सफल हो पाए हैं। राज्य की कुल सिंचाई में कुएँ की हिस्सेदारी से इसके महत्त्व का अंदाजा लगाया जा सकता है। राज्य में बड़ी सिंचाई परियोजनाएँ तो कई हैं लेकिन अपेक्षित लाभ कुएँ और ऐसे ही छोटे और समुदाय या व्यक्ति आधारित व्यवस्था से ही मिल पाया है। सरकार ने जलधारा योजना समाप्त कर दी है और इसका असर किसानों पर देखने को मिल रहा है। एक तो यहाँ की खेती एक फसली है और उस पर भी सुनिश्चित सिंचाई की व्यवस्था नहीं होने से खेती के प्रति लोगों का रुझान कम हो रहा है।

कुएँ के माध्यम से सर्वाधिक सिंचाई गुमला जिले में (87.2 प्रतिशत) होती है। गिरिडीह में (77.9 प्रतिशत), राँची (71.4 प्रतिशत), धनबाद (56.2 प्रतिशत), हजारीबाग (52.7 प्रतिशत), गोड्डा (39.4 प्रतिशत), दुमका (23.6 प्रतिशत) तथा सिंहभूम (17.5 प्रतिशत) में कुएँ से सिंचाई का काम लिया जा रहा है।

कुएँ से 527 हेक्टेयर क्षेत्र में अतिरिक्त सिंचाई सुविधा उपलब्ध कराने की दिशा में झारखंड सरकार ने पहल की है। 451.54 लाख की लागत से 20 फीट व्यास के 211 सिंचाई कूप 2002–03 और 2003–04 में बनाए गए हैं। कुएँ से झारखंड में 29.38 प्रतिशत सिंचाई योग्य भूमि पर सिंचाई हो रही है। दशम पंचवर्षीय योजना के वर्ष 2003–04 एवं 2004–05 में राज्य की सभी पंचायतों में दो कुएँ प्रति पंचायत 10 फीट व्यास के 7500 सिंचाई कूप, आदिम जनजाति हेतु 500 कूप एवं सुखाड़ तथा उग्रवाद से प्रभावित क्षेत्रों में 800 कूप सहित कुल 8800 सिंचाई कूप के निर्माण की दिशा में पहल हुई है।

झारखंड में परंपरागत सिंचाई पद्ति का एक दृश्य

नलकूप

पहाड़ी भूभाग होने के कारण भूमिगत जल का दोहन काफी कम हो पाया है। यहाँ नलकूप बनाना असंभव नहीं तो मुश्किल जरूर है और फिर अपेक्षित लाभ भी संदेहास्पद है। नलकूप से झारखंड के कुछ ही जिलों में सिंचाई की व्यवस्था है। लोहरदगा (32.6 प्रतिशत), पलामू (22 प्रतिशत), हजारीबाग (9.4 प्रतिशत), गिरिडीह (6.7 प्रतिशत), गोड्डा (6.2 प्रतिशत), देवघर (3.8 प्रतिशत) में नियमित सिंचाई की जाती है। साहेबगंज, गुमला, दुमका, राँची, सिंहभूम में नलकूप से सिंचाई के प्रयास किए गए किन्तु अपेक्षित सफलता नहीं मिली है। झारखंड में नलकूप से 08.25 प्रतिशत कृषि योग्य भूमि पर सिंचाई की जाती है।

तालाब

आहर, पइन, पोखर, तालाब, झील झारखंड में अत्यंत प्राचीन और कारगर साधन रहे हैं। सिंचाई पर जब राज्य का नियंत्रण नहीं था तो कृषि अर्थव्यवस्था पूरी तरह इन्हीं परंपरागत आधारों पर ही आश्रित थी। घरेलू कार्य से लेकर सिंचाई तक के कार्य तालाब से ही यहाँ होते हैं। पठारी इलाका होने के कारण तालाब का पानी ज्यादा देर तक रुका रहता है। झारखंड के विभिन्न जिलों में तालाबों से सिंचाई का प्रतिशत ये है—देवघर 49.3 प्रतिशत, धनबाद 43.8 प्रतिशत, साहेबगंज 27.7 प्रतिशत, दुमका 27.7 प्रतिशत, गोड्डा 26.6 प्रतिशत।

इन जिलों में एक चौथाई से अधिक सिंचाई तालाबों से होती है। इससे कम सिंचाई अन्य जिलों में होती है यथा गिरिडीह 14.4 प्रतिशत, हजारीबाग 14.4 प्रतिशत, सिंहभूम 13.9 प्रतिशत, गुमला 3.4 प्रतिशत, पलामू 3.6 प्रतिशत, लोहरदगा 4.1 प्रतिशत और राँची में 3.5 प्रतिशत सिंचाई तालाबों से होती है।

झारखंड सरकार ने तालाबों के निर्माण पर जोर दिया है। झारखंड राज्य के सभी 22 जिलों में कुल 9735 छोटी-छोटी योजनाओं यथा आहर, तालाब, चेक डैम को सिंचाई हेतु चिन्हित किया गया है। योजना के कार्यान्वित होने पर 2.68 लाख हेक्टेयर में अतिरिक्त सिंचाई सुविधा प्रदान की जा सकेगी।

विकल्प हमारी परंपरा में है

क्या वजह है कि आजादी के बाद झारखंड (अविभाजित बिहार का हिस्सा) में पच्चीस हजार करोड़ रुपए से ज्यादा अकेले सिंचाई के साधनों के विकास में खर्च किए गए किन्तु सिंचाई की अधिकतम सीमा 8 फीसदी से ज्यादा नहीं बढ़ पाई। राष्ट्रीय परिदृश्य की बात करें तो लगभग 4200 छोटी-बड़ी सिंचाई परियोजनाओं के बाद भी अपेक्षित और घोषित परिणाम नहीं मिल पाया है। विकास के इस मॉडल पर पुनर्विचार को इससे भी बल मिलता है कि आजादी के समय मात्र 232 गाँवों में पेयजल की किल्लत थी और आजादी के बाद ऐसे गाँवों की संख्या बढ़कर 90 हजार हो गई। देश में पड़ने वाले सूखे और अकाल की बारंबारता पर ध्यान दें तो स्पष्ट होगा कि जैसे-जैसे पानी पर से समुदाय का स्वामित्व, अधिकार और प्रबंधन खत्म होता गया, समस्याएँ बढ़ती गईं।

झारखंड में जल संचय और प्रबंधन का चलन सदियों पुराना है। आहर, पाइन, डाड़ी, चुआं आदि झारखंड के पानी को सहेजने और एक जगह से दूसरी जगह प्रवाहित करने के कुछ अति प्राचीन साधन हैं जो आज भी इस्तेमाल में हैं। पारंपरिक व्यवस्थाएँ उस क्षेत्र की पारिस्थितिकी और संस्कृति की विशिष्ट देन होती हैं जिनमें उनका विकास होता है। वे न केवल काल की कसौटी पर खरी उतरी हैं, बल्कि उन्होंने स्थानीय जरूरतों को भी पर्यावरण से तालमेल रखते हुए पूरा किया है। आधुनिक व्यवस्थाएँ जहाँ पर्यावरण का दोहन करती हैं, उसके विपरीत ये प्राचीन व्यवस्थाएँ पारिस्थितिकीय संरक्षण पर जोर देती हैं। जलसंचय का सिद्धांत यह है कि बरसात के पानी को स्थानीय जरूरतों और भौगोलिक स्थितियों के हिसाब से संचित किया जाए। इस क्रम में भू-जल का भंडार भी भरता जाता है। जलसंचय की पारंपरिक प्रणालियों से लोगों की घरेलू और सिंचाई संबंधी जरूरतें पूरी होती हैं।

ऐतिहासिक दस्तावेजों से पता चलता है कि कोल्हान में जल संसाधनों के समतामूलक, समुदाय आधारित और व्यावहारिक ढंग से विकास की पारंपरिक प्रणाली रही है। गाँवों में बुआई और पानी के बँटवारे के मामले तय होते थे। झारखंड के टेनेन्सी एक्ट में भी पानी को आर्थिक विकास का बड़ा साधन माना गया और पानी पर समुदाय के अधिकार को मान्यता दी गई। दस्तावेजों से पता चला कि आहर, चुआं, वीयर तथा ऐसे ही पारंपरिक जल संसाधनों के प्रबंधन और देखरेख के लिए पलामू में आहरों की एक पूरी शृंखला ही थी। ये आहरें फसलों की उत्पादकता तो नहीं बढ़ाते थे लेकिन सूखे से निजात पाने के कारगर संसाधन थे। प्रथम सिंचाई आयोग और द्वितीय सिंचाई आयोग ने भी माना है कि पलामू में आहरें जैसे-जैसे ध्वस्त हुई हैं, पानी की समस्या बढ़ी है। आयोग ने पाया कि छोटानागपुर में हजारों वीयर और आहर उपेक्षित पड़े हुए हैं। आहरों के तल मिट्टी से भर गए हैं। हजारीबाग में 90 फीसदी आहरें मिट्टी से भर गई थीं। पलामू, राँची तथा मानभूम में भी रख-रखाव और मरम्मत के अभाव में आहरें बेकार पड़ी थीं।

पलामू, लातेहार, गुमला और चाईबासा के सैकड़ों गाँवों में घूमते हुए स्पष्ट दिखता है कि कैसे ग्रामीणों की पहल ने क्षेत्र का नक्शा ही बदल दिया है। इसकी पहल में न तो सरकारी संस्थाओं का विशेष सहयोग रहा और न ही दाता संस्थाओं का। बस कुछ था तो समुदाय की एकता की ताकत, सामुदायिक देशज ज्ञान और अपने बलबूते किस्मत बदलने का जज्बा। लगातार सूखे की आपदा और अकाल ने ग्रामीणों को सोचने पर मजबूर किया। मानसून का तो कोई भरोसा नहीं है, कभी कम तो कभी ज्यादा लेकिन एक बात तय है कि यदि बारिश के समय फालतू बहने वाले पानी को एकत्रित कर लिया जाए तो संकट से उबरा जा सकता है। थोड़े समझदार लोगों ने यह ज्ञान समुदाय के बीच बाँटना शुरू किया। पहले तो लोगों को समझ में नहीं आया कि पानी बचाया कैसे जाए?

लातेहार जिले के जालिम पंचायत के गोआ गाँव में उदयपुरा पहाड़ी से नाला स्वत: बहता रहता है। वर्षों से पानी यूँ ही बर्बाद होता रहा। 1992 में जब अकाल की चपेट में गाँव आया तो लोगों में चेतना जगी और तय किया गया कि फालतू बहने वाले पानी को दिशा दी जाए, पानी को बचाया जाए। ग्रामीणों ने इस नाले को बाँधा और आज सौ एकड़ से ज्यादा की खेती पर सूखे का कोई प्रभाव नहीं पड़ रहा है। ग्रामीणों ने अपनी उत्कृष्ट तकनीक का परिचय दिया और बिना

किसी ऊर्जा के खरीना नाले के पानी को रोककर ऊपर चढ़ाया। पानी को ऊपर चढ़ाने का क्रम 'वीयर' बरसात के दिनों में खुला रहता है, लेकिन गर्मी के दिनों में ग्रामीण इसे बाँध देते हैं ताकि पानी खेत पर पहुँच जाए। लेकिन इतना करने के बाद संकट उत्पन्न हुआ कि थोड़ी-थोड़ी अवधि में 'वीयर' में बालू आ जाता और पानी का जमाव घट जाता। इससे बचाव के लिए ग्रामीणों ने जगह-जगह 'स्टोन बंडिंग' की।

गाँव के महावीर सिंह (55 वर्षीय) बताते हैं कि नाले को बाँधने के बाद कभी सूखा नहीं पड़ा। कमाने के लिए अब कोई बाहर नहीं जा रहा है। चौदह मन धान की खेती है। गरमा तथा भदई दोनों बोते हैं। रामतोराई, आलू, बैंगन, गोभी सब कुछ अब ग्रामीण उपजा पा रहे हैं। वे बताते हैं कि चैनपुर प्रखंड के नेउरा पंचायत के टेमराई गाँव में कभी राजाओं ने दर्जनों तालाबें बनवाई थीं। राजा का शासन खत्म हुआ और राजाओं के लिए बने तालाब प्रजा के लिए हो गए। अब ग्रामीणों ने अपनी पहलकदमी से इसे इस्तेमाल करना शुरू कर दिया है। बरसात के समय इन तालाबों में पानी जमा होता है और सँकरी नालियों से पानी खेतों तक पहुँचता है। गाँव के बालकिशुन राम बताते हैं कि तालाबों के रखरखाव से गाँवों में खेत फिर से लहलहाने लगे हैं। टांड पर भी खेती शुरू हो गई।

लातेहार के डोकी सिरिस में सूखा मुक्ति अभियान के तहत छोटे-छोटे बाँध बने और दो सालों में अन्य सरकारी योजनाओं की तरह ही प्रशासन ने अपने हाथ खींच लिए लेकिन अच्छे आगाज को लोगों ने पहचाना और अपने बलबूते अंजाम तक पहुँचाया। डैम में पानी आने लगा और पानी के वितरण की जिम्मेदारी ग्राम सभा ने ले ली। अब किसे कितनी पानी की जरूरत होगी, ग्राम सभा की बैठकों में तय होता है। देख-रेख के लिए मामूली-सी रकम ग्राम सभा के कोष में ग्रामीणों को जमा करनी पड़ती है। ग्राम सभा अध्यक्ष रामानन्दन उराँव बताते हैं कि पानी पंचायत के तहत बने दोनों बाँधों से गाँव के दो सौ एकड़ से ज्यादा खेतों तक लगभग सालों से पानी पहुँच रहा है। वह बताते हैं कि हमारी कोशिश है कि बरसात के दिनों में ज्यादा पानी एकत्रित कर लिया जाए। इसे तालाबों, पोखरों तथा चुआं के माध्यम से इकट्ठा करते हैं और फिर बाँध तक पहुँचाते हैं। लेकिन गुमला जिले के विशुनपुर के सातो बाँध की कहानी इतनी सीधी-सादी नहीं है। 1967 के भीषण अकाल के दौर में ग्रामीणों ने पहाड़ी नदी की धारा को मोड़कर गाँव में लाने का बीड़ा उठाया। परिणाम कुछ आता, इससे पहले ही बाँध ढह गया।

अलग-अलग लोग, अलग-अलग बातें। भूत-शैतान से लेकर ऐसी कहानियाँ गढ़ी गईं। भगत ने भी मुर्गा-दारू से लेकर कचिया (रुपए) तक का लाभ उठाया, लेकिन सातो बाँध नहीं बँधा। गाँव के बूढ़ों से बात कीजिए तो अब भी कई किस्से सुनाते मिल जाएँगे। 1985-86 में गाँवों के कुछ उत्साही लोगों ने फिर से इस पहाड़ी नदी को बाँधने की मुहिम छेड़ी। ग्रामीणों को लगा कि पानी है तो जिन्दगी है और पानी तो सिर्फ और सिर्फ बरसात में ही है। इस सच को जानने के बाद ग्रामीणों के श्रमदान और थोड़ी प्रशासनिक मदद से सातो बाँध बन गया। स्वयंसेवी संस्था विकास भारती ने उत्प्रेरक की भूमिका निभाई तथा तकनीकी ज्ञान भी दिया। महज सवा तीन लाख रुपए में 225 फीट ऊँचा बाँध तैयार हो गया। ग्रामीणों ने अपने चन्दे से 2.40 लाख रुपए जुटाए और अब सातो 700 हेक्टेयर भूमि को सिंचित कर रहा है। सालों पानी मिलने के कारण धान, गेहूँ के साथ-साथ सब्जी, दलहन, तेलहन भी ग्रामीण उपजा रहे हैं।

विशुनपुर प्रखंड से आधे किलोमीटर की दूरी पर बसे कुंबा टोली के ग्रामीण तीन सालों से 'पानी अपने समीप' लाने का अभियान चला रहे हैं। गाँव के युवकों तथा अधेड़ लोगों का हर साल रोजगार की तलाश में पंजाब जाना और फिर खाली हाथ लौटना कुंबा टोली तथा रेहे गाँव के लोगों के लिए दु:स्वप्न जैसा था। गरिझरिया नाले का पानी खेतों तक लाने के लिए ग्रामीण हर बृहस्पतिवार को श्रमदान करते हैं। दो वर्षों से श्रमदान का काम चल रहा है। बरसात के पहले तक पानी 'अपने समीप' आ जाएगा—हर ग्रामीण को यह पक्का भरोसा है।

पानी बचाने, पानी के संरक्षण के ऐसे छोटे-बड़े प्रयास झारखंड के सैकड़ों गाँवों में देखने को मिल रहे हैं। स्थानीय पारिस्थितकी, स्थानीय जरूरतों और परंपरागत ज्ञान पर ही पानी बचाने, पानी को साल भर उपयोग में लाने की जुगत भिड़ाई गई है। गाँव के लोग जानते हैं कि बड़ी परियोजनाएँ तो सरकारी खजाने को भरने के लिए हैं, पानी का खजाना तो बूँद-बूँद पानी को इकट्ठा करने से ही भरेगा, बढ़ेगा और संकट के समय काम आएगा।

यह पूर्ण सत्य नहीं तो अर्द्धसत्य तो है ही कि झारखंड में आहरों तथा ऐसी ही पारंपरिक जल प्रणालियों की परंपरा खत्म होने के साथ-साथ किसानों की मुसीबतें भी बढ़ती गईं। ये आहरें मुख्यत: वर्षा जल को रोकती हैं और धरती के अंदर समाकर खेतों को आबाद करती हैं। झारखंड में सिंचाई की प्रणाली पूर्णत: छोटे बाँधों और आहरों की प्रणाली रही है। झारखंड के कई क्षेत्र आहरों के जाल के लिए जाने जाते रहे हैं। ये आहरें ग्रामीणों के देशज ज्ञान, तकनीक और विशेष भौगोलिक स्थितियों में पानी की व्यवस्था को सहज और कारगर बनाने के साक्ष्य हैं।

झारखंड में आहरों से सिंचाई की परंपरा कब शुरू हुई, पता नहीं लेकिन सरकारी दस्तावेजों से स्पष्ट है कि जब-जब क्षेत्र विशेष में सूखे का संकट आया, लोगों ने अपने बलबूते आहर बनाए। अकाल के दिनों में तो पूरा का पूरा गाँव ही आहरों के निर्माण में जुटता रहा है। यहाँ परंपरागत जल संसाधनों की विशेषता रही है कि ये केवल सिंचाई के साधन मात्र नहीं होते थे। जलसंचय की प्रणाली के सिंचाई साधनों से जुड़ने की वजह लोगों का देशज ज्ञान था।

लोगों को यह पता है कि बारिश बहुत ही मौसमी है। बारिश केवल तीन महीने ही होती है और वह भी केवल 200-225 घंटे मात्र ही। इस बारिश का आधा तो मात्र 20-30 घंटों में होता है। परिणामत: बारिश का बहुत ज्यादा पानी बेकार बह जाता है। भारी बारिश के दौरान नदियों के बाँध भी वहाँ से बह जाने वाले पानी का मात्र 20 फीसदी या उससे भी कम जमा कर पाते हैं। जलसंचय का सिद्धांत यह है कि बरसात के पानी को स्थानीय जरूरतों और भौगोलिक स्थितियों के हिसाब से संचित किया जाए। इसमें भू-जल का भंडार भी भरता जाता है। जल संचय की पारंपरिक प्रणालियों से लोगों की घरेलू और सिंचाई की जरूरतें पूरी होती हैं।

आजादी के बाद जल संसाधनों पर स्वामित्व सरकार का हो गया। पारंपरिक प्रणालियों को एक झटके में पुराना, जर्जर और अलाभप्रद मानते हुए 'आधुनिक' संरचनाएँ खड़ी करने की कवायद जोर-शोर से हो गई। इसका परिणाम यह हुआ कि पारंपरिक जल प्रणालियाँ मृतप्राय हो गईं और उन्हें तिरस्कृत कर दिया गया। जलापूर्ति और जलप्रबंधन की मौजूदा केंद्रीकृत व्यवस्था अधिसंख्य लोगों की जरूरतें पूरी करने में विफल रही है। पारंपरिक प्रणालियों में सस्ती, आसान तकनीक का प्रयोग होता था जिसे स्थानीय लोग भी आसानी से कारगर बनाए रख सकते थे। आधुनिक प्रणालियों ने समुदाय को तोड़ दिया और सरकार पर निर्भरता बढ़ा दी। जल संसाधनों

का अगर समतामूलक, समुदाय आधारित और व्यावहारिक ढंग से विकास करना है तो पारंपरिक प्रणालियों में जान डालनी होगी, उनका विकास करना होगा वर्ना सूखे तो पड़ेंगे ही पानी पड़ने के बाद भी।

पुनर्वास नीति

झारखंड सरकार ने राज्य में सिंचाई परियोजनाओं के लिए भू-अर्जन से विस्थापित परिवारों के लिए पुनरीक्षित पुनर्वास नीति तैयार की है। कैबिनेट ने इसे स्वीकृति दे दी है। नई पुनर्वास नीति में विस्थापितों के लिए आकर्षक पैकेज व्यवस्था की गई है। पुनर्वास नीति के मामले में विशेषज्ञों का मानना है कि सरकार ने जाने-अनजाने ऐसी नीति तैयार कर ली है कि भविष्य में बड़ी परियोजनाएँ यहाँ संभव नहीं हो सकेंगी। मुआवजे तथा अन्य पैकेज के मद में ही सरकार को परियोजना राशि का 25 से 40 प्रतिशत व्यय करना पड़ेगा। अभी तक यह राशि अधिकतम 10 प्रतिशत थी। पुनर्वास पैकेज में इतनी बड़ी राशि के चले जाने के कारण परियोजनाओं का अनुमोदन संभव नहीं हो पाएगा। झारखण्ड सरकार को इसका अंदेशा है और इसीलिए इस वित्तीय वर्ष में 1000 छोटी सिंचाई परियोजनाएँ बनाई गई हैं।

आधिकारिक सूत्रों का कहना है कि अब आने वाले दिनों में सिर्फ छोटी सिंचाई परियोजनाएँ ही बन पाएँगी। राज्य के हित में यह उचित भी होगा।

पुनर्वास नीति से विस्थापित परिवारों की व्यवस्था इस प्रकार की जाएगी कि नए स्थान पर संक्रमण काल के बाद भी विस्थापित परिवार अपने जीवन स्तर में सुधार करेंगे और पूर्व जीवन स्तर पा सकेंगे। विस्थापित उन्हें माना जाएगा जिनका आवास जल-प्लावित क्षेत्र में अथवा डूब क्षेत्र के बाहर अर्जित की गई भूमि में पड़ता होगा, जिनके पास की आधा या उससे अधिक भूमि अर्जन के बाद ढाई एकड़ या उससे कम सिंचित भूमि या साढ़े तीन एकड़ या उससे कम रह जाएगी। इसके अलावा भूमिहीन जो अपनी आजीविका अचिन्हित की जा रही भूमि पर मजदूरी या स्वनियोजन कर अपने परिवार का निर्वाह करते हैं और भू-अर्जन के बाद गृहविहीन या आजीविकाविहीन हो जाएँगे। नई नीति के तहत हर बालिग लड़के को एक अलग परिवार के रूप में माना जाएगा। भूमिहीन विस्थापितों की पहचान का मूल आधार स्थानीय ग्राम सभा द्वारा किया जाएगा। किसी भी परियोजना में भू-अर्जन की प्रक्रिया समाप्त होने के छह माह की सीमा में विस्थापितों को पुनर्वास पैकेज की मूलभूत सुविधाएँ उपलब्ध करा दी जाएँगी। जिनके आवास अर्जित किए जाएँगे, उन्हें आवास बनाने के लिए भूखंड दिया जाएगा। विस्थापित परिवार जिसका आवास भू-अर्जन के तहत लिया जाएगा, उसे 15 डिसीमल भूखंड चयनित पुनर्वास स्थल पर निःशुल्क आवंटित किया जाएगा। जो लोग आवास के लिए भूखंड नहीं लेना चाहेंगे उन्हें जमीन के मूल्य के रूप में पचास हजार रुपए अनुदान के रूप में दिए जाएँगे। भूमिहीन विस्थापित परिवार को गृहनिर्माण अनुदान के रूप में 20 हजार रुपए दिए जाएँगे। भू-अर्जन के अधीन आने वाले आवासों के मालिक अपना आवास तोड़कर जहाँ बसना चाहेंगे सारा सामान ले जा सकेंगे। मुआवजे की राशि पर इसका कोई प्रभाव नहीं पड़ेगा। आवास अर्जित किए जाने से विस्थापित हर परिवार को 20 हजार परिवहन अनुदान नए स्थान पर जाने के लिए दिया जाएगा। पुनर्वास नीति में यह सुनिश्चित

किया गया है कि पुनर्वास स्थलों का चयन ऐसे स्थान पर किया जाएगा जहाँ विस्थापितों को व्यक्तिगत रूप से नहीं बल्कि सामुदायिक रूप से बसाया जा सके। हर पुनर्वास स्थल पर मापदंड के अनुसार न्यूनतम आधारभूत सामाजिक व आर्थिक सुविधाएँ उपलब्ध कराई जाएँगी जिसमें प्राथमिक विद्यालय, स्वास्थ्य उपकेन्द्र, दो तालाब, सामुदायिक भवन, बिजली, सुलभ शौचालय, धार्मिक पूजास्थल परिसर केन्द्र और अंतिम संस्कार के लिए श्मशान घाट होगा। पेयजल की सुविधा के लिए 50 परिवारों पर एक कुआँ उपलब्ध कराया जाएगा। जिन लोगों की भूमि अर्जित की जाएगी, वैसे विस्थापितों को परियोजना के तहत दुकानों का आवंटन स्वरोजगार के लिए अनुदान तथा जल संसाधन विभाग में सृजित तृतीय एवं चतुर्थ वर्गीय पदों के विरुद्ध अधिमान्य होगी। केवल ऐसे विस्थापित परिवारों को ही भूमि के बदले भूमि आवंटित की जाएगी जिनकी कम से कम एक हेक्टेयर भूमि परियोजना द्वारा अर्जित की जाएगी।

भूमि आवंटन केवल परिवार के मुखिया के नाम से किया जाएगा। प्रत्येक विस्थापित परिवार को अर्जित कृषि भूमि की 50 प्रतिशत तक भूमि आवंटित की जाएगी। भूमि के बदले भूमि उपलब्ध कराने के लिए उपायुक्त के नेतृत्व में गठित समिति द्वारा निर्णय लिया जाएगा। डूब क्षेत्र की भूमि जो जलाशय में पानी के स्तर घटने के कारण कृषि के लिए उपलब्ध होगी, वार्षिक लीज पर बिना नीलामी के इस क्षेत्र के विस्थापितों को दी जा सकेगी। कृषि भूमि का आवंटन उपलब्धता के आधार पर विस्थापित परिवारों को प्राथमिकता के आधार पर दिया जाएगा। इनमें अनुसूचित जनजाति, अनुसूचित जाति, सीमांत एवं लघु कृषक आदि को शामिल किया जाएगा। आवंटित भूमि के लिए सिंचाई प्रदान के लिए प्रचलित प्रावधान के अनुसार ऋण प्राप्त करने में मदद दी जाएगी।

स्वरोजगार के लिए सामूहिक व व्यक्तिगत आधार पर पुनर्वास की व्यवस्था की जाएगी। हर परिवार को स्वरोजगार के लिए 75 हजार रुपए अनुदान दिए जाएँगे। परिवार के माध्यम से वैसे विस्थापित परिवारों को जिनकी आजीविका प्रभावित होगी, उनके शिक्षण की व्यवस्था, योग्यता एवं रुचि के आधार पर की जाएगी। विस्थापित परिवारों के पुनर्वास कार्यों के कार्यान्वयन में प्रभावित क्षेत्र की ग्राम सभा व पंचायत का परामर्श भी लिया जाएगा। पुनर्वास कार्य के आयोजन कार्यान्वयन एवं प्रबंधन के प्रत्येक चरण में विस्थापित परिवारों का समुचित प्रतिनिधित्व सुनिश्चित किया जाएगा।

संदर्भ ग्रंथ

द्वितीय सिंचाई आयोग की रिपोर्ट, बिहार सरकार
आज भी खरे हैं तालाब, अनुपम मिश्र
राजस्थान की रजत बूंदें, अनुपम मिश्र
बूंदों की संस्कृति, सी.एस.ई., नई दिल्ली
मेकिंग वॉटर एवरीबडी बिजनेस, सी.एस.ई., नई दिल्ली
बड़े बाँध भारत का अनुभव, सैनड्रप
डाउन टू अर्थ के पुराने अंक

झारखंड के पलामू, राँची, संतालपरगना जिले का गजेटियर
झारखंड सरकार की कार्ययोजना
झारखंड सरकार का प्रगति प्रतिवेदन, 2002–03
मैग्सेसे अवार्ड विजेता राजेन्द्र सिंह के आलेख
राँची एक्सप्रेस, हिन्दुस्तान, जनसत्ता तथा द हिन्दू में प्रकाशित आलेख
डॉ. एम.एस. स्वामीनाथन के जल स्वराज पर आलेख
पानी पंचायत पर उपलब्ध दस्तावेज
सी.एस.ई. मीडिया फैलोशिप के तहत स्थल भ्रमण तथा देशज ज्ञान की परंपरा को सँजोकर रखने वाले लोगों से बातचीत।

वन संपदा की अटूट श्रृंखला

डॉ. ओंकारनाथ पाण्डेय

नैसर्गिक सौन्दर्य और खनिज एवं वन संपदाओं से परिपूर्ण झारखंड ने देश के 28वें राज्य का गौरव 15 नवम्बर 2000 को प्राप्त किया। यह दिन झारखंडवासियों के लिए एक विस्मरणीय दिन है। प्रकृति ने झारखंड को क्या कुछ नहीं दिया है। सच कहें तो प्रकृति ने बड़ी फुरसत से इसे सजाया-सँवारा है। कल-कल करती नदियाँ, हरे-भरे वृक्षों से आच्छादित पहाड़, पहाड़ों से नीचे गिरने वाले झरने और अठखेलियाँ करती हुई पहाड़ी नदियाँ झारखंड के प्राकृतिक सौन्दर्य की अद्वितीय आभा बिखेरती हैं। अकूत खनिज सम्पदा झारखंड को देश के सबसे धनी राज्यों की श्रेणी में ला खड़ा करती है। धरती के अन्दर यह लोहा, कोयला, सोना, चाँदी, यूरेनियम, चूना और न जाने कितने मूल्यवान खनिज रखकर अपनी सन्तानों को धनाढ्य बनाने के लिए तत्पर है। सुवर्णरेखा, कोयलकारो, दामोदर, बराकर नदियाँ झारखंड की सुन्दरता बढ़ाती हैं और लोगों की प्यास बुझाती हैं। वृक्षों से घिरे हुए हुन्डरू, जोन्हा, दशम, हिरणी जलप्रपात झारखंड की सुन्दरता को चार चाँद लगाते हैं। धरती के अन्दर से निकलने वाले खनिजों से यहाँ कई प्रकार के मूल्यवान सामानों के निर्माण के लिए बड़े-बड़े कल-कारखाने लगाए गए हैं एवं कई बड़े-बड़े कारखानों को लगाने की असीम सम्भावनाएँ हैं। इन विश्व प्रसिद्ध कारखानों से झारखंड के साथ-साथ पूरे देश की अर्थव्यवस्था सुदृढ़ हुई है एवं भविष्य में और सुदृढ़ होगी।

मानव का वनों से सम्बन्ध अटूट और इतना पुराना है जितनी पुरानी यह सृष्टि है। सृष्टि के आरम्भ में सर्वप्रथम वनस्पति का उदय हुआ, तत्पश्चात् मानव का उदय वन में हुआ। मनुष्य का पेड़-पौधों से चोली-दामन का साथ रहा है। वनों के बिना मनुष्य का जीवन संकट में पड़ सकता है। पुरातन सभ्यताओं का अन्त वनों के अन्त के ही साथ हुआ या यूँ कह सकते हैं कि सभ्यताओं को सुरक्षित रखने के लिए वनों का संरक्षण अत्यावश्यक है। वन रूपी सम्पदा के विनाश से बड़े-बड़े भू-क्षेत्र रेगिस्तान में बदल गए हैं। राजस्थान कभी हरा-भरा था लेकिन यह वनों की अंधाधुंध कटाई ही है जिसके कारण आज यहाँ रेगिस्तान बन गया है। यह जानते हुए भी आज का सभ्य मानव इस अमूल्य विधि के बारे में बेखबर है।

भौगोलिक परिचय

झारखंड का भौगोलिक परिचय बड़ा व्यापक है। इसका क्षेत्रफल 79,714 वर्ग किलोमीटर है जो पूरे देश के क्षेत्रफल का लगभग 2.4 प्रतिशत है। 2001 की जनगणना के अनुसार इसकी जनसंख्या 2.69 करोड़ है जिसमें 77.8 प्रतिशत लोग गाँवों में एवं 22.8 प्रतिशत लोग शहरों में

रहते हैं। यहाँ जनजातीय समुदाय की आबादी 27.7 प्रतिशत एवं अनुसूचित जाति के लोगों की आबादी 11.9 प्रतिशत है। क्षेत्रफल के दृष्टिकोण से पश्चिमी सिंहभूम (9,907 वर्ग कि.मी.) इस राज्य का सबसे बड़ा जिला है, जबकि कोडरमा (1,435 वर्ग कि.मी.) सबसे छोटा जिला है।

भूगर्भीय संरचना

संरचना दृष्टिकोण से झारखंड विश्व के सबसे प्राचीनतम भूखंडों में से एक है। झारखंड का अधिकांश भाग आर्कियन ग्रेनाइट तथा नीस से निर्मित है जिसे 250 से 260 करोड़ वर्ष पुराना माना जाता है। सिंहभूम, हजारीबाग, कोडरमा, गिरिडीह के क्षेत्र में भारत की सबसे प्राचीनतम परतदारीय चट्टानें पाई जाती हैं जो अधिकांशतः रूपान्तरित अवस्था में मिलती हैं।

जलवायु

झारखंड उष्ण मानसूनी जलवायु का क्षेत्र है। कर्क रेखा (23.5 डिग्री उत्तर) इसके लगभग मध्य से होकर गुजरती है। यहाँ औसत वार्षिक तापमान 25 डिग्री सेल्सियस के आसपास मिलता है। परन्तु ग्रीष्मकाल में जमशेदपुर, डाल्टनगंज जैसे केन्द्रों का अधिकतम तापमान 40 डिग्री सेल्सियस या इससे ऊपर चला जाता है। अधिक ऊँचाई के कारण नेतरहाट तथा इसके समीपवर्ती क्षेत्र अपेक्षाकृत ठंडे रहते हैं। शीतकाल का तापमान 10 डिग्री सेल्सियस से नीचे पहुँच जाता है।

झारखंड भारत का एकमात्र क्षेत्र है। जहाँ भारत में प्राप्त होने वाले सभी स्रोतों (दक्षिण पश्चिमी मानसून के बंगाल की खाड़ी की शाखा, नर्मदा घाटी से होकर आने वाली अरब सागर की शाखा, लौटती मानसून के समय बंगाल की खाड़ी में उठने वाली भूमध्य सागर की ओर से आने वाले विक्षोभों) से थोड़ी-बहुत वर्षा होती है। यद्यपि यहाँ औसत वार्षिक वर्षा 125-150 से.मी. के मध्य होती है, नेतरहाट तथा आसपास के क्षेत्र सबसे अधिक (160 से.मी. से अधिक) वर्षा प्राप्त करते हैं जबकि पलामू-चतरा का क्षेत्र सबसे कम वर्षा प्राप्त करता है।

वनों के प्रकार

राज्य में पाए जाने वाले वनों के प्रकार जलवायु, मृदा, तलरूप एवं जैवकारकों के आधार पर नौ प्रकार के पाए गए हैं जो कि सारणी-1 में वर्णित हैं—

सारणी-1: झारखंड में पाए जाने वाले वनों के प्रकार

क्र. सं.	वन प्रकार	क्षेत्रफल (वर्ग कि.मी.)	वन क्षेत्र का प्रतिशत
1.	शुष्क प्रायद्वीपीय साल	12,700	53.80
2.	खैर मिश्रित शुष्क प्रायद्वीपीय साल	1,722	7.30
3.	बांस मिश्रित शुष्क प्रायद्वीपीय साल	704	2.98
4.	आर्द्र प्रायद्वीपीय घाटी साल (सिंहभूम घाटी)	3,050	12.92

5.	उत्तरी शुष्कमिश्रित पतझड़ी वन	364	1.54
6.	सलई मिश्रित उत्तरी शुष्क मिश्रित पतझड़ी	3,374	14.30
7.	बांस मिश्रित उत्तरी शुष्क मिश्रित पतझड़ी	96	0.41
8.	खैर मिश्रित उत्तरी शुष्क मिश्रित पतझड़ी वन	1,519	6.43
9.	शुष्क उष्णदेशीय पलास वन	76	0.32
	कुल योग	23,605	

राज्य के वनों में साल (Shorea robusta) वृक्ष सबसे अधिक मात्रा में पाए जाते हैं जिनका वर्धी संनिधि (Growing stock) 55% है। इसके बाद सलई (Boswelhi Sermta) के वृक्ष विद्यमान हैं जिनका वर्धी संनिधि 13% आँका गया है। बाकी सभी वृक्ष प्रजातियाँ मिलकर 32 प्रतिशत ग्रोइंग स्टाक बनाती हैं। झारखंड में सबसे अच्छे साल के वन सारण्डा वन प्रमण्डल पश्चिमी सिंहभूम में मिलते हैं। ऊपर वर्णित नौ वनों के प्रकार में से छः में साल अधिकतम मात्रा में पाए जाते हैं और इनके वृक्ष 19,000 वर्ग कि.मी. क्षेत्र में फैले हुए हैं। बाकी 4,605 वर्ग कि.मी. में वृक्षों की अन्य प्रजातियों की अधिकता है।

पूरे देश के अभिविदित वन क्षेत्र का 3.1% हिस्सा झारखंड में पाया जाता है।

वनस्पतियाँ

राज्य में कहीं पर मूल्यवान साल के वन तो कहीं पर अन्य प्रजातियों के वन व कहीं पर घास से आच्छादित क्षेत्र मिलते हैं। यहाँ की वनस्पतियों में साल की प्रधानता है। अन्य प्रजातियों में मुख्यत: आसन (ferminalia tomentosa), गम्हार (Genehina orborce), वीजा साल (Ptencarfrus marsnfrium), करम (Adina Cordifolia), सलई (Boswellia serrata), खैर (Acacia Catechu), धवड़ा (Anogeissm Serrata), सेमल (Bombox ceiba), बांस (Syzygium cumini), महुआ (Madhuca indica), बांस (Dendrocalamms strictus), करंज (Derris indica), पलास (Butea monosperma), कुसुम (Schleichera oleosa), बेर (Zizyfrhus manritiona), अमलतास (Cassia fistula), केंद (Diosfryros melomxylon) इत्यादि पाई जाती है। यहाँ अनेक प्रकार की झाड़ियों जैसे पुटुश (Lantana camera) तथा घासों जैसे सवई (Enlaliopsis binata) इत्यादि का भी विकास हुआ है।

जीव-जन्तु

झारखंड के वनों में मूल्यवान एवं तरह-तरह के वन्य प्राणी मिलते हैं। कुछ मुख्य प्रजातियाँ भारतीय हाथी (Elephas maximum), बाघ (Panthera tigris), चीता (Penthera Pardus), जंगली सांड (Bos Gaurus), भेड़िया (Canis lnfrus palhifres), आलसी भालू (Melur susursinus), सामान्य लंगूर (Presbytis entellus), बन्दर (Rhesus macaque), जंगली कुत्ता (cron alfrinus), चीतल (Axis axis), सांभर (Cerous unicolor), नीलगाय (Boselaphns tragecamelus), जंगली सूअर (Sus scrofa),

भौंकने वाला हिरण (Muntiacus muntijak), हायना (Hyaena hyaena) इत्यादि हैं। कई प्रकार की चिड़ियाँ, साँप, उभयचर जन्तु एवं कीड़े भी यहाँ के वनों में मिलते हैं।

वनावरण

राज्य का अभिलिखित वन क्षेत्र 23,605.47 वर्ग कि.मी. है जो राज्य के भौगोलिक क्षेत्र का 29.63 प्रतिशत है। इसमें 4387.20 वर्ग कि.मी. (18.59 प्रतिशत) में आरक्षित वन, 19,184.78 वर्ग कि.मी. (81.27 प्रतिशत) में सुरक्षित वन एवं 33.49 वर्ग कि.मी. (0.14 प्रतिशत) में अवर्गीकृत वन फैले हुए हैं। राज्य में कुल 26 वन प्रमण्डल हैं एवं प्रमण्डलवार वनों का विवरण सारणी-2 में दिया गया है। तद्नुसार सारण्डा वन प्रमण्डल में सबसे अधिक आरक्षित वन हैं एवं बोकारो, चतरा उत्तरी तथा गढ़वा उत्तरी वन प्रमण्डलों में आरक्षित वन एकदम नहीं हैं। इसी प्रकार सर्वाधिक सुरक्षित वन हजारीबाग पश्चिमी वन प्रमण्डल में हैं एवं सबसे कम सुरक्षित वन सारण्डा वन प्रमण्डल में हैं। अवर्गीकृत इन केवल 8 वन प्रमण्डलों में विद्यमान हैं जिनमें साहेबगंज वन प्रमण्डल में अधिकतम एवं गुमला वन प्रमण्डल में न्यूनतम हैं।

भारत सरकार की संस्था भारतीय वन सर्वेक्षण द्वारा सभी राज्यों में वास्तविक वनावरण का आकलन किया गया है और प्रत्येक दो वर्ष के अन्तराल पर इस संस्था द्वारा 'वन स्थिति रिपोर्ट' का प्रकाशन किया जाता है । 1999 की रिपोर्ट तक 1 :

सारणी-2 : झारखंड में प्रमण्डलवार वनों का विवरण

क्र. सं.	प्रमण्डल का नाम	आरक्षित वन (वर्ग कि.मी.)	सुरक्षित वन (वर्ग कि.मी.)	अवर्गीकृत वन (वर्ग कि. मी.)	कुल वन क्षेत्र (वर्ग कि. मी.)
1.	सारण्डा	818.08	39.88	0.86	858.82
2.	कोलहान	587.16	112.58	0.68	700.42
3.	पोराहाट	506.28	158.16	0.98	665.42
4.	चाईबासा दक्षिणी	0.31	508.75	–	509.06
5.	चाईबासा उत्तरी	64.86	615.40	–	680.26
6.	धालभूम	530.50	518.63	–	1049.13
7.	राँची पूर्वी	117.42	801.82	–	919.24
8.	राँची पश्चिमी	262.90	737.44	–	1000.34
9.	गुमला	121.01	1187.17	0.16	1308.34
10.	गिरिडीह	87.76	1130.20	–	1217.96
11.	हजारीबाग पश्चिमी	6.73	1765.24	3.40	1775.37
12.	हजारीबाग पूर्वी	17.43	1020.55	–	1037.98
13.	बोकारो	–	519.01	–	519.01

14.	चतरा दक्षिणी	7.52	1018.28	–	1025.80
15.	चतरा उत्तरी	–	933.72	–	933.72
16.	कोडरमा	156.30	734.08	–	890.38
17.	धनबाद	108.25	155.55	–	263.80
18.	डाल्टनगंज दक्षिणी	580.81	460.44	0.45	1041.70
19.	डाल्टनगंज उत्तरी	39.87	1266.61	–	1306.48
20.	गढ़वा दक्षिणी	5.49	1235.86	–	1241.35
21.	गढ़वा उत्तरी	–	787.05	–	787.05
22.	लातेहार	206.48	1117.36	–	1323.84
23.	देवघर	28.66	739.22	–	767.88
24.	दुमका	128.03	1353.89	4.20	1486.12
25.	साहेबगंज	0.50	104.71	22.76	127.97
26.	गिरिडीह वनरोपण	4.85	163.18	–	168.03
	कुल	4387.20	19184.78	33.49	23605.47

स्रोत : वन एवं पर्यावरण विभाग, झारखंड, राँची : वार्षिक प्रतिवेदन 2002-03, कार्य प्रतिवेदन 2003-04

2,50,000 के पैमाने से वनावरण का आकलन किया गया था। लेकिन 2001 रिपोर्ट के वनावरण के आकलन के लिए 1 : 50,000 पैमाने पर उपग्रहीय आँकड़ों का प्रयोग किया गया है। इससे एक हेक्टेयर तक की सीमा में सभी वन क्षेत्रों को अंकित एवं अभिलिखित किया जा सका है। पहले की रिपोर्टों में यह सीमा 25 हेक्टेयर थी। इसके अतिरिक्त इस रिपोर्ट में अतिरिक्त भूमि उपयोग और स्वामित्व का ध्यान किए बिना 10 प्रतिशत से अधिक वृक्ष वितान घनत्व के साथ 1 हेक्टेयर से अधिक सभी भूमियों को सम्मिलित करके वनावरण को पुनर्परिभाषित किया गया है। इस रिपोर्ट में सभी बारहमासी काष्ठीय वनस्पति (बांस, ताड़, नारियल, सेब, आम, नीम, पीपल आदि) को वृक्ष के रूप में माना गया है। इस प्रकार वृक्ष फसलों की सभी भूमियों जैसे कृषिवानिकी रोपणों, फलोझानों, वृक्षों के साथ चाय, कॉफी भूमि आदि को वनावरण में शामिल किया गया है।

वन स्थिति रिपोर्ट, 2001 के अनुसार राज्य में 22,637 वर्ग कि.मी. क्षेत्र में वास्तविक वनावरण है जो राज्य के भौगोलिक क्षेत्र का 28.4 प्रतिशत और पूरे देश के वास्तविक वनावरण क्षेत्र का 3.4 प्रतिशत है। इसमें 11,787 वर्ग कि.मी. (प्रतिशत) क्षेत्र में सघन वन है। जिनका घनत्व 40 प्रतिशत से ऊपर है एवं 10,850 वर्ग कि.मी. (प्रतिशत) क्षेत्र में खुले वन हैं जिनका घनत्व 10-40 प्रतिशत है। इसके अतिरिक्त 976 वर्ग कि.मी. क्षेत्र में झाड़ीदार वन हैं जिनका घनत्व 10 प्रतिशत से कम है। जिलेवार राज्य में वनावरण सारणी-3 में दिया गया है। तद्नुसार पलामू, पश्चिमी सिंहभूम जिलों में अधिकतम सघन वन हैं तथा गुमला एवं हजारीबाग जिलों में अधिकतम खुले वन हैं। अधिकतम वन क्षेत्र

पलामू में तथा न्यूनतम वन क्षेत्र देवघर में हैं। भारतीय वन नीति, 1988 के अनुसार पर्यावरण संतुलन बनाए रखने के लिए किसी भूभाग का कम से कम एक तिहाई हिस्सा वनों से आच्छादित रहना चाहिए। इसके अनुसार झारखंड के सात जिलों (चतरा, गढ़वा, हजारीबाग, कोडरमा, लोहरदगा, पलामू, पश्चिमी सिंहभूम) में वनावरण इसके अनुरूप है। बाकी जिलों में वनावरण कम है जिसको बढ़ाने की आवश्यकता है। भारतीय वन नीति 1988 में यह भी कहा गया है कि मैदानी क्षेत्रों में 20 प्रतिशत तथा पहाड़ी क्षेत्रों में 60 प्रतिशत भाग में वन होना चाहिए एवं औसतन 33 प्रतिशत वन होना चाहिए। अतः झारखंड में भी मैदानी तथा पहाड़ी क्षेत्रों को ध्यान में रखते हुए वनावरण वृद्धि की योजना बनाने की आवश्यकता है।

सारणी-3 : झारखंड के विभिन्न जिलों में वनावरण

क्र. सं.	जिले का नाम	भौगोलिक क्षेत्रफल	वनावरण वर्ग कि.मी.में				झाड़ीदार वन
			सघन वन	खुले वन	कुल वनक्षेत्र	प्रतिशत	
1.	बोकारो	1,929	270	304	574	29.76	58
2.	चतरा	3,732	945	950	1,895	50.78	35
3.	देवघर	2,479	73	15	88	3.55	3
4.	धनबाद	2,996	70	104	174	5.81	21
5.	दुमका (जामतारा सहित)	6,212	231	257	488	7.86	109
6.	गढ़वा	4,092	670	705	1,375	33.60	59
7.	गिरिडीह	4,963	324	459	783	15.78	26
8.	गोड्डा	2,110	163	227	390	18.48	22
9.	गुमला (सिमडेगा सहित)	9,077	1,231	1,255	2,486	27.39	58
10.	हजारीबाग	5,998	909	1,253	2,162	36.05	66
11.	कोडरमा	1,435	229	387	616	42.93	3
12.	लोहरदगा	1,491	392	165	557	37.36	11
13.	पाकुड़	1,571	79	215	294	18.71	17
14.	पलामू (लातेहार सहित)	8,657	2,616	1,244	3,860	44.59	205
15.	पश्चिमी सिंहभूम	9,907	2,103	1,624	3,727	37.62	84
16.	पूर्वी सिंहभूम (सरायकेला-खरसवां सहित)	3,533	597	288	885	25.05	60

17.	राँची	7,698	735	997	1,732	22.50	68
18.	साहेबगंज	1,834	150	401	551	30.04	71
	कुल	79,714	11,787	10,850	22,637	28.40	976

स्रोत : वन स्थिति रिपोर्ट, 2001

सुरक्षित क्षेत्र

राज्य के वनों एवं वन्य प्राणियों को सुरक्षा प्रदान करने के लिए एक राष्ट्रीय उद्यान (पलामू राष्ट्रीय उद्यान), 11 आश्रयणियों एवं एक जैविक उद्यान का गठन किया गया है (सारणी-4)। ये 2102.5 वर्ग कि.मी. क्षेत्र में फैले हुए हैं जो राज्य के भौगोलिक क्षेत्र का 8.91 प्रतिशत तथा राज्य के अभिलिखित वन क्षेत्र का प्रतिशत है। पलामू राष्ट्रीय उद्यान का गठन 1986 में किया गया और यह भारत सरकार की व्याघ्र परियोजना के अन्तर्गत आता है जिसमें व्याघ्र एवं अन्य वन्य प्राणियों का संरक्षण एवं संवर्धन किया जा रहा है। इसके अतिरिक्त हाथियों के सरंक्षण के लिए राज्य के 17 वन प्रमण्डलों के 9406 वर्ग कि.मी. क्षेत्र को हाथी परियोजना के अन्तर्गत लिया गया है जिसका शत-प्रतिशत अनुदान केन्द्र सरकार द्वारा प्राप्त होता है। वनों के कट जाने से हाथियों के निवास-स्थान में कमी हुई है। जिससे हाथियों का झुंड कभी-कभी गाँवों में आकर फसलों, घरों एवं वहाँ रहने वालों को नुकसान पहुँचाता है। इस चीज को भी ध्यान में रखते हुए वन क्षेत्र की वृद्धि की आवश्यकता है।

सारणी-4 : राज्य के आश्रयणी एवं राष्ट्रीय उद्यान

क्र. सं.	जिला का नाम	सुरक्षित क्षेत्र का नाम	गठन का वर्ष	क्षेत्रफल (वर्ग कि.मी.)	अभ्युक्ति
1.	साहेबगंज	उध्वाझील पक्षी आश्रयणी	1991	5.65	
2.	साहेबगंज	राजमहल फोसिल्स आश्रयणी			
3.	हजारीबाग	हजारीबाग आश्रयणी	1976	186.25	
4.	चतरा	लावालौंग आश्रयणी	1976	207.00	
5.	कोडरमा	कोडरमा आश्रयणी	1981	177.35	
6.	धनबाद	तोपचांची आश्रयणी	1978	8.75	
7.	गिरिडीह	पारसनाथ आश्रयणी	1981	49.33	
8.	पलामू	पलामू राष्ट्रीय उद्यान	1986	231.67	व्याघ्र परियोजना
9.	पलामू	पलामू आश्रयणी	1976	794.33	व्याघ्र परियोजना
10.	पलामू	महुआडांड़ भेड़िया आश्रयणी	1976	63.25	
11.	गुमला	पालकोट आश्रयणी	1990	183.18	
12.	पू. सिंहभूम	दलमा आश्रयणी	1976	193.22	

13.	राँची	भगवान बिरसा जैविक उद्यान	2.5
	कुल		102.50

स्रोत : वन एवं पर्यावरण विभाग, झारखंड

लघु वन पदार्थ / अकाष्ठ वनोपज

झारखंड के वन लघु वन पदार्थों/अकाष्ठ वनोपज के उत्पादन में बहुत समृद्ध है। 'लघु वन पदार्थों' का नामकरण बदलकर आजकल उनको 'अकाष्ठ वनोपज' कहा जाता है क्योंकि 'लघु' शब्द से यह अनुमान लगता है कि इनका उत्पादन और महत्त्व कम है जबकि तथ्य इसके विपरीत है। क्योंकि वनवासियों का जीवनयापन और आर्थिक स्थिति इन्हीं वन पदार्थों पर निर्भर करती है, अतः इस लेख में 'लघु वन पदार्थ' के स्थान पर 'अकाष्ठ वनोपज' (Non wood forest produce or non similar forest produce) शब्दावली का प्रयोग किया जा रहा है। वनवासियों को आर्थिक समृद्धि एवं जीवनयापन में सहायता देने के अतिरिक्त अकाष्ठ वनोपज वनवासियों को वनों के संरक्षण, संवर्धन एवं उनकी जैव विविधता बनाए रखने के लिए उत्प्रेरित करते हैं।

झारखंड में पाए जाने वाले अकाष्ठ वनोपज निम्न हैं—

(i) केंदू पत्ती : यह झारखंड का सबसे महत्त्वपूर्ण वनोपज है क्योंकि इससे न केवल सरकार को राजस्व की प्राप्ति होती है बल्कि इसके संग्रहण से वनवासियों को रोजगार एवं पैसे मिलते हैं। झारखंड राज्य बनने के बाद 23 मार्च 2002 को झारखंड राज्य एवं वन विकास निगम लिमिटेड का गठन हुआ एवं पूरे राज्य में विभिन्न अकाष्ठ वनोपजों के संग्रहण एवं विपणन का दायित्व इस निगम पर है। केंदू पत्ती का संग्रहण राज्य के सभी जिलों में होता है। वर्ष 2002-03 में वन विकास निगम द्वारा कुल 5,09,405 मानक बोरा केंदू पत्ती का संग्रहण किया गया जिससे 31.326 लाख मानव दिवस सृजित हुए एवं 2036.18 लाख रुपए प्राथमिक संग्रहणकर्ताओं को भुगतान किए गए। साथ ही साथ राज्य सरकार को 786.00 लाख रुपए की राजस्व प्राप्ति भी हुई। एक मानक बोरा में 50,000 केंदू पत्ती रखी जाती हैं।

(ii) साल पत्ती : इसका संग्रहण मुख्यतः वन के आस-पास रहने वाली महिलाओं द्वारा किया जाता है और वे इसका पत्तल बनाकर स्थानीय बाजारों में बेचती हैं जिससे इनकी जीविका चलती है।

(iii) तेलहन : तेलहन चीजों जैसे साल, महुआ, करंज, कुसुम इत्यादि के बीजों के संग्रहण से वन के आसपास रहने वालों को रोजगार एवं आर्थिक लाभ मिलता है। वर्ष 2002-03 में वन विकास निगम द्वारा 103.121 मीट्रिक टन साल बीज एवं 46.306 मीट्रिक टन महुआ बीज का संग्रहण किया गया। साल बीज के संग्रहण से 5,100 मानव दिवस सृजित हुए, 3,34,600 रुपए प्राथमिक संग्रहणकर्ताओं को भुगतान किए गए एवं निगम को 3 लाख रुपए की राजस्व प्राप्ति हुई। इसी तरह महुआ बीज के संग्रहण से 5,600 मानव दिवस सृजित हुए, 3,67,000 रुपए प्राथमिक संग्रहणकर्ताओं को दिए गए एवं निगम को 1,23,000 रुपए की राजस्व प्राप्ति हुई।

इन तेलहन बीजों से प्राप्त तेल खाद्य एवं अखाद्य दोनों श्रेणी के हैं जैसे कि महुआ के बीजों का तेल खाद्य है। उन तेलों का उपयोग मुख्यत: साबुन, पेंट एवं वार्निश बनाने के उद्योगों में किया जाता है। करंग के तेल का उपयोग जलाने में किया जाता है एवं इसकी खली का उपयोग कीटाणुनाशक एवं खाद के रूप में किया जाता है। इसी तरह साल के तेल का उपयोग मुख्यत: साबुन बनाने में किया जाता है। इसको चाकलेट बनाने एवं विभाजन उद्योगों में भी प्रयोग करते हैं। इसके बीज में तेल की मात्रा 12.5 प्रतिशत होती है। साल की खली को मवेशियों एवं कुक्करादि को खिलाया जाता है। साल के बीजों से तेल निकालने की मशीन वन विभाग द्वारा लातेहार में लगाई गई है।

(iv) त्रिफला : त्रिफला (हर्रा, बहेरा, आँवला) के फल राज्य के सभी वनों में मिलते हैं और वनवासी लोग इनका संग्रहण करते हैं तथा वन विकास निगम इनका संग्रहण करवाता है। ये तीनों प्रजातियाँ महत्त्वपूर्ण औषधियाँ बनाने में प्रयोग की जाती हैं।

(v) गोंद : राज्य में पाई जाने वाली 34 वृक्ष प्रजातियाँ हैं जिनसे गोंद प्राप्त होती है। ये प्रजातियाँ हैं— खैर— इससे खैर गोंद निकलती है जिसको गम अरैनिक के नाम से बेचते हैं, बबूल—इसके गोंद को भी गम अरैबिक कहते हैं और एक वृक्ष से औसतन एक कि.ग्रा. गोंद प्रतिवर्ष निकलती है। बेल—इसमें तने एवं बीज के चारों ओर गोंद पाई जाती है। घोर करंज—इसकी गोंद 'बसोरा या हाग गम' के नाम से बिकती है। काला सिरिस—इसकी छाल से गोंद मिलती है। काजू—इसके वृक्ष से हल्की पीली या लाल गोंद मिलती है। धौंठा—इसकी गोंद को 'गम अरैबिक' के स्थान पर प्रयोग करते हैं। नीम—इसकी छाल से गोंद मिलती है। कांला—इसकी छाल से गोंद निकलती है जो मिठाई बनाने के काम आती है। सेमल—इसकी छाल से गोंद निकलती है जिसको 'सेमल गोंद' कहते हैं। सलई—इसकी छाल से गोंद- लैलीय राल निकलती है जिसको 'इंडियन ओलिबेनम' के नाम से जानते हैं। पलास—इस वृक्ष के तनों एवं डालियों को छीलने से लाल रंग का द्रव निकलता है जो सूखने पर लाल गोंद बन जाता है। बट-पलास—इसकी गोंद पलास की गोंद की ही तरह होती है। गलगल—इसकी छाल से गोंद निकलती है जिसको 'हाग गम' कहा जाता है। भरहुज या भीरा—इसके द्रव से चमड़े पर छाले पड़ जाते हैं। ससोरा—इसके फल से गोंद मिलती है। कैट या कठबेल—इसकी डालियों से गोंद निकलती है जिसके गुण 'गम अरैबिक' के समान होते हैं। देकमाली—इसकी पत्तियों की कलियों एवं नवजात प्रशाखाओं से गोंद निकलती है जिसको दिकमाली या 'कुम्बी गम' कहते हैं। दिकमाली—इसकी गोंद देकमाली की गोंद के समान है। कड़हर या धोंके—तने के ऊपरी हिस्से को काटने से पीले हरे रंग की गोंद मिलती है। कोरैया —इससे 9.56 प्रतिशत गोंद मिलती है। सिद्धा—इससे मीठी खाद्य गोंद मिलती है। झिंगन या डोका—इसकी छाल से गोंद मिलती है जिसको 'झिंगन गम' कहते हैं। सन्दन या पंजन—इसकी छाल से गोंद मिलती है। बीजा साल या पैसार—इसकी छाल से गोंद निकलती है। विलायती सिरिस—इसकी छाल से गोंद मिलती है। साल—इसके तने से सुगन्धित तैलीय रेजिन गोंद निकलती है जिसको 'साल उमार' कहते हैं और स्थानीय लोग 'राल' या 'धूमा' कहते हैं। अमड़ा—केंवझी या कुलू, परल, इमली, आसन, हर्रा, और धवई आदि वृक्षों से प्राप्त गोंदों का उपयोग खाद्य पदार्थों को स्थायी कारक बनाने में,

पेय पदार्थ बनाने में, टिकट एवं लिफाफों को चिपकाने में तथा दवा बनाने इत्यादि में होता है। बनवासी लोग इसका संग्रहण करके एवं बेचकर मुद्रा प्राप्त करते हैं।

(vi) टैनिन : चमड़े की आयु बढ़ाने के लिए चमड़े का शोधन टैनिन उत्पाद से करते हैं। झारखंड के वनों में वृक्षों की 44 प्रजातियाँ पाई जाती हैं जिनसे टैनिन का उत्पादन होता है। वृक्षों की प्रजातियाँ जिनसे टैनिन निकाला जाता है, ये हैं— बबूल, खैर, अरार, काला सिरिस, काजू, धौंठा, कटहल, अम्पटी या कोटेली, महुलान, पलास, लट पलास, कुम्भी, जंगली करौंदा, तरवाड़, अमलवास, चकुण्डी, मरहुल या मीरा, करला या करगली, लसूड़ा, राय या अगोड़, केंदू, रतनगरूर, गूलर, पीपल, बिलंगा या कटही, कुर्ची या कोरैया, भुरकुण्ड, सिद्धा, जरूल, झिंगन या डोका, महुआ, कमला या रोटी, हरसिंगार, अमड़ा, जामुन, सागवान, आसन, अर्जुन, बहेरा, हर्रा, धवई, बरे, घोंट या कटबेर, मकाय या दठोरा। वन विभाग झारखंड द्वारा लातेहार में टैनिन निकालने की मशीन लगाई गई है जिससे यहाँ के वनों में पाई जाने वाली वृक्ष प्रजातियों से टैनिन निकाली जा सकती है। टैनिन उद्योग से किसानों को स्वरोजगार मिल सकता है। यदि किसान भाई अपनी परती भूमि पर टैनिन उत्पन्न करने वाले वृक्षों की प्रजातियाँ लगाएँ।

(vii) औषधीय पौधे : झारखंड के वनों में बहुत से औषधीय पौधे पाए जाते हैं। एक सर्वेक्षण के अनुसार पाया गया है कि झारखंड के वनों में 33 प्रकार के पौधे पाए जाते हैं जिनका उपयोग आदिवासी लोग विभिन्न रोगों के इलाज में करते हैं। पौधों की जड़ों, पत्तियों, फूलों, बीजों आदि से रस निकालकर आयुर्वेदिक, होम्योपैथिक एवं एलोपैथिक दवाओं को बनाते हैं और इन पौधों से बनी हुई दवाओं का कोई दुष्प्रभाव शरीर पर नहीं पड़ता है। यहाँ के वनों में त्रिफला (हर्रा, बहेरा, आँवला), अश्वगंधा, सर्पगंधा, कालमेघ, सतावर, पुनर्नवा, सदाबहार इत्यादि पौधे मिलते हैं जिनका संग्रहण करके वनवासी लोग अपनी आर्थिक स्थिति सुधार सकते हैं।

राज्य में औषधीय पौधों के विकास के लिए राज्य स्तरीय औषधीय वनस्पति परिषद् का गठन दिनांक 17.2.2003 से किया गया है।

(viii) मधु और मोम : वनों के आसपास रहने वाले लोग अपने खाने के लिए मधु और मोम वनों से एकत्र करते हैं। मधुमक्खी पालन से वनवासियों को स्वरोजगार एवं मुद्रा प्राप्ति हो सकती है।

(ix) लाख : लाख एक प्राकृतिक राल है जो मादा लाख कीट द्वारा मुख्य रूप से प्रजनन के पश्चात स्राव के फलस्वरूप बनता है। लाख कीट की दो प्रजातियाँ हैं जिन्हें कुसुमी और रंगीनी कहते हैं। प्रत्येक जाति से वर्ष में दो फसलें ली जाती हैं किन्तु पश्चिमी बंगाल के कुछ समुद्री क्षेत्र के आसपास विलायती सिरिस, कुसुम और बेर पर एक वर्ष में तीन फसलें ली जाती हैं। रंगीनी लाख कीट की जाति के मुख्य पोषक वृक्ष पलास, बेर, गलबांग, आकाशमनी, पुतरी, भालिया, सदन एवं पीपल आदि हैं। इसी तरह कुसुमी लाख कीट की जाति के मुख्य पोषक वृक्ष, कुसुम, बेर, आकाशमनी, पुतरी, गलबांग, कालिया आदि हैं। पूरे देश के उत्पादन का लगभग 65 प्रतिशत झारखंड से उत्पन्न होता है।

(x) बांस : बांस झारखंड में प्राकृतिक अवस्था में सारण्डा, पोराहाट, डाल्टनगंज

उत्तरी, कोडरमा एवं चतरा उत्तरी वन प्रमण्डलों में मिलते हैं। बांस के उत्पादन से वन के आसपास रहने वाले लोगों को काफी रोजगार मिलता है।

(xi) तसर : तसर के कीड़े अर्जुन, आसन इत्यादि वृक्षों पर पालकर तसर सिल्क का उत्पादन किया जाता हैं और ग्रामीण भाई इन वृक्षों को अपनी जमीन पर लगाकर काफी लाभ प्राप्त कर सकते हैं।

(xii) महुलान पत्ती : यह लोहरदगा, लातेहार, पलामू, गुमला तथा पश्चिमी सिंहभूम जिले के वनों में पाई जाती है। इसका उपयोग पत्तल बनाने में होता है। वर्ष 2002-03 में वन विकास निगम द्वारा 140.7 मीट्रिक टन महुलान पत्ती का संग्रहण किया गया जिससे 8 लाख रुपए प्राथमिक संग्रहणकर्ताओं को भुगतान किया गया, 12,300 मानव दिवस सृजित हुए एवं 1,11,500 रुपए की राजस्व प्राप्ति राज्य सरकार को हुई।

इस तरह झारखंड की वन सम्पदा काफी प्रचुर है एवं इसके संरक्षण तथा संवर्धन की नितान्त आवश्यकता है।

आदिवासी एवं वन समरसता का विघटन

डॉ. अभिजीत दत्त

पारिस्थितिकी, पर्यावरण तथा जैव-विविधता पर चर्चा आजकल जोरों पर है। पिछले कुछ वर्षों के दौरान पर्यावरण संबंधी बहसों, जन-जागरूकता तथा पर्यावरण के क्षरण और विनाश के विरुद्ध जनांदोलनों के कारण हर कोई यह मानने पर विवश हो गया है कि समूचे देश में पर्यावरण का तेजी से क्षरण हो रहा है। और क्षरण की यह गति उसमें निहित नवीकरण की शक्ति की तुलना में अधिक है तथा बहुत गहरे तक जड़ जमा चुकी इस बीमारी के मूल कारण हमारे देश में व्यापक रूप से मौजूद विकास का वर्तमान दौर, बाजार की अर्थनीति और सामाजिक, राजनीतिक तथा वैधानिक व्यवस्था हैं।

प्राकृतिक पर्यावरणीय प्रणाली के प्रति संवेदनशीलता भारतीय सभ्यता का एक विशेष गुण रहा है और देशज समुदाय प्राकृतिक संसाधनों के उपभोग की सीमा के प्रति हमेशा संवेदनशील रहे हैं। दुर्भाग्यवश भारत ने विकसित राष्ट्रों द्वारा निर्मित संसाधनों का गहन उपयोग करने वाली अर्थनीति को अपना आदर्श चुना। स्वतंत्र भारत में आर्थिक वृद्धि की तीव्रता प्राकृतिक संसाधनों के अव्यवस्थित शोषण के रूप में बढ़ी। इसके कारण न केवल वर्तमान पर्यावरणीय संकट—भयंकर बाढ़, सूखा, भूस्खलन, वर्षा चक्र में परिवर्तन, अत्यधिक परिमाण में भू-क्षरण, मृदा-पोषकता में कमी—उत्पन्न हुए बल्कि देशज समुदाय अपने प्राकृतिक निवास स्थलों से भी शारीरिक और मानसिक तौर पर बेदखल हो गए।

आर्थिक विकास की प्रक्रिया में पर्यावरणीय संसाधनों के इस गैर-जिम्मेदाराना दोहन के अनंत उदाहरण पेश किए जा सकते हैं। खनिज संसाधनों के अपदोहन, हिमालय के नाजुक जलछाजन इलाकों, पश्चिमी तट तथा मध्य भारत में ओपन कास्ट खनन (खुला खनन) से पर्यावरण को व्यापक क्षति पहुँची है। दून घाटी, अल्मोड़ा, पिथौरागढ़ में चूना पत्थर की खदानों, उड़ीसा के गंधमर्दन पहाड़ियों में बालको (BALCO) द्वारा बॉक्साइट के खनन से पर्यावरण को व्यापक हानि हुई है। ठीक यही स्थिति उड़ीसा, झारखंड, मध्यप्रदेश के उन बड़े भू-भागों में भी है जहाँ हजारों देशज लोगों को वंचित और अभावग्रस्त बनाकर बहुमूल्य खनिज और कोयले के भंडारों का दोहन किया जा रहा है। वृहद् नदी घाटी परियोजनाओं के कारण बड़े पैमाने पर वन तथा खेती योग्य जमीन डूब गए हैं तथा सघन वनों को गंभीर क्षति पहुँची है। तवा, कोसी, गंडक, तुंगभद्रा, मालप्रभा, घाटप्रभा इत्यादि परियोजनाओं के क्षेत्र में व्यापक जल-जमाव, खारापन तथा भूमि के बंजर होने जैसे कुप्रभाव सामने आए हैं।

विकास एक समस्या का रूप तब धारण कर लेता है जब खानों और उद्योगों के विकास के कारण बेदखली होने लगती है। इस आलेख में उन कारणों और तरीकों का विश्लेषण है जिससे सिंहभूम तथा छोटानागपुर के देशज लोगों का खनन-क्षेत्र में जारी विकास-कार्यक्रम के द्वारा विस्थापन हुआ है।

छोटानागपुर का पठारी भाग तथा इसके आसपास का इलाका प्राचीन काल से ही 'झारखंड' के रूप में जाना जाता है। इस क्षेत्र में झारखंड शब्द का एक विशेष अर्थ है। इससे इस भू-भाग की विशेषताओं का बोध होता है (जंगल और पहाड़ों से समृद्ध भू-भाग)। इस क्षेत्र की एक अलग पहचान है, अपनी सांस्कृतिक एकता है। इसकी यह पहचान राजनीतिक, आर्थिक तथा सांस्कृतिक उपनिवेशवाद का शिकार बनने के कारण धीरे-धीरे समाप्त होती जा रही है। हाल के वर्षों में 'झारखंड' शब्द इस भू-भाग की जनता के संघर्षों और अभिलाषाओं का प्रतीक बन गया है।

समृद्ध भूभाग—निर्धन निवासी

छोटानागपुर का पठार समूचे देश के सबसे समृद्ध भूभागों में से एक है। यह खनिजों की दृष्टि से अत्यंत धनी है। कोल्हान क्षेत्र में प्राप्त लौह-अयस्क धारवाड़ के लौह-अयस्क श्रेणी का है। यह क्षेत्र देश के कुल कोयला उत्पादन का 48 प्रतिशत, बॉक्साइट का 48 प्रतिशत, अभ्रक का 45 प्रतिशत, एपेटाइट का 90 प्रतिशत तथा कायनाइट का 100 प्रतिशत उत्पादित करता है। इस क्षेत्र में खनिजों से प्राप्त राजस्व में प्रतिवर्ष बढ़ोतरी हो रही है। 1982-83 में यह पूर्व के 41.4 करोड़ रुपए के मुकाबले बढ़कर 114.3 करोड़ रुपए हो गई। इसके अलावा यह क्षेत्र वनों के मामले में भी समृद्ध है और एकीकृत बिहार के कुल वन क्षेत्रफल का 79 प्रतिशत इस क्षेत्र में स्थित है। सिंहभूम में एशिया का सबसे समृद्ध साल वन है।

प्राकृतिक संपदा से भरपूर होने के बावजूद इस क्षेत्र के निवासी बेहद गरीब हैं। युगों से यह क्षेत्र हो, संताल, मुण्डा, उराँव, गोंड, खड़िया, भूमिज, बिरहोर, डोम, तुरी, सदान, कुम्हार इत्यादि आदिम जनजातियों की गृहभूमि रहा है। इन मूल बाशिंदों को 'आदिवासी' के रूप में भी जाना जाता है और इनकी इस क्षेत्र में मौजूद प्राक्-उपनिवेशवादी समाज के साथ ऐतिहासिक क्रमिकता है। इनकी एक भिन्न सांस्कृतिक पहचान है जो इनकी जमीन से गहरे जुड़ी है। इनका यह जुड़ाव इतना अधिक है कि इनको उन लोगों, जिन्होंने विकासात्मक गतिविधियों के लिए उनकी जमीन ली है, की अपेक्षा भूमि के संरक्षण की ज्यादा चिंता रहती है। इनके समाज का आधार सामुदायिक है तथा भूमि पर भी सामुदायिक स्वामित्व होता है। सामुदायिक जीव सहकारितापूर्ण तथा साझेदारी पर आधारित होता है। इसलिए ये अपनी जीवन-पद्धति को कार्यविहीन, समतामूलक तथा प्रकृति के निकट मानते हैं, जबकि इनके इर्द-गिर्द के अन्य समाज अत्यंत शोषणकारी, संकीर्ण, केन्द्रित, व्यक्तिवादी, अप्राकृतिक तथा अति भौतिकवादी हैं।

कुल आबादी का 85-90 प्रतिशत जनसंख्या वाले इन देशज लोगों पर खानों तथा उद्योगों के विकास तथा वनों के व्यावसायिक दोहन की बहुत बुरी मार पड़ी है। इनमें से अधिकांश लोग भुखमरी की स्थिति में जी रहे हैं। स्थानीय लोगों का शोषकों, जिन्हें वे तिरस्कारपूर्वक दिकू कहते

हैं, के विरुद्ध संघर्ष का एक इतिहास रहा है। (राय चौधरी, 1958; फिदालीस, 1975; बरनेत, 1980; चौधरी 1981; सिने मार्ट फाउंडेशन, 1984; डी. मांट, 1988)

विकास की वर्तमान धारा

देश के बहुत कम हिस्सों में इतनी तेजी से विकास हो रहा है जितना कि छोटानागपुर में। सिंहभूम की पुरानी प्राक्-कैंब्रियन चट्टानें जिन्हें लौह-अयस्क श्रेणी तथा कोल्हान-श्रेणी कहा जाता है, भारत की प्रमुख लौह-पट्टी में गिनी जाती हैं। यह विश्व की समृद्ध लौह-पट्टियों में से एक है। भू-गर्भ विभाग ने हाल ही में यहाँ स्थित लौह-भंडारों का पुनर्मूल्यांकन किया है जिसके अनुसार 60 प्रतिशत फेरस संघटक वाले अयस्क का करीब 3,758 मिलियन टन भंडार है। गुवा, जामदा, नोआमुंडी, किरीबुरू, मेघातुबुरू, चिदा इत्यादि यहाँ की मुख्य खदानें हैं जहाँ से जमशेदपुर, राउरकेला, बोकारो, दुर्गापुर तथा भिलाई के इस्पात कारखानों में लौह-अयस्क की आपूर्ति होती है। उच्च श्रेणी के लौह-अयस्क का निर्यात भी होता है। 1976-80 के बीच यहाँ लौह-अयस्कों का उत्पादन करीब 25 मिलियन टन था। इसलिए हाल के वर्षों में छोटानागपुर के पठार के औद्योगिक परिदृश्य में उल्लेखनीय परिवर्तन आ गया है। खासकर औद्योगिक तथा खनन क्षेत्रों, जहाँ 40 हजार मजदूर कार्यरत हैं, के निकटवर्ती इलाकों में। इनके अलावा लघु तथा संबद्ध उद्योगों की संख्या भी काफी अधिक है। अतः खनन तथा निर्माण गतिविधियों में विशेषकर आजादी के बाद आई तेजी के साथ शहरीकरण की प्रक्रिया का सह-संबंध है। शताब्दी की शुरुआत में 20 प्रतिशत तथा 1961 में 11.5 प्रतिशत की तुलना में 1981 में शहरी आबादी बढ़कर 20.8 प्रतिशत हो गई (प्रसाद, 1953; दास, 1971; लाल, 1981)।

छोटानागपुर पठार में इसके विपुल खनिज संसाधनों के दोहन के फलस्वरूप जो औद्योगिक क्रांति घटित हो रही है, वह वास्तव में विभिन्न प्रकार के विस्फोटों का कारण बन रही है। इसके कारण इस क्षेत्र में हो रहे अनर्थकारी परिवर्तनों तथा इसके अभूतपूर्व विस्तार के आधार पर हम इसे 'विस्फोट' की संज्ञा दे सकते हैं। इसके कारण अपेक्षाकृत स्थिर, आत्मसंतुष्ट देशज लोगों, उनकी जमीन, संसाधनों तथा जैव-विविधता पर अभूतपूर्व हमला हो रहा है (जोशी, 1981; गुप्ता, 1988)।

भू-हस्तांतरण तथा विस्थापन

जैसा कि ऊपर कहा गया है, देशज लोगों का अपनी जमीन के साथ एक विशेष संबंध होता है। उनके लिए जमीन सिर्फ उपज लेने के काम आने वाली वस्तु ही नहीं बल्कि आध्यात्मिक स्रोत भी होती है। परंपरागत भूमि उनके लिए पूर्वजों की समाधि, वंश-गोत्र का मूल स्थल तथा उनकी धार्मिक पद्धति के अंतर्गत आवश्यक अन्य पवित्र कृत्यों के रूप में महत्त्वपूर्ण सांकेतिक तथा भावनात्मक अर्थ रखती है। यही कारण है कि भूमि और रक्त उनके लिए समानार्थी हैं—जैसा कि एक आदिम जनजाति के मुखिया ने कहा—'मेरी जमीन मेरी रीढ़ की हड्डी है... मैं स्वयं को सुखी समझता हूँ, खुद पर गर्व करता हूँ और मुझे अपने रंग पर जरा भी शर्मिंदगी नहीं है क्योंकि मेरे पास अभी तक जमीन है। मैं नाच सकता हूँ, चित्रकारी कर सकता हूँ, नई चीज बना सकता हूँ और गा सकता हूँ जैसा कि मेरे पुरखों ने किया था... मेरी जमीन मेरी नींव है। मैं तभी तक खड़ा रह सकता हूँ, जी सकता हूँ, काम कर सकता हूँ जब तक मेरे पैरों के नीचे कोई सख्त और

मजबूत चीज हो। जमीन के बिना... हम संसार के निकृष्ट लोग होंगे क्योंकि आपने हमारी रीढ़ की हड्डी ही तोड़ दी है, हम लोगों की कला, इतिहास और नींव ही छीन ली है, आपने हमारा सब कुछ छीन लिया है।' (सिनेमार्ट, 1984)

छोटानागपुर के खदान क्षेत्रों में इनमें से बड़ी संख्या में लोगों को अपनी जमीन से बेदखल कर दिया गया है। खनिज-संपदा लूट कर समूचे क्षेत्र में जहाँ-तहाँ छोड़ दिए गए गड्ढे इस क्षेत्र के देशज लोगों के दुर्भाग्य की भविष्यवाणी करते हैं। सच्चिदानंद (1985) ने कहा भी है—'जनजातीय तथा पिछड़े इलाकों में बड़े औद्योगिक समूह मात्र देश के लिए उत्कृष्टता के शिखर हैं पर अनेक स्थानीय समुदायों के लिए ये बहुत बड़ी विपत्ति ही हैं।'

भू-हस्तांतरण का तंत्र

देशज लोगों को उनकी जमीन से बेदखल करने का सबसे प्रमुख तरीका—सार्वजनिक उद्देश्यों के लिए कथित वैधानिक तरीका—भू-अर्जन है। 1908 में लागू छोटानागपुर काश्तकारी अधिनियम में आदिवासियों की जमीन को गैर-आदिवासियों के हाथ हस्तांतरित करने पर प्रतिबंध है। यह नियम नवीन औद्योगिक शहरी विकास के मार्ग में अड़चन था। फलस्वरूप 1947 में इसे शहरीकरण, औद्योगिकीकरण तथा विकास परियोजनाओं के पक्ष में संशोधित कर दिया गया (एकता, 1982; सिनेमार्ट, 1984; पांडे 1986; खन्ना, 1989)।

छोटानागपुर काश्तकारी अधिनियम की धारा 49 में सरकार द्वारा जनजातीय भूमि के लिए प्रस्तावित 'वित्तीय मुआवजा' तथा 'पुनर्वास योजनाएँ' तो अपर्याप्त हैं ही, इनका पालन भी बेतरतीबी से किया गया तथा इस धारा का निहित हितों के लिए भरपूर दुरुपयोग किया गया। राज्य सरकार तथा इसका अमला गरीब आदिवासियों के हितों का संरक्षण करने की बजाय इस हस्तांतरण का एक प्रमुख पक्ष ही बन गया। पुनः 'सार्वजनिक उद्देश्यों' के लिए आदिवासी भूमि अर्जित किए जा सकने के आधार पर एक व्यापक भू-हस्तांतरण अधिनियम लागू कर छोटानागपुर काश्तकारी अधिनियम का उद्देश्य ही समाप्त कर दिया गया। (किममिन्स, 1980, अरिपिरम्पिल, 1988)।

सिंहभूम के कोल्हान इलाके में 250 से अधिक खदानें हैं जिसमें अधिकतर निजी क्षेत्र में हैं। कई मामलों में पाया गया है कि इन्होंने अवैध तरीके से खेती वाली भूमि से आदिवासी रैयतों को भगाकर उनकी जमीन खनन के उद्देश्य से हड़प ली है। कई मामलों में जमीन पर से उसके मूल स्वामी को भगाने के लिए लाठी का भी सहारा लिया गया है।

सांसद ए.के. राय ने लोकसभा में उठाए गए एक प्रश्न में यह आरोप लगाया था कि टाटा कंपनी ने अपने 'पेलाटाइजिंग प्लांट' बिठाने के लिए नोआमुंडी के आदिवासियों को अवैध रूप से बेदखल किया है। चाईबासा सदर के भू-राजस्व के डिप्टी कलक्टर ने इन आरोपों की विस्तृत जाँच की और 4 अगस्त, 1983 को सदर चाईबासा के एस.डी.ओ. को एक रिपोर्ट सौंपी। इस रिपोर्ट से पता चलता है कि ये आरोप सही थे। नोआमुंडी के संबंध में रिपोर्ट कहता है (अरिपिरम्पिल, 1988)—

'अभिलेखों के साक्ष्य से यह स्पष्ट होता है कि कंपनी द्वारा कुछ रैयतों से मृत व्यक्तियों के नाम पर हस्ताक्षर करवाए या अंगूठे लगवाए गए। कुछ 'खेवतों' में मृत व्यक्तियों के नाम पर दूसरे लोगों ने जाली हस्ताक्षर बनाए हैं। खेवत में मौजूद नाम उन व्यक्तियों के हैं जिन्होंने अपनी

भूमि बेच दी है, उनके हैं जिन्होंने भूमि की पुनर्वापसी के लिए कंपनी के विरुद्ध मुकद्दमा दाखिल किया है। ऐसा प्रतीत होता है कि रैयतों से धोखे से हस्ताक्षर करवा लिया गया है तथा अधिकारियों ने चालाकी से भूमि के अंतरण की अनुमति ले ली है। इस तरह कंपनी द्वारा आदिवासी भूमि का अवैध हस्तांतरण किया गया है।'

अत: यह स्पष्ट है कि शहरी केन्द्र इस पिछड़े इलाके में समृद्धि के विदेशी केन्द्र हैं। यहाँ के ठीकेदार अधिकतर बाहरी हैं जो अपने लाभ को भारत के दूसरे हिस्सों में निवेश करते हैं। औद्योगिक तथा ग्रामीण क्षेत्रों के बीच एक गहरी विभेदक रेखा है जिसे बलपूर्वक आजादी के बाद पिछले 40 वर्षों के दौरान आर्थिक वृद्धि के द्वारा समाप्त कर दिया गया है। अब सिंहभूम में सिर्फ शहरीकरण में वृद्धि और ग्रामीण जड़ता या अधिक लोगों के धन पर कुछेक लोगों की समृद्धि ही दीख पड़ती है (विद्यार्थी, 1970; मिश्रा, 1985; लिंक, 1984; लोकायन, 1988)।

सामाजिक, राजनीतिक तथा सांस्कृतिक बेदखली

इस क्षेत्र में आदिवासियों की बेदखली न सिर्फ आर्थिक पक्ष में बल्कि सामाजिक, राजनीतिक और सांस्कृतिक दायरे में भी हो रही है। नई ताकतों से परिचय तथा आर्थिक परिस्थितियों में तीव्र गति से हो रहे परिवर्तन के फलस्वरूप आदिवासियों की सामाजिक संरचना छिन्न-भिन्न होती जा रही है। उनका पारिवारिक जीवन अस्त-व्यस्त होता जा रहा है। वे अपना सामाजिक नियंत्रण खो रहे हैं तथा उनमें सामाजिक तनाव बढ़ रहा है। उनमें रोगों तथा भावात्मक विकृतियों का शिकार बनने की प्रवृत्ति बढ़ती जा रही है। आजकल आदिवासियों में मद्यपान, अपराध, आत्महत्या, वेश्यावृत्ति, व्यभिचार, अवसाद जैसी सामाजिक विकृति के सूचक सामान्य तौर पर दिखने लगे हैं। विकास तथा आधुनिकीकरण का सामना करते हुए ये लोग अक्सर आत्म-सम्मान में कमी महसूस करते हैं। यह भावना तब और उग्र हो जाती है जब प्रभावशाली वर्ग उनकी संस्कृति के प्रति नकारात्मक रुख दिखाता है (डी. मोंट; 1986, दूबे; 1988, फर्नांडीस; 1989)।

प्रायोगिक अध्ययनों के आधार पर ऐसी परिस्थिति को 'निर्धनता की संस्कृति' कहा जाता है। जिसका अर्थ है कि निर्धनता एक विशिष्ट संस्कृति को जन्म देती है जो समृद्धि से उत्पन्न संस्कृति से बिल्कुल भिन्न होती है। उन्हें गरीबी की मार झेलती जिंदगी, बड़ा परिवार, पारिवारिक बिखराव, शिक्षा और रोजगार के निम्न स्तर, अज्ञानता, अंधविश्वास, परिवार से पलायन, अविश्वास की भावना, धार्मिक भावना से उत्पन्न कटुता, व्यापक निष्क्रियता, सामाजिक तथा राजनीतिक स्तर पर रुचि या किसी केन्द्रीय तत्त्व का अभाव तथा निराशा और हीनभावना भरी जिंदगी जीने को मजबूर किया जा रहा है (जे. बंद्योपाध्याय, 1988)।

स्वास्थ्य पर प्रभाव

खनन स्थलों पर प्रदूषण तथा पर्यावरणीय अपरदन के दुखद प्रभावों के कारण पर्यावरणीय मुद्दे के सामाजिक पक्ष में स्वास्थ्य की भी एक प्रभावी भूमिका है। पारिस्थितिकी तथा स्थानीय बनवासी जनजातियों की स्वास्थ्य प्रणाली के बीच अंत:संबंध को निम्न प्रकार से दर्शाया जा सकता है—

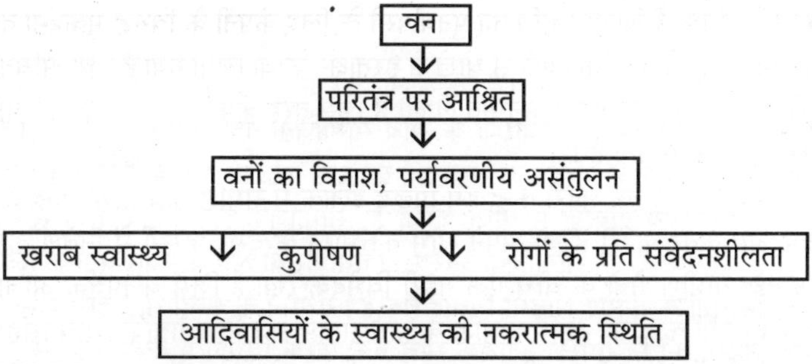

खानों तथा उद्योगों के विस्तार से प्रभावित स्वास्थ्य की स्थिति उन लोगों की अपेक्षा शोचनीय होती है जो ऐसे इलाकों में रहते हैं जहाँ विकास की ऐसी गतिविधियों का प्रभाव नहीं पड़ता है। इस प्रकार, बाजार की अर्थव्यवस्था ने उन वनों तथा प्राकृतिक संसाधनों जिन पर स्थानीय जनजाति निर्भर थी, का बड़े स्तर पर विनाश कर परितंत्र तथा पर्यावरण-जीव संतुलन को असंतुलित कर दिया है। उनकी देशी औषधियाँ और औषधीय पौधे नष्ट हो गए हैं, और बेचारे आदिवासी अंतत: नीमहकीमी के शिकार बन गए हैं। (अंस्टाल, 1971; वालेस 1972; बंद्योपाध्याय 1988)।

समग्र रूप से भारत की अर्थव्यवस्था कृषि पर आधारित अर्थव्यवस्था है। यदि हम सेवा-क्षेत्रों को आधार मानकर सकल घरेलू उत्पाद का मूल्यांकन करें तो कृषि के वितरण का प्रतिशत 1950-51 के बाद 56 से घट कर 29 प्रतिशत हो गया जबकि अन्य सेवा-क्षेत्रों में यह 44 से बढ़कर 71 प्रतिशत हो गया। इसका यह अर्थ कदापि नहीं है कि इससे रोजगार के अवसरों में वृद्धि हुई है। कृषि अब भी श्रम शक्ति पर हावी है। 1972-73 तथा 1993-94 में यह क्रमश: 74 प्रतिशत तथा 65 प्रतिशत था जबकि दुर्भाग्यवश अन्य सेवा-क्षेत्रों में श्रमशक्ति में कमी आई--1972-73 तथा 1993-94 में क्रमश: 36 प्रतिशत तथा 35 प्रतिशत की, जैसा कि आलेख में दिखाया गया है।

इसका अर्थ यह है कि औद्योगिक तथा आर्थिक विकास के नाम पर स्थानीय जनजातियों को उनकी जमीन से विस्थापित कर देने से उनके जीवन को सहारा देने वाली कृषि योग्य भूमि नष्ट हो जाएगी। पुन: आजकल औद्योगिकीकरण में औद्योगिक इकाइयों में उत्पादन बढ़ाने के लिए मशीनीकरण पर जोर दिया जा रहा है। इराके लिए कार्य बल कम करना ही होगा। नोआमुंडी के टिस्को आयरन खदान में मशीनीकरण से उत्पादन तो कई गुना बढ़ गया पर इससे बड़ी संख्या में अकुशल मजदूरों का रोजगार छिन गया। 1950 तक जहाँ इसमें 7000 कर्मचारी कार्यरत थे वहीं 1989 में ये घट कर 1475 रह गए। स्वैच्छिक सेवानिवृत्त (वी.आर.एस.) देना, पाँच दिनों का कार्य सप्ताह (टेल्को में लागू), निजीकरण तथा खुली बाजार नीति इसी प्रक्रिया के हिस्से हैं। इस प्रकार, उद्योगों में बढ़ोतरी कर रोजगार के अवसरों में वृद्धि करने की अवधारणा एक भ्रम मात्र है।

निष्कर्ष

निष्कर्ष के तौर पर यह कहा जा सकता है कि बाजार की आधुनिक अर्थनीति तथा उत्पादनशील तकनीकी विकास की वर्तमान अवधारणा के साथ सामाजिक तथा पर्यावरण की भारी कीमत जुड़ी हुई है। इससे प्राकृतिक परितंत्र के संसाधनों का ह्रास शुरू हो गया है जिससे कालान्तर में अत्यावश्यक पर्यावरणीय प्रक्रिया में बाधा पहुँची है, सामाजिक, राजनीतिक तथा सांस्कृतिक बेदखली हुई है, जिसके कारण सामाजिक अस्थिरता तथा गरीबों और कमजोर वर्गों के लिए कम होते जा रहे संसाधनों के कारण आपसी विवाद बढ़े हैं। रॉथमैन के शब्दों में, 'लाभ कमाने वाले व्यावसायिक उद्यमों की निजीपरक आर्थिक सोच एक मारक विधान है क्योंकि यह समग्र रूप से समूचे समाज के लिए संसाधनों के सर्वोत्तम उपयोग की गारंटी नहीं देता है।'

भारत की आजादी के पचास वर्षों के बाद भी विकास की ऐसी रीति को देखते हुए हमें प्राकृतिक परितंत्र के बचाव तथा उत्तरजीविता के लिए सूक्ष्म कार्य योजना तथा वैश्विक, राष्ट्रीय और क्षेत्रीय स्तर पर पर्यावरणीय विकास की बृहद् अवधारणा उपलब्ध कराने का मुद्दा उठाने पर विवश होना पड़ रहा है। यह अनिवार्य है कि जीवन मूल्यों के बारे में, विकास तथा सभ्यता के बारे में मानवीय अवधारणाओं में मूलभूत परिवर्तन लाया जाए। आज आजादी के पचास वर्षों के बाद भी हम भूख का सामना कर रहे हैं। अब समय आ गया है कि विकास की वर्तमान योजनाओं की जगह कोई ऐसी नई योजना अपनाई जाए जो समूची परिस्थितियों की पवित्र समझ पर आधारित हो तथा प्रकृति की उत्पादकता के उन पर्यावरणीय अपरदन के केन्द्रीय मुद्दे से जुड़ी हो जिससे मानवीय उत्तरजीविता पर संकट आ खड़ा हुआ है।

संदर्भ

1. एल.ए.एस. ओ मैले (1919)—बंगाल डिस्ट्रिक्ट गजेटियर सिंहभूम, सरायकेला एवं खरसवां
2. आर. प्रसाद (1953)—भारत की जनगणना, क्रम-4 बिहार
3. पी.सी. राय चौधरी (1953)—जनगणना रिपोर्ट, बिहार डिस्ट्रिक्ट गजेटियर, सिंहभूम, पृष्ठ 215-236
4. एल.पी. विद्यार्थी (1970)—सोशियोकल्चरल इंप्लीकेशन ऑफ इंडस्ट्रियलाइजेशन इन इंडिया—'शोध कार्यक्रम', योजना आयोग, भारत सरकार, नई दिल्ली, पृ. 99-211
5. एल.पी. अंस्टाल (1971)—इकोलॉजिकल पैथेलॉजी, टोप्पन कंपनी लि.
6. बी.एल. दास (1971)—जनगणना 1971, क्रम-4, बिहार डिस्ट्रिक्ट सेन्शस बुक, भाग सी. सिंहभूम की तालिका
7. एच. रॉथमन (1979)—'मर्डरस प्रोविंस', रिपोर्ट, हॉल डेविस (लंदन)
8. बी. वालेस (1972)—'पीपुल—देयर नीड्स, एनवॉयरनमेंट, इकोलॉजी'—भाग-1, पृ.164-84
9. डी.सा. फेदालिस (1975)—'क्राइसिस इन छोटानागपुर' रिडेम्टोरिस्ट पब्लिकेशन, बंगलौर
10. एस.पी. बरनेत (1980)—'द लीन इयर्स', एबाकस (थांर्ड), पृ. 171
11. आई.पी.किम्मिन्स (1980)—'लॉस ऑफ प्लांट्स न्यूट्रिएंट्स इनहोल ट्री लौगिंग, प्रोग्रेस इन इकोनामी, वी.पी. अग्रवाल तथा के.के. सिंह (सं.)

12. जी.एन. चौधरी (1981)—'ट्राइस्स इन ट्रांजिशन', ईस्टर्न पब्लिक कंपनी, राँची, पृ. 31-68
13. बी.बी. लाल (1981)—'सेंशस ऑफ इंडिया 1991' क्रम-4, भाग-XIII, सिंहभूम जिला
14. जोशी गोपी (1981)—'फॉरेस्ट पौलिसी एंड ट्राइबल डेवेलपमेंट' सोशल एक्शन, अक्टूबर-दिसंबर 1981
15. गुप्त, आर. बनर्जी एवं ए. गुलेरिया (1982)—'ट्राइबल अनेरस्ट एंड फॉरेस्ट मैनेजमेंट इन बिहार', इंडियन इंस्टीट्यूट ऑफ मैनेजमेंट, अहमदाबाद
16. सिंहभूम एकता (1982)—'अनऔथोराइज्ड आक्युपेशन ऑफ ट्राइबल लैंड बाई टिस्को ऐट मुंनोआडी' जून 1982
17. गोपी जोशी—'फॉरेस्ट पॉलिसी एंड ट्राइबल डेवेलपमेंट प्राब्लम्स ऑफ इंप्लीमेंटेशन' इकोलॉजी एंड एक्सप्लाइटेशन! वाल्टर फर्नांडीज (सं.), सोसाइटी फॉर दी स्टडी ऑफ रीजनल डिस्पेरिटीज, नई दिल्ली
18. सिनेमार्ट फाउंडेशन (1983)—'सिनेरिया ऑफ सेवेन परसेंट', सिनेमार्ट फाउंडेशन, नई दिल्ली, पृ. 44-118
19. लिंक (1984)—'सॉयल इरोजन', 27 मई 1984, पृ. 7
20. डैरिल डी. मोंट(1985)—'टैम्पल और टाम्ब इंडस्ट्री वर्सेज इनवॉयरनमेंट, देयर कंट्रोवर्सेज' सी.एस.ई
21. आर.सी. मिश्रा (1985)—'एनविटान प्रॉब्लम्स क्रिएटेड बाइएक्सप्लाय —टेशन ऑफ मिनरल रिसोर्स' आई.एस.सिंह (सं.)
22. सच्चिदानंद एवं बी.बी. मंडल (1985)—'इंडस्ट्रियलाइजेशन एंड सोशल डिसआर्गेनाइजेशन'—कंसेप्ट कंपनी, नई दिल्ली, पृ. 87-106
23. आर. पांडे (1986)—'एनवॉयरनमेंट पाल्यूशन एंड इंपैक्ट ऑन मैन एंड सोसाइटी—'एनवॉयरनमेंट पाल्यूशन एंड इट्स इंपैक्ट,' आर.एन. त्रिवेदी, द्वारा संपादित, भारतीय भवन, पृ. 287-300
24. एम. अरिपिरम्पिल (1988)—'इंडस्ट्री, माइंस एंड डिस्पोसेशन ऑफ इंडीजेनस पीपुल—दी केस ऑफ छोटानागपुर' 'सोशल एक्शन' अंक-38, जुलाई-सितम्बर।
25. जे.बंद्योपाध्याय एवं वंदना शिवा (1988)—'पॉलिटिकल इकोनॉमी ऑफ इकोलॉजी मूवमेंट' —जनवरी भाग XXII, संख्या-24, पृ. 1225
26. एस.सी.दूबे (1988)—'कल्चरल डायमेंसंस एंड डेवेलपमेंट', बासिल ब्लैक वेल लि., यूनेस्को के लिए, भाग-XI, सं—4, पृ. 509-511
27. लोकायन (1988)—'डिसप्लेसमेंट इन डेल्ही' जून
28. डब्ल्यू. फर्नाडीस, आई.सी. दास एवं शा राव (1989)—'डिसप्लेरागेंट एंट रिहैबिलिटेशन, ऐन एस्टीमेट ऑफ एक्सटेंट एंड प्रास्पेक्ट्स' ए क्वेश्चन फॉर नेशनल डिबेट। आई.एस.आई., नई दिल्ली, पृ. 62-88
29. जी.एन. खन्ना (1989)—'प्रॉब्लम्स ऑफ ह्यूमन एनवॉयरनमेंट, पिपुल पार्टीसिपेशन एंड लीगल सॉल्यूशंस' सोशल एक्शन, अंक-39, जुलाई-सितम्बर, पृ. 275-297
30. अल्टरनेट इकोनोमिक सर्वे (1992)—'पब्लिक इंटरेस्ट रिसर्च ग्रुप', नई दिल्ली, पृ. 91-95
31 भारतीय उद्योग का सर्वेक्षण—1997
32. जयंतनुजा बंद्योपाध्याय—'दी प्रावर्टी ऑफ नेशंस, एलाइड प्रकाशन

झारखंड के खनिज

डॉ. रणजीत प्रसाद

भू-वैज्ञानिक दृष्टि से झारखंड एक बहुत ही महत्त्वपूर्ण राज्य है। 79,714 वर्ग किलोमीटर क्षेत्र में फैले इस राज्य में सम्पूर्ण देश का 40% खनिज भण्डार अवस्थित है। इसलिए वास्तव में यह रत्नगर्भा है। यहाँ की चट्टानों में बहुत विभिन्नताएँ पाई जाती हैं। चट्टानों की उत्पत्ति काल के अनुसार से देखें तो यहाँ प्राचीनतम आरकियन चट्टानों से लेकर टरशरी काल की चट्टानें पाई जाती हैं, जो 6 करोड़ 50 लाख वर्ष पूर्व से 4 अरब वर्ष पूर्व तक की हैं। (सारणी-1) यहाँ राजमहल तथा धालभूमगढ़ में समुद्री अतिक्रमण (Marine transgation) के चिन्ह मिलते हैं।

झारखंड की चट्टानों को हम मुख्यत: तीन भागों में बाँट सकते हैं—

1. दक्षिण में स्थित आरकियन काल के सिस्ट-चट्टानें, आरकियन ऑर सीरिज एवं कोल्हन सिरिज की चट्टानें, आरकियन लावा और बेसिक आग्नेय अन्तरभेदी चट्टानें
2. छोटानागपुर नाइस प्रोविंस में स्थित चट्टानें
3. राजमहल लावा, गोंडवाना तथा विन्ध्यन की लगभग क्षैतिज चट्टानें।

खनिज की दृष्टि से भी देखें तो झारखंड में पूर्व से पश्चिम की ओर जाती हुई तीन पट्टियाँ हैं--

1. दक्षिण में 128 किलोमीटर लम्बा और 5 किलोमीटर चौड़ा सिंहभूम सियर जॉन है। यह मुख्यत: गोईलकेरा, चक्रधरपुर, लाप्सोबुरू, नरवा खान, जादूगोड़ा, मुसाबनी होते हुए बहड़ागोड़ा तक फैला हुआ है।
2. मध्य में दामोदर घाटी का कोयला क्षेत्र है जो बंगला के रानीगंज होते हुए झरिया, चन्द्रपुरा, बोकारो, रामगढ़, डाल्टनगंज, हुटार, औरंगा तक फैला हुआ है।
3. उत्तर में 145 किलोमीटर लम्बा और 32 किलोमीटर चौड़ा अबरख पट्टी है।

सिंहभूम में पाए जाने वाले कुछ और अयस्क जैसे क्रोमाइट, लोहरदगा में बॉक्साइट, दामोदर घाटी में स्थित चूना पत्थर एवं रिफरेक्टरी क्ले भी अपने छोटे रूप में पूर्व से पश्चिम की ओर फैले हुए हैं।

सिंहभूम सियर जोन के दक्षिण में आयरन ऑर सिरिज की चट्टानें हैं जिसमें लौह अयस्क पाए जाते हैं। यह लौह अयस्क गुआ, किरीबुरू, चिड़िया, मनोहरपुर, मेघातुतुर आदि क्षेत्र से होते हुए उड़ीसा क्षेत्र में भी फैले हुए हैं। यह पहाड़ों के ऊपर पाया जाता है और घोड़े की नाल के रूप में है। साथ ही साथ यहाँ सिंहभूम ग्रेनाइट है जो बहुत ही अपरदित (weathered) है।

कोल्हन के बालुकाश्म (sand stone) सेल बैंगनी रंग के होते हैं। ये भवन निर्माण के काम में आते हैं।

सियर जोन धातु खनिजों से भरा हुआ है। इसमें यूरेनियम, ताँबा की कई खानें हैं। इसके अलावा इसमें मैगनेटाइट और एपाटाइट खनिज भी पाए जाते हैं। वाय प्रोडक्ट के रूप में यहाँ से सोना एवं चांदी भी निकाले जाते हैं।

सियर जोन के उत्तर में बहुत ही कायान्तरित (metamorphosed) चट्टानें मिलती हैं और संरचना (structure) की दृष्टि से भी यह बहुत ही बाधित क्षेत्र है। दलमा लावा इसके उत्तर में है और तमाड़ पोड़ा पहाड़ छोटानागपुर प्रोविंस और सिंहभूम सियर जोन के बीच सीमा रेखा है।

छोटानागपुर पठारी क्षेत्र भूगर्भीय दृष्टिकोण से तीन भागों में बँटा हुआ है—

1. छोटानागपुर नाईस कम्प्लेक्स
2. कोडरमा समूह के चट्टान, और
3. राजगीर समूह के चट्टान (बिहार)

छोटानागपुर नाईस कम्प्लेक्स 140–200 कि.मी. चौड़े क्षेत्र में पू.उ.पू. दिशा में फैला हुआ है। यह कायान्तरित अवसादी और आग्नेय चट्टान—चार्नोकाइट, खोण्डालाइट, सिलमेंनाइट, अबरख, गोमेद सहित सिस्ट और नाइस चट्टानें, अपोलो ग्रेनाइट, पिगमाटाइट और क्वार्ट्ज आदि चट्टानों से बना हुआ है तथा दुमका, देवघर, चतरा, पलामू, राँची, हजारीबाग, लातेहार, डाल्टनगंज क्षेत्र में फैला हुआ है। राँची और डाल्टनगंज के खोण्डालाइट चट्टानों में ग्रेफाइट Veins और ताल (lense) के रूप में पाए जाते हैं। यहाँ पाए जाने वाले गोमेद रवा (crystal) के रूप में या स्थूल रूप में पाए जाते हैं।

कोडरमा समूह की चट्टानें छोटानागपुर नाईस कम्प्लेक्स के ऊपर स्थित हैं। इन दोनों समूहों के बीच में विषम विन्यास (unconfirmity) है। यह फुलवरिया, धाव एवं काकोलता शैल समूहों से बना हुआ है। फुलवरिया शैल समूहों की चट्टानों में पलामू में संगमरमर की पट्टियाँ, बोकारो और कर्णपुरा बेसिन एवं राँची जिले में रवेदार चूना-पत्थर पाए जाते हैं। फागा से गिरिडीह तक 100 किमी पट्टी में क्वार्जाइट और संगमरमर नाईस के साथ पाए जाते हैं।

धाव शैल समूह मुख्यत: अबरख के सिस्ट और नाईस से बना है। पिहरा के पास कार्बोनेसियस अबरख भी है। वासोडीह के पास चट्टानें गारनेट, स्टैरोलाइट, एंडालूसाइट एवं सिलमेनाइट धारण किए हुए हैं। यहाँ की चट्टानों में मस्कोवाइट, बाइयोटाइट, क्वार्ज आवश्यक खनिज के रूप में तथा साथ में ग्रेफाइट, गोमेद, मैगनेटाइट, कायनाइट आदि भी थोड़ी मात्रा में पाए जाते हैं।

काकोलता शैल समूह सतगावां के दक्षिण और पूरब में तथा गोबरदहा के उत्तर में स्थित है। ये मुख्यत: क्वार्जाइट, क्वार्ट्ज सिस्ट और माईका सिस्ट की पतली पट्टियों से बने हुए हैं।

कोडरमा समूह को भेदते हुए यहाँ तीन फेज के ग्रेनाइट हैं। पहले फेज और दूसरे फेज के ग्रेनाइट में शल्क (Joints) पाए जाते हैं जबकि तीसरे फेज के ग्रेनाइट सबसे बाद के बने हुए हैं और स्थूल हैं।

पूरे अबरख पट्टी में अंतर्भेदी मेटाडोलेराइट, मेटागेब्रो, पायरोक्सिनाइट और आम्फिबोल लेंस और पोड के रूप में पाए जाते हैं। ये चट्टानें ऊपर से अपक्षयित होती हैं परन्तु अन्दर अपक्षयन का प्रभाव नहीं देखा जाता है। धनबाद जिले के मथुरापुर एवं चतरा लावालौंग क्षेत्र में गेब्रो चट्टान से बनी हुई पहाड़ियाँ देखी जा सकती हैं। चतरा जिले के जोरीकल्लन क्षेत्र में छोटानागपुर नाईस कम्प्लेक्स के अन्दर एनआर्थोसाइट गेब्रो चट्टान देखी जा सकती हैं। इस क्षेत्र में पाए जाने वाले पेग्माटाइट को भी तीन भागों में बाँटा जा सकता है—

1. अबरख सहित
2. अबरख रहित और
3. दुर्लभ धातु सहित

अबरख रहित पेग्माटाइट की मोटाई कुछ सेंटीमीटर या डेसीमीटर होती है और लंबाई बीस–तीस मीटर तक होती है। दुर्लभ धातु धारण किए हुए पेग्माटाइट में बेरील, लेपीडोलाइट, केसिटेराइट, उल्फरामाइट, कोलुमबाइट टेंटलाइट आदि पाए जाते हैं।

छोटानागपुर प्रोविंस के ऊपर झारखंड के उत्तर पश्चिम में विंध्यन सुपरग्रुप के सेमरी और कैमुर ग्रुप की चट्टानें अवस्थित हैं जिसमें पायराइट, वेसमेटल, बेराइट, ग्लास सैंड, बॉक्साइट, चूना पत्थर, भवन निर्माण के पत्थर पाए जाते हैं। ये चट्टानें 90 करोड़ वर्ष पूर्व से लेकर एक अरब पच्चीस करोड़ वर्ष पूर्व बनी हुई हैं। इसमें आमझोर पायराइट खान में पायराइट तल के 6–10 मीटर ऊपर गैलेना और स्फेलेराइट खनिज भी पाए जाते हैं।

यहाँ पाए जाने वाले स्क्रेप बालुकाश्म (sand stone) और धान्दराउल क्वार्जाइट भवन निर्माण के लिए अच्छी गुणवत्ता वाली चट्टानें हैं। ये स्लैब, टाइल्स, ग्राइंडिंग स्टोन और सड़क निर्माण के लिए चिप्स के रूप में उपयोगी होती हैं। धान्दराउल क्वार्जाइट में सिलिका का प्रतिशत बहुत अधिक होने के कारण काँच उद्योग में उपयोग किया जा सकता है।

लेटेराइट/बॉक्साइट अघौरा के पास लोहरा और केसरौरा कलन (24०36' : 83०46') में लगभग 2.4 वर्ग किलोमीटर क्षेत्र में धान्दराउल क्वार्जाइट के ऊपर 3 से 7 मीटर तक पाए गए हैं।

रोहतास चूना पत्थर शैल समूह जारदाग (24०27': 84०91'), बिहार और रामधीरा (24०36': 83०46') के बीच 75 किमी लम्बी पट्टी में फैले हुए हैं और सीमेंट उद्योग को सहयोग कर रहे हैं।

पायराइट विजयगढ़ सेल के साथ आमझोर (24०43': 83०59') के निकट लगभग 125 वर्ग किमी क्षेत्र में पाए जाते हैं।

विंध्यन काल के सेमरी ग्रुप के कजराहाट चूना पत्थर शैल समूह गढ़वा जिले की पांडेय घाटी के आसपास तीन खंडों में पाए जाते हैं—1. नावाडीह केटर 2.परसोडीह और 3. सिंधीटाली खंड। यह कजराहाट चूना पत्थर, शैल समूह चूना पत्थर, डोलोमाइट और सेल चट्टानों से बने हुए हैं।

विंध्यन सुपर ग्रुप के उक्त भंडार झारखंड बिहार की सीमा पर हैं जिसका अधिकतर भाग बिहार के हिस्से में आता है।

झारखंड की चट्टानों की संरचना को देखें तो दक्षिणी पूर्वी धालभूम को छोड़कर झारखंड का बड़ा भाग कैम्ब्रियन काल से ही समुद्र के ऊपर रहा। अंतर्भेदी ग्रेनाइट चट्टानों के बेथोलिथ कायांतरित धारवाड़ चट्टानों को भेदते हुए ऊपर आए और वही यहाँ की चट्टानों एवं सरंचना का आधार है। धारवाड़ चट्टानों के आधार के बारे में कोई निश्चित जानकारी नहीं है। आरकियन काल में ही दालमा और धन्जोरी लावा का बहाव हुआ। बाद में जिसके ऊपर धन्जोरी कोंगलोमेरेट और कोल्हान सैंड स्टोन का जमाव हुआ। प्री-कैंब्रियन काल में इस प्लेट के उत्तर की दिशा में गति के कारण यहाँ के दक्षिण, मध्य और उत्तर में स्थित पर्वतों का निर्माण हुआ तथा सिंहभूम में एंटीक्लोरियम एवं सीनक्लोरियम का निर्माण हुआ। छोटानागपुर बेथोलिथ और सरायकेला-खरसावां जिला में स्थित अर्कासिनी ग्रेनाइट भी अंतर्भेदी ग्रेनाइट बेथोलिथ ही है। उत्तर पश्चिम में अपरदित ग्रेनाइट के ऊपर विंध्यन काल के तलछट का निक्षेप हुआ तो गोंडवाना तलछट का निक्षेप दामोदर घाटी में पाया जाता है। राजमहल में पाए जाने वाले समुद्री जीवों के जीवाश्म और धालभूमगढ़ रेलवे स्टेशन के पास पाए जाने वाले बजरी टर्सरी काल के समुद्री अतिक्रमण को प्रमाणित करते हैं। टर्सरी काल में ही पठार का क्रमिक उत्थान, स्वर्णरेखा बेसिन का आवलन, राजमहल में झुकाव हुआ।

इस पूरे क्रम में विभिन्न काल में जिन चट्टानों एवं खनिजों का निर्माण हुआ उसे सारणी-2 में देखा जा सकता है।

लौह-अयस्क

झारखंड राज्य में तीन अरब टन से अधिक लौह-अयस्क के भंडार हैं जो पूरे भारत का 32 प्रतिशत है। यह यहाँ से सिंहभूम और पलामू जिला में अवस्थित है। प. सिंहभूम जिले केचिड़िया में ही 2 अरब टन से अधिक का लौह-अयस्क का भंडार है जिसमें 62-63 प्रतिशत लोहे का अंश है। लौह-अयस्क के मुख्य खान गुआ, किरीबुरु, मेघातुबरु, झीलिंगबुरु, बुढाबुरु, लुकुदबुरु, नाटूबुरु आदि स्थानों में हैं जहाँ SAIL, TISCO, GUNGA आदि कंपनियों की खानें हैं। यह यू आकार के पहाड़ों में झारखंड के अलावा उड़ीसा के मयूरभंज और क्योंझर जिले में 4 किमी लंबी और 1 किमी चौड़ी पट्टी में फैला हुआ है। यहाँ खनन होने वाले अयस्क टाटा, राउरकेला, दुर्गापुर, भिलाई, बोकारो आदि स्टील प्लांट में उपयोग किए जाते हैं।

निम्न स्तर का लौह-अयस्क रानीगंज और धनबाद क्षेत्र के गोंडवाना की चट्टानों में लौह पत्थर सेल में पाए जाते हैं। यहाँ लोहे के अयस्क लिमोनाइट और सिदेराइट उपस्थित हैं। मैग्नेटाइट लौह अयस्क का छोटा भंडार डाल्टनगंज के पास स्थित है।

यहाँ पाए जाने वाले हेमाटाइट में लौह तत्त्व का प्रतिशत तो ज्यादा है परन्तु इसमें एलुमिना भी अधिक होने के कारण इसके सान्द्रण और बेनिफिसिएशन के बाद इसका उपयोग भट्ठियों में होता है। यहाँ के अयस्क बैंडेड, स्थूल और चूर्ण के रूप में पाए जाते हैं। इन महीन नीले चूर्णों से सिंटर और पिल्लेट बनाया जाता है। सिंटर का उपयोग स्टील प्लांट में होता है। पिल्लेट का निर्यात जापान, हंगरी, आस्ट्रेलिया, तुर्की, चीन में किया जाता है तथा अपने देश में भी स्पोंज आयरन प्लांट में इसकी खपत होती है। पहले गुआ में पिल्लेट के लिए पायलोट प्लांट तथा

नोआमुंडी में पिल्लेट प्लांट बनाए गए थे जो अभी बंद पड़े हैं। आज बदली हुई परिस्थिति में इसे पुनः आरंभ करने को सोचा जा सकता है।

झारखंड में लौह-अयस्क का भरपूर उपयोग हो सके, इसके लिए लौह- अयस्क पर आधारित निम्नलिखित उद्योग की अपार संभावना है—सिंहभूम प. जिले में रंग, उद्योग ग्रेड के फेरिक ऑक्साइड का उत्पादन, लौह चूर्ण का उत्पादन, पलामू जिले में मैग्नेटाइट संशोधन (benifitiation) प्लांट, टेलीकम्युनिकेशन और इलेक्ट्रॉनिक उद्योग में हो सकता है।

बॉक्साइट (अल्यूमीनियम अयस्क)

अल्यूमीनियम उत्पादन का एकमात्र स्रोत बॉक्साइट ही है। बॉक्साइट गीवसाइट, व्हेमाइट और डायस्पोर का एक मिश्रण है। यह प्राय: पिसोलिटिक (मटर के दाने के आकार का) या उलिटिक (मछली के दाने के आकार का) रूप में या स्थूल रूप में पाया जाता है। झारखंड में बॉक्साइट का 68 लाख 13 हजार टन से अधिक का भंडार है जो पूरे भारत के भंडार का लगभग 32.6 प्रतिशत है। यह 900 मी. से ऊपर उठे हुए पठार में छोटे-छोटे पेट के रूप में बँटी हुई पहाड़ियों में लोहरदगा, राँची, गुमला और पलामू जिले में स्थित हैं। सबसे अच्छे गुणवत्ता वाले बॉक्साइट बगड़ू पेट में पाए जाते हैं। इसके अलावा सेरेंदाग, दुधा, कुचा, खमार, बन्जारी भी मुख्य पेट हैं। अन्य पेट में जहाँ बॉक्साइट खनन किया जा सकता है—परवार, चापदुआडीहा, पकरी, औरंगा, बान्दा और बार हैं।

उत्पादन की दृष्टि से झारखंड पूरे देश में दूसरे क्रमांक में आता है। यहाँ उत्पादन होने वाले बॉक्साइट एलुमिना प्रतिशत के आधार पर अल्यूमीनियम उद्योग, सीमेंट, रिफरेक्टरी, रसायन और एब्रेसिम उद्योग में उपयोग होते हैं। INDAL (INDIAN ALMUNIUM CO. LTD) लोहरदगा में खनन किए गए बॉक्साइट का उपयोग मूरी में स्थित उसके अल्यूमीनियम प्लांट में करता है तो HINDALCO (HINDALCO INDUSTRIES) गुमला में खनन किए गए बॉक्साइट का उपयोग अल्यूमीनियम प्लांट रेनुकुट में करता है।

बॉक्साइट और उसके साथ पाए जाने वाले अन्य एलुमिना वाली मिट्टी के उपयोग के लिए राँची में उच्च एलुमिना रिफरेक्टरी प्लांट, एल्यूमीनियम सल्फेट, मैग्निशियम सल्फेट और फेरस सल्फेट जैसे रसायन उत्पादन का प्लांट, संशोधन प्लांट एवं बॉक्साइट केल्सिनेसन प्लांट, गुमला में भी बॉक्साइट केल्सिनेसन प्लांट तथा पलामू, लोहरदगा में एल्यूमीनियम प्लांट स्थापित किए जा सकते हैं।

ताँबा के अयस्क

झारखंड में ताँबा-अयस्क चालको पायराइट 128 किमी लम्बे सिंहभूम सियर जोन में पाया जाता है। इसलिए इसे सिंहभूम ताम्र पट्टी भी कहते हैं। यह प. सिंहभूम के गोइलकेरा से खरसावां होते हुए पू. सिंहभूम के बहरागोड़ा तक फैला हुआ है। ताम्र अयस्क ग्रेनाइट, अबरख सिस्ट, क्वार्ज सिस्ट और इपिडायोराइट चट्टानों में भेंस के रूप में पाया जाता है। राखा, मोसाबनी, धोवानी, सुरदा, पाथरगोड़ा और केन्दाडीह खानों में ताँबे का प्रतिशत अच्छा है। इसके

अलावा अस्ताकोवाली, बादिया, बहरागोड़ा, चापरी, चारकमरा, चुरिया पहाड़, धातकीडीह, द्वारापरम, गोहाला, हिटकु, जयपुर, झरिया, कानस, खोजूरडारी, लवकेसरा, मुंडादेवता, नान्दुप, राजदह, रामचन्द्रबुरु, रोलाडीह, सिद्धेवर और ठाकुरडीह में भी ताँबे के अयस्क अवस्थित हैं। इसके अलावा गिरिडीह, संतालपरगना और हजारीबाग के बेरागुंडा में भी ताम्र अयस्क के भंडार अवस्थित हैं।

हिन्दुस्तान कॉपर लिमिटेड झारखंड में ताम्र अयस्क के खानों के संचालन के साथ इंडियन कॉपर कम्प्लेक्स, घाटशिला में ही गंधकाम्ल (सल्फ्यूरिक एसिड), सोना, चाँदी, सिलेनियम और टेलुरियम बाय प्रोडक्ट के रूप में प्राप्त किए जाते हैं। स्मेल्टर से निकले हुए ताम्र चूर्ण से निकेल और ताम्र सल्फेट का उत्पादन किया जाता है।

वर्तमान खान बहुत गहरे हो जाने के कारण अयस्क उत्पादन बहुत महँगा पड़ रहा है जिससे यहाँ का ताम्र उद्योग संकट के दौर से गुजर रहा है। नए खान आरंभ करने एवं आधुनिक तकनीक अपनाने की आवश्यकता है।

सोना अयस्क

सोना प्रकृति में पाई जाने वाली एक बहुमूल्य धातु है। इसकी जानकारी प्राचीन काल से लोगों को रही है। झारखंड के सिंहभूम जिले में सोने का खनन प्राचीन काल से लेकर आजादी के पूर्व तक होता रहा है। आजादी के बाद इसका खनन रोक दिया गया परन्तु घाटशिला में ताम्र उत्पादन के साथ बाय प्रोडक्ट के रूप में इसका उत्पादन होता रहा है। सोना अपने गुणों के कारण महत्त्वपूर्ण धातु बना हुआ है। एक ग्राम सोने से तीन किलोमीटर से भी अधिक लंबा तीर खींचा जा सकता है।

सल्फाइड खनिज के साथ सोने के संपर्क के अनुसार सोने के अयस्क को मुख्यतः तीन भागों में बाँटा जा सकता है—

1. **प्राकृतिक सोना :** 99 प्रतिशत सोना अयस्क इसी समूह में आते हैं। यह प्राकृतिक रूप में क्वार्ज में पाया जाता है और सल्फाइड खनिज से मुक्त होता है। इसके कणों का आकार 100 माइक्रोन से अधिक होता है और गुरुत्व पृथीकरण (gravity separation) विधि द्वारा अलग किया जा सकता है।

2. **रिफरेक्टरी ओर :** इस प्रकार के स्वर्ण अयस्क में भी सोना प्राकृतिक रूप में ही रहता है परन्तु इसके साथ विभिन्न प्रकार के सल्फाइड उपस्थित रहते हैं जैसे चाल्कोपायराइड, पायराइड, आर्सनिक, पिरहोटाइट आदि। इसमें 70 प्रतिशत से भी अधिक सोना 15 माइक्रोन से भी छोटे आकार के होते हैं।

3. **अर्द्ध रिफरेक्टरी ओर** (semi refrectory ore) : यह स्वर्ण अयस्क उपरोक्त दोनों प्रकार के अयस्कों का मिश्रण होता है। इसमें स्वर्ण कणों का आकार 20 माइक्रोन से 75 माइक्रोन तक होता है। सोनाधारित नस (veins) आर्कियन सिस्ट और क्वार्जाइट चट्टानों में पाए जाते हैं। इसमें से कुछ भंडार पुराने सिंहभूम जिले के पहाड़डीहा, कुन्दरुकोचा, लावा, ईचागढ़, बुरुडीह और राँची जिले के सोनापेट में हैं जहाँ कुछ वर्षों पहले तक सोना निकाला

जाता था। इसके अलावा धालभूमगढ़ में गारानदी, प. सिंहभूम में दक्षिण कोयल नदी, सोना नदी, स्वर्णरेखा नदी, सरायकेला खरसावां जिले में संजय नदी में बालू को धोकर एवं चालकर स्वर्णचूर्ण और स्वर्णकण स्थानीय ग्रामीणों के द्वारा निकाले जाते रहे हैं। करकरी और स्वर्णरेखा बेसिन में तमाड़ पोरापहाड़ क्षेत्र के वीरगाँव, नावाडीह, चोन्हाडीह, हुपुडीह में, बाबी कुंडी, सिन्दूरयारी, कोकाडीह में धंजोरी बेसिन के बसर पहाड़ी, रथीकोंचा, पातकुम के पास और दुदिया के पास स्वर्ण भंडार पाए गए हैं। इस प्रकार झारखंड में 7200 टन से अधिक के स्वर्ण अयस्क प्रमाणित हैं।

मैंगनीज अयस्क

पायरोलुसाइट और जिलोमालेन मैंगनीज के दो मुख्य अयस्क हैं। यह प. सिंहभूम जिले के चाईबासा, नोवामुंडी, जामदा, गुआ और लिमटु के बीच लौह अयस्क के भंडार के साथ पाया जाता है।

इसका उपयोग स्टील और रसायन उद्योग में मुख्य रूप से होता है। इसके साथ-साथ यह सूखी बैटरी में, फोटोग्राफी में, चमड़े और माचिस उद्योग, बर्तन पॉलिश, रंगीन ईंट और काँच उद्योग में उपयोगी होता है।

झारखंड में मैंगनीज अयस्क पर आधारित उद्योग के रूप में प. सिंहभूम जिले में मैंगनीज अयस्क बेनिफिसियशन प्लांट, फेरो-मैंगनीज और सिलिको मैंगनीज का उत्पादन, पोटाशियम परमैंगनेट का उत्पादन इकाई, इलेक्ट्रोलायटिक मैंगनीज डाई ऑक्साइड प्लांट स्थापित किया जा सकता है।

क्रोमाइट

क्रोमाइट एक रिफरेक्ट्री खनिज है और इसका उपयोग रसायन के उत्पादन में भी होता है। इसका भंडार प. सिंहभूम जिले के जोजोहातू में है।

कायनाइट

कायनाइट प्रायः आसमानी या हल्का आसमानी रंग का होता है और ब्लेडेड रूप में पाया जाता है। यह एक ओर से तो पेन की नीब से भी खरोंचा जा सकता है परन्तु उसके लम्बवत् दिशा में ऐसा नहीं होता। इसका कड़ापन 4 से 7 तक होता है। यह रेशेदार रूप में भी पाया जाता है। उच्च ताप सह सकने से इसका उपयोग सिरामिक और रिफरेक्टरी उद्योग में होता है। यह धात्विक, रासायनिक, विद्युत या सीमेंट उद्योग में भी उपयोग किया जाता है। ताँबा-ब्रास, ताँबा-निकेल, मिश्रधातु स्टील और सोना शुद्धिकरण की भट्ठियों में भी कायनाइट का उपयोग होता है।

कायनाइट यहाँ से विदेशों को निर्यात होता है। झारखंड में खरसावां के पास लाप्सोबुरु में इसका मुख्य भंडार है जिसमें 64-68% एलुमिना है। यहाँ कायनाइट कायनाइट-क्वार्ज संस्तर (beds) में पाया जाता है। कायनाइट क्वार्ज संस्तर पद्मपुर के निकट चौरीबुरु, सेरेगंदा, कुकुडुंगरी की पहाड़ियों में स्थित है। कायनाइट का भंडार नकटी से 2.5 किमी मेरुबैद्मा पहाड़ी में भी पाया गया है। इसके अलावा धाधीडीह, मन्यालुका, मोहनपुर, जगन्नाथपुर, हाथीटांड एवं

भाकर में भी इसका भंडार है। इस प्रकार लो ग्रेड कायनाइट पूरे सिंहभूम सियर जोन में जगह-जगह पाया जाता है। उपलब्ध कायनाइट के उपयोग के लिए सरायकेला-खरसावां जिला या पश्चिम सिंहभूम में केल्सिनेशन प्लांट स्थापित किया जा सकता है।

ग्रेफाइट

ग्रेफाइट शुद्ध कार्बन का एक अपरूप है। यह प्रकृति में रवा और स्थूल (massive) दोनों रूपों में पाया जाता है। इसका उपयोग पेंसिल बनाने में होता रहा है। इसके अलावा ग्रेफाइट विद्युत का संवाहक होने के कारण सूखे सेल में इलेक्ट्रोड के रूप में उपयोग किया जाता है। यह नई मशीनों में ल्युब्रिकेंट के रूप में और परमाणु रिएक्टर में रेडियोधर्मिता अवशोषक के रूप में उपयोग होता है।

झारखंड में ग्रेफाइट, छोटानागपुर प्रोविंस के खोण्डालाइट चट्टानों में राँची, डाल्टनगंज क्षेत्र में पाए जाते हैं। सेवाडीह, मनसोती, विश्रामपुर में भी ग्रेफाइट के भंडार पाए गए हैं। अत: पलामू जिले में ग्रेफाइट बेनिफिसिएशन प्लांट के अलावा कार्बन रिफरेक्टरी, ग्रेफाइट कार्बन, रंग और ल्युब्रिकेंट उत्पादन के प्लांट की स्थापना के बारे में विचार किया जा सकता है।

एस्बेस्टस

एस्बेस्टस रेशेदार अम्फीबोल होते हैं। कुछ प्रकार के एस्बेस्टस में रेशे अलग किए जा सकते हैं, कुछ में नहीं। यह ताप और विद्युत का कुसंवाहक होता है। एस्बेस्टस का उपयोग विशेष प्रकार के सीमेंट बनाने में, अग्निजीत पदार्थ बनाने में, गाड़ियों के क्लच और ब्रेक बनाने में होता है। झारखंड में प. सिंहभूम के जोजोहातू में एस्बेस्टस के भंडार स्थित हैं। इस भंडार के उपयोग के लिए सिंहभूम जिले में एस्बेस्टस सीमेंट प्रेशर, पाइप, क्लच फेसिंग और ब्रेक स्तर (lining) तथा एस्बेस्टस सीमेंट छत प्लांट स्थापित किए जा सकने की भरपूर सम्भावना है।

अबरख

अबरख मुख्यत: दो प्रकार के होते हैं—हल्के रंग के अबरख और काले रंग के अबरख। हल्के रंग के अबरख में मस्कोनाइट, पारागोनाइट, लेपिडोलाइट आदि आता है जबकि गाढ़े रंग के अबरख में बायोटाइट, फोलोगोपाइट आदि आते हैं। झारखंड अबरख के उत्पादन में दुनिया में अपना स्थान रखता है। 145 किमी लंबी और 32 किमी चौड़ी अबरख पट्टी, जो बिहार के वाया के पूर्वी भाग से होते हुए भागलपुर के दक्षिणी भाग तक है, का मुख्य भाग झारखंड के हजारीबाग जिले से होकर गुजरता है। अबरख पट्टी में अबरख पेग्माटाइट चट्टानों में मिलता है। परन्तु अबरख पट्टी के बाहर जो अबरख मिलते हैं बहुत ही निम्न गुणवत्ता वाले होते हैं। उत्पादन की दृष्टि से कोडरमा आरक्षित बन एक मुख्य क्षेत्र है। यह लगभग 92 वर्ग किलोमीटर में फैला है। यहाँ का रूबी अबरख विश्व प्रसिद्ध है। ढोरहाकोला, डोंमचांच, मसनोडीह, धाव, गवां और तीसरी दूसरे मुख्य अबरख उत्पादक क्षेत्र हैं। इसके अलावा सिंहभूम और पलामू में भी अबरख के भण्डार स्थित हैं। झारखंड में खनन किए जाने वाले अबरख मुख्यत: मस्कोवाइट हैं। अभी हाल के वर्षों में अबरख उद्योग संकट के दौर से गुजर रहा है। इसका कारण है बाजार में इसका विकल्प मौजूद

होना, विश्व बाजार में इसकी माँग कम होना और अच्छे गुणवत्ता वाले अबरख का नहीं मिल पाना। इस स्थिति का सामना करने के लिए अबरख आधारित अन्य उद्योग जैसे एस्बेस्टस-शीट, अबरख रंग (Mica Paints) माईका पेपर (micronized mica), लिथियम यौगिक (Lithium Compound) के उत्पादन आदि को बढ़ावा देना होगा।

क्ले (CLAYS)

क्ले कोई एक खनिज नहीं है परंतु खनिजों का समूह है। भौतिक और तापीय गुण के आधार पर इसे हम विभिन्न प्रकार में बाँट सकते हैं— (i) चाईना क्ले (ii)पोटरी क्ले (iii) फायर क्ले (iv) बॉल क्ले (v) वेनटोनाइट आदि।

चाईना क्ले, झारखंड के सिंहभूम जिले के हाटगाम्हरिया, पाड्रासाकी, मदकमहट्टि, गुण्डीपोसी, अरूदा, माजरी, धारडीह, खेरीडुंगरी, कंकाजिया, भौद्रा आदि क्षेत्र में पाए जाते हैं।

फायर क्ले का भण्डार कोयले के संस्तर (Beds) के बीच धनबाद, झरिया, हजारीबाग और गिरिडीह इलाकों में जगह-जगह स्थित हैं। अलग-अलग तरह की क्ले का उपयोग भी अलग-अलग कार्यों में होता है। सेनेटरी के सामान बनाने में, सिरामिक ग्लेज्ड फ्लोर टाइल्स बनाने में, किचन के बर्तन बनाने में, फायर क्ले ईंट, इन्सुलेटिंग ईंट बनाने में होता है। सिंहभूम, हजारीबाग, पलामू में उपरोक्त सामानों का उत्पादन इकाई या क्ले प्रोसेसिंग प्लांट बनने में किया जा सकता है।

एपाटाइट

यह कैल्शियम का फास्फेट है जो प्रकृति में हल्का हरा, नीला, भूरा, सादा या पीला रंग में मिल सकता है। झारखंड में प. सिंहभूम और पलामू जिले में एपाटाइट केभण्डार हैं। इसका उपयोग सुपर फास्फेट खाद बनाने में, फास्फोरस तत्त्व के निष्कासन में, फास्फोरस के यौगिक बनाने में किया जा सकता है। रत्न के रूप में भी एपाटाइट का उपयोग होता है। प. सिंहभूम और पलामू जिले में इससे सम्बन्धित प्लांट स्थापित किया जा सकता है।

अन्य खनिज

रिफरेक्टरी खनिज और रसायन उद्योग में उपयोग होने वाले क्रोमाइट का भंडार सिंहभूम जिले के जोजोहातू में स्थित है। वेशष्टि का भण्डार राँची और सिंहभूम जिले में है। इसका उपयोग बेरियम क्लोराइड, बेरियम कार्बोनेट बनाने में किया जाता है। वेरील जो रत्न के रूप में उपयोग होता है, हजारीबाग और कोडरमा में पेग्माटाइट में पाया जाता है। जगह-जगह पॉकेट डिपोजिट के रूप में गिरिडीह में एवं प. सिंहभूम जिला के पुराने कायांतरित चट्टानों (older metamorphic rode) के बीच टाल्क सोप स्टोन के भंडार हैं जिनका उपयोग टेल्कम पाउडर बनाने एवं विभिन्न उद्योगों में फिल्टर के रूप में किया जाता है। पूरे झारखंड में क्वार्ज, क्वार्जाइट, सिलिका भंडार जगह-जगह स्थित हैं। यह कांच उद्योग, लोहा-स्टील उद्योग, घड़ी उद्योग में उपयोगी होता है। इस खनिज पर आधारित सिलिकॉन कार्बाइड एवं फेरोसिकिन प्लांट और प. सिंहभूम जिले में गोड्डा में फायर ग्लास, सोडियम/पोटाशियम सिलिकेट, धनबाद में सिलिका के ईंट,

हजारीबाग में क्वार्ज पाउडर बनाने का प्लांट स्थापित किए जाने की भरपूर संभावना है।

डोलोमाइट

यह एक औद्योगिक खनिज है और इसका उपयोग लौह और स्टील उद्योग, रिफरेक्ट्री, ग्लास, खाद फेरोमैग्नीज उद्योग और मैग्नेसियम धातु निष्कासन के लिए भी होता है। डोलोमाइट कैल्शियम और मैग्नेसियम का कार्बोनेट है। इसके भण्डार झारखंड मुख्यत: पलामू के बाकोरिया, बाना पहाड़, सुवा सेमरा आदि जगहों में और प. सिंहभूम के घाटकुड़ी, पटंगा और पुटादह झरना में पाए गए हैं। अत: प. सिंहभूम और पलामू में डोलोमाइट संशोधन प्लांट, डोलोमाइट पलमभराईजींग प्लांट, मैग्नेसियम कार्बोनेट और क्लोराइड उत्पादन इकाई लगाने पर विचार किया जा सकता है।

चूना पत्थर

चूना पत्थर का उपयोग सीमेंट उद्योग, लौह और इस्पात उद्योग, रसायन उद्योग (कैल्शियम कारबाइड, कैल्शियम कार्बोनेट) सफेदी करने (white washing) में होता है। प. सिंहभूम के झीकपानी, चाईबासा जायफर दामोदर घाटी क्षेत्र, पलामू राँची के खेलारी, हजारीबाग जिला के बुण्डु बझारिया, कुरकुटा, भुरकुण्डा में चूना पत्थर की खानें हैं।

कोल बेड मिथेन

कोल बेड मिथेन ऊर्जा के एक मुख्य स्रोत के रूप में उभर रहा है। भविष्य में उपयोग होने वाले इस ऊर्जा स्रोत का उत्तरी कर्णपूरा, पूर्वी बोकारो कोल फिल्ड में भण्डार है।

यूरेनियम अयस्क

पू. सिंहभूम जिले में यूरेनियम अयस्क का खोज 1951 में हुआ। यहाँ के 160 किमी लम्बा सिंहभूम सियर जोन (जो झारखंड में दक्षिणी और उड़ीसा के उत्तरी भाग में है) में यूरेनियम और ताँबा का भण्डार निकेल, सोलिल्डेनम, विस्मय, सोना, चाँदी, सिलेनियम और रिलेनियम के साथ पाया जाता है। एपाटाइट मैगनेटाइट और कायनाइट के भण्डार भी इसके साथ पाए जाते हैं। आण्विक खनिज विभाग (Atomic Mineral Division) के नियंत्रण में यहाँ यूरेनियम अयस्क का खनन होता है। जादूगोड़ा, नरवापहाड़, बागजाता, तुरामडीह, मोहलुडीह में यूरेनियम के अयस्क के भण्डार हैं जिसमें जादुगोड़ा और नरवापहाड़ में इसके खान भी हैं।

सिंहभूम सियट जोन में पाए जाने वाले ताँबा अयस्क के साथ यूरेनियम अयस्क भी होते हैं। ताँबा अयस्क के संशोधन के समय इसे अलग कर लिया जाता है। यह भी यूरेनियम के निष्कासन में काम आता है।

बहुमूल्य पत्थर (रत्न) (Gem Stone)

जेम स्टोन वास्तव में खनिज ही हैं जो अपने रूप, रंग, आकार, चमक, पारदर्शिता, कठोरता के कारण आकर्षक होते हैं। पृथ्वी सतह में पाए जाने वाले लगभग 2,400 खनिजों में से केवल

200 ही जेम स्टोन की गुणवत्ता में आते हैं। बहुत महँगे रत्न तो झारखंड में बहुतायत में नहीं हैं परन्तु अच्छी गुणवत्ता वाले सेमी-प्रेशिएस जेम स्टोन यहाँ कई जगह पाए जाते हैं। कोडरमा आरक्षित बन, छोटानागपुर का पठार, पश्चिम सिंहभूम जिले में ये पाए जाते हैं। यहाँ पाए जाने वाले रत्नों में फेल्सपार खनिज मुनस्टोन, सनस्टोन, एमाजोनाइट कोडरमा जिले के इनेरवा और गिरिडीह जिले के कहल में पाए जाते हैं। जमुनिया, कटैला (अभि चिस्ट) तथा गुलाबी क्वार्ज रत्न रूप में कोडरमा, गिरिडीह, दुमका और देवघर में पाए जाते हैं। टुरमलिन जिला रत्न रूप केट्स आई, इन्दिकोलाइट कोडरमा और गिरिडीह में, गारनेट का रत्न रूप पायटोप, अल्मेन्डार्डन, हेसोनाइट आदि चतरा, हजारीबाग, गया, कोडरमा, गिरिडीह में मिलते हैं। बेरील का रत्न रूप एक्वामेरीन, मोरगानाइट, गोल्डेन बेरील कोडरमा, हजारीबाग और गिरिडीह में पाए जाते हैं। क्रयसोबेरील (केट्स आई) दुमका में मिलता है। लहसुनिया प. सिंहभूम जिले में उपस्थित है।

इन रत्नों के पॉलिथिंग और कटिंग इकाई यहाँ सफल हो सकते हैं।

सजावटी पत्थर

झारखंड में कई सजावटी पत्थर पाए जाते हैं जिनका उपयोग भवन निर्माण, गृहसज्जा, स्मारक आदि बनाने में होता है। इनमें मुख्य रूप से ग्रेनाइट, कोटा स्टोन, संगमरमर, सेण्डस्टोन, चूना पत्थर, स्लेट आदि हैं।

ग्रेनाइट

वास्तव में कोई भी ऐसे चट्टान जो स्लैब या टाइल्स के रूप में काटे जा सकते हों, पॉलिश किए जा सकते हों, जिनका उपयोग सजावटी पत्थर के रूप में किया जा सकता हो, ग्रेनाइट ही कहे जाते हैं। भू-वैज्ञानिक दृष्टि से ये चट्टानें ग्रेनाइट, ग्रेनाइट नाइस, डोलेराइट, गेव्रो, मेटागेव्रो, अम्फीबोलाइट, चारनोकाइट, होर्नब्लैण्ड नाईस, ईपीडायोराइट, स्लेट, संगमरमर, चूना पत्थर या सेण्डस्टोन हो सकते हैं। झारखंड में ये सभी चट्टान पाए जाते हैं और इसके औद्योगिक विकास की यहाँ बहुत सम्भावना है।

किसी डाइमेंशन पत्थर का मूल्य उसके कणों का आकार, रंग, खनन किए जा सकने वाले टुकड़ों का आकार, उसमें उपस्थित जाइंट पेटर्न, अपभ्रंश (Fault), वलय (fold), हेयर क्रेक, मजबूती, विशिष्ट गुरुत्व (specific gravity), जल अवशोषण की क्षमता, पोरो सिटी, कम्प्रेसिव स्ट्रेंग्थ, टेंसाइल स्ट्रेंग्थ आदि पर निर्भर करता है।

इस व्यावसायिक ग्रेनाइट को हम दो भागों में बाँट सकते हैं—

1. सजावटी ग्रेनाइट : इसमें मजबूती से अधिक उसके पॉलिश, चमक, रंग आदि अधिक महत्त्वपूर्ण होते हैं।

2. इंजीनियरिंग ग्रेड ग्रेनाइट : इसमें इसकी मजबूती अधिक महत्त्व रखती है।

रंग के आधार पर इसे हम काला ग्रेनाइट (Black granite) और बहुरंगीय ग्रेनाइट में बाँटते हैं। ब्लेक ग्रेनाइट भी कई प्रकार के होते हैं। जैसे—

(i) काला जलवा : मेटा गेव्रो, गेव्रो, डोलेराइट होता है जो दुमका, देवघर जिले में

पाया जाता है।

(ii) काला जेवरा : मिग्माटिक चट्टान है। यह दुमका जिले में पाया जाता है।

(iii) चमकता सितारा : जगन्नाथपुर लावा का एक प्रकार है जो प. सिंहभूम जिले में पाया जाता है।

(iv) काला चिता : गेब्रोईक चट्टान है जो दुमका जिले में पाया जाता है। प. सिंहभूम जिला में भी यह चट्टान उपलब्ध है।

(v) साल्ट एण्ड पेपर (salt and pepper) : निवर डोलेराइट का प्रकार है जो प. सिंहभूम जिले में पाया जाता है।

बहुरंगीय ग्रेनाइट में टाइगर स्कीन मिग्मेटिक चट्टान का प्रकार है जो कोडरमा, गढ़वा और पलामू जिले में पाया जाता है। स्वान रोज पोरफेरो प्लास्टिक ग्रेनाइट का एक प्रकार है जो पलामू और गढ़वा जिले में पाया जाता है।

ग्रे ग्रेनाइट—ग्रेनाइट और नाईस चट्टानों का प्रकार है जो राँची, गुमला, लोहरदगा, हजारीबाग, गिरिडीह, पूर्वी और प. सिंहभूम जिले में पाया जाता है। खुटी ग्रे और गिरी ग्रे इसके कुछ मुख्य प्रकार हैं। बेण्डेड चेरी, बेण्डेड हेमाटाइट जसपर का एक प्रकार है जो पश्चिम सिंहभूम जिले में पाया जाता है।

प. सिंहभूम जिले में ही लोके साई, नोवामुण्डी, बन्दी राम, खैर बनी, कुमार साई, केसरगढ़िया, तिरिलाबुटा, खूंटपानी में ब्लेक ग्रेनाइट के रूप में उपयोग किए जा सकने वाले चट्टान भरे पड़े हैं।

सेण्ड स्टोन—प. सिंहभूम जिले के जोड़ापोखर, झींकपानी एवं आसपास पाए जाने वाले बैंगनी रंग के सैण्ड स्टोन भवन निर्माण के लिए बहुत ही अच्छे गुणवत्ता वाले हैं।

कोटा स्टोन—हजारीबाग के गोला, पेटरवार एवं तिरियानाला क्षेत्र में इसके बड़े भण्डार हैं।

संदर्भ

1. R. Singh, K.K. Mishra and P. Ramchandra Rao (2001) Prospect of mineral based industries in Jharkhand, Jamshedpur, National metallury taboxatry

2. S.P. Singh, Precambrian crustal evolution and mineralisation in India (PCEM- 2001), seminar volume

3. N.C. Ghose, A.N. Trivedy and S.N Virnare (2000) G Ranite Industry : Emerging Trends and Developments

4. आँकड़ा बैंक एवं प्रकाशन प्रकोष्ठ, भूतत्व निदेशालय पटना से प्रकाशित संख्या-6 बिहार की खनिज पुस्तिका, ग्रेनाइट उद्योग : बिहार में विकास की संभावना, मार्च 1998

5. आँकड़ा बैंक एवं प्रकाशन प्रकोष्ठ, भूतत्व निदेशालय, पटना से प्रकाशित : कायनाइट

6. Seminar on mineral exploration and development in Bihar, 28-29 May, 1998 Ranchi organised my department of mines and Geology, Govt. of Bihar.

7. Monograph of Bihar : A Geographical study by R.P. Singh, Anil Kumar, Bharti Bhawan. 1970

जिला	*खनिज से प्राप्त रोयल्टी (करोड़ रु. में)*
धनबाद	34571
बोकारो	9327.17
कोडरमा	30.71
गिरिडीह	1033.45
पश्चिम सिंहभूम	1560.07
पाकुड़	407.78
पूर्वी सिंहभूम	409.23
पलामू	202.1
राँची	3052.15
साहेबगंज	205.46
दुमका	72.72
देवघर	698.92
चतरा	16892.98
गढ़वा	142.11
गोड्डा	4810.61
गुमला	282.12
लोहरदगा	201.91
हजारीबाग	
सिमडेगा	
लातेहार	
सरायकेला-खरसवां	
(1995)	

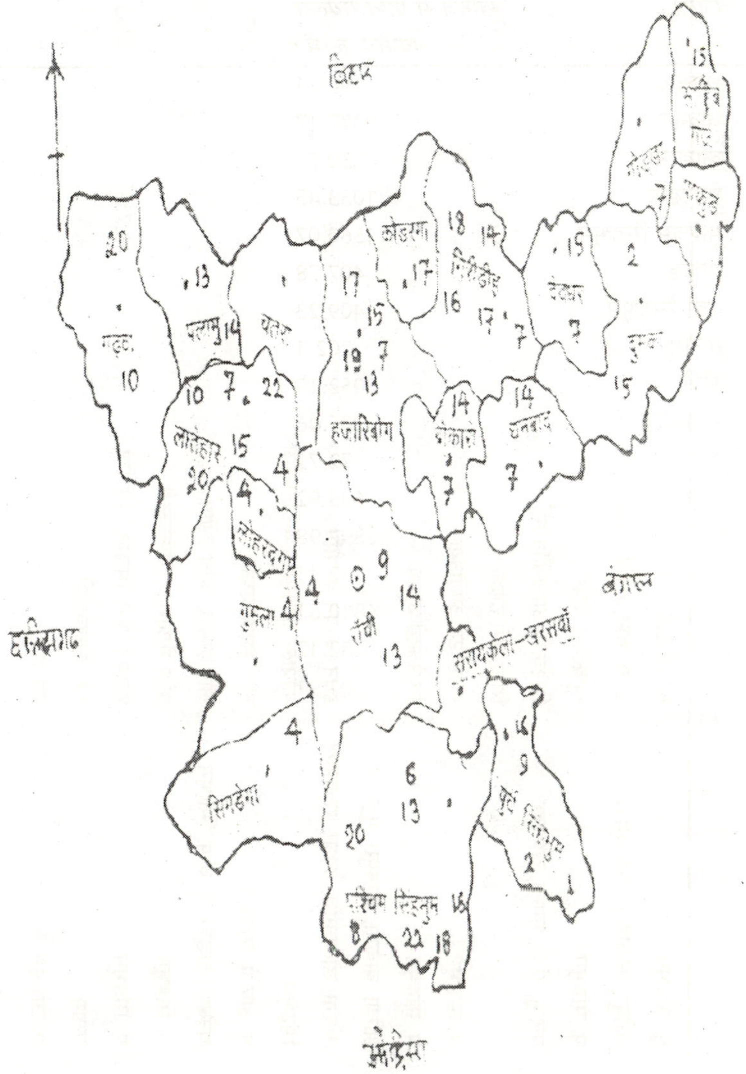
बिहार
कोडरमा
गिरिडीह
देवघर
दुमका
गढ़वा
पलामू
चतरा
लातेहार
हजारीबाग
बोकारो
धनबाद
लोहरदगा
गुमला
राँची
बंगाल
छत्तीसगढ़
सरायकेला-खरसावाँ
सिमडेगा
पूर्वी सिंहभूम
पश्चिम सिंहभूम
उड़ीसा

खनिज	प्राप्ति स्थान	उपयोग	खानों की संख्या	उत्पादन (1000 Tones 1998-99	कुल भंडार 1000 Tones)
एपाटाइट	पू. सिंहभूम	खनिज खाद रत्न			3070
एस्बेस्ट	रोरोबुर, जोजोहातू (सिंहभूम)	पाइप, सीट, ग्लोब, रस्सी			40
यूरेनियम	पू. सिंहभूम	न्युक्लियर पावर			
बॉक्साइट	पलामू, रांची, गुमला, लोहरदगा	फिटकरी, अल्यूमीनियम, रिफरेक्टरी उद्योग	6	1029	68135
बेराइट	प. सिंहभूम	हाईडरेटेड अमोनिया			15
कायनाइट	प. सिंहभूम	रिफरेक्टरी उद्योग	3	4.922	90
कोयला	झरिया, बोकारो, करनपुरा, पुटुर, ओरंगा, डाल्टनगंज, देवघर, राजमहल	ईंधन, कार्बन के यौगिक	183	59919	6208485
कोबाल्ट	सिंहभूम	कोबाल्ट ओक्साइड का निष्कासन			9
क्वार्जाइट	पू. और प. सिंहभूम	लौह इस्पात उद्योग			219842
क्वार्ज	धनबाद, गोड्डा, पू. व प. सिंहभूम	लौह इस्पात, काँच उद्योग			136429
क्रोमाइट	प. सिंहभूम	क्रोम मेगनेसाइट रिफरेक्टरी			334
मैंग. अयस्क	प. सिंहभूम	रसायन, फेरो–सिलीकन मैगनीज		18.718	2363
मैंगनेटाइट	पलामू	रंग, कोलवासरी			5163
निकेल	प. सिंहभूम	पालिश			9

सोना	राँची, सिंहभूम	आभूषण, विद्युत उपकरण, दवा		254 K.G	7200
डोलोमाइट	पलामू, गढ़वा	सीमेंट, मेगनेसिया, भवन निर्माण पत्थर			29864
चाईना क्ले	लोहर., राँची, दुमका, सिंह., साहेबगंज	बर्तन, कांच	25	23.256	45930
चाँदी	पूर्वी सिंहभूम	आभूषण, विद्युत उपकरण		13648 K.G	
चूना पत्थर	प. सिंहभूम, राँची	भवन निर्माण, सजावटी पत्थर, सीमेण्ट	33	1242	511102
फायर क्ले	धनबाद, हजारीबाग, पलामू, बोकारो, गिरिडीह, रामगढ़	बर्तन, स्टोन वेयर, अग्निजीत ईटा		49.97	50462
फेल्डस्पार	दुम्का, हजारीबाग, देवघर	बर्तन वेयर, ग्लेज्ड टाइल्स, रिफरेक्टरी			5152
ताम्र अयस्क	सिंहभूम, गिरिडीह	ताम्बा	5	1198	108681
अबरख	हजारीबाग, गिरिडीह, कोडरमा	एस्बेस्टस-अबरख शीट, लिथियम यौगिक	84	1.082	13554
टाल्क	प. सिंहभूम, गिरिडीह	पाउडर			289
गारनेट	हजारीबाग	रत्न			72
ग्रेफाइट	पलामू	ग्रेफाइट चुर्न, पेन्सील्स, क्रुसीबल्स		7.276	390
ग्रेनाइट	राँची, सिंहभूम, दुमका, लोहरदगा, हजारीबाग, गिरिडीह, गुमला	भवन निर्माण, सजावटी पत्थर			19105 cm.m
लौह अयस्क	सिंहभूम, पलामू	लोहा	28	8659	5163

सारणी-2

काल	*गुण*	*पाए जाने वाले खनिज*
टरसरी	हाल के एलुभियम	ठंट, बर्तन का मिट्टी, बालू, कंकड़, लौह अयस्क, मैंगनीज अयस्क, सोना, प्लेटिनम
	गंगा का एलुभियम	कंकड़, साल्ट पिटर, सोडियम साल्ट
	लेटेराइट	बॉक्साइट, भवन निर्माण पत्थर, ग्रेभल, रेल मेटल एवं कंक्रीट के लिए पत्थर के टुकड़े शिवालिक सेण्ड स्टोन
क्रिटेसियस	ट्रेप्स	रोड मेटल, भवन निर्माण, पत्थर एगेट, एमेथिस्ट, ओपल
	गोंडवाना सिस्टम भंडार	कोयला फायर क्ले, चाइना क्ले, सेण्ड स्टोन, ग्लास सेण्ड आदि
कैम्ब्रियन	विन्ध्यन सिस्टम	चूना पत्थर, सेण्ड स्टोन, सेल, ग्लास सेण्ड, पाइराइट
आरकियन	बेसिक आग्नेय चट्टान	क्रोमाइट, स्टेटाइट, भेनेडियम धारित लौह अयस्क, एस्बेस्टस, मैंगनेटाइट, मैंगनेसाइट
	ग्रेनाइट	चाइना क्ले, भवन निर्माण पत्थर, रोड मेटल
	पिग्माटाइट भेंस	अबरख, फेल्डस्पार, बेरील, गुलाबी क्वार्ज, एपाटाइट, केसीटेराइट, टुरमलिन
	आरकियन में दूसरे भेंस	ताम्र अयस्क, एपाटाइट, मैंगनेटाइट, सोना, बेराइट, क्वार्ज, सीसा
	कोल्हन सीरीज सेडीमेंटरी फोरमिंग विषमविन्यास	बिल्डिंग मैटीरियल, लौह अयस्क, मैंगनीज अयस्क, चूना पत्थर
	निवर डोलेराइट	रोड मेटल रेलवे ब्लास्ट
	कायान्तरित अवसादी चट्टानें	लौह अयस्क, मैंगनीज अयस्क, चूना पत्थर, डोलोमाइट, कायनाइट, रिफरेक्टरी क्वार्जाइट, स्टेटाइट, चर्ट, क्वार्जाइट, स्लेट, चाइना क्ले

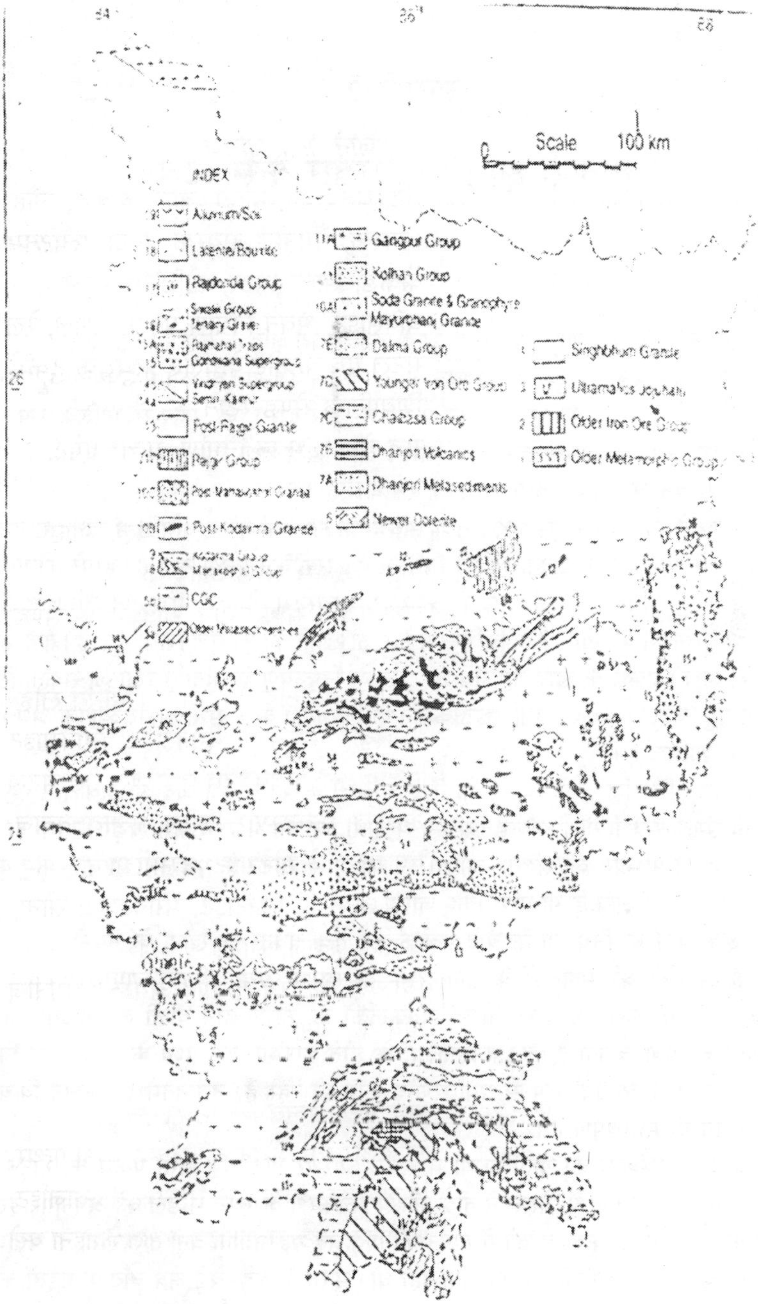

Scale
0
100 km
INDEX
Gangpur Group
Kolhan Group
Soda Granite & Granophyre
Mayurbhanj Granite
Dalma Group
Younger Iron Ore Group
Chaibasa Group
Dhanjori Volcanics
Dhanjori Metasediments
Newer Dolerite
Singhbhum Granite
Older Iron Ore Group
Older Metamorphic Group
Post-Kodarma Granite
CGC

खनन से क्षति : पिपरवार केस स्टडी

प्रदीप्तो राय

खनन कार्य के दो व्यापक पार्श्व-प्रभाव हैं जिन्हें पर्यावरणीय क्षति के रूप में माना जा सकता है। पहला, अनुचित रूप से अधिक कचरा भरने के कारण वन एवं खेत के रूप में उपयोगी भूमि के बंजर बनते जाने से पर्यावरण पर पड़ा बुरा प्रभाव है, और दूसरा, जो पहले से आंशिक रूप से जुड़ा है, उन गाँवों का संपूर्ण विस्थापन जिसमें लोग खेती तथा पशुपालन करते आ रहे थे शताब्दियों से वनों के साथ निवास करते आ रहे थे।

इस पत्र में पिछले 50 (से 100) तथा भविष्य के 50 वर्षों की दीर्घावधि में खनन से होने वाली क्षति के परिमाण के प्राक्कलन की विधियों को रेखांकित किया गया है। इसमें कोयला, बाक्साइट, लौह-अयस्क, मैंगनीज, जिंक, क्रोमाइट, एस्बेस्टस, ग्रेनाइट, सैंडस्टोन, ताँबा, चाँदी, सोना तथा यूरेनियम की खान जैसी विभिन्न प्रकार की खानों को शामिल किया गया है। तेल की खानों को अलग प्रकार के खान या जीवाश्म ईंधन के निष्कर्षण के अंतर्गत रखा जा सकता है। धातु, अधातु, चट्टान, कार्बन तथा हाइड्रोकार्बन के निष्कर्षण के ये सभी प्रकार व्यापक अर्थ में 'खनन' में शामिल हैं।

मापदंड (स्थिरांक) की स्थापना के लिए आजादी के पहले तथा बाद की अवधि में खुले खानों की संख्या संबंधी गौण आँकड़े विभिन्न सरकारी विभागों से प्राप्त करने पड़ेंगे। साथ-ही-साथ विस्थापित परिवारों की संख्या, अर्जित की गई भूमि, खनन के पूर्व तथा पश्चात् भूमि के उपयोग से संबंधित आँकड़े भी प्राप्त किए जाएँगे।

सार्थक वर्गों के निर्धारण के बाद प्रत्येक वर्ग तथा प्रकार के खानों के नमूनों से प्राप्त प्राथमिक आँकड़ों को मापदंडों के प्राक्कलक के रूप में प्रयोग किया जाएगा। पिपरवार कोयला खान की केस-स्टडी से औसत प्राक्कलकों के कारण होने वाली कठिनाइयों और अशुद्धियों का पता चलता है। इन कठिनाइयों के होते हुए भी, इस तथ्य के आधार पर कि खानों से भारत में व्यापक रूप से पर्यावरणीय क्षति हो रही है, नवीनतम प्राक्कलन किया जाना अत्यंत ही महत्त्वपूर्ण है।

मनुष्य की विकास की गतिविधियों में सबसे अस्थिर गतिविधि सभी प्रकार का खनन-कार्य है। आजादी के बाद पं. नेहरू ने तीव्र औद्योगिकीकरण के रूसी मॉडल को अपनाया, इस मॉडल के कारण पहले कुछ दशकों में खनन की गति बढ़ गई जबकि वनों तथा खेतों के बचाव तथा पुन:स्थापना के लिए कोई योजना तक नहीं थी। भारत के बड़े-बड़े क्षेत्र चाँद के गड्ढों की तरह हो गए।

'विकास' के पाँच दशकों के बाद, खनिजों के निष्कर्षण तथा उपयोग के लिए हुए तीव्र औद्योगिकीकरण, शहरीकरण, सड़क एवं रेलवे निर्माण जिसे अर्थशास्त्रियों द्वारा खनन गतिविधियों का 'बहिर्भाग' कहा जा सकता है, के पर्यावरणीय लागत की गणना करने की आवश्यकता है।

1951 से 1995 तक भारत में खानों की कुल संख्या 1600 से 2000 के बीच रही है जिसमें 500 कोयला खानें हैं। 'माइनिंग स्टैटिस्टिक्स ऑफ इंडिया' (डायरेक्टर जनरल ऑफ माइन्स सेफ्टी) द्वारा निर्मित तालिका-1 में कोयले की खानों को छोड़कर अन्य खानों की कुल संख्याओं से यह पता चलता है कि 1951 से 1995 के बीच लौह अयस्क, बॉक्साइट और चूना-पत्थर के खनन में अत्यधिक वृद्धि हुई जबकि अभ्रक तथा मैंगनीज में कमी। पहले दशक में सबसे अधिक वृद्धि लौह अयस्क (34 से 225) तथा चूना-पत्थर (59 से 175) में हुई। ये आँकड़े सभी खानों द्वारा भेजे गए वार्षिक प्रतिवेदन के आधार पर हैं और इसके अलावा भी अन्य न जाने कितनी खानें हैं जिन्होंने अपना वार्षिक प्रतिवेदन नहीं दिया। इन आँकड़ों से उन स्थलों का भी पता नहीं चलता जहाँ खनन-कार्य समाप्त होने के बाद खानों को बंद कर दिया गया। चूँकि इस शोध-पत्र का विषय संपूर्ण अथवा आंशिक रूप से वन क्षेत्रों और कृषिभूमि के ह्रास के संदर्भ में 1951-1999 (या लगभग पूरी शताब्दी) के दौरान खनन के द्वारा हुए पर्यावरणीय हानि का अनुमान लगाना है अत: खनन के ये राष्ट्रीय आँकड़े इन दो आधार-मापदंडों के लिए अपूर्ण हैं।

वर्ष 1994 में अकेले उड़ीसा में ही 557 खानें थीं, पूरे भारत की कुल संख्या के पाँचवें हिस्से से अधिक (ऑक्सफैम, 1997)। इनमें से 74 लौह अयस्क के, 61 लौह तथा मैंगनीज अयस्क, 36 मैंगनीज अयस्क और 22 कोयले की खानें थीं, लेकिन लीज पर ली गई भूमि के क्षेत्रफल के संदर्भ में देखा जाए तो इन 22 कोयला-खानों का क्षेत्रफल खनन कार्य के लिए ली गई लीज की कुल 97000 हेक्टेयर भूमि के दो-तिहाई से भी अधिक है।

तालिका-1 : भारत में खानों की कुल संख्या (कोयला से इतर) 1951-1995

	खनिज	*1951*	*1995*
1.	चूना पत्थर	59	404
2.	लौह अयस्क	34	214
3.	पत्थर	57	180
4.	मैंगनीज अयस्क	234	132
5.	अभ्रक	1106	58
6.	बॉक्साइट	11	86
7.	ताँबा	4	11
8.	सोना अयस्क	6	11
9.	तेल	13	32
	कुल	1524	1128

पिपरवार खुली खान (Piparwar Open cast mine)

1993 ई. में द्वह्नश्चष्ट॥ ने सामाजिक विकास परिषद् तथा भारतीय सामाजिक संस्थान के सहयोग से 'ऊपरी दामोदर घाटी में संकट' विषय पर एक कार्यशाला का आयोजन किया था। कोल इंडिया द्वारा ऊपरी दामोदर घाटी में कोयले की 23 खुली—खानों की श्रेणी—जिनमें सर्वप्रथम पिपरवार थी—की शुरुआत करने का निर्णय लिए जाने के कारण इस कार्यशाला का आयोजन हुआ था। इससे संबंधित कुछ लोगों के घर इन जिलों में थे, वे मध्यप्रदेश के सिंगरौली या बिहार के धनबाद की तरह कोयले की खानों से बड़े पैमाने पर होने वाली आसन्न विपत्ति से भयभीत थे। भारत, इंग्लैंड तथा आस्ट्रेलिया में मीडिया द्वारा आलोचना किए जाने तथा भू-अधिग्रहण की समस्याओं के कारण खानों के विस्तार की गति धीमी पड़ गई। 23 खानों में से दो खानें—पिपरवार और अशोक—ही चालू हुईं। फिर भी, इन खानों के चारों ओर बिछाई जा रही रेल-लाइनों के लिए भूमि-अधिग्रहण का कार्य शुरू हो गया, जो वन-क्षेत्रों तथा कृषि योग्य भूमि के अधिगृहीत किए जाने तथा उन्हें नष्ट किए जाने के संदर्भ में समान रूप से विनाशकारी हैं।

परियोजना प्रभावित इलाकों में भूमि-उपभोग

इस कार्यशाला के पश्चात् सामाजिक विकास परिषद् (सा.वि.प.) ने कोयला-खानों से पूर्णत: या आंशिक रूप से प्रभावित होने वाले दस गाँवों के सभी प्रभावित परिवारों को शामिल करते हुए कई अध्ययन किए तथा कुछ परियोजनाएँ आरंभ कीं। इस अध्ययन में 4223 हेक्टेयर क्षेत्र तथा 909 परिवार जो नवीनतम जिला जनगणना हैंडबुक में छपा है, के अनुसार 1981 की जनगणना में था और अभी तक है—शामिल किए गए। 1991 की जनगणना के आँकड़े भी उपलब्ध हैं जिनका उपयोग इस पत्र में किया गया है। 1994 में हुए पहले सर्वेक्षण में हमने इन दस गाँवों को सभी टोलों के 1520 परिवारों का साक्षात्कार किया। एम.सी.सी. (माओवादी कम्युनिस्ट सेंटर) की गतिविधियों के कारण हमें एक टोले, चौकीतनर, में जाने से मना किया गया जिसमें तीस परिवार थे। इस प्रकार इन दस गाँवों में कुल 1550 परिवार थे। बाद में हमने इस जनजातीय टोले में शांतिपूर्वक कार्य किया तथा दो साक्षरता केंद्र आरंभ किए और दो बायोगैस संयंत्र लगाए। 1991 की जनगणना में इन 10 गाँवों में 1100 परिवार दिखाए गए हैं, अर्थात् 450 परिवारों की गिनती कम है जो करीब 30% है। आबादी के आँकड़ों के लिए मानक समझे जाने वाली जनगणना के इस तथ्य से हमें धक्का पहुँचा क्योंकि हमें विश्वास था कि हमने काल्पनिक परिवार नहीं दर्ज किए, न आँकड़ों में हेराफेरी की और न ही इन इलाकों से अधिक पलायन हुआ था।

1981 की जनगणना में भूमि-उपयोग का प्रतिरूप दर्शाता है कि पिपरवार क्षेत्र में 38 प्रतिशत वन, 28 प्रतिशत परती भूमि तथा 34 प्रतिशत खेत हैं (तालिका 2)। हमारा सर्वेक्षण दर्शाता है कि औसतन प्रति परिवार कृषि योग्य भूमि का क्षेत्रफल खान के पूर्व 4.5 एकड़ था तथा खान के पश्चात् 0.4 एकड़ रह गया। इसका अर्थ यह हुआ कि 2542 हेक्टेयर (1550 × 4.1 भाग 2.5) कृषि योग्य भूमि सेंट्रल कोलफील्ड लिमिटेड (सी.सी.एल.) ने सिर्फ इस खान के लिए अर्जित कर लिया। राजस्व के आँकड़े बताते हैं कि इन दस गाँवों में मात्र 1440 हेक्टेयर

तालिका–2

पिपरवार खान में घरेलू आबादी तथा भूमि–उपयोग, 1981

क्रमांक	गाँव का नाम	घरों की संख्या	आबादी कुल	आबादी पुरुष	आबादी महिला	अनु. जाति पुरुष	अनु. जाति महिला	अनु. जनजाति पुरुष	अनु. जनजाति महिला	साक्षर पुरुष	साक्षर महिला	भूमि का क्षेत्र (हेक्टेयर) वन	परती	कृषित व (सिंचित)	कुल
1.	कारो	108	619	301	318	0	0	218	249	23	1	319	286	155(8)	760
2.	किचटो	126	868	425	443	47	69	76	68	44	3	301	199	188 (18)	688
3.	बहेरा	128	760	385	375	50	46	49	62	135	44	18	20	151 (5)	194
4.	पिपरवार	74	395	206	189	65	54	43	37	83	25	49	107	85	241
5.	कनौदा	1	1	1	0	1	0	0	0	1	0	29	18	48	95
6.	राजघर	50	281	134	147	24	26	63	71	34	28	22	12	70	104
7.	बिजैन	60	316	155	161	126	138	14	13	6	0	43	52	157 (2)	251
8.	कल्याणपुर	111	736	375	361	17	17	324	308	64	9	198	358	201 (13)	751
9.	बेंटी	251	1483	741	742	581	582	49	47	32	2	614	125	385 (9)	1133
	कुल	909	5459	2723	2736	911	932	836	855	422	112	1593	1179	1440 (50)	4223
	प्रतिशत		(6.0)			(33.8)		(15.5)	(31.0)	(15.5)	(4.9)	(3.8)	(2.8)	(3.4)	(100)

भूमि पर ही कृषि कार्य होता है। सर्वेक्षण और जनगणना के आँकड़ों में 1000 हेक्टेयर से ऊपर कृषि-योग्य भूमि का अंतर आता है, अर्थात् कृषि योग्य भूमि की गणना 40 प्रतिशत कम दर्ज है। भारत पिछली शताब्दी से ही इन दो मूल मापदंडों से संबंधित ठोस आँकड़ों के बारे में स्वयं पर गर्व करता है; पहला भूमि (खेत सहित) जिसका आवर्ती भू-कर सर्वेक्षण होता है तथा; लोग जिनकी दस वर्षों पर गणना की जाती है। परंतु ये दोनों मापदंड हमारे सर्वेक्षण के अनुसार कमतर सिद्ध हुए। जनगणना, सी.सी.एल. तथा सर्वेक्षण के आँकड़े अनिश्चितता की दुविधा में डाल देते हैं।

खान के आरंभ होने से पूर्व तथा पश्चात् इन 10 गाँवों के क्षेत्र में भूमि के उपयोग में हुए परिवर्तन का अनुमान लगाना अत्यंत कठिन है। 1987 में सी.सी.एल. के लिए 'जेवियर इंस्टीट्यूट ऑफ सोशल साइंसेज' के एक सर्वेक्षण में समूचे उत्तरी कर्णपुरा घाटी में 44.5 प्रतिशत वन क्षेत्र, 22.1 प्रतिशत खेत और 33.4 प्रतिशत परती भूमि का अनुमान किया गया है। (तालिका 3) इस घाटी में किए गए हमारे सर्वेक्षण से पता चलता है कि 23 खानों से 269 गाँव प्रभावित होंगे तथा 62,000 हेक्टेयर वन नष्ट हो जाएँगे। (तालिका 4) यह आँकड़ा इतना विचलित कर देने वाला है कि पर्यावरण एवं वन मंत्रालय को कोल इंडिया के ऊपरी कर्णपुरा घाटी में खनन के इरादों की विस्तृत जाँच-पड़ताल करनी चाहिए तथा उसे प्रत्येक खान के लिए एक-एक कर पर्यावरणीय प्रमाण-पत्र नहीं थमा देना चाहिए।

यह केस-स्टडी पिपरवार खनन क्षेत्र में नष्ट किए गए वन-क्षेत्रों तथा अधिगृहीत कृषि योग्य भूमि पर केंद्रित है। पर्यावरणीय क्षति या हरित क्षेत्र में ह्रास की इन दो कसौटियों में 1605 हेक्टेयर वन तथा 2542 हेक्टेयर कृषि भूमि का ह्रास होगा। 1989 के बाजार-भाव पर इनका मूल्य आँकना तो कठिन नहीं है पर पर्यावरणीय क्षति अथवा पुनःस्थापना की लागत का मूल्यांकन अत्यंत ही कठिन होगा।

तालिका-3 : उत्तरी कर्णपुरा कोलफील्ड में स्थिर बिन्दु (बेंचमार्क) सर्वेक्षण, 1987

क्र. सी.डी. ब्लॉक	गाँव की सं.	आबादी					भूमि उपयोग		
		1971	1981	अनु. जाति %	अनु. जन.%	कुल	वन %	कृषित	परती
1. द. टंडवा	20	6612	7125	31.8	32.5	21436	9327	4389	7720
2. उत्तरी टंडवा	35	14795	21217	25.3	12.6	39326	15332	11699	12295
3. सिमरिया	3	1378	1715	26.9	5.8	4186	2499	480	1207
4. द.प.केरेडारी	6	2615	3652	11.1	23.9	12100	5410	2287	4403
5. उ. केरेडारी	8	4820	5816	22.2	13.0	6613	2831	2281	1501
6. बालूमाथ I	4	2724	2935	31.8	43.3	9561	5133	1013	3415
7. बालूमाथ II	8	4457	5605	44.3	16.4	16118	8091	2032	5995
कुल	84	37401	48965	35.6	14.6	109340	48623	24181	36536
			(39.9)				44.5	22.1	33.4

स्रोत : जेवियर समाज विज्ञान संस्थान, सी.सी.एल. के लिए किया गया बेंचमार्क सर्वेक्षण, 1987, राँची। राँची जिला के बेरकों को छोड़कर सभी सी.डी. ब्लॉक से सिर्फ कुल संख्या का सारांश लिया गया है।

तालिका-4 : ऊपरी दामोदर घाटी में खुलने वाली खानें

सी.डी. ब्लॉक		खनन	खनन की अवधि	प्रभावित गाँव	प्रभावित वन क्षेत्र (हेक्टे.)
I टंडवा					
	1.	पिपरवार	35	10	1593
	2.	अशोक	39	20	4364
	3.	डुमरागढ़	(25)	(5)	–
	4.	सराधू	(25)	(5)	(1500)
	5.	मगध	(30–40)	35	(6207)
		उप-योग		75	13664
II सिमरिया					
	1.	कुरु	(20–30)	3	1012
III केरेडारी					
	1.	समुद्रगुप्त	(20–30)	(7)	–
	2.	समुद्रगुप्त	–	(5)	–
	3.	कुणाल	–	(12)	–
	4.	वज्र-श्यामा	–	(20)	–
	5.	अजातशत्रु	–	(12)	–
	6.	कुमार गुप्त	–	(10)	–
		उप-योग	–	(66)	(16368)
IV बड़कागाँव					
	1.	5 माइन्स	(20–30)	(60)	(14,640)
ङ्क बालूमाथ					
	1.	धादू (पलामू जिला)	(20–30)	(30)	–
	2.	उत्तरी धादू	–	(5)	–
	3.	चितरपुर	–	(10)	–
	4.	चैजा	–	(10)	–
		उप-योग	–	65	(16120)
		कुल योग	(269)	(61,804)	

नोट : कोष्ठक की संख्या मानचित्रों के तुलनात्मक अध्ययन द्वारा अनुमानित है।

स्वैच्छिक संस्थाओं का नेटवर्क

पिछले दस वर्षों से पिपरवार कोयला खनन क्षेत्र में अनेक स्वैच्छिक संस्थाएँ कार्यरत हैं। भारत जन आंदोलन के अनेक कार्यकर्ता स्थानीय लोगों को खानों का विरोध करने के लिए प्रेरित करने में लगे हैं। हमारे सर्वेक्षण में कार्य करने वाले कुछ अच्छे साक्षात्कारकर्ताओं में भारत जन आंदोलन के कार्यकर्ता भी थे जिनके माध्यम से हम गाँवों में प्रवेश कर सके। 'प्रेरणा' ने स्थानीय लोगों को प्रशिक्षण देना आरंभ किया है तथा बड़े गाँवों में लघु-ऋण समूहों की स्थापना की है। नवभारत जागृति केंद्र मूलतः साक्षरता के प्रति समर्पित एक प्रशिक्षण केंद्र है जो इन गाँवों में बिहार शिक्षा परियोजना कार्यक्रम के तहत कार्य कर रहा है। पूर्ववर्ती अध्ययनों में से एक का संचालन सी.सी.एल. द्वारा अधिकृत जेवियर सामाजिक विज्ञान संस्थान ने किया था। एम.सी.सी. (मायोवादी कम्युनिस्ट सेंटर) का भी उल्लेख जरूरी है जो एक उग्रवादी संगठन है तथा इस खनन-क्षेत्र में उसका काफी प्रभाव है। पिपरवार खनन-क्षेत्र में एम.सी.सी. के चार विभाग वस्तुतः समानांतर सरकार चलाते हैं। उपरोक्त स्वैच्छिक संस्थाओं के कुछ कार्यकर्ताओं को उनके द्वारा पीटा भी गया तथा संबंधित स्वैच्छिक संस्थाओं से अपना कार्य बंद करने को कहा गया। खानों में हड़ताल होने पर पुनः कार्य शुरू करने के लिए स्थानीय नेताओं को सी.सी.एल. के साथ-साथ एम.सी.सी. से भी समझौता करना पड़ता है। गाँवों के बलिष्ठ युवकों को कभी-कभी एम.सी.सी द्वारा बंदूक की नोक पर 'प्रशिक्षण' के लिए भेजा जाता है। एम.सी.सी. द्वारा छोटे-मोटे आरोपों का निपटारा खान-क्षेत्र के समीप के दो गाँवों में किया जाता है तथा दो बार मुख्य नियंत्रण वाले गाँव कल्याणपुर में जन अदालत लगती है। सूरज डूबते ही लगभग सभी सी.सी.एल. कर्मी पुलिस की सुरक्षा ले लेते हैं क्योंकि खनन-कार्य चौबीसों घंटे चलता है जबकि स्वैच्छिक संस्थाओं के कार्यकर्ता अपने जोखिम पर घूमते हैं।

पर्यावरण के पुनःस्थापन की संभावनाएँ एवं वास्तविकता

1993 में पहली बार आयोजित कार्यशाला में सामाजिक विकास परिषद्, परती भूमि के विकास, प. बंगाल की तरह वन संरक्षण समिति, अन-अधिगृहीत कृषि भूमि को दोहरा या तिहरा फसल लेने योग्य बनाने के लिए सिंचाई की सुविधा, वायु-प्रदूषण तथा जल के संदर्भ में पर्यावरणीय संभावनाओं के प्रति अत्यधिक आशावादी थी। इसका कारण था आस्ट्रेलियाई साझेदार 'व्हाइट इंडस्ट्रीज' द्वारा एक योजना के कोयला-खानों के 'स्थिर विकास' (Sustainable development) करने पर क्या किया जा सकता है।

आस्ट्रेलियाई लोग अपना करार पूरा कर लौट गए, उधर कोयला-खानों का उत्पादन संभवतः छः मिलियन टन वार्षिक के लक्ष्य को पार कर गया। इस उत्पादन का अधिकांश दिल्ली में विद्युत आपूर्ति के लिए दादरी स्थित एन.टी.पी.सी. को भेजा जाता है। प्रसंगित दस गाँवों में पर्यावरण के पुनःस्थापन के लिए किया गया कार्य लगभग शून्य है। सिर्फ सड़कों के किनारे तेजी से बढ़ने वाले वृक्ष लगाए गए हैं। 50 एकड़ भराई वाले क्षेत्र को हरित बनाने के लिए सी.सी.एल. द्वारा स्वैच्छिक संस्था चक्रीय विकास प्रणाली को शामिल करने का प्रयास का आरंभ तो भलीभाँति हुआ पर कुछ आपसी भ्रांतियों तथा वातावरण में उपस्थित कोयले की धूल की वजह

से पौधों के न पनप पाने के कारण चक्रीय विकास प्रणाली के साथ हुआ समझौता रद्द हो गया। चक्रीय विकास प्रणाली द्वारा प्राय: परती जमीन को उच्च गुणवत्ता वाले हरित क्षेत्रों में बदलने का कार्य हरियाणा के सुखोमजरी तथा झारखण्ड के पलामू में सफलतापूर्वक किया गया। पर यह एक विडंबना है कि उनमें से 20 एकड़ जमीन एन.टी.पी.सी. दादरी द्वारा, जो अच्छा कार्य कर रहा था, लीज पर दे दी गई। लेकिन पिपरवार में यह कार्य आगे नहीं बढ़ पाया। इसका अर्थ यह नहीं है कि अनुदान-संस्था यदि सी.सी.एल. के बदले ऑसएड (Aus Aid) या पर्यावरण मंत्रालय होता तो चक्रीय विकास प्रणाली अधिक बढ़िया कार्य नहीं कर सकता। भारत में किसी ने भी उत्खनित क्षेत्र का पुन:स्थापन तथा व्यावहारिक रूप से प्रति हेक्टेयर वास्तविक लागत का आकलन नहीं किया है। ऐसा प्रयास ब्रिटेन के यार्कशायर तथा वेल्स और अमेरिका के कुछ भागों में किया गया है। लेकिन वहाँ की परिस्थितियाँ बिल्कुल भिन्न हैं। उत्खनित क्षेत्रों, विशेषतया झारखंड के छोटानागपुर क्षेत्र में सिर्फ अर्जित भूमि के मूल्य की बजाय इसके पुन:स्थापन की लागत के आकलन के लिए भी उत्खनित क्षेत्रों में एक मार्गदर्शन परियोजना की आवश्यकता है।

निष्कर्ष

इस कार्यशाला के प्रारंभिक उद्देश्यों में से एक पर्यावरणीय क्षति के आकलन तथा मार्ग तथा साधनों का पता लगाना था। यह अध्ययन सिर्फ खनन-कार्य पर केंद्रित था तथा इसमें सिर्फ एक ही कोयला-खान की केस-स्टडी तैयार की गई थी। पर क्या सिर्फ एक ही खनन-क्षेत्र तथा अपूर्ण, पुराने एवं दोषपूर्ण आँकड़ों द्वारा संपूर्ण क्षति का आकलन संभव है ? सबसे पहले हमें इन दोषपूर्ण आँकड़ों पर विचार करना चाहिए।

पहला, जनगणना के आँकड़े तथा टोपोशीट (Toposheet, पृष्ठविवरण नक्शा), दोनों ही में दिए गए भूमि-उपयोग के आँकड़े यद्यपि पुराने हैं पर किसी हद तक सही हैं। नवीनतम उपलब्ध टोपोशीट 10-20 वर्ष पुरानी है। भू-सर्वेक्षण के नक्शे तो और भी पुराने हैं, लेकिन चूँकि भौगोलिक क्षेत्रों में परिवर्तन नहीं हुआ है अत: ये नक्शे काफी उपयोगी हैं। लेकिन इनमें वन-क्षेत्रों में स्थित खेतों से संबंधित आँकड़े दोषपूर्ण हो सकते हैं। खानों के खुलने के तत्काल पूर्व तथा पश्चात् इनके द्वारा उत्खनन से हुई क्षेत्रफल में कमी भी नहीं दर्शाई गई है। भारत के पास उपग्रहीय साधन सेटेलाइट इमेजरी है। पिपरवार खान के मामले में यदि कुल खनन-क्षेत्र के बाहरी निर्देशांक उपलब्ध करा कर 1988 के क्षेत्र से उसी चौखटे (फ्रेम) में 1998 का क्षेत्र रखकर निरीक्षण किया जाए तो खनन आरंभ होने के पूर्व तथा पश्चात् की स्थितियों का आकलन सिद्धांतत: सही तरीके से किया जा सकता है तथा इस 70×70 किमी. के फ्रेम के भीतर भूमि-उपयोग में आए परिवर्तन को सेटेलाइट मल्टी-स्कैनर द्वारा आँका जा सकता है और तब खनन-क्षेत्र को मानचित्र पर स्पष्ट रूप से दर्शाया जा सकता है। वन-क्षेत्रों का आकलन वार्षिक रूप से वन एवं पर्यावरण मंत्रालय एवं ख्न द्वारा किया जाता है लेकिन स्कैनर से फसली भूमि का भी आकलन किया जा सकता है। इसलिए खनन-कार्य के पूर्व तथा पश्चात् वन एवं फसली क्षेत्र, दोनों का आकलन सैटेलाइट मानचित्र द्वारा सिद्धांतत: किया जा सकता है।

दूसरा, अर्जित की गई कृषि-भूमि की वास्तविक लागत का पता घरेलू सर्वेक्षण तथा

परियोजना प्रभावित लोगों को की गई क्षतिपूर्ति संबंधी सी.सी.एल. के अभिलेखों से लगाया जा सकता है। इन आँकड़ों में राजनीतिक कारणों से कभी-कभी अत्यधिक हेर-फेर कर दी जाती है। खानों का पक्ष लेने वाले सहयोगी ग्रामीणों को खनन कार्य रुकवाने की कोशिश करने वाले 'विरोधी' यूनियन के नेताओं की तुलना में कभी-कभी प्रति एकड़ मूल्य की दस गुणी राशि दे दी जाती है। इसलिए इनके पड़ोसी-क्षेत्रों में चल रहे बाजार-भाव को ही प्रमाणिक मानना चाहिए।

तीसरा, वन क्षेत्रों में क्षति के विभिन्न स्तरों तथा सघन मिश्रित साल वनों के प्रति हेक्टेयर मूल्य का आकलन वन एवं पर्यावरण मंत्रालय एवं अन्य संस्थाओं द्वारा किया जाता है। इस प्रकार वन-क्षेत्रों के मूल्यांकन के लिए अच्छे आकलन कर्त्ता उपलब्ध हैं। कोल इंडिया, वन विभाग के साथ मिलकर वन एवं पर्यावरण मंत्रालय की शर्तों के अनुसार नियमित रूप से सभी वन क्षेत्रों का अर्जन तथा पुन:स्थापन करता है और इनसे संबंधित आँकड़े दोनों कार्यालयों में मौजूद रहते हैं। परंतु पिछले पचास वर्षों के दौरान तथा वर्तमान में भी त्यक्त खानों के कारण काफी बड़ी मात्रा में प्राकृतिक वन-आवरण नष्ट हुए हैं, इसलिए पुराने नक्शों से वन-क्षेत्रों के द्वितीयक आँकड़े प्राप्त कर उसकी तुलना वर्तमान वन-क्षेत्रों से की जा सकती है और दोनों को मिलाकर सैटेलाइट इमेजरी के द्वारा प्रमाणिक आँकड़े प्राप्त किए जा सकते हैं।

चौथा, यदि समान आकार एवं श्रेणी तथा विभिन्न प्रकार के खानों के नमूनों का एक गहन प्रतिनिधि अध्ययन किया जाए तो सभी प्रकार के खानों द्वारा कृषि भूमि तथा वन क्षेत्रों में हुई क्षति के प्राक्कलकों का निर्माण किया जा सकता है तथा संवेदनशील समाज-विज्ञानी यह निर्णय कर सकते हैं कि ये प्राक्कलक कितने गलत हैं तथा इसका न्यायिक उपयोग भी कर सकते हैं। चूंकि पूरे भारत में लगभग 1600 खानें हैं और कोयला एवं गैर-कोयला खानों द्वारा पिछले पचास वर्षों में की गई क्षति का प्राक्कलन काफी श्रमसाध्य होगा, लेकिन प्रयास किया जा सकता है तथा इससे क्रिया-शोध परियोजना (action-research project) शोध संस्थानों, खनन संस्थाओं तथा स्थानीय परियोजना प्रभावित लोगों को अपेक्षाकृत बेहतर सुस्थिर पर्यावरणीय विकल्प की खोज के प्रति जागरूक किया जा सकेगा।

इनमें 'दोहन' (graft) और 'हिंसा' की समस्याओं का उल्लेख नहीं है क्योंकि इस प्रकार के आकलन में इनको शामिल करना कठिन है। उदाहरण के लिए वन विभाग द्वारा क्षतिपूर्ति के आधार 186 हेक्टेयर भूमि पर वन रोपण किया गया जिसमें उसने विदेशी प्रजातियों के पौधे लगा दिए। इनमें से कुछ पिपरवार में परियोजना प्रभावित लोगों के गाँवों के समीप न लगाकर दूसरी जगह, कहीं-कहीं अन्य जिलों में भी, लगा दिए गए या उस जगह लगाए गए जहाँ से लोगों को ईंधन के लिए लकड़ी लाना मुश्किल था। यह वन एवं पर्यावरण मंत्रालय की शर्तों को बस पूरा करने भर के लिए सरकारी विभाग (सी.सी.एल.) द्वारा दूसरे सरकारी विभाग (वन विभाग) को मात्र धन उपलब्ध करा देना ही है। एस्केवेटर, क्रशर, सड़क निर्माण के लिए मिट्टी कटाई के यंत्रों, रेलवे, डंपर-ट्रक और पुल-पुलियों के निर्माण पर एक ही खान में अत्यधिक राशि खर्च की जाती है। इससे एम.सी.सी. जैसे उग्रवादी तत्त्व जल्द ही आकर्षित हो जाते हैं जो भ्रष्ट अधिकारियों और ठेकेदारों से सुरक्षा-राशि के रूप में रुपए वसूलते हैं। इन समस्याओं को किसी

आकलन में शामिल करना मुश्किल है लेकिन ये गुणात्मक अध्ययन के लिए महत्त्वपूर्ण हैं क्योंकि जब समाजविज्ञानियों और पर्यावरणविदों को इन उग्रवादी तत्त्वों का सामना करना पड़ता है तो वे धीरे-धीरे आंदोलनकारी बन जाते हैं।

उपरोक्त प्राक्कलन की विधियों का उपयोग करके कोयला, लौह-अयस्क, बाक्साइट आदि विभिन्न प्रकार की खानों का अलग-अलग अध्ययन करने की आवश्यकता है ताकि खानों से हुई पर्यावरणीय क्षति का संपूर्ण प्राक्कलन किया जा सके। वायु प्रदूषण, स्वच्छ पेयजल में मिल रहे जल-प्रदूषक तत्त्वों और रेलवे एवं सड़कों की भूमि का मूल्य भी कम अथवा नष्ट हुए वनों या कृषि योग्य भूमि के संदर्भ में प्राक्कलित किया जा सकता है। पर्यावरण के पुन:स्थापन में आने वाली लागत को प्रदर्शित करने के लिए उत्खनित क्षेत्रों में सुधार की कोशिशों का भी अध्ययन होना चाहिए ताकि इन उत्खनित क्षेत्रों में भावी पीढ़ियाँ वनों और कृषि योग्य भूमि के साथ रह सकें।

संदर्भ

1. क्लाउडी अलवारेस एवं सतीनाथ सारंगी : 'हाउ टू किल ए रिवर', द वीकली इनसाइट, अगस्त 1991
2. 'डर्टी डिगर्स : ऑस्ट्रेलियंस इन इंडिया', माइन वाच ब्रीफिंग, सं. 19, जुलाई 1992, ऑस्ट्रेलियंस।
3. सतीनाथ सारंगी : 'द डार्कनेस ऑफ कोल', माइन वाच, जनवरी 1993
4. सतीनाथ सारंगी एवं कैरोल शेरमन : 'पिपरवार व्हाइट इंडस्ट्रीज, ब्लैक होल', द इकोलोजिस्ट, भाग 23, सं. 2 मार्च/अप्रैल 1993।
5. कैरोल शेरमन : 'द पीपुल्स स्टोरी' एड/वाच, मई 1993
6. ब्रायन जेनकिंस : 'एनवायरनमेंटल मैनेजमेंट ऑफ़ दी पिपरवार कोल प्रोजेक्ट', कनहिल इंजीनियर्स फॉर ए.आई.डी.ए.बी. (ढ्ढ४क्ष) जनवरी 1993
7. कैरोल शेरमन : विश्व बैंक द्वारा वित्त प्रदत्त सुवर्ण रेखा बहु-उद्देश्यीय परियोजना भारत एवं ऑस्ट्रेलिया द्वारा वित्त प्रदत्त पिपरवार कोयला परियोजना में सामाजिक एवं पर्यावरणीय प्रभाव पर ऑस्ट्रेलियाई सरकार को भेजी गई रिपोर्ट, भारत, रेन फॉरेस्ट इनफारमेशन सेन्टर, 1992।
8. बिहार डिस्ट्रिक्ट गजेटियर, हजारीबाग, पटना, 1957
9. डिस्ट्रिक्ट सेंशस हैंडबुक, हजारीबाग, पटना, 1981
10. सोशल चेंज, 23 (1) मार्च 1992, एस. पालित एवं जेफ्री कैम्पबेल के आलेख, पृष्ठ 32-35।
11. एजेंटा 21, हृ४श्च, रियो-द-जनेरो, ब्राजील, 3-14 जून 1992
12. वाल्टर फर्नांडिस, शर्मा चौधरी, मनीषा राव एवं नीता मिश्रा : डिफॉरेस्टेशन, डिस्प्लेसमेंट एंड इप्रूवमेंट ऑफ ट्राइबल सब-प्लान एंड दी सोल्यूशन, अंतर्राष्ट्रीय श्रम संगठन द्वारा प्रायोजित एक अध्ययन की रिपोर्ट, 151, नई दिल्ली, 1993
13. साबिर अली : 'स्लम्स विदिन स्लम्स', विकास, नई दिल्ली, 1990
14. वाल्टर फर्नांडिस : 'पावर एंड पावरलेसनेस', सोशल एक्शन, 41(3), 1991
15. लिंडसे बार्नेस : वुमेन वर्क एंड स्ट्रेटेजीज़ : भोवरा कोलियारी 1900-1985, पी-एच.डी. शोधग्रंथ (अप्रकाशित), जवाहरलाल नेहरू वि.वि., 1989

16. जेवियर इंस्टीट्यूट ऑफ सोशल साइंसेज, रांची, 'सोशियो इकोनोमिक सर्वे ऑफ नार्थ करनपुरा कोलफील्ड एरिया' की रिपोर्ट, सेंट्रल कोलफील्ड लिमिटेड को समर्पित, मार्च 1987
17. 'एनवायरनमेंटल एसेसमेंट फॉर इंटरनेशनल डेवेलपमेंट कारपोरेशन', गतिविधि निर्देश संख्या 1, 1991, ऑस्ट्रेलियन इंटरनेशनल डेवेलपमेंट असिस्टेंस ब्यूरो, कैनबरा।
18. पॉल हैरीसन—'दी थर्ड रिवोल्यूशन : एनवायरनमेंट, पॉपुलेशन एंड द सस्टेनेबल वर्ल्ड', आई.बी.टॉरिस, पेंग्विन बुक्स, 1992
19. ब्रेडफोर्ड मोर्स (1992) : 'सरदार सरोवर : रिपोर्ट ऑफ दि इंडिपेंडेंट रिव्यू', मुद्रा, पूना। इस रिपोर्ट में बड़ी परियोजनाओं द्वारा मानवीय एवं पर्यावरणीय लागतों के प्रश्न को यत्नपूर्वक उठाया गया है।
20. एरिको-आइरिना डायस (1993) : विशेष रिपोर्टर, युनाइटेड नेशंस इकोनोमिक एंड सोशल काउंसिल 'डिस्क्रिमिनेशन एगेंस्ट इंडिजेनस पीपुल'। मानवाधिकार आयोग, चौथा-पाँचवाँ सत्र।
21. 'स्टेटिस्टिक्स ऑफ माइन्स इन इंडिया', भाग ढ्ढ नत-कोल 1995, डायरेक्टरेट जनरल ऑफ माइन्स सेफ्टी, धनबाद, भारत सरकार (स्टेटमेंट सं. 1.1)
22. 'माइनिंग इंपेक्ट ऑन दी लाइवलिहुड ऑफ पीपुल : इमर्जिंग ट्रेड्स एंड एऑक्सफैम रेस्पांसेज', ऑक्सफैम (इंडिया) ट्रस्ट, नई दिल्ली, मार्च 1997, पृ. 10
23. 'क्राइसिस ऑफ दी अपर दामोदर वैली : कल्चरल एंड इकोलोजिकल इंप्लिकेशंस ऑफ माइनिंग', इनटैक (ढ्ढह्रश्व॥), नई दिल्ली, 1993, पृ. 5

कोयला और सी.सी.एल.

प्रमोद कुमार

कोयले की खोज

यह पता लगा पाना बहुत मुश्किल काम है कि कोयले का व्यावसायिक खनन एवं उपयोग कब से प्रारंभ हुआ। करीब 3000–4000 वर्ष पूर्व ग्रेट–ब्रिटेन के वेल्स शहर में ब्रोंजमैन द्वारा प्रयोग का कुछ प्रमाण मिलता है। ग्रीक द्वारा एक ऐसे पदार्थ की चर्चा का प्रमाण मिलता है जो धरती के नीचे पाया जाता है और वह ज्वलनशील है। तेरहवीं शताब्दी से पहले कोयले के प्रयोग के किसी ठोस (1300 ष्ठ) साक्ष्य की किसी राष्ट्र द्वारा कहीं चर्चा नहीं की गई है। लेकिन तेरहवीं शताब्दी की शुरुआत में समुद्री मार्ग द्वारा उत्तर दिशा से लंदन में कोयले के आने की चर्चा का प्रमाण मिलता है, ज़िसका अस्त्र तेज करने वाला भांती, बेबरीज साबुन एवं डाई में प्रयोग की चर्चा भी मिलती है। उस समय तक कोयला नामक कोई चीज नहीं हुआ करती थी, लोग इसे धरती के नीचे पाए जाने वाले एक काले पदार्थ रूप में जानते थे, जो कि ज्वलनशील है। इसे 'पाइन अम्बर' के रूप में भी जाना जाता था। बाद में समुद्र मार्ग से आने वाले कोयले को समुद्री कोयला एवं स्टोन अम्बर के रूप में भी जानने की चर्चा मिलती है।

प्री–वैदिक काल में (4000–1600 BC) धातु के खनन एवं उपयोग की विस्तृत चर्चा मिलती है। हड़प्पा सभ्यता के पहले एवं हड़प्पा मोहनजोदड़ो सभ्यता काल में प्रशिक्षित कारीगरों द्वारा धातु के शुद्धिकरण की चर्चा कहीं–कहीं मिलती है। लेकिन इसके शुद्धिकरण में किस ऊर्जा का इस्तेमाल किया जाता था, इसका कोई ठोस प्रमाण नहीं मिलता है। धरती के नीचे पाए जाने वाले ज्वलनशील पदार्थ की चर्चा मिलती है। जमीन पर इस ज्वलनशील पदार्थ के जलने का भी प्रमाण मिलता है, जिसे आदिम जनजाति यह मानते थे कि यह दैविक प्रभाव है जो उनकी मर्जी से स्वत: जलता है। जबकि वह कोयले के आउटक्रॉप के जलने से उत्पन्न आग थी। बाद में वही कोयले के जलने के रूप में प्रमाणित हुआ। आदिम जनजाति उसे दैविक चीज मानकर उसका प्रयोग नहीं किया करते थे बल्कि उसकी पूजा करते थे और लकड़ी एवं गोबर अपने प्रयोग में लाते थे।

सन् 1774 के पहले तक कोयले के आविष्कार का कोई लिखित रिकार्ड उपलब्ध नहीं था। कई सौ साल पूर्व सर्वप्रथम भारत के दामुदा कोल फील्ड्स जो कि झारखण्ड राज्य के झरिया एवं बोकारो क्षेत्र में फैला है, वहाँ के कोयले में आग का प्रमाण मिलता है।

सन् 1774 में सर्वप्रथम सुमेनर एवं हिटली द्वारा कोयले के आविष्कार एवं अन्वेषण का

काम किया गया। सर्वप्रथम 11 अगस्त 1774 को सुमेनर एवं हिटली द्वारा काउन्सिल ऑफ रेवेन्यू को कोयंले के उत्खनन एवं विक्रय के लिए आवेदन किया गया, जिसमें उन्हें बंगाल में स्थित छः खदानों में कोयले के उत्खनन एवं विक्रय की अनुमति दी गई। इसके बाद सुमेनर एवं हिटली द्वारा पहला खदान रानीगंज कोल फील्ड्स के ममतपुर (आज का नियामतपुर) से चार किलोमीटर दूर 'हल्टूरा-अयटूरा' में खोला गया। सन् 1775 में सर्वप्रथम 100 टन कोयले का उत्पादन इसी खदान से किया गया एवं सेना संग्रहालय में प्रयोग के तौर पर भेजा गया। सेना द्वारा प्रयोग के बाद उसकी जाँच रिपोर्ट को प्राप्त किया गया जो कि संतोषजनक नहीं थी। उस जाँच रिपोर्ट में साफ तौर पर लिखा था कि विदेशी कोयले की गुणवत्ता इससे ज्यादा अच्छी है। जिस काम को करने के लिए इस कोयले की खपत दो टन करनी पड़ती है वही काम इससे कम समय में इससे आधी मात्रा में ही किया जा सकता है। इस समय तक कोयले के प्रयोग का लिखित प्रमाण मिलने लगा था। इस तरह सेना द्वारा जाँच रिपोर्ट ने कोयले के उत्खनन एवं विक्रय को हतोत्साहित किया। परिवहन मार्ग की असमर्थता एवं ग्राहकों का अभाव, इसके उत्खनन एवं विक्रय की सबसे बड़ी बाधा रही, जिसके कारण 1788 से लेकर 1814 तक (करीब 25 वर्षों तक) इस उद्योग में गति न आ सकी।

इसके बाद सन् 1814 में जब मारक्यूष हेस्टिंग भारत आया तब कोयले की बृहत् जाँच-पड़ताल का निर्णय लिया गया तथा इस दिशा में कई महत्त्वपूर्ण कदम उठाए गए—

सन् 1840 में कलकत्ता में 'ECONOMIC GEOLOGY' के म्यूजियम की स्थापना की गई।

इंग्लैण्ड से अनुभवी खनन मजदूरों को बुलाकर भारतीय मजदूरों को वैज्ञानिक एवं सुरक्षात्मक कोयले के दोहन की विधि सिखाई गई, ताकि कोयले का उत्पादन कार्य आगे बढ़ाया जा सके।

सन् 1842 तक में कोयले का उत्पादन काफी बढ़ाया जा सका जिसके चलते उत्पादन 100 टन से 50,000 टन तक पहुँच गया एवं रानीगंज कोल फील्ड्स को 120 किलोमीटर लम्बी रेल से हावड़ा से जोड़ा गया।

सिस्टेमेटिक इन्वेस्टीगेशन एवं कार्य के लिए ईस्ट इंडिया कम्पनी द्वारा डी.एच. विलियम्स को इंग्लैण्ड से भारत बुलाया गया, जिन्होंने कोयले के क्रमबद्ध जाँच-पड़ताल एवं सर्वेक्षण के काम की शुरुआत की एवं भारत के पहले भूगर्भीय सर्वेयर बने। अतः इसे Systematic Investigation and Surveying की शुरुआत माना जा सकता है।

D.H. Williams ने भारत के विभिन्न कोल फील्ड्स का क्रमबद्ध सर्वेक्षण का कार्य पूरा किया एवं एक विस्तृत रिपोर्ट जमा की जिसे रिपोर्ट ऑफ द जियोलॉजिकल सर्वे ऑफ इंडिया नाम दिया गया।

1856 में एक जियोलॉजिकल सर्विसेज नामक विभाग की स्थापना की गई एवं भारत में Systematic Surveying का काम प्रारंभ हो गया।

W.T.Blanford एवं W.L.Wilson द्वारा पहला कोल फील्ड्स प्लान 1ज्ज= 1 मील में रानीगंज कोल फील्ड्स का तैयार किया गया।

सन् 1872 में H.B.Medlicott के अपने मॅनुस्क्रिप्ट में गोंडवाना शब्द के प्रयोग का

प्रमाण मिलता है। यह शब्द नर्मदा नदी के दक्षिणी छोर पर बसे आदिम जनजाति गोंड के नाम से लिया गया। गोंडवाना शब्द का अर्थ होता है एक ऐसा परतदार पत्थर जिसमें कोयला पाया जाता है।

कोयले का निर्माण

कोयला पेड़-पौधों का परतनुमा कार्बन अवशेष है। इसके निर्माण के संबंध में दो प्रमुख सिद्धान्त प्रचलित हैं—

1. Insitu Theory 2. Drift Theory

Insitu Theory

इस सिद्धांत के अनुसार आज से मिलियन वर्ष पूर्व, पेड़-पौधे से भरा जंगली क्षेत्र, धरती के नीचे होने वाले Tetonic Movement के चलते धँस गया होगा, जिसमें ये पेड़-पौधे धरती की गोद में समा गए और इसके ऊपर पानी के बहाव द्वारा लाए गए बालू, मिट्टी एवं अन्य पदार्थ जमा होते गए जिसने ढेर का स्वरूप ले लिया। पुनः इस पर पेड़-पौधे उगे, पुनः Tetonic Movement हुआ और सभी पेड़-पौधे धरती के नीचे समा गए और फिर वही प्रक्रिया हुई जो पहले हुई होगी। इस प्रकार की प्रक्रिया कालांतर में होती रही होगी जिसके चलते पेड़-पौधे दबते चले गए, जिसमें दबाव के चलते ताप की उत्पत्ति हुई होगी। पेड़-पौधों के साथ बैक्टीरिया ने जमीन के नीचे अपना काम किया। ये तमाम काम ऑक्सीजन की अनुपस्थिति में हुए। ऑक्सीजन के अभाव में, स्वयं दाब से या डेबरीज के दाब से उत्पन्न ताप एवं बैक्टीरियल एक्शन के चलते धरती के नीचे दबे पेड़-पौधे एक कठोर अधजले पदार्थ के रूप में परिणत हुए, जिसे कोयला कहा जाता है।

Drift Theory

इस सिद्धांत के अनुसार आज से मिलियन वर्ष पूर्व, उस समय के वातावरण के अनुसार जो कि आज के वातावरण से बिलकुल अलग होगा, धरती पर पेड़-पौधे उगे होंगे। धरती में होने वाले Tetonic Movement, भूकंप इत्यादि के चलते, वे पेड़-पौधे गिर गए होंगे जिसे पानी बहाकर नदी, पोखर, तालाब, समुद्र में ले आता रहा होगा। यह पानी सिर्फ भूकंप एवं Tetonic Movement के कारण गिरे पेड़-पौधों को ही बहाकर सिर्फ नहीं लाया होगा बल्कि इसके साथ बालू, मिट्टी एवं अन्य पदार्थों को भी बहाकर लाया होगा जोकि पेड़-पौधों के ऊपर जमा होते चले गए होंगे। इस तरह की प्रक्रिया हजारों-हजार वर्षों तक चलती रही होगी। कालांतर में भूकंप एवं अन्य Tetonic Movement के चलते तालाब, समुद्र बेट (Sea beds), lagoons एवं नदियों की सतह धँसती रही होगी एवं पुनः fresh plant Material एवं मिट्टी-बालू से भरी गई होगी। इस तरह की प्रक्रिया हजारों-हजार वर्ष क्रमबद्ध होती रही होगी। एक समय ऐसा आया होगा जिसमें पेड़-पौधों के स्वयं दाब एवं उस पर पड़े मिट्टी एवं बालू के परत-दर-परत के दाब से ऊष्मा की उत्पत्ति हुई होगी। इसके साथ-साथ पेड़-पौधों के ऊपर

धरती के नीचे बैक्टीरियल एक्शन हुआ होगा। ये तमाम चीजें ऑक्सीजन के अभाव में रही होंगी। इन तमाम प्रक्रियाओं के एक साथ क्रियान्वयन ने ही धरती के नीचे दबे पेड़-पौधों को एक कठोर अधजले पदार्थ में परिणत होने में मदद की होगी। यही कठोर अधजला पदार्थ आज कोयले के रूप में प्रचलित है।

यही कारण है कि भारत में कोयला नदियों के सतह के नीचे या उसके आसपास पाया जाता है। भारतीय कोयला इसी सिद्धांत से बना है, इसका सबसे मजबूत प्रमाण यही है। इस प्रक्रिया में कुछ गैस बनी होगी, जो कि कोयले में निहित है, वह है मिथेन गैस जो कि कोयला खदानों में पाई जाती है।

पेड़-पौधों से कोयले के रूपान्तरण में मुख्यतः पाँच क्रियाओं से गुजरना पड़ता है—लकड़ी, पीट (peat), लिगनाइट (lignite), बिटूमिनिस एवं एन्थ्रासाइड (Anthraciti)। इन पाँचों क्रियाओं में क्रमशः हाइड्रोजन एवं ऑक्सीजन की मात्रा घटती एवं कार्बन की मात्रा बढ़ती है।

भारतीय कोल फील्ड्स का निर्माण मुख्यतः दो भूगर्भीय काल में हुआ। (करीब 600 मिलियन वर्ष पूर्व के काल को भूगर्भीय काल के रूप में जाना जाता है।)

1. भूगर्भीय काल (Permian Period) 2. Tertiary Period

भूगर्भीय काल

भूगर्भीय काल के एक छोटे से काल को गोंडवाना काल के रूप में जाना जाता है। इस दौरान जिस भी पत्थर का निर्माण हुआ उसे Gondwana System of Rocks कहा जाता है। गोंडवाना कोल फील्ड्स मुख्यतः दामोदर, सोन, कोयल, महानदी, प्रणहीता गोदावरी, नर्मदा, वारधा, पेंच आदि नदियों के साथ-साथ फैलता है जो कि बंगाल, झारखण्ड, उड़ीसा, उत्तरप्रदेश, मध्यप्रदेश, आन्ध्रप्रदेश एवं महाराष्ट्र में फैला है। गोंडवाना काल में जिस कोयले का निर्माण हुआ उसे Gondwana coal एवं जिस कोयले का निर्माण Tertiary Period में हुआ, उसे Tertiary coal कहा जाता है। Tertiary coal में राख की मात्रा तो कम होती है, लेकिन सल्फर की मात्रा बहुत ज्यादा होती है। इस तरह का कोयला मुख्यतः दक्षिणी पूर्व भारत में पाया जाता है। भारत का भंडार मुख्यतः इन्हीं दो काल का है। गोंडवाना काल का कोयला बिटूमिनिस स्टेज का कोयला है। वर्तमान उत्पादन का करीब 97% भाग इसी कोयले का है। झारखंड के राजहारा कोलियरी में जो कि पलामू जिले के अंतर्गत आता है, सेमी एन्थ्रासाइड स्टेज का कोयला है जो बहुत ही उत्तम गुणवत्ता वाला कोयला है। इसमें राख की मात्रा मात्र 13 से 15% है जो एक बार अगर आग पकड़ ले तो काफी लंबी अवधि तक बिना धुएँ के अधिकतम ऊष्मा के साथ जलता रहेगा।

कोयले का प्रकार

सन् 1979 में भारत सरकार द्वारा कोयले को गुणवत्ता के आधार पर दो वर्गों में वर्गीकृत किया गया—

1. कोकिंग कोल
2. नॉन-कोकिंग कोल

कोकिंग कोल

जब किसी कोयले के नमूने को हवा की अनुपस्थिति में 600°C के ऊपर गर्म किया जाए तो देखा जाता है कि एक ठोस छिद्रनुमा अवशेष प्राप्त होता है, जिसे कोक कहा जाता है। यह कोयले के कार्बोनाइजेशन के कारण होता है।

अत: जिस कोयले का कार्बोनाइजेशन के बाद कोकिंग गुण परिलक्षित हो अर्थात् ठोस छिद्रनुमा अवशेष प्राप्त हो उसे कोकिंग कोल कहा जाता है। कोकिंग कोल का पुन: वर्गीकरण राख की प्रतिशत मात्रा पर निर्भर करता है—

राख की प्रतिशत मात्रा	*कोयले की गुणवत्ता का प्रकार*
15% तक	स्टील - ढ्ढ
15-18% तक	स्टील - ढ्ढढ्ढ
18-21% तक	वासरी - ढ्ढ
21-24% तक	वासरी - ढ्ढढ्ढ
24-28% तक	वासरी - ढ्ढढ्ढढ्ढ
28-35% तक	वासरी - ढ्ढड्ढ

कोकिंग कोयले का गुण

कोकिंग कोल में निम्नलिखित प्रकार के गुण होने चाहिए—

1. कार्बोनाइजेशन पर इसमें swelling नहीं होनी चाहिए।
2. इसमें सल्फर एवं फासफोरस की मात्रा कम होनी चाहिए। (0.6% से भी कम)
3. इसमें कार्बन की मात्रा सबसे ज्यादा होनी चाहिए। (कम से कम 58)
4. इसमें राख की मात्रा कग होनी चाहिए।
5. भोलाटाइल मैटर की मात्रा 26% से अधिक नहीं होनी चाहिए।
6. कुछ विशेष भौतिक गुणों के साथ उसके कोक बनने की क्षमता हो। वह विशेष भौतिक गुण इस प्रकार है-

   (a) मैटर इन्डेक्स = 85 से ऊपर
   (b) Heaven Stablility = 40% से ऊपर
   (c) पोरोसीटी = 35 से 48% या उससे अधिक
   (d) व्रसिल कठोरता = 80 या उससे अधिक
   (e) साइज = 38 मिमी से 160 मिमी तक
   (f) मिकम इन्डेक्स = 75

इस प्रकार के कोयले का प्रयोग मुख्यत: स्टील उद्योग में किया जाता है।

नॉन-कोकिंग कोल

नॉन-कोकिंग कोल उस प्रकार के कोयले को कहते हैं जो कोकिंग कोयले की श्रेणी में नहीं आता हो। नॉन-कोकिंग कोल का वर्गीकरण उसके द्वारा उत्पन्न ऊर्जा के आधार पर किया गया है—

कोयले का प्रकार	*उत्पन्न ऊर्जा (किलो कैलोरी प्रति किलोग्राम)*
A	6200 से ऊपर
B	5601–6200
C	4941–5600
D	4201–4940
E	3361–4200
F	2401–3360
G	1301–2400

इस तरह के कोयले का उपयोग मुख्यतः ताप विद्युत संयंत्रों (थर्मल पावर प्लांट्स) में होता है। झारखण्ड में इस श्रेणी के कोयले के भंडार की प्रचुरता है।

कोयला क्षेत्र	*गहराई (किलो.मी. में)*	*सकल भंडार (करोड़ मिलियन टन)*
झरिया	0.600	778
पूर्वी बोकारो	0.600	11
पश्चिमी बोकारो	0.600	20
रामगढ़	0.300	4
उत्तरी कर्णपुरा	0.600	1066
दक्षिणी कर्णपुरा	0.600	488
औरंगा, हुटार, डाल्टनगंज	0.600	800
देवघर, राजमहल	0.600	1190
कुल भंडार		3857

स्रोत : भारतीय भू-सर्वेक्षण रिपोर्ट 1999-2000

कोयले का भंडार

भारतीय भू-सर्वेक्षण रिपोर्ट के अनुसार 1.1.2003 तक 1200 मीटर तक गहराई में कुल 2,40,748.48 मिलियन टन कोयले का भंडार है जिसमें गोंडवाना कोल फील्ड्स का सहयोग 239841.53 मिलियन टन एवं टरसरी कोल फील्ड्स का योगदान 906.95 मिलि. टन है।

गहराई के अनुसार भंडार

(As on 1.1.2003)

क्रम	गहराई (मीटर)	प्रमाणित (मि.टन)	श्रेणी सांकेतिक (मि. टन)	अनुमानित (मि.टन)	सकल भंडार (मि. टन)	प्रतिशत भागीदारी
1.	0–300	68583.98	64551.52	15588.60	14872410	61.78
2.	300–600	6121.77	37013.37	16868.90	60004.05	24.92

3.	0–600 (झरिया)	13710.33	502.09	0.00	14212.42	5.90
4.	600–1200	1669.18	10546.09	5592.64	17807.91	7.40
5.	सकल	90085.26	112613.07	38050.15	240748.48	100.00
6.	%भागीदारी	37.42	46.78	15.80	100.00	100.00

स्रोत : जी.एस.आई. रिपोर्ट, फरवरी 2003

श्रेणी के अनुसार भंडार

(As on 1.1.2003)

क्रम गहराई (मीटर)	प्रमाणित (मि.टन)	श्रेणी सांकेतिक (मि. टन)	अनुमानित (मि.टन)	सकल भंडार (मि. टन)	प्रतिशत भागीदारी
1. प्राइम कोकिंग कोल	4614.35	698.71	0.00	5313.06	2.21
2. मीडियम कोकिंग कोल	11324.80	11839.39	1888.94	25053.13	10.41
3. सेमी–कोकिंग	482.16	906.64	221.68	1610.48	0.67
4. नॉन–कोकिंग	73232.16	99061.94	35570.76	207864.86	86.34
5. तरसरी कोल	431.79	106.39	368.77	906.95	0.38
6. कुल	90085.26	112613.07	38050.15	240748.48	100.00
7. %भागीदारी	37.42	46.78	15.80	100.00	100.00

स्रोत : जी.एस.आई. रिपोर्ट, फरवरी 2003

गोंडवाना कोल फील्ड्स में नॉन–कोकिंग कोल का आकलन 207864.86 मिलियन टन किया गया है। जिसमें

प्रमाणित भंडार = 73232.16 मि. टन
सांकेतिक भंडार = 99061.94 मि. टन
अनुमानित भंडार = 35570.70 मि. टन है।

झारखंड में कोयले का भंडार

भारत में कोयले के भंडार में झारखंड का काफी महत्त्वपूर्ण योगदान रहा है। झारखण्ड में कोल फील्ड्स के आधार पर कोयले के भंडार इस प्रकार हैं—

स्रोत : जी.एस.आई. रिपोर्ट 2003 (भंडार मिलियन टन में)

रानीगंज कोल फील्ड्स

श्रेणी	*गहराई*	*प्रमाणित*	*सांकेतिक*	*अनुमानित*	*कुल*
मीडियम कोकिंग	0–300	200.00	26.70	0.00	226.70
मीडियम कोकिंग	300–600	36.90	8.30	0.00	45.20
सकल मीडियम कोकिंग कोल	0–600	236.90	35.00	0.00	271.90
सेमी कोकिंग	0–300	51.40	0.00	0.00	51.40
सेमी कोकिंग	300–600	0.00	40.00	0.00	40.00
कुल सेमीकोकिंग	0–600	51.40	40.00	0.00	91.40
नॉन कोकिंग	0–300	1129.54	96.61	29.55	1255.70
नॉन कोकिंग	300–600	106.03	320.07	2.00	428.10
कुल नॉन कोकिंग	0–600	1235.57	416.68	31.55	1683.80
कुल		1523.87	491.68	31.55	2047.10

झरिया कोल फील्ड्स

प्राइम कोकिंग	0–600	4039.41	4.01	0.00	4043.42
प्राइम कोकिंग	600–1200	574.94	694.70	0.00	1269.64
कुल प्राइम कोकिंग	0–1200	4614.35	698.71	0.00	5313.06
मीडियम कोकिंग	0–600	4064.18	2.82	0.00	4067.00
मीडियम कोकिंग	600–1200	296.30	180.70	0.00	2097.00
कुल मीडियम कोकिंग	0–1200	4360.48	1803.52	0.00	6164.00
नॉन कोकिंग कोल	0–600	5606.74	495.26	0.00	6102.00
नॉन कोकिंग कोल	600–1200	496.00	1355.00	0.00	1851.00
कुल नॉन–कोकिंग कोल	0–1200	6102.74	1850.26	0.00	7953.00
संकल भंडार		15077.57	4352.49	0.00	19430.06

ईस्ट बोकारो कोल फील्ड्स

मीडियम कोंकिग	0–300	2152.31	925.27	18.71	3096.29
मीडियम कोकिंग	300–600	384.67	1012.86	58.53	1456.06
मीडियम कोकिंग	600–1200	255.93	1306.54	786.08	2348.55
कुल मीडियम कोकिंग कोल	0–1200	2792.91	3244.67	863.32	6900.90

नॉन कोकिंग	0-300	95.17	56.81	0.00	151.98
नॉन कोकिंग	300-600	8.90	5.69	0.00	14.59
कुल नॉन कोकिंग कोल	0-600	104.07	62.50	0.00	166.57
सकल भंडार (मि.ट.)		2896.98	3307.17	863.32	7067.47

वेस्ट बोकारो कोल फील्ड्स

मीडियम कोकिंग	0-300	2702.08	1363.54	37.31	4102.93
मीडियम कोकिंग	300-600	296.04	132.77	5.82	434.63
कुल मीडियम कोकिंग	0-600	2998.12	1496.31	43.13	4537.56
नॉन-कोकिंग कोल	0-300	234.05	23.64	0.00	257.69
नॉन कोकिंग कोल	300-600	5.81	4.66	0.00	10.47
कुल नॉन-कोकिंग कोल	0-600	239.86	28.30	0.00	268.16
सकल भंडार (मि.ट.)		3237.98	1524.61	43.13	4805.72

रामगढ़ कोल फील्ड्स

कुल मीडियग कोकिंग कोल	0-300	188.69	87.40	0.00	276.09
सेमी कोकिंग	0-300	171.94	95.33	0.55	267.82
सेमी कोकिंग	300-600	0.00	336.22	52.90	389.12
कुल सेमी कोकिंग कोल	0-600	171.94	431.55	53.45	656.94
कुल नॉन-कोकिंग कोल	0-300	7.13	26.20	4.60	37.93
सकल भंडार (मि.ट.)		367.76	545.15	58.05	970.96

नार्थ कर्णपुरा कोल फील्ड्स

मीडियम कोकिंग	0-300	183.21	1465.09	0.00	1648.30
मीडियम कोकिंग	300-600	0.00	1659.51	413.43	2072.94
कुल मीडियम कोकिंग कोल	0-600	183.21	3124.60	413.43	3721.24

नॉन कोकिंग	0–300	6470.65	1343.03	880.82	8694.50
नॉन कोकिंग	300–600	277.87	1140.81	729.50	2148.18
कुल नॉन-कोकिंग कोल	0–600	6748.52	2483.84	1610.32	10842.68
सकल भंडार (मि.ट.)		6931.73	5608.44	2023.75	14563.92

साउथ कर्णपुरा कोल फील्ड्स

मीडियम कोकिंग	300–600	0.00	248.04	32.83	280.87
मीडियम कोकिंग	600–1200	0.00	230.27	263.40	493.67
कुल मीडियम कोकिंग	0–1200	0.00	478.31	296.23	774.54
नॉन कोकिंग	0–300	2382.92	672.86	287.45	3343.23
नॉन कोकिंग	300–600	159.26	727.24	672.69	1559.19
नॉन कोकिंग	600–1200	0.00	93.41	252.51	345.92
कुल नॉन कोकिंग	0–1200	2542.18	1493.51	1212.65	5248.34
सकल भंडार (मि.ट.)		2542.18	1971.82	1508.88	6022.88

औरंगा कोल फील्ड्स

नॉन कोकिंग कोल	0–300	8.78	1584.49	43.07	1636.34
नॉन कोकिंग	300–600	0.00	867.01	423.07	1290.08
नॉन कोकिंग	600–1200	0.00	33.42	37.27	70.69
कुल नॉन कोकिंग कोल	0–1200	8.78	2484.92	503.41	2997.11

हुटार कोल फील्ड्स

नॉन कोकिंग	0–300	190.79	14.22	32.48	237.49
नॉन कोकिंग	300–600	0.00	12.33	0.00	12.33
कुल नॉन कोकिंग कोल	0–600	190.79	26.55	32.48	249.82

डाल्टनगंज कोल फील्ड्स

नॉन कोकिंग कोल	0–300	83.86	60.10	0.00	143.96

देवघर कोल फील्ड्स					
नॉन कोकिंग कोल	0–300	326.24	73.60	0.00	399.84

राजमहल कोल फील्ड्स					
नॉन कोकिंग	0–300	2077.97	7114.45	484.89	9677.31
नॉन कोकिंग	300–600	0.00	1990.82	776.57	2767.39
कुल भंडार	0–600	2077.97	9105.27	1261.46	12444.70

कोल फील्ड्स ऑफ झारखण्ड	*सकल भंडार मि.टन*	*भारत में कोयले का भंडार* **(As on 1.1.2003)**
रानीगंज कोल फील्ड्स	2047.10	
झरिया कोल फील्ड्स	19430.06	
ईस्ट बोकारो कोल फील्ड्स	7067.47	
वेस्ट बोकारो कोल फील्ड्स	4805.72	
रामगढ़ कोल फील्ड्स	970.96	
नार्थ कर्णपुरा कोल फील्ड्स	14563.92	2,40,748.48
साउथ कर्णपुरा कोल फील्ड्स	6022.88	मि. टन
औरंगा कोल फील्ड्स	2997.11	
हुटार कोल फील्ड्स	249.82	
डाल्टनगंज कोल फील्ड्स	143.96	
देवघर कोल फील्ड्स	399.84	
कुल भंडार (झारखंड)	71143.54	

कोयले की माँग एवं आपूर्ति

आने वाले समय में ऐसा अनुमान लगाया जा सकता है कि कोयले की माँग बढ़ेगी जिसको इस तालिका के माध्यम से देखा जा सकता है—

सेक्टर	*2002–03 का लक्ष्य (मि.टन)*	*2006–07 (अनुमान) (मि.टन)*	*2011–12 (अनुमान) (मि.टन)*
(क) माँग			
1. कोकिंग कोल	34.40	37.21	40.00
2. नॉन–कोकिंग कोल			
पावर	249.50	311.70	469.00
सीमेण्ट	17.10	24.13	24.00
उर्वरक	3.50	4.18	5.0

कैप्टिव पावर	21.15	26.91	32.0
अन्य	37.75	43.92	50.0
सकल नॉन कोकिंग	328.90	410.84	580.0
कुल कोयले की माँग	363.30	448.05	620.0
(ख) आपूर्ति			
(आंतरिक क्षेत्रों से)			
सी.आई.एल.	286.40	350.00	445.00
सिंगरैनी कोल कं.	32.50	36.73	35.00
अन्य	17.20	18.87	35.00
कुल आपूर्ति	336.10	405.00	515.00
अंतर	27.20	43.05	105.00

स्रोत : माइनिंग जनरल, गोंडवाना मार्च 2003

सी.सी.एल. (सेण्ट्रल कोल फील्ड्स लिमिटेड)

आजादी के पहले एवं बाद के कई वर्षों तक कोयला उद्योग प्राइवेट मालिकों के हाथ में रहा लेकिन आजादी के बाद कोयला उद्योग में सुधार के कार्य हमेशा होते रहे। विभिन्न विशेषज्ञों, कमेटियों एवं संस्थानों द्वारा इस उद्योग के रचनात्मक सुधार के लिए कार्य किए गए और समय-समय पर सरकार को उपयुक्त सुझाव देकर इस उद्योग को आगे बढ़ाने का काम किया। इसी को कड़ी के रूप में कोयला खदानों का रेलवे द्वारा अधिग्रहण, कोल माइन्स ऑथरिटी का गठन, एन.सी.डी.सी. (नेशनल कोल डेवलपमेंट कॉरपोरेशन लिमिटेड) का गठन एवं कोल इंडिया लिमिटेड के गठन के रूप में देखा जा सकता है।

16 अक्तूबर 1971 को कोकिंग कोल माइन्स के पुनर्निर्माण एवं पुनर्व्यवस्थित (Reorganising and reconstructing) करने के उद्देश्य से कोकिंग कोल माइन्स का अधिग्रहण किया गया एवं 1 मई 1972 को इसका राष्ट्रीयकरण किया गया। एवं भारत कोकिंग कोल लिमिटेड का निर्माण हुआ। जब कोकिंग कोल माइन्स का राष्ट्रीयकरण हो गया, तब प्राइवेट मालिकों ने नॉन-कोकिंग कोल का अव्यवस्थित अवैधानिक, असुरक्षित, खनन प्रारंभ कर दिया जिसमें न तो कोयला के संरक्षण के नियमों का पालन किया जाता था और न तो सुरक्षात्मक ढंग से कार्य किया जाता था। प्राइवेट मालिक सिर्फ अपने अल्पकालीन लाभ को ध्यान में रखकर खनन कार्य करते थे। न तो कोल माइन्स प्रोविडेंट फंड का पैसा जमा किया जाता और न सरकार को रॉयल्टी दी जाती थी। इस तरह नॉन-कोकिंग कोल क्षेत्र पूर्णत: अव्यवस्थित एवं असुरक्षित हो चुका था।

इसके बाद सन् 1973 के मध्य जनवरी में तमाम ट्रेड यूनियनों की एक बैठक हुई जिसमें कोयला उद्योग के पूर्णत: राष्ट्रीयकरण के पक्ष में मजदूरों द्वारा संयुक्त रूप से हड़ताल का निर्णय किया गया। इसमें सरकार को मजबूर होकर नॉन-कोकिंग कोल माइन्स का भी अधिग्रहण करना पड़ा और जनवरी 1973 में नॉन-कोकिंग कोल माइन्स का अधिग्रहण कर लिया गया तथा एक मई 1973 को इसका राष्ट्रीयकरण कर इसे कोल माइन्स ऑथरिटी लिमिटेड के अन्दर कर दिया

गया। बाद में भारत कोकिंग कोल लिमिटेड एवं कोल माइन्स ऑथरिटी को मिलाकर कोल इंडिया लिमिटेड का गठन 1 नवम्बर 1975 को किया गया जिसकी पाँच अनुषांगिक कंपनियाँ बनीं—

1. भारत कोकिंग कोल लिमिटेड
2. ईस्टर्न कोल फील्ड्स लिमिटेड
3. सेण्ट्रल कोल फील्ड्स लिमिटेड
4. वेस्टर्न कोल फील्ड्स लिमिटेड
5. सेण्ट्रल माइन प्लानिंग एंड डिजाइन इंस्टीट्यूट लिमिटेड

सेंट्रल माइन्स प्लानिंग एंड डिजाइन इंस्टीट्यूट लिमिटेड ने जनवरी 1974 से ही प्लानिंग एंड डेवलपमेंट डिवीजन के रूप में काम करना प्रारंभ कर दिया था जबकि एक अलग कंपनी के रूप में 1 नवम्बर 1975 से कार्य करना प्रारंभ किया। अत: सेण्ट्रल कोल फील्ड्स लिमिटेड कोल इंडिया के अनुषांगिक कंपनियों में से एक है तथा झारखण्ड राज्य के विभिन्न जिलों में फैली है जिसका संक्षिप्त परिचय नीचे दिया जा रहा है।

सी.सी.एल. कमांड एरिया में मुख्य तौर पर नौ कोल फील्ड्स आते हैं। इसकी स्थिति पश्चिम से पूर्व की ओर विभिन्न कोल फील्ड्स के रूप में इस प्रकार है— डाल्टनगंज, हुटार, औरंगा, नॉर्थ कर्णपुरा, साउथ कर्णपुरा, वेस्ट बोकारो, रामगढ़ ईस्ट बोकारो एवं गिरिडीह कोल फील्ड्स हैं। इसमें ईस्ट बोकारो एवं वेस्ट बोकारो में मीडियम कोकिंग कोल का प्रचुर भंडार है जबकि नार्थ कर्णपुरा कोल फील्ड्स में नॉन-कोकिंग कोल का प्रचुर भंडार है। कुल क्षेत्रफल, जिसमें सी.सी.एल. के विभिन्न कोल फील्ड्स फैले हुए हैं, वह करीब 2600 वर्ग किलोमीटर है तथा कोयले का भंडार करीब 71 बिलियन टन है। सी.सी.एल. के विभिन्न कोल फील्ड्स का संक्षिप्त परिचय—

डाल्टनगंज कोल फील्ड्स

डाल्टनगंज कोल फील्ड्स कोयल घाटी के गोंडवाना बेसिन का पश्चिमी हिस्सा है। यह कोल फील्ड्स 450 वर्ग किलोमीटर के क्षेत्र में गढ़वा के पश्चिमी छोर से लेकर पांकी के पूर्वी छोर तक फैला हुआ है। इस कोल फील्ड्स में राजहारा कोलियरी के पास एक खान है, जोकि भारत के पुराने खदानों में से एक है और वह खदान बंगाल कोल कंपनी का खदान है। डाल्टनगंज कोल फील्ड के राजहारा क्षेत्र में सेमी एन्थ्रासाइड कोल पाया जाता है, जोकि इस कोल फील्ड्स की प्रसिद्धि का कारण है।

इस कोल फील्ड्स में कुल सात कोयले का सीम मिलता है जिसका कुल भंडार 143.96 मिलियन टन है।

हुटार कोल फील्ड्स

हुटार कोल फील्ड्स दामोदर-कोयल घाटी के गोंडवाना बेसिन का पश्चिमी भाग है। यह झारखंड के पलामू जिले के चार कोयला पाए जाने वाले क्षेत्रों में से एक है। यह कोल फील्ड्स कुल 207 वर्ग किलोमीटर के क्षेत्र में फैला हुआ है। इस क्षेत्र में कुल ग्यारह कोयले की सीम पाई जाती हैं जिसका सकल भंडार 249.82 मिलियन टन है।

औरंगा कोल फील्ड्स

यह उत्तरी कोयल घाटी के गोंडवाना बेसिन का पूर्वी भाग है। इस कोल फील्ड्स के मध्य से

औरंगा नदी बहती है जो कि उत्तरी कोयल नदी में जाकर मिलती है। इसी औरंगा नदी के नाम पर सन् 1880 में ङ्क.क्क्कुद्यद्य द्वारा औरंगा कोल फील्ड्स रखा गया। यह कोल फील्ड्स 250 वर्ग किलोमीटर के क्षेत्र में फैला हुआ है। इस कोल फील्ड्स में कुल सात कोयले की सीम पाई गई हैं जिसका सकल भंडार 2997.11 मिलियन टन है।

नॉर्थ कर्णपुरा कोल फील्ड्स

नार्थ कर्णपुरा कोल फील्ड्स दामादोर घाटी बेसिन का पश्चिमी भाग है। यह कोल फील्ड्स करीब 1230 वर्ग किलोमीटर के क्षेत्र में फैला हुआ है। इस कोल फील्ड्स का पूर्वी-पश्चिमी विस्तार 64 किलोमीटर है एवं चौड़ाई 36 किलोमीटर है। यह कर्णपुरा बेसिन का उत्तरी भाग है तथा दक्षिण कर्णपुरा से एक तालचर ष्टद्रश्चशद्यद्बह्व के ह्यह्लह्नद्बश्च से विभाजित होती है। इस कोल फील्ड्स की मुख्य परियोजनाएँ इस प्रकार हैं—

— डकरा खुली खदान परियोजना
— के.डी. हेसालांग खुली खदान परियोजना
— रोहिनी खुली खदान परियोजना
— करकट्टा खुली खदान परियोजना
— पिपरवार खुली खदान परियोजना
— अंमोका खुली खदान परियोजना
— चूरी भूमिगत परियोजना
— रे-बचरा भूमिगत परियोजना

ऊपर वर्णित सभी परियोजनाओं में अभी काम चल रहा है, जबकि कुछ नई परियोजनाएँ अभी निकट भविष्य में आनी हैं, जैसे—

— आम्रपाली खुली खदान परियोजना
— मगध खुली खदान परियोजना
— बेन्नी भूमिगत परियोजना इत्यादि

इस कोल फील्ड में पाँच से आठ कोयले का सीम मिलता है। लेकिन सबसे प्रभावी संभावना वाली कोयले की सीम डकरा सीम है। इस कोल फील्ड का पश्चिमी भाग नॉन-कोकिंग कोल के मामले में धनी है तो पूर्वी भाग सेमी या मीडियम कोकिंग कोल के मामले में धनी है। इस कोल फील्ड्स का सकल भंडार 14563.92 मिलियन टन है।

साउथ कर्णपुरा कोल फील्ड्स

यह कोल फील्ड दामोदर घाटी के पश्चिमी भाग एवं नार्थ कर्णपुरा के दक्षिणी में अवस्थित है। यह कोल फील्ड 194 वर्ग किलोमीटर में फैला है तथा इसमें कुल 42 कोयले की सीम मिलती हैं जिसका सकल भंडार 6022.88 मिलियन टन है।

रामगढ़ कोल फील्ड्स

यह कोल फील्ड बोकारो कोल फील्ड्स के दक्षिण में अवस्थित है। यह कोल फील्ड दामोदर

घाटी के अन्य कोल फील्ड्स से आकार में काफी छोटा है। यह कुल 98 वर्ग किलोमीटर (ह्द्धड्ढ्य द्ध3ह्ल्द्रठ्ठ्ह्ल) के क्षेत्र में फैला हुआ है। इस कोल फील्ड में कुल 18 कोयले का सीम मिलता है जिसका सकल भंडार 970.96 मिलियन टन है। इस क्षेत्र की एकमात्र परियोजना राजरप्पा खुली खदान परियोजना है जिसकी क्षमता 3 मिलियन टन की है, वह कार्यशील है।

वेस्ट बोकारो कोल फील्ड्स

वेस्ट बोकारो कोल फील्ड 18 किलोमीटर लम्बे एवं 12 किलोमीटर चौड़े, 180 वर्ग किलोमीटर के क्षेत्र में फैला हुआ है। इस कोल फील्ड में कुल 13 कोयले की सीम मिलती है जिसकी गुणवत्ता मीडियम कोकिंग कोल से लेकर प्राइम कोकिंग कोल तक है जिसका सकल भंडार 4805.72 मिलियन टन है।

इस कोल फील्ड की कुछ प्रमुख परियोजनाएँ इस प्रकार हैं—

— तापिन इन्टीग्रेटेड खुली खदान परियोजना
— परेज ईस्ट खुली खदान परियोजना
— केदला खुली खदान परियोजना
— लैयो भूमिगत परियोजना
— पुण्डी भूमिगत परियोजना
— तोपा भूमिगत परियोजना

ईस्ट बोकारो कोल फील्ड्स

संभावनाओं के आधार पर इसका भारतीय कोल फील्ड में तीसरा स्थान है। इस कोल फील्ड में मेटलरजिकल कोल का प्रचुर भंडार है। स्टील उद्योग की ज्यादातर आवश्यकताओं की पूर्ति इसी कोयले से की जाती है। इस कोल फील्ड का नाम इस कोल फील्ड से होकर बहने वाली बोकारो नदी के नाम पर पड़ा है। सन् 1934 में इस बोकारो कोल फील्ड को दो भागों में बाँटा गया, जिसका नाम ईस्ट बोकारो कोल फील्ड एवं वेस्ट बोकारो कोल फील्ड रखा गया। ईस्ट बोकारो एवं वेस्ट बोकारो कोल फील्ड को लुगू हिल विभाजित करती है। यह कोल फील्ड 237 वर्ग किलोमीटर के क्षेत्र में फैला हुआ है। इस क्षेत्र में कुल 26 कोयले की सीम मिलती हैं जिसका सकल भंडार 7067.47 मिलियन टन है। इस कोल फील्ड की कुछ प्रमुख परियोजनाएँ इस प्रकार हैं—

— काथारा खुली खदान
— करगली खुली खदान
— खासमहल खुली खदान
— कावेरी खुली खदान
— फुसरो खुली खदान
— अमलो खुली खदान
— कल्यानी खुली खदान
— करगली भूमिगत खदान
— खासमहल भूमिगत खदान
— ढोरी खास भूमिगत खदान इत्यादि

गिरिडीह कोल फील्ड्स

यह कोल फील्ड भी आकार में अन्य कोल फील्ड्स से काफी छोटा है। यह कुल 27 वर्ग किलोमीटर के क्षेत्र में फैला हुआ है। यह कोल फील्ड कोयले की गुणवत्ता के रूप में प्रसिद्ध है। यहाँ अच्छी गुणवत्ता का कोकिंग कोल का भंडार है। इस कोल फील्ड में कुल 10 कोयले का सीम मिलता है। इस क्षेत्र का भंडार खत्म होने के कगार पर है।

वर्तमान परिप्रेक्ष्य

1. कुल खदान = 62
   भूमिगत खदान = 22
   खुली खदान = 36
   मिश्रित खदान = 4
   (खुली+भूमिगत)
   कुल = 62
2. वासरीज
   कोकिंग कोल वासरीज = 4
   नॉन–कोकिंग कोल वासरीज = 3 कुल = 7
3. वर्कशाप
   सेण्ट्रल वर्कशाप = 1
   रीजनल वर्कशाप = 5 कुल = 6
4. वेलफेयर

वेलफेयर के क्षेत्र में सी.सी.एल. झारखण्ड में काफी सहयोग देती रही हैं। प्रत्येक एरिया, परियोजना में स्वास्थ्य संबंधी सुविधा उपलब्ध है, जो उस परियोजना क्षेत्र में काम करने वाले कामगारों एवं उसके आसपास बसी आबादी को सुविधा मुहैया करती है। रोड, पानी, बिजली, शिक्षा आदि के क्षेत्रों में झारखंड की विभिन्न कोल क्षेत्रों में सी.सी.एल. सराहनीय योगदान करती है।

वर्तमान में (2002–03) सी.सी.एल. ने 37.2 मिलियन टन कोयले का उत्पादन किया। सी.सी.एल. प्रत्यक्ष एवं परोक्ष रूप से झारखंड में काफी लाभ पहुँचाती है जिसको इस चार्ट के माध्यम से समझा जा सकता है—

राशि (करोड़ में)

दसवीं पंचवर्षीय योजना	कोयला उत्पादन (मि.टन)	लागत (करोड़)	कुल टर्नओवर (करोड़)	वेतन	रायल्टी एवं सेल्सटेक्स	कांट्रैक्ट व अन्य	कुल
2002–03	37.07	150.0	3271.3	1459.0	475.7	654.3	2588.9
2003–04	40.00	235.0	3572.0	1593.1	570.4	714.4	2877.9

2004-05	43.50	395.0	3886.5	1733.40	622.2	773.3	3132.90
2005-06	45.50	470.0	4030.1	1797.4	653.60	806.0	3257.10
2006-07	46.50	525.0	4108.3	1832.30	668.70	821.7	3322.10
कुल	212.50	1775.0	18868.10	8415.20	2990.0	3773.60	15178.80

स्रोत : आंतरिक अध्ययन

राष्ट्रीयकरण

सन् 1920 के शुरुआत में लोगों में ये चेतना जगी कि कोयले का संरक्षण, वैज्ञानिक तरीके से अन्वेषण एवं सुरक्षात्मक कार्यपद्धति कैसे लाई जाए। इसके लिए विभिन्न परामर्शदाता, आयोग एवं कमेटियों की नियुक्ति की गई जिनमें Treharne, Rees, Foster, Bown and Lee प्रमुख हैं। इन्होंने सर्वप्रथम झरिया एवं रानीगंज कोल फील्ड्स के बारे में विस्तृत अध्ययन कर एक रिपोर्ट भारत सरकार को सन् 1919 में जमा की। इस रिपोर्ट में मुख्य रूप से यह बात कही गई कि कोयला राष्ट्रीय सम्पत्ति है जिस पर देश का व्यावसायिक विकास आधारित है। वर्तमान समय में जमीन मालिक द्वारा एवं प्राइवेट खान प्रबंधक द्वारा जिस तरह कोयले का दोहन किया जा रहा है, उससे जमीन मालिक एवं प्राइवेट खान प्रबंधक को तात्कालिक आर्थिक लाभ तो दिखाई पड़ता है लेकिन यह देश के भविष्य के लिए खतरनाक साबित होगा। कोयला भारत की प्रकृति की गोद में प्रचुर मात्रा में समाया हुआ है, लेकिन इसकी प्रचुरता इतनी अधिक भी नहीं है कि यह कभी खत्म नहीं हो सकती। अत: इसका संरक्षण बहुत ही महत्त्वपूर्ण है। जिस प्रकार वर्तमान स्वरूप में कोयले का दोहन किया जा रहा है वह असुरक्षा से भरा हुआ है। यह कभी भी, किसी भी वक्त बड़ी दुर्घटना का कारण बन सकता है। वास्तव में उस समय की खनन-प्रक्रिया काफी दर्दनाक थी। इसके साक्ष्य के रूप में कुछ मजदूरों द्वारा सुनी बातें उद्धृत करना चाहता हूँ—

भारत का यह झारखण्ड प्रदेश खनिज सम्पदा के मामले में सदियों से धनी रहा है लेकिन इसकी गोद में हमेशा गरीबी एवं आँखों में दर्द के आँसू रहे हैं। जैसा कि ऊपर वर्णित किया गया है। सर्वप्रथम रानीगंज एवं झरिया कोल फील्ड्स में कोयले का उत्खनन कार्य जमीन मालिकों एवं प्राइवेट कोलियरी प्रबंधक द्वारा किया गया। ये प्राइवेट कोलियरी प्रबंधक एक सामंती विचारधारा वाले पूँजीपति लोग थे, जो कि अपनी कोलियरी के कारोबार को सुचारु रूप से चलाने के लिए बड़े-बड़े पहलवानों की नियुक्ति किया करते थे। जिसका एकमात्र उद्देश्य था इस जनजाति बहुल क्षेत्रों के गरीब, अशिक्षित एवं भोले-भाले मजदूरों के ऊपर जुल्म एवं अत्याचार करके कोयले का दोहन करना तथा आर्थिक लाभ अर्जित करना। कितनी विसंगति थी कि जमीन मेरी, उसके नीचे छिपा प्रकृति का दिया कोयला मेरा लेकिन उसका स्वामित्व सामंती पूँजीवादी लोगों के हाथों। हमारे ही घर में रहकर हमारे ही ऊपर लगातार अत्याचार। अत्याचार मात्र ही नहीं बल्कि हमारी इज्जत आबरू की रक्षा भी उन्हीं के रहमोकरम पर टिकी थी। इसी प्राइवेट कोलियरी के प्रबंधन एवं उस समय के मजदूरों की स्थिति के बारे में जब मैंने उस समय के एक कामगार से पूछा तो सुनकर आँखें खुली की खुली रह गईं। झरिया कोल फील्ड्स के एक खदान की व्यथा है—हम लोग सभी जनजातीय मजदूर एक प्राइवेट खदान में काम करते थे। हम

लोगों को प्रतिदिन का वेतन दो पौआ लगाने के बाद दिया जाता था। खदान में बच्चे, बूढ़े सभी परिवार के लोग छेनी एवं हथौड़ी लिए प्रकृति की गोद में करीब 200 फीट नीचे कोयला काटते थे। न बिजली की व्यवस्था थी, न हवा की, न सुरक्षा का इन्तजाम, माँ काली का नाम लेकर समस्त परिवार नीचे चला जाता। दिन भर कोयला काटता और अपने कंधों पर झोले पर सभी मिलकर कोयले का पौआ इस आशा में लगाता था कि जितना दो पौआ होगा, उतना ही ज्यादा पगार मिलेगी। शरीर बुखार से तपता हो या किसी बीमारी से ग्रसित हो, अगर पगार चाहिए तो काम करना ही पड़ेगा। शाम में जब पौआ लगाता और पहलवान जी के साथ मुंशी जी पौआ नापने आते तो मानों गालियों की बौछार होती थी। शरीर दिन भर काम करके तपता था, शाम में पहलवान एवं मुंशी जी के डर से काँपता था। हामी भरने के अलावा दूसरा शब्द बोलने का दु:साहस कौन करता। हमारे दो पौओं को तो कभी एक पौआ करार दिया जाता तो कभी पिछले दिन के पौए की कमी से जोड़ दिया जाता। शाम में पता चलता, हमने कुछ भी नहीं कमाया। सभी पत्नी एवं बच्चे मुँह नीचे करके घर लौटने को मजबूर होते, तब उनकी दया पर कुछ कर्ज स्वरूप गाली देते हुए दे दिया करता था जिसकी भरपाई सूद समेत हमारा एक वंशज नहीं, कई वंशज तक न कर पाता। नतीजतन हम सबों को बंधुआ मजदूर की तरह, उनके रहमोकरम पर काम करना पड़ता था। पगार के रूप में कभी भी हमने नकद पैसा नहीं पाया। मालिक का एक कच्चा चिट्ठा, दुकानदार के वास्ते पैसा होता था। उसी कच्चे चिट्ठे पर जरूरत की चीजें मिल जाती थीं। माह या सप्ताह के अंत में अपनी मर्जी से बता दिया जाता था कि रे बुधना तोर पैसा आज के दिन समाप्त होएगा, कल से कमेवे तो खैवे न तो काम छोड़ दे। हमारी अशिक्षा, अनभिज्ञता एवं भोलेपन में कहाँ दम कि हम इसका विरोध कर सकें। विरोध करने पर बेटी-रोटी के साथ-साथ पहलवान जी के डंडे से भरपूर पिटाई होती ताकि दूसरा कोई साहस न जुटा सके।

प्रशासन एवं सुरक्षा विभाग से जुड़े इंस्पेक्टर साहब को शराब एवं शबाब से खुश कर जुल्म करने का प्रमाणपत्र हासिल किया जाता था। इस तरह के जुल्म एवं अत्याचार की एक कहानी नहीं अनेकों हैं जिसको सुनने के लिए कलेजा थामकर बैठना होगा, साहस जुटाना पड़ेगा। इसी एक कहानी से आप मजदूरों की दुर्दशा का आकलन कर सकते हैं।

सूदखोरों, जमींदारों एवं प्राइवेट कोलियरी प्रबंधकों का जुल्म सहती रही यह गरीब, असहाय, अशिक्षित एवं भोली-भाली झारखंड की जनता लेकिन जब कोयले के राष्ट्रीयकरण की बात आई तो हर जुल्मी कोयला उद्योग के विभिन्न पदों पर आसीन हुआ एवं बची-खुची जगहों पर अपने रिश्ते-नातेदारों को रातोंरात ट्रक पर लाद कर लाकर उनकी नियुक्ति उसी बुधवा, डोमना, चरकूआ की जगह पर कर दी गई। वही बुधवा आज बुधेश्वर सिंह, डोमना आज डोमना राय एवं चरकुआ पंडित के रूप में कार्यरत हैं।

ये तो स्थिति कोयला खदान में काम करने वाले मजदूरों की थी। लेकिन कोयला रूपी महत्त्वपूर्ण ऊर्जा संसाधन के दुरुपयोग की भी कहानी इससे कम भयावह नहीं थी। छोटे-छोटे कोलियरी के मालिक हमेशा इसी फिराक में रहा करते थे कि कहाँ पर आसानी से कोयला मिलता है जिससे अधिक से अधिक उत्पादन कर ज्यादा से ज्यादा मुनाफा कमाया जा सके। उस दरम्यान जहाँ कहीं भी कोयले का आउटक्राप (सतह पर दिखने वाला कोयला) दिखाई पड़ता

था, उसकी नोच-खरोच खनन प्रारंभ कर दी जाती थी, ज्यों ही खनन कठिन होता, उसे उसी अवस्था में यथावत् छोड़कर दूसरे जगह काम प्रारंभ कर दिया जाता था। कोयले की एक स्व-प्रवृत्ति होती है, दहन की। जब यह हवा के सम्पर्क में आता है, तो इसका ऑक्सीडेशन शुरू हो जाता है जिसके चलते ताप की उत्पत्ति होती है। इस ऑक्सीडेशन द्वारा उत्पन्न ताप से कोयले के कण ज्वलनबिंदु को प्राप्त कर लेते हैं, तब कोयले का कण जलना प्रारंभ कर देता है और आग का स्वरूप धारण कर लेता है। आज जो झारखण्ड के झरिया कोल फील्ड्स, साउथ कर्णपुरा कोल फील्ड्स में आग दिखाई पड़ती है वह उसी अवैज्ञानिक ढंग से खनन की देन है। कोयले रूपी अभूतपूर्व ऊर्जा स्रोत के संरक्षण की भावना किसी भी प्राइवेट मालिक के बीच नहीं थी। अगर कोयला उद्योग का राष्ट्रीयकरण नहीं हुआ होता तो पूरा झारखण्ड प्रदेश कोयले की आग से जलता प्रतीत होता।

S.M. Kumarmangalam, Minister of Steel & Mines Govt. of India ने अपनी किताब 'Coal Industry in India' में बहुत स्पष्ट लिखा है—

'Workers were cheated of their legitimate dues. Slaughter mining, lack of conservation and unscientific methods remained characteristics of large areas of industry. The mine owners successfully prevented any further progress towards implementation of the numerous recommendations of the different committees made over the years. Lathial's or musclemen protected the interests of the mine owners. Rampant corruption, forced labour, dubious and duplicate records, under reporting of productions, non-payment of full wages, extended hours of shift without payment of lead and lift, lack of safety and welfare measures, robbing of pillars of coal, selective, seasonal and shallow depth mining in a haphazard manner etc. seemed to be the guiding principles of a large number of private collieries.'

संभावनाओं की कृषि

डॉ. आर.पी. सिंह 'रतन'

विपुल प्राकृतिक संसाधनों से भरपूर भारतीय गणतंत्र का 28वां प्रदेश झारखंड कृषि के क्षेत्र में अविकसित रहा है। कृषि को विकासशील बनाने के लिए यद्यपि लगातार प्रयास किए जा रहे हैं, परन्तु अपेक्षित परिणाम सामने नहीं आ रहे। इसके मूल में कतिपय जैव-भौतिक कारकों एवं सामाजिक-आर्थिक अवरोधों का होना तो एक यथार्थ है ही, दूसरा महत्त्वपूर्ण पहलू रहा है अविभाजित बिहार राज्य के अन्तर्गत इस पठारी क्षेत्र में कृषि संबंधित असली समस्याओं की उपेक्षा तथा अपार खनिज सम्पदाओं से समृद्ध इस क्षेत्र को मुख्य रूप से औद्योगिक पृष्ठभूमि में देखा जाना। कृषि विकास की जितनी संभावनाएँ झारखंड प्रदेश में विद्यमान हैं, अगर नीति निर्धारण एवं कार्यक्रम नियोजन में इसकी उपेक्षा नहीं की जाती तो आज तस्वीर का रुख ही दूसरा होता।

झारखंड में खाद्यान्न का कुल उत्पादन 22.07 लाख टन है जबकि कुल आवश्यकता 45.98 लाख टन है। अर्थात् 23.91 लाख टन (52%) खाद्यान्न की कमी को पूरा करने के लिए प्रदेश को दूसरे राज्यों से आयात पर निर्भर होना पड़ता है। परिणामस्वरूप प्रति व्यक्ति प्रति रोज 480 ग्राम खाद्यान्न की आवश्यकता की जगह उपलब्धता मात्र 230 ग्राम है। इसी आधार पर एक अनुमान के मुताबिक सन् 2021 में झारखंड की जनसंख्या वर्तमान जनसंख्या दो करोड़ उनहत्तर लाख 2001 की जगह तीन करोड़ साठ लाख होगी और उसे खिलाने के लिए लगभग 64 लाख टन खाद्यान्न की आवश्यकता होगी। इसी कमी को पूरा करने के लिए कृषि क्षेत्र के अन्तर्गत अनुसंधान एवं प्रसार कार्यों के अतिरिक्त कृषि विकास के लिए आवश्यक अन्य बिन्दुओं पर गहन छानबीन कर एक सम्यक् रणनीति बनाने की आवश्यकता है।

झारखंड में उपयोगिता के आधार पर भूमि का वर्गीकरण

झारखंड राज्य के कुल क्षेत्रफल (79.70 लाख हेक्टेयर) में मात्र 22.68% भाग (18.08 लाख हेक्टेयर) में खेती की जाती है। वनों के अन्तर्गत लगभग एक-तिहाई भू-भाग (29.27%) आता है। तालिका-1 से स्पष्ट है कि विभिन्न प्रकार की परती भूमि के अन्तर्गत लगभग 20 लाख हेक्टेयर क्षेत्रफल आता है जो कि कुल क्षेत्रफल का लगभग 25% है। बाग-बगीचा एवं चरागाह के अन्तर्गत लगभग दो लाख हेक्टेयर क्षेत्रफल है एवं वैसे पड़ी बेकार भूमि जिसे खेती योग्य बनाया जा सकता है, के अन्तर्गत लगभग पौने तीन लाख हेक्टेयर क्षेत्रफल है।

तालिका-1 : उपयोगिता के आधार पर भूमि का वर्गीकरण (1997-98)

(क्षेत्रफल लाख हेक्टेयर में)

क्र.सं.	*भूमि उपयोगिता*	*क्षेत्रफल*	*कुल क्षेत्रफल का त्न*
1.	वन	23.33	29.27
2.	कृषि के लिए अनुपयुक्त		
	(क) गैर कृषि कार्यों के अन्तर्गत	7.89	9.90
	(ख) खाली एवं कृषि के लिए अनुपयुक्त	5.73	7.20
3.	स्थायी चरागाह	0.88	1.10
4.	विभिन्न वृक्षों के अन्तर्गत	1.10	1.38
5.	खेती योग्य बंजर भूमि	2.78	3.48
6.	परती भूमि		
	(क) अन्य परती भूमि	7.79	9.77
	(ख) चालू परती भूमि	12.12	15.22
7.	खेती के अन्तर्गत शुद्ध बोया गया क्षेत्र	18.08	22.68
8.	भौगोलिक क्षेत्रफल	79.70	100.00
9.	कुल बोया गया क्षेत्र	20.68	–
10.	एक से अधिक बार बोया गया क्षेत्र	2.60	–
11.	फसल तीव्रता	–	114.38

स्रोत : डाटा बैंक, बी.ए.यू. एटको, 2001

तालिका-2 : झारखण्ड के तीन कृषि-जलवायवीय क्षेत्रों में विविधता

क्रम	*जलवायवीय कारक*	*मध्य एवं उत्तर-पूर्वी पठारी क्षेत्र*	*पश्चिमी पठारी क्षेत्र*	*दक्षिणी-पूर्वी पठारी क्षेत्र*
1.	वर्षा (मिमी.)			
(i)	खरीफ (जून-सितम्बर)	1321 (100%)	1409 (100%)	1304 (100%)
(ii)	रबी (अक्टूबर-फरवरी)	1098 (83%)	1174 (83%)	1053 (81%)
(iii)	जायद (मार्च-मई)	144 (11%)	167 (12%)	128 (10%)
(iv)	कुल वर्षा	79 (6%)	68 (5%)	123 (9%)
2.	तापक्रम (^{o}c)			
(i)	औसत	25.3	25.8	27.2
(ii)	अधिकतम	44.2	43.6	44.8
(iii)	न्यूनतम	4.8	5.3	6.6
3.	सापेक्ष आर्द्रता (%)			
(i)	प्रात: (8.30 बजे)	62.5	56.5	63.0

(ii)	सायं (5.30 बजे)	47.5	42.0	65.0
4.	सिंचित क्षेत्र (%)	8.2	12.4	5.8
5.	प्रमुख विशेषताएँ			
(i)	मृदा समूह	लाल, पीली एवं हल्की भूरी कैटनरी व पहाड़ी एवं वन मिट्टियां	मध्यम एवं गहरी हल्की मिट्टियाँ एवं पीली, लाल पीली मिट्टियाँ	लाल, पीली लैटेराईट एवं लाल, पीली, काली, मिश्रित कैटनरी मिट्टियाँ
(ii)	मृदा जल धारण क्षमता	अल्प	अल्प	अल्प
(iii)	मानसून आगमन	विलम्ब	विलम्ब	विलम्ब
(iv)	मानसून प्रस्थान	अगात	अगात	अगात
(v)	वर्षा की प्रकृति	अनियमित एवं अनिश्चित	अनियमित एवं अनिश्चित	अनियमित एवं अनिश्चित
(vi)	मृदा क्षरण	मध्यम	मध्यम	अधिकतम
(vii)	मृदा उर्वरता	अल्प से मध्यम	अल्प से मध्यम	अल्प

उपर्युक्त तालिका से यह स्पष्ट है कि झारखण्ड में कृषि के ऊर्ध्वस्थ विकास की पूर्ण संभावनाएँ मौजूद हैं। विभिन्न प्रकार की परती भूमि का उपयोग गैर कृषि कार्यों के अतिरिक्त वानिकी एवं बागवानी विकास के लिए किया जा सकता है तथा बंजर एवं बेकार पड़ी जमीन को आवश्यक सुधारात्मक उपायों के जरिए कृषि योग्य बनाया जा सकता है।

कृषि उत्पादन में भूमि एवं मिट्टी ऐसे मूलभूत प्राकृतिक संसाधन हैं जो फसलों की उत्पादकता को सीधे प्रभावित करते हैं। अत: झारखण्ड की कृषि भूमि एवं मिट्टियों का संक्षिप्त विवरण इस आलेख में अपेक्षित है। कृषि अनुसंधान एवं विकास के दृष्टिकोण से झारखण्ड प्रदेश को तीन कृषि जलवायवीय क्षेत्रों में बाँटा गया है—

1. **मध्य एवं उत्तर-पूर्वी पठार :** इसके अन्तर्गत दुमका, देवघर, जामताड़ा गोड्डा, साहेबगंज, पाकुड़, बोकारो, धनबाद, गिरिडीह, कोडरमा, हजारीबाग, चतरा जिले तथा राँची जिला का लगभग 1/3 भाग (उत्तर-पूर्वी) आता है।

2. पश्चिमी पठार : इसके अन्तर्गत पलामू, गढ़वा, लातेहार, लोहरदगा, गुमला, सिमडेगा जिले तथा राँची जिला का लगभग 1/3 भाग आता है।

3. दक्षिणी पूर्वी पठार : इसके अन्तर्गत पूर्वी सिंहभूम, पश्चिमी सिंहभूम एवं सरायकेला-खरसांवा जिले आते हैं।

विभिन्न जलवायवीय कारकों तथा भूमि एवं मिट्टी के आधार पर इन तीनों क्षेत्रों में काफी विविधता है। इन विविधताओं को तालिका-2 में दिए गए आंकड़ों से देखा जा सकता है।

तालिका-2 से पता चलता है कि तीनों कृषि जलवायवीय क्षेत्रों की मिट्टियों तथा औसत वर्षा के स्तर में काफी विविधता है तथा कमोबेश समरूप जलवायवीय कारक कृषि को प्रभावित करते हैं।

भूमि एवं मिट्टी

झारखंड में कृषि भूमि को स्थलाकृति के आधार पर मुख्य रूप से तीन भागों में बाँटा गया है : ऊपरी भूमि, मध्यम भूमि एवं निचली भूमि। मिट्टी की उर्वरता के आधार पर स्थानीय किसानों ने यहाँ की भूमि को छः वर्गों में बाँटा हुआ है—टांड I टांड II (ऊपरी भूमि), टांड III एवं दोन III (मध्यम भूमि) तथा दोन II एवं दोन I (निचली भूमि)। इनकी विशेषताओं को निम्नलिखित रूप में देखा जा सकता है—

ऊपरी भूमि : मिट्टी का रंग लाल से भूरा लाल, हल्की बनावट एवं अच्छी जल निकास वाली, अम्लीय तथा अल्प उपलब्ध जैव कार्बन, नाइट्रोजन, कैल्शियम, मैग्नीशियम एवं सल्फर।

मध्यम भूमि : मिट्टी का रंग पीला या पीलापन के साथ लाल, हल्की से मध्यम बनावट वाली, मध्यम अम्लीय तथा नाइट्रोजन, कैल्शियम, मैग्नीशियम एवं जैव कार्बन की अल्प उपलब्धता।

निचली भूमि : मिट्टी का रंग मटमैला, भारी बनावट वाली, उदासीन अम्लीयता से हल्की क्षारीय तथा अल्प जलनिकास वाली एवं उपलब्ध नाइट्रोजन एवं जैव कार्बन में मध्यम।

भूमि की स्थलाकृति ऊबड़-खाबड़ होने तथा मिट्टी की बनावट हल्की होने के कारण झारखण्ड के कुल भौगोलिक क्षेत्रफल 79.70 लाख हेक्टेयर में लगभग 23 लाख हेक्टेयर भूमि (28.85%) प्रति वर्ष भयंकर क्षरण की शिकार होती है। वैसे साधारण से भारी भू-क्षरण की समस्या लगभग 30 लाख हेक्टेयर क्षेत्रफल (40%) में विद्यमान है। अतः कृषि विकास के दृष्टिकोण से भू-क्षरण की समस्या को सुलझाना एक महत्त्वपूर्ण चुनौती है। मिट्टी से संबंधित दूसरी महत्त्वपूर्ण समस्या है ऊपरी एवं मध्यम भूमि में मिट्टी की अम्लीयता। लगभग 19त्न भौगोलिक क्षेत्रफल में (16 लाख हेक्टेयर) अम्लीय मिट्टियाँ हैं। इनमें लगभग एक चौथाई तो अति अम्लीय है जिसका पी.एच. 5.5 से भी कम है। यह एक ऐसी समस्या है जो फसलों खासकर दलहन, तेलहन, मकई, गेहूँ एवं सब्जियों के उत्पादन को बुरी तरह प्रभावित करती है। भू-क्षरण के कारण सतही मिट्टी के बह जाने एवं किसानों द्वारा मात्र नाइट्रोजनीय उर्वरकों के व्यवहार के परिणामस्वरूप इस समस्या को और अधिक बढ़ने का भी खतरा दिखाई देता है।

राँची, गुमला एवं लोहरदगा जिलों की लगभग 25 प्रतिशत मिट्टियाँ, पूर्वी एवं पश्चिमी सिंहभूम तथा सरायकेला और दुमका, देवघर, जामताड़ा, गोड्डा एवं साहेबगंज जिलों की लगभग 22 प्रतिशत, हजारीबाग एवं गिरिडीह जिलों की 18 प्रतिशत तथा पलामू, गढ़वा एवं लातेहार जिलों की लगभग 11 प्रतिशत मिट्टियाँ अति अम्लीयता से ग्रसित हैं।

एक अनुमान के अनुसार झारखण्ड की लगभग 92 प्रतिशत मिट्टियाँ उपलब्ध नेत्रजन, 55 प्रतिशत उपलब्ध स्फुर, 30 प्रतिशत उपलब्ध पोटाश एवं 50 प्रतिशत उपलब्ध सल्फर में कमी की शिकार हैं। इनके अतिरिक्त राज्य के जिन क्षेत्रों में सब्जियों, दलहन एवं तेलहन की खेती व्यापक रूप से की जाती है, वहाँ बोरन एवं मोलिब्डेनम की अनुपलब्धता भी पाई जा रही है जिसका स्तर क्रमशः 40 एवं 50 प्रतिशत है।

उपर्युक्त मृदा समस्याओं को देखते हुए यह आवश्यक है कि कृषि के टिकाऊ विकास के लिए भूमि के अवक्रमण को रोकने तथा मृदा स्वास्थ्य को अक्षुण्ण रखते हुए उसकी उर्वरा शक्ति बढ़ाने के लिए समेकित प्रबंधन के उपायों को अमल में लाया जाए।

जल संसाधन एवं सिंचाई

भूमि के बाद कृषि के लिए जिस प्राकृतिक संसाधन की महत्ता सबसे अधिक है, वह है जल संसाधन। झारखण्ड में वर्षाजल की अपार प्राप्ति तथा विभिन्न नदियों, झील-झरनों तथा तालाबों की उपलब्धता के बावजूद यहाँ के किसान एवं ग्रामीण सिंचाई के साथ-साथ पेयजल के लिए भी मोहताज हैं। यही कारण है कि इस क्षेत्र में फसल तीव्रता मात्र 115 प्रतिशत के आसपास है। पूरे प्रदेश में सिर्फ खरीफ मौसम की खेती की जाती है तथा रबी एवं गर्म मौसम में खेत लगभग खाली पड़े रहते हैं। वार्षिक वर्षा का औसत लगभग 1500 मिमी है, जो मुख्यत: जून के मध्य से अक्टूबर के मध्य तक सिमट कर रहती है, तथा बाकी महीनों में बहुत ही अल्प वर्षा होती है और वह भी अनिश्चित रहती है। वर्षा की तीव्रता औसत से अधिक होने के कारण मिट्टी का कटाव तथा क्षरण तेजी से होता है तथा प्राप्त वर्षा का लगभग तीन-चौथाई से अधिक हिस्सा बहकर बंगाल की खाड़ी में चला जाता है। ऐसी अवस्था में छोटानागपुर क्षेत्र में नमी का प्रभाव एक आम बात है, वहीं संतालपरगना क्षेत्र सामान्यत: सूखे के प्रकोप का असर झेलता रहता है।

तालिका-3 : झारखण्ड में उपलब्ध जल संसाधनों एवं सिंचाई की स्थिति

(i) जल संसाधन (मिलियन क्यूबिक मीटर)

क्रम	स्रोत	उपलब्धता	कुल का प्रतिशत
1.	सतही	23789	82.66
2.	भूतल	4992	17.34
3.	कुल	28781	100.00

(ii) विभिन्न स्रोतों के अन्तर्गत सिंचित क्षेत्रफल (लाख हेक्टेयर)

क्रम	अवधि	सतही		भूतल		कुल
		शुद्ध क्षेत्रफल	प्रतिशत	शुद्ध क्षेत्रफल	प्रतिशत	
1.	1981-82	1.18	65.55	0.62	34.45	1.80
2.	1989-90	0.67	52.76	0.60	47.24	1.27
3.	1995-96	1.04	58.10	0.75	41.90	1.79
4.	1997-98	1.13	58.25	0.81	41.75	1.94

(iii) जलस्रोत के अनुसार सृजित सिंचाई क्षमता का उपयोग (लाख हेक्टेयर)

क्रम	जल स्रोत	सृजित क्षमता	सिंचित क्षेत्र	प्रतिशत उपयोगिता
1.	सतही	2.42	1.13	46.69
2.	भूतल	1.90	0.81	42.63
3.	कुल	4.32	1.94	44.90

(iv) पूरी की गई भूतल सिंचाई योजनाओं के अन्तर्गत जल की उपयोगिता

(मिलियन क्यूबिक मीटर)

क्रम	प्रकार	परिमाण	प्रतिशत उपयोगिता
1.	कुआँ	727.10	94.31

2.	मध्यम नलकूप	44.40	5.60
3.	गहरे नलकूप	–	–

स्रोत : डाटा बैंक, बी.ए.यू. एटको, 2001

जब हम झारखण्ड में उपलब्ध जल संसाधनों की स्थिति की समीक्षा करते हैं तो पाते हैं कि सतही जल की उपलब्धता भूतल जल से लगभग चार गुना से भी ज्यादा है। जैसा कि तालिका--3 से स्पष्ट है झारखंड में सतही जल की उपलब्धता 23,789 मिलियन क्यूबिक मीटर है जबकि भूतल जल की उपलब्धता मात्र 4992 मिलियन क्यूबिक मीटर ही है। वर्ष 1997–98 के आँकड़ों के अनुसार सतही जलस्रोतों के अन्तर्गत कुल 1.13 लाख हेक्टेयर क्षेत्रफल सिंचाई के अन्तर्गत (58.25 प्रतिशत) है, जबकि भूतल स्रोत के अन्तर्गत मात्र 0.81 लाख हेक्टेयर। तालिका–3 से यह भी स्पष्ट है कि कुल सृजित क्षमता (4.32 लाख हेक्टेयर) का मात्र 44.90 प्रतिशत ही वास्तविक रूप से सिंचित हो सका है। साथ ही साथ नलकूपों की तुलना में कुओं की उपयोगिता कई गुना ज्यादा प्रभावी सिद्ध हुई है।

इस संदर्भ में अगर वर्षाजल के संचय तथा उपयुक्त व्यवहार की योजना को प्रभावी बनाया जाए तो सिंचाई के साथ–साथ पेयजल की समस्या का समाधान भी किया जा सकता है। इसके अतिरिक्त नदियों, नालों, झील एवं झरनों से संचित जल का उपयोग सिंचाई के माध्यम से कृषि विकास के लिए किया जा सकता है तथा कुओं में उपलब्ध जल का उपयोग जायज रूप में ड्रिप सिंचाई परियोजनाओं के माध्यम से फल, फूल एवं सब्जी की खेती के लिए किया जा सकता है। जहाँ–जहाँ संभावनाएँ हैं भूमि के नीचे उपलब्ध जल के उपयोग की, वहाँ सर्वेक्षण के उपरान्त उसके दोहन की योजनाएँ भी बनाई जा सकती हैं।

पादप जैव विविधता, फसलें एवं फसल प्रणालियाँ

तीसरा महत्त्वपूर्ण प्राकृतिक संसाधन झारखंड में उपलब्ध पादप जैव विविधता है। विभिन्न फसलों खासकर धान की लगभग 40 से अधिक स्थानीय किस्में कम उत्पादकता के बावजूद भी अपनी विशेष खूबियों के कारण किसानों के बीच आज भी लोकप्रिय हैं। इसी प्रकार विभिन्न फलों के 690, सब्जियों के 1654 तथा आलंकारिक पौधों के 351 प्रभेदों की पहचान इस क्षेत्र में की गई है। इसके अतिरिक्त यहाँ के जंगलों में औषधीय पौधों का अकूत भंडार है। परन्तु वनों की अवैध एवं विवेकहीन कटाई एवं तथाकथित वैज्ञानिक विकास के परिणामस्वरूप यहाँ की पादप जैव विविधता विनाशोन्मुख होती जा रही है। आवश्यकता है इनके संरक्षण तथा विकास की। यह संसाधन झारखण्ड के आर्थिक विकास में तो सहायक होगा ही, साथ ही जैव प्रौद्योगिकी की आधुनिक तकनीकों के प्रयोग से विभिन्न फसलों की उपयुक्त किस्मों के विकास में भी सहायक होगा जिससे कृषि विकास में गुणात्मक परिवर्तन संभव हो सकेगा।

यहाँ की प्रमुख फसलों में गोड़ा, मडुआ, मकई, अरहर, गुन्दली, उड़द, सरगुजा, कुल्थी आदि हैं जिनकी खेती सामान्यत: ऊपरी भूमि (टांड) में की जाती है। मध्यम एवं निचली भूमि में मुख्य रूप से धान, आलू, मटर, राई–सरसों एवं चने की खेती की जाती है। जहाँ–जहाँ सिंचाई सुविधाओं का सृजन हुआ है वहाँ किसान गेहूँ एवं सब्जियों की खेती भी करने लगे हैं। सब्जियों

में मुख्य रूप से फूलगोभी, बंदगोभी, टमाटर, बैंगन, शिमला मिर्च, हरी एवं लाल मिर्च, मूली, गाजर आदि की खेती की जाती है। सुनिश्चित सिंचाई वाले प्रक्षेत्रों में इन सब्जियों की खेती वर्ष भर की जाती है तथा इनकी उत्पादकता के दृष्टिकोण से यह कहा जा सकता है कि अगर संबंधित आधारभूत संरचनाओं को सुदृढ़ किया जाए तो झारखण्ड सब्जियों के निर्यात में महती भूमिका निभा सकता है। इसी के मद्देनजर झारखण्ड में निर्यात क्षेत्र की स्थापना करने का निर्णय लिया गया है।

फलों के अन्तर्गत पारंपरिक रूप से ऐसी फसलों की खेती की जाती है जिन्हें सिंचाई की आवश्यकता कम होती है, जैसे कटहल, जामुन, बेल, बेर, शरीफा, अनार, नीबू, पपीता, अमरूद आदि। परन्तु कुछ वर्षों से उद्यान के क्षेत्र में बिरसा कृषि विश्वविद्यालय एवं केन्द्रीय बागवानी प्रायोगिक केन्द्र द्वारा अनुसंधान एवं विकास के कार्यक्रमों के परिणामस्वरूप आम, लीची, आँवला, अनानास आदि फसलों को भी साधन सम्पन्न किसान उगाने लगे हैं। फल एवं सब्जी के अतिरिक्त झारखण्ड में पुष्पों की खेती की व्यापक संभावनाएँ हैं। गेंदा, गुलाब, जरबेरा एवं ट्यूबरोज कुछ ऐसे पुष्प हैं जिनकी खेती की प्रमाणिकता सिद्ध हो चुकी है।

मुख्य फसलों के अन्तर्गत क्षेत्रफल, उत्पादन एवं उत्पादकता

झारखंड में वैसे तो लगभग 85 प्रतिशत कृषि योग्य भूमि में एक फसली प्रणाली है जिसमें किसान मुख्य रूप से धान की खेती करते हैं। ऊपरी भूमि में मिश्रित खेती प्रणाली भी व्यापक रूप से प्रचलित है। विभिन्न फसलों के अन्तर्गत क्षेत्रफल, उत्पादन एवं उत्पादकता का विवरण तालिका 4, 5 एवं 6 में दिया गया है। इन तालिकाओं से स्पष्ट है कि दलहनी फसलों को छोड़ बाकी सभी फसलों की उत्पादकता राष्ट्रीय औसत से काफी कम है। दलहनी फसलों की उत्पादकता अपेक्षाकृत अच्छी होने के बावजूद इन फसलों के अन्तर्गत क्षेत्रफल काफी कम होने के कारण कुल उत्पादन आवश्यकता के स्तर से काफी नीचे है। लगभग यही स्थिति तेलहनी फसलों, फलों एवं सब्जियों की खेती के साथ भी है। परिणामस्वरूप झारखंड में खाद्य एवं पोषण असुरक्षा एक भयंकर समस्या के रूप में सुरक्षा की तरह मुँह बाये खड़ी है। इस समस्या से निजात के लिए वैसे तो ग्रामीण परिवारों ने पारंपरिक रूप से अपनी कृषि प्रणाली को बहुआयामी बना रखा है। वे फसलों की खेती के अतिरिक्त पशुपालन, मत्स्यपालन, वनों पर आधारित आमदनी के उद्यम कुटीर उद्योग एवं मजदूरी आदि के माध्यम से जीवनयापन करते हैं और जब इन उद्यमों से भी काम नहीं चलता तो इन्हें दूसरे क्षेत्रों में पलायन करना पड़ता है।

तालिका-4 : झारखण्ड में मुख्य फसलों के अन्तर्गत क्षेत्रफल, उत्पादन एवं उत्पादकता

क्रम	*फसल*	*क्षेत्रफल (हजार हे.)*	*उत्पादन (हजार मी.टन)*	*उत्पादकता (किग्रा प्रति हे.)*	*राष्ट्रीय उत्पादकता (किग्रा प्रति हे.)*
1.	धान	1444	1770	1226	1895
2.	गेहूँ	63	91	1444	2470
3.	मकई	122	119	975	1721
4.	रागी	43	40	930	1444
5.	अन्य लघु धान्य	32	19	524	757

सभी धान्य फसलें		1704	1930	1116	1770
6.	अरहर	23	29	1125	662
7.	चना	23	14	955	812
8.	अन्य दलहन	79	42	669	442
सभी दलहन फसलें		125	85	702	570
9.	राई एवं सरसों	13	9	692	667
10.	तीसी	9	5	569	950
11.	अन्य तेलहन	38	25	658	903
सभी तेलहन फसलें		60	39	650	840
12.	ईख	4	101	25250	69647
13.	आलू	36	287	7952	16933
14.	प्याज	12	128	10666	–
15.	मिर्च	12	12.8	10667	957
16.	अन्य मसाले	0.41	1.92	468	–
17.	तम्बाकू	0.09	0.06	667	1417
18.	अन्य नगदी फसलें	11	38	–	–

स्रोत : डाटा बैंक, बी.ए.यू. एटको, 2001

तालिका–5 : झारखण्ड में विभिन्न फलों के अन्तर्गत क्षेत्रफल का उत्पादन

क्र.	*फल*	*क्षेत्रफल (हे.)*	*उत्पादन (लाख)*
1.	आम	6040	0.61
2.	लीची	491	0.05
3.	अमरूद	3313	0.35
4.	नीबू	3316	0.33
5.	पपीता	4332	0.45
6.	केला	775	0.08
7.	कटहल	96	0.53
8.	अन्य फल	2543	0.26
	योग	20906	2.66

तालिका–6 : झारखण्ड में विभिन्न सब्जियों के अन्तर्गत क्षेत्रफल एवं उत्पादन

क्रम	*सब्जी*	*क्षेत्रफल (हे.)*	*उत्पादन (लाख टन)*
1.	फूलगोभी	9075	1.36
2.	बंदगोभी	5510	0.82
3.	मूली	3580	0.38

4.	गाजर	1610	0.82
5.	लतरवाली सब्जियाँ	8700	1.04
6.	भिण्डी	15385	1.54
7.	टमाटर	11191	1.33
8.	बैंगन	8190	0.98
9.	बोदी	2734	0.22
10.	हरीमिर्च	4021	0.41
11.	प्याज	5296	0.79
12.	अन्य सब्जियाँ	5668	0.82
	योग	80960	9.53

स्रोत : कृषि एवं गन्ना विकास विभाग, झारखण्ड सरकार, प्रतिवेदन (2002–03)

पशुपालन, कुटीर उद्योग एवं वन आधारित उद्यम

झारखंड का चौथा महत्त्वपूर्ण संसाधन यहाँ का पशुधन एवं वन हैं। वन पर आधारित उद्यमों में मुख्य रूप से लघु वन उत्पाद हैं जिन्हें खासकर जनजातीय समुदायों के लोग संगृहीत कर औने-पौने भाव में बिचौलियों एवं सेठ-साहूकारों को बेच देते हैं और शोषण का शिकार होते हैं। कुछ ऐसे आदिवासी समुदाय हैं, जैसे महली एवं चिकबड़ाईक जो कुटीर उद्योगों में पारंपरिक रूप से प्रवीण हैं तथा बांस, बेंत आदि कच्चे सामानों से कम लागत में अच्छा उत्पादन करते हैं। मगर उचित बाजार के अभाव में उन्हें यथोचित लाभ एवं रोजगार के अवसर नहीं मिल पाते हैं। इसी प्रकार नेतरहाट क्षेत्र में असुर जनजाति के लोग लौह उद्योग में पारंपरिक ज्ञान एवं कौशल के काफी धनी हैं।

ग्रामीण अर्थव्यवस्था में छोटे मवेशियों जैसे बकरी, सूअर तथा भेड़ एवं पक्षियों में कुक्कुट तथा बत्तख और तालाबों में मछली पालन की महत्त्वपूर्ण भूमिका है। गाय एवं भैंस पालन वैसे तो स्थानीय कृषि प्रणाली के प्रमुख अवयव हैं परन्तु अल्प उत्पादकता के कारण ये उद्यम लाभकारी सिद्ध नहीं हो रहे हैं। जोताई एवं भारवाहन के कार्य में प्रयुक्त होने वाले पशुओं जैसे बैल एवं काड़ा की क्षमता भी औसत से कम है। तालिका-7 से स्पष्ट है कि राष्ट्रीय पशु संख्या एवं कुक्कुट संख्या का क्रमशः मात्र 3.68 एवं 3.31 प्रतिशत ही झारखण्ड में है और इनकी उत्पादकता भी काफी कम है। अतः पशुपालन क्षेत्र के सम्यक विकास हेतु सस्ते एवं सुलभ तकनीकों के प्रयोग की आवश्यकता है।

तालिका-7 : झारखण्ड में पशुओं एवं कुक्कुटों की संख्या एवं देश में इनका प्रतिशत 1982 एवं 1983

		संख्या (लाख)		राष्ट्रीय संख्या में प्रतिशत	
क्रम	*पशु प्रकार*	*1982*	*1992*	*1982*	*1992*
1.	गाय एवं बैल	70.00	73.88	3.64	3.86

2.	भैंस एवं काड़ा	10.74	10.83	1.52	1.38
3.	बकरी	44.49	56.94	4.67	4.87
4.	भेड़	11.68	13.00	2.39	2.93
5.	सूअर	7.80	8.49	7.72	8.09
6.	अन्य पशु	0.20	0.55	–	–
	योग	144.91	163.69	3.48	3.68
7.	कुक्कुट	97.08	135.91	4.90	1.72

कृषि क्षेत्र में मानव संसाधन की स्थिति

कृषि उत्पादन से संबंधित संसाधनों जैसे भूमि, जल, जंगल, पशुधन, पेड़-पौधों आदि के प्रबंधन की जिम्मेवारी मानव संसाधन की है। अतः कृषि से जुड़े मानव संसाधन की चर्चा करना यहाँ आवश्यक हो जाता है। झारखंड राज्य की कुल आबादी दो करोड़ 69 लाख है जिनमें दो करोड़ नौ लाख लोग गाँव में रहते हैं तथा कृषि एवं तत्संबंधी उद्यमों से अपना जीवनयापन करते हैं। राज्य के कुल घरेलू उत्पाद में कृषि का योगदान लगभग 25 प्रतिशत है जो सदानों के लगभग 70 प्रतिशत तथा जनजातियों के लगभग 92 प्रतिशत परिवारों के जीवन का आधार है। कुल आबादी की लगभग एक-तिहाई जनजातियों की संख्या है जो 30 विभिन्न समुदायों में विभक्त हैं तथा कृषि के तौर-तरीकों, जीवनयापन के अन्य धंधों, रीति-रिवाजों, बोली एवं परंपराओं के मामले में एक-दूसरे से भिन्न हैं। बाकी जनसंख्या सदानों की है, जिनमें विभिन्न जाति एवं सम्प्रदाय के लोग आते हैं। कृषि प्रणालियों के मामले में ये जनजातीय कृषकों की तुलना में अपेक्षाकृत कुछ अधिक आधुनिक हैं।

कृषि में महिलाएँ

कुल ग्रामीण आबादी में पुरुष-महिला अनुपात (963:1000) लगभग बराबर है तथा कृषि कार्यों में महिलाओं की सहभागिता एवं योगदान पुरुषों की तुलना में लगभग डेढ़ गुना अधिक है। पारिवारिक आय में लगभग आधे योगदान के बावजूद ग्रामीण महिलाओं की स्थिति शिक्षा, स्वास्थ्य, भू-स्वामित्व, आर्थिक स्वतंत्रता एवं निर्णय लेने के अधिकार के मामले पुरुषों की तुलना में कम हैं। आधुनिक ज्ञान-विज्ञान एवं तकनीकी का लाभ ग्रामीण जनता खासकर कृषक महिलाओं को अभी तक नहीं मिल पा रहा है। अंधविश्वास एवं नशापान ग्रामीण समाज में कोढ़ का रूप ले चुका है, जिसको तत्काल इलाज की आवश्यकता है।

जोतदारों की श्रेणियाँ

झारखंड में लगभग 80 प्रतिशत कृषक परिवार लघु एवं सीमांत जोतदारों की श्रेणी में आते हैं। तालिका-8 में प्रस्तुत आंकड़ों से स्पष्ट है कि बाकी बचे 20 प्रतिशत परिवार लघु मध्यम से लड़े जोतदारों की श्रेणी में आते हैं। और लगभग इतनी ही संख्या भूमिहीन मजदूरों की है।

तालिका-8 : विभिन्न आकार के जोतदारों की संख्या एवं प्रतिशत

क्रम	जोत के आकार (हे.)	संख्या (हजार)	प्रतिशत	क्षेत्रफल (हजार हे.)	प्रतिशत	औसत क्षेत्रफल (हे.)
1.	सीमांत (एक हे. से कम)	1837.87	69.04	673.28	21.44	0.37
2.	लघु (1 से 2 हे. तक)	360.12	13.53	502.08	15.99	1.39
3.	अर्द्ध मध्यम (2 से 4 हे. तक)	301.21	11.31	839.33	26.72	2.79
4.	मध्यम (4 से 10 हे. तक)	144.23	5.42	832.73	26.51	5.77
5.	बड़ा (10 हे. से अधिक)	18.48	0.70	293.32	9.34	15.87
	सभी आकार के जोत	2661.91	100.00	3140.74	100.00	1.18

शिक्षा, साक्षरता एवं आयुवर्ग के अनुसार किसानों की स्थिति

शिक्षा के स्तर पर ध्यान देने से पता चलता है कि झारखण्ड में साक्षरता का औसत प्रतिशत 54.13 है, परन्तु जनजातियों में यह घटकर मात्र 27.52 प्रतिशत रह जाता है। ग्रामीण क्षेत्र में पुरुषों एवं महिलाओं के साक्षरता प्रतिशत क्रमशः 61.57 एवं 30.33 प्रतिशत है। आयु वर्ग के अनुसार कुल आबादी की लगभग 40 प्रतिशत 15 वर्ष से कम उम्र वालों की है तथा 15 से 30 वर्ष एवं 30 वर्ष से ऊपर के लोगों में 60 प्रतिशत है, दोनों की लगभग आधी-आधी। सारांश यह कि लगभग 30 प्रतिशत लोग कृषि क्षेत्र में सक्रिय रूप से लगे हैं, तथा 30 प्रतिशत जो युवाओं की जनसंख्या है, उचित शिक्षा के अवसर एवं रोजगार के अभाव में दिग्भ्रमित है। कृषि के पिछड़ेपन, खासकर एक फसली कृषि प्रणाली के परिणामस्वरूप इन्हें अस्थायी पलायन का शिकार होना पड़ता है।

खाद्य सुरक्षा की स्थिति

जब हम कृषि के योगदान का आकलन राज्य में खाद्य सुरक्षा के संदर्भ में करते हैं तो पाते हैं कि लगभग 60 प्रतिशत किसान पूरे वर्ष में सिर्फ 3-5 महीनों का, 20 प्रतिशत 9-12 महीनों का तथा मात्र 10 प्रतिशत किसान ही अपनी आवश्यकता से ज्यादा अनाज उत्पादित कर पाते हैं। एक अन्य आकलन के मुताबिक लगभग एक-तिहाई आबादी को आवश्यक भोजन का महज तीन-चौथाई प्राप्त होता है तथा तीन-चौथाई आबादी को आवश्यक पोषणयुक्त संतुलित आहार नहीं मिल पाता।

तालिका-9 में प्रस्तुत आँकड़ों से पता चलता है कि मांस एवं अण्डा छोड़कर बाकी सभी प्रमुख खाद्य पदार्थों जैसे अनाज, दूध, फल, सब्जी, एवं मछली में क्रमशः 52, 51.97, 65.24,

12 एवं 34.06 प्रतिशत की कमी है। अत: यह एक ऐसा महत्त्वपूर्ण मुद्दा है जो प्रदेश के कृषि विकास की रणनीति का अहम बिन्दु बन जाता है। उपर्युक्त आंकड़ों से स्पष्ट है कि लगभग 80 प्रतिशत ग्रामीण परिवार खाद्य एवं पोषण की गम्भीर समस्या से जूझ रहे हैं। इसके मूल में मुख्य कारक हैं— विभिन्न फसलों की अल्प उत्पादकता, कृषि का अव्यावसायिक होना, आमदनी एवं रोजगार के अतिरिक्त अवसरों का अभाव, लोगों की अल्प क्रय शक्ति तथा भयंकर गरीबी। कतिपय अनुमानों के अनुसार लगभग 23.2 लाख ग्रामीण परिवार गरीबी रेखा के नीचे जीवन बसर कर रहे हैं, जो कुल ग्रामीण परिवारों का लगभग 62 प्रतिशत है, जिसमें 3.91 लाख परिवार अनुसूचित जातियों एवं 8.8 लाख अनुसूचित जनजातियों के हैं।

झारखण्ड में प्रति व्यक्ति प्रति रोज खाद्यान्न की उपलब्धता मात्र 230 ग्राम है जबकि न्यूनतम आवश्यकता 480 ग्राम है। इसके परिणामस्वरूप ऊर्जा की न्यूनतम आवश्यकता 2200 कैलोरी की जगह महज 1500 कैलोरी ही मिल पाती है। इसी प्रकार दूध, फल, सब्जी एवं मछली की न्यूनतम आवश्यकता प्रति व्यक्ति प्रतिदिन क्रमश: 220, 125, 280, 15, 15 एवं 51 ग्राम की जगह मात्र 106, 43, 246 एवं 11 ग्राम है। ग्रामीण क्षेत्र में प्रति व्यक्ति औसत वार्षिक आय का स्तर भी अन्य राज्यों की तुलना में काफी कम है। जो लगभग रु. 3000/– के आसपास है। जब हम कृषि विकास दर की तुलना जनसंख्या विकास दर से करते हैं तो पाते हैं कि दोनों में महत्त्वपूर्ण अन्तर है। जनसंख्या विकास दर जहाँ 2.15 प्रतिशत है, वहीं कृषि विकास दर महज 1.80 प्रतिशत है। यही कारण है कि उत्पादन एवं उत्पादकता के स्तर में पूर्व की तुलना में अपेक्षाकृत वृद्धि के बावजूद प्रति व्यक्ति खाद्यान्न उपलब्धता के स्तर में वृद्धि नहीं हो रही है। राष्ट्रीय औसत 205 किग्रा की जगह झारखण्ड में यह मात्र 130 किग्रा ही है। अत: झारखण्ड में प्रथम चरण में अपनी घरेलू आवश्यकता तथा राष्ट्रीय कृषि नीति में निर्धारित 4 प्रतिशत विकास दर के मद्देनजर कम से कम 2.5 प्रतिशत का कृषि विकास दर निर्धारित करना अवश्यम्भावी प्रतीत होता है।

तालिका-9 : झारखण्ड में कृषि उत्पादों में आत्मनिर्भरता की स्थिति

क्रम	*कृषि उत्पाद*	*आवश्यकता*	*उत्पादन*	*अधिक (+)/ कम (–)*	*प्रति व्यक्ति प्रति रोज उपलब्धता (ग्राम)*
1.	खाद्यान्न (लाख मि. टन)	45.98	22.07	(–)23.91 (52.00त्र)	230
2.	दुग्ध (लाख मि. टन)	21.07	10.12	(–)10.95 (51.97त्र)	106
3.	फल (लाख मि.टन)	10.30	3.58	(–)6.72 (65.24त्र)	43
4.	सब्जी (लाख मि.टन)	23.07	20.30	(–)2.77 (12.00त्र)	246
5.	मछली (लाख मि. टन)	0.862	0.643	(–)0.219 (34.06त्र)	11

6.	मांस (लाख मि. टन)	0.862	1.267	(+)0.405 (46.98त्न)	22
7.	अण्डा (लाख में)	7.87	8.00	(+) 0.13 (1.65त्न)	51

स्रोत : डाटा बैंक बी.ए.यू. एटको, 2001

कृषि तकनीकों का विकास, प्रसार एवं अंगीकरण

कृषि विकास हेतु पठारी क्षेत्र में अनुसंधान, प्रसार तथा कृषि शिक्षा को बल प्रदान करने हेतु स्वतंत्रता प्राप्ति के बाद से अनवरत प्रयास किए जा रहे हैं। परन्तु कृषकों को इनका लाभ हरित क्रांति के रूप में नहीं मिल पाया। इसके मूल में जो प्रमुख कारण है, वह है आधुनिक कृषि तकनीकों का स्थानीय कृषि पारिस्थितिकी यानि कृषि जलवायवीय तथा सामाजिक-आर्थिक परिस्थितियों के अनुपयुक्त होना। परिणामस्वरूप आधुनिक कृषि तकनीकों का एक-चौथाई भी किसानों द्वारा अंगीकृत नहीं किया जा सका है। बिरसा कृषि विश्वविद्यालय एवं भारतीय कृषि अनुसंधान परिषद् की क्षेत्रीय अनुसंधान केन्द्रों तथा राज्य सरकार द्वारा चलाई गई विभिन्न कृषि विकास परियोजनाओं के अनुभवों से स्पष्ट होता है कि जब तक किसानों को आधुनिक तकनीकों को अपनाने के लिए उपादानों की मुफ्त या अनुदान आधारित व्यवस्था की जाती है तब तक तो वे अपनाते हैं। और जैसे ही इस प्रकार की योजनाओं की अवधि समाप्त हो जाती है, वे अपने पारम्परिक तकनीकों पर वापस आ जाते हैं। यही कारण है कि यहाँ के किसान अभी भी मुख्य रूप से पारम्परिक कृषि तकनीकों को ही अमल में लाते हैं। भारतीय कृषि अनुसंधान परिषद् की एक परियोजना के अन्तर्गत अभी हाल में ही झारखण्ड क्षेत्र से 400 से अधिक देशज तकनीकों की पहचान की गई है, जो आज भी प्रचलित हैं। ये तकनीक भले ही उत्पादकता के स्तर को बढ़ाने में सफल नहीं है परन्तु टिकाऊ उत्पादकता एवं उत्पादन में बड़े सहायक सिद्ध हुए हैं। इन तकनीकों के व्यवहार में किसानों के कठोर परिश्रम, बौद्धिक शक्ति एवं विवेक की पहचान होती है, जिन्हें आधुनिक तकनीकों के विकास में उचित जगह देने की आवश्यकता है।

आधुनिक तकनीकों के क्षेत्र में जो महत्त्वपूर्ण उपलब्धियाँ मिली हैं उनमें विभिन्न फसलों की उन्नत किस्मों का विकास जैसे धान में बिरसा गौड़ा बिरसा धान 101 से 109 तक, बिरसा धान 201 एवं 202, मडुआ में बिरसा मडुआ 1 एवं 2, अरहर में बिरसा अरहर आदि कुछ ऐसी किस्में हैं, जो किसानों के बीच काफी लोकप्रिय हो रही हैं। इसी प्रकार धान की अन्य किस्में, सीता, आई. आर. 36, वन्दना आदि व्यापक रूप से किसानों द्वारा अंगीकृत किए गए हैं। मृदा प्रबंधन के क्षेत्र में भी किसानोपयोगी तकनीकों का विकास किया गया है। नवीनतम सदस्य प्रणालियों के माध्यम से एक फसली प्रणाली को बहुफसली प्रणाली में बदलने का प्रयास किया जा रहा है। उद्यान एवं बागवानी तथा कृषि वानिकी से संबंधित भी कई नवीन तकनीकों का सृजन किया गया है और उनके विस्तार के प्रयास किए जा रहे हैं। समन्वित कीट एवं रोग प्रबंधन, समन्वित पौधा एवं मिट्टी पोषण प्रबंधन आदि कुछ ऐसे क्षेत्र हैं, जिनके अन्तर्गत रसायनों के व्यवहार को कम करने के प्रयास भी जारी हैं। कृषि उपकरणों जैसे उन्नत हल, निकाई-गुड़ाई

यंत्र, बीज एवं उर्वरक ड्रील, आलू खोदने का उपकरण आदि ऐसे यंत्रों के आविष्कार भी हुए हैं। जलछाजन प्रबंधन के क्षेत्र में भी तकनीकों का ईजाद हुआ है। राँची पशुचिकित्सा एवं पशुपालन महाविद्यालय द्वारा सूअर की टैमवर्थ × देसी तथा बकरी की बीटल × ब्लैक बेंगाल नस्लों का विकास एवं दिव्यायन, रामकृष्ण मिशन द्वारा कुक्कुट की दिव्यायन रेड नस्ल का विकास यहाँ के किसानों एवं जलवायु के काफी उपयुक्त सिद्ध हुए हैं।

तकनीकी हस्तांतरण की पारंपरिक योजनाओं का कोई विशेष लाभ किसानों को नहीं मिल पाया है। अत: कृषक सहभागी प्रसार योजनाओं जैसे आईवीएलपी, तकनीकी आकलन एवं परिष्करण, जनसहभागी जलछाजन योजनाओं को प्रारम्भ किया गया है। उपयुक्त तकनीकों के विकास के लिए राष्ट्रीय कृषि प्रौद्योगिकी परियोजना के अन्तर्गत कृषक सहभागी अनुसंधान की भी लगभग दो दर्जन योजनाओं को झारखण्ड क्षेत्र में क्रियान्वित किया गया है। तकनीकी विस्तार हेतु दुमका, पलामू, जामताड़ा एवं पश्चिमी सिंहभूम जिलों में ए.टी.एम.ए. (कृषि तकनीकी प्रबंधन अभिकरण) की स्थापना की गई है जिसे 'आत्मा' के नाम से जाना जाता है। इसके अन्तर्गत कृषि विकास से जुड़े सभी संगठनों को एक स्तर पर लाकर कृषकों की सहभागिता के आधार पर प्रसार कार्य किए जा रहे हैं। जैव प्रौद्योगिकी एवं कृषि प्रौद्योगिकी सूचना केन्द्रों की स्थापना भी की जा रही है।

कृषि विकास से संबंधित संस्थाएँ

उपर्युक्त तथ्यों के आलोक में यहाँ इस बात पर भी गौर करना होगा कि इस क्षेत्र में सरकारी तंत्र के अतिरिक्त कौन-कौन सी प्रमुख ऐसी संस्थाएँ तथा संगठन हैं जिनके सशक्तिकरण की आवश्यकता है कृषि विकास को गति एवं बल प्रदान करने के लिए। वर्तमान में यहाँ देश का एकमात्र कृषि विश्वविद्यालय है जो आदिवासी क्षेत्र में बिरसा कृषि विश्वविद्यालय के नाम से लगभग दो दशकों से कार्यरत है। इसके अन्तर्गत तीन महाविद्यालय (कृषि, पशु चिकत्सा एवं वानिकी), तीन क्षेत्रीय अनुसंधान केन्द्र (दुमका, दारीसाई एवं चिंयाकी) तथा एक कृषि विज्ञान केन्द्र (जगन्नाथपुर, पं. सिंहभूम) में कार्यरत हैं। विश्वविद्यालय की स्थापना के बाद झारखंड क्षेत्र में कृषि, पशुपालन एवं वानिकी के विकास के लिए विभिन्न शिक्षण शोध एवं प्रसार शिक्षा कार्यक्रमों के माध्यम से स्थानीय मानव संसाधन विकास, प्रौद्योगिकी विकास तथा उनके हस्तांतरण के सतत प्रयासों के परिणामस्वरूप अपेक्षित दिशा में परिवर्तन तो अवश्य हुए हैं मगर उसका परिमाण एवं परिणाम व्यापक पैमाने पर दृष्टिगोचर नहीं हुआ है। तत्कालीन राज्य सरकार के दृष्टिकोण एवं कतिपय अन्य कारणों के परिणामस्वरूप विश्वविद्यालय लगभग अपनी स्थापना के बीस वर्षों बाद भी अविकसित अवस्था में है जिसे व्यापक पैमाने पर देश के अन्य विकसित कृषि विश्वविद्यालयों की श्रेणी में लाने का पूर्ण दायित्व झारखण्ड की नई सरकार के सामने है। ऐसा होने से ही यह कृषि विश्वविद्यालय झारखण्ड में कृषि एवं समन्वित ग्रामीण विकास के क्षेत्र में एक नोडल एजेंसी की भूमिका का निर्वाह कर सकेगा।

कृषि विश्वविद्यालय के अतिरिक्त झारखण्ड क्षेत्र में भारतीय कृषि अनुसंधान परिषद्, नई दिल्ली द्वारा क्षेत्र में बागवानी विकास के लिए एक केन्द्रीय बागवानी प्रयोगशाला की स्थापना तथा लौह उत्पादन पर शोध एवं प्रसार कार्यों को गति प्रदान करने के लिए एक भारतीय लौह

अनुसंधान संस्थान की स्थापना राँची में की गई है। इसके अतिरिक्त ऊपरी भूमि में चावल की खेती को लाभकारी बनाने के उद्देश्य से हजारीबाग में एक अनुसंधान केन्द्र की स्थापना परिषद् के द्वारा की गई है। किसानों एवं प्रसार कार्यकर्ताओं तथा अधिकारियों के प्रशिक्षण, विभिन्न फसलों पर अग्रिम पंक्ति प्रत्यक्षण किसानों के खेतों पर प्रयोग तथा तकनीकों के विस्तार के उद्देश्य से झारखंड के राँची, हजारीबाग, पलामू, धनबाद, प. सिंहभूम, देवघर एवं दुमका जिलों में एक-एक कृषि विज्ञान केन्द्र की स्थापना की गई है। केन्द्र सरकार की योजना के तहत प्रत्येक जिले में ऐसे केन्द्रों की स्थापना करने का कार्यक्रम है। अत: झारखण्ड के बाकी 16 जिलों में एक-एक कृषि विज्ञान केन्द्र की स्थापना अविलम्ब करने की आवश्यकता है।

कृषि विकास में गैर सरकारी संस्थाएँ

उपर्युक्त कृषि शिक्षण, शोध एवं प्रसार की संस्थाओं के अतिरिक्त झारखण्ड में कार्यरत लगभग 200 ऐसे स्वयंसेवी एवं गैर-सरकारी संस्थाएँ हैं जो कृषि एवं ग्रामीण विकास के कार्यों में प्रत्यक्ष या परोक्ष रूप से क्रियाशील हैं। इनमें कुछ संस्थाएँ सीधे विकास कार्यों से जुड़ी हैं तो कुछ जागरूकता उत्पन्न करने एवं ज्ञान के विस्तार में अपनी भूमिका निभा रही हैं। इनमें कुछ प्रमुख हैं—रामकृष्ण मिशन, जेवियर समाज सेवा संस्थान, कृषि ग्राम विकास केन्द्र, ग्रामीण औद्योगीकरण संस्थान, प्रदान, संथाल पहाड़िया सेवामंडल, लोक जागृति केन्द्र, नवभारत जागृति केन्द्र, हॉली क्रॉस, मोमिन बुनकर समाज विकास आदि। इन स्वयंसेवी एवं गैर- सरकारी संगठनों की अपनी समस्याएँ एवं सीमितताएँ हैं। कृषि एवं ग्रामीण विकास में इनके महत्त्वपूर्ण योगदान के मद्देनजर इन संस्थाओं के सशक्तिकरण की दिशा में भी राज्य सरकार की महत्त्वपूर्ण भूमिका होगी।

अन्य व्यावसायिक एवं निजी संगठनों की भूमिका

इनके अतिरिक्त कुछ ऐसे व्यावसायिक संगठन हैं जो झारखंड में कृषि एवं ग्रामीण विकास के कार्यों में संलग्न हैं। जिनमें प्रमुख हैं—कृभको, हिन्दुस्तान फर्टिलाइजर कॉरपोरेशन, इफको, टी.एस.आर.डी.एस, मेकॉन, सी.सी.एल. एवं कुछ बीज उत्पादक कम्पनी आदि। इनके प्रयासों को समन्वित रूप से अधिक प्रभावकारी एवं लाभकारी बनाने की बात पर भी ध्यान देने की आवश्यकता होगी। केन्द्र एवं राज्य सरकारों की ग्रामीण विकास की विभिन्न योजनाओं के माध्यम से भी कृषि विकास को प्रभावित किया जा सकता है। गरीबी उन्मूलन, ग्रामीण रोजगार एवं समन्वित जलछाजन विकास योजनाओं के माध्यम से भी झारखण्ड में कृषि विकास को बल प्रदान किया जा सकता है। इसके लिए आवश्यक है कि किस प्रकार विभिन्न सरकारी, गैर-सरकारी एवं निजी क्षेत्रों के प्रयासों, कार्यक्रमों एवं योजनाओं को समन्वित कर किसानों, प्रसार कर्मियों, वैज्ञानिकों, विकास से संबंधित प्रशासकों एवं नीति तथा कार्यक्रम निर्णायकों के सहयोग को एक सूत्र में बाँधने की।

कृषि विकास की समस्याएँ, चुनौतियाँ एवं खतरे

जैसा कि सर्वविदित है झारखंड में कृषि कार्य बड़ी ही जटिल, विविधतापूर्ण एवं जोखिम भरी परिस्थितियों में संसाधन-विहीन गरीब किसानों के द्वारा किए जाते हैं। यहाँ कृषि विकास के

समक्ष प्रमुख चुनौतियाँ हैं—खाद्य एवं पोषण सुरक्षा को सुनिश्चित करने की, कृषि को आमदनी एवं रोजगारोन्मुख बनाने की और आर्थिक उदारीकरण, बाजारों के भूमण्डलीकरण एवं राष्ट्रीय कृषि नीति के आलोक में निर्यातोन्मुख करने की। इसके लिए इस क्षेत्र में फसल उत्पादन एवं पशुपालन के अतिरिक्त बागवानी के क्षेत्र में फल, फूल, सब्जी उत्पादन, गुणवत्तापूर्ण खाद्य प्रसंस्करण और कटनी के उपरान्त परिरक्षण तकनीकों का व्यवहार कर कृषि को व्यवसाय एवं उद्योग के रूप में निर्यातोन्मुख बनाने की प्रबल संभावनाएँ हैं। चूँकि कृषि विकास राज्यों का विषय है अत: नए राज्य को बिना अवसर गँवाए प्राथमिकता के आधार पर कृषि एवं औद्योगिक विकास के बीच संतुलन एवं तारतम्यता स्थापित करते हुए फसल, बागवानी, पशुपालन, एवं वानिकी के क्षेत्र में विकास की नवीन योजनाओं को अमल में लाने तथा आवश्यक आधारभूत संरचनाओं के निर्माण की दिशा में पहल करना होगा। ऐसा नहीं होने की स्थिति में भूख, गरीबी, बीमारी, बेकारी एवं पर्यावरण प्रदूषण की समस्याओं से इस क्षेत्र को जूझना पड़ेगा।

नवीन कृषि नीति की आवश्यकता

उपर्युक्त लक्ष्यों की प्राप्ति की दिशा में झारखंड राज्य को अपनी एक अलग किस्म की कृषि नीति तैयार करनी पड़ेगी। जिसका आधार स्थानीय जरूरत एवं संसाधन होगा राष्ट्रीय एवं दुनिया की जरूरतों के परिप्रेक्ष्य में तथा नई राष्ट्रीय कृषि नीति और केन्द्रीय सहयोग की पृष्ठभूमि में। जैसा कि पूर्व में कहा गया है इस नवसृजित राज्य को प्रथम चरण में कम से कम 2.5 प्रतिशत के कृषि विकास दर को प्राप्त करने का लक्ष्य निर्धारित करना होगा तथा इसे प्राप्त करने के लिए तत्संबंधी कार्यक्रम बनाने होंगे। इस संदर्भ में यहाँ प्रस्तुत हैं कुछ सुझाव।

कृषि विकास की रणनीति के महत्त्वपूर्ण बिन्दु

कृषि जलवायु के आधार पर झारखंड को तीन इकाइयों में बाँटा गया है—मध्य पठारी क्षेत्र, पश्चिमी पठारी क्षेत्र एवं पूर्वी पठारी क्षेत्र। इन क्षेत्रों की अपनी अलग-अलग विशेषताएँ एवं समस्याएँ हैं। इनके आलोक में प्रस्तावित कृषि नीति के प्रमुख बिन्दु होंगे—भूमि सुधार, मृदा संसाधन में गुणवत्ता सुधार, प्रचुर जल संसाधन एवं सिंचाई सुविधाओं के सृजन, पादप एवं पशु अनुवांशिक संसाधन, पर्यावरणीय चिन्ताओं, साम्य वृद्धि, बायोमास उत्पादन के लिए कृषि एवं सामाजिक वानिकी, ग्रामीण क्षेत्रों में खाद्य, पोषण एवं आर्थिक सुरक्षा तथा रोजगार के अतिरिक्त अवसर, उत्पादन एवं उत्पादकता के स्तर को बढ़ाने, बागवानी फसलों को प्रोत्साहित करने, उपयुक्त प्रौद्योगिकी सृजन एवं हस्तांतरण, उपादान प्रबंधन (बीज उर्वरक, यंत्र एवं उपकरण, कीट, रोग, तृण एवं अन्य व्याधिनाशक), अनुदान प्रबंधन, कृषि क्षेत्र में अतिरिक्त निवेश, फसलोपरान्त गुणवत्ता पूर्ण उत्पादन को बढ़ाने तथा नुकसान को करने, कृषि उत्पादों के उचित मूल्य सुनिश्चित करने, संस्थागत संरचनाओं एवं उपयुक्त बाजार के विकास, जोखिम प्रबंधन, कृषक महिलाओं के क्षमता विकास तथा सम्पूर्ण कृषि प्रबंधन हेतु वांछित मानव संसाधन विकास। इनका विस्तृत विवरण निम्न प्रकार है—

—भूमि सुधार से संबंधित जिन नीतियों को अमल में लाने की आवश्यकता है उनमें प्रमुख हैं; भूमि के स्वामित्व सम्बंधी दस्तावेजों को अद्यतन करना, बनावट एवं स्थिति के

अनुसार भूमि की चकबन्दी, अतिरिक्त भूमि का भूमिहीनों के बीच वितरण, कृषक महिलाओं को भू-स्वामित्व का अधिकार, आदि तथा परती एवं बंजर भूमि का कृषि कार्यों के लिए विकास तथा गैर कृषि कार्यों के लिए कृषि भूमि के आबंटन पर प्रतिबंध।

—मृदा सुधार के लिए मिट्टी एवं जल संरक्षण के साथ-साथ समन्वित मृदा एवं पौधा पोषण उपायों को अमल में लाना जिसमें रासायनिक एवं जैविक उर्वरकों के बीच जायज समीकरण स्थापित कर समानुपातिक प्रबंधन का प्रावधान हो।

—सिंचाई सुविधाओं के सृजन के लिए समेकित जलछाजन प्रबंधन के आधार पर समुचित जल प्रबंधन, जिसमें मुख्य रूप से वर्षाजल को संग्रहित कर संचय एवं प्रयोग की योजनाओं को अमल में लाने की व्यवस्था हो। इसके अतिरिक्त उद्वह सिंचाई परियोजनाओं एवं भूमि के नीचे के जल स्रोतों के बुद्धिमत्तापूर्ण दोहन की योजनाओं को कार्यरूप में परिणत करने की आवश्यकता होगी।

—पादप एवं पशु अनुवांशिक संसाधन के अवक्रमण को रोकने के लिए ऐसे पादपों जो जल की खपत कम करते हों, सूखे, कीट, रोग एवं अन्य व्याधियों के प्रति सहनशील हो, विकास जिनमें पोषक तत्त्वों की मात्रा अधिक हो, अधिक उपज देते हों तथा पर्यावरणीय रूप से सुरक्षित हों के विकास के लिए उनकी पहचान मूल्यांकन, संरक्षण एवं संवर्द्धन हेतु जैव प्रौद्योगिकी को बढ़ावा देना।

—इसी प्रकार पशु प्रजनन के लिए स्वदेशी एवं बहिर्जातीय नस्लों के आधार पर अनुवांशिक परिवर्तनशीलता को बढ़ावा देना।

—पर्यावरणीय चिन्ताओं के मद्देनजर कृषकों को संवेदनशील बनाने का प्रयास करना तथा समेकित कीट-रोग-तृण-कृमि प्रबंधन, समेकित पोषक तत्त्व प्रबंधन के माध्यम से बायोमास, कार्बनिक एवं अकार्बनिक उर्वरकों के संतुलित प्रयोग तथा कृषि रसायनों के नियंत्रित उपयोग को प्रोत्साहित करना। इससे कृषि उत्पादन में टिकाऊ वृद्धि की जा सकेगी। साथ ही कार्बनिक पदार्थों की पूर्ति और प्रदूषण नियंत्रण के लिए कृषि अवशेषों, कचरों तथा अपउत्पादों का उपयोग भी करना होगा।

—कृषि एवं सामाजिक वानिकी कार्यक्रमों के माध्यम से बायोमास में वृद्धि कर पोषक तत्त्वों के प्रभावी चक्रण, नेत्रजन के निर्धारण, कार्बनिक पदार्थों के वर्धन तथा सरणि में सुधार सहायता, पैकेज विकसित करके अधिक आय सृजन, बंजर भूमि विकास और सीमांत भूमि के कुशल उपयोग को प्रोत्साहित करना होगा।

—जनजातीय क्षेत्र के किसानों के पारम्परिक ज्ञान और बुद्धि को खासकर जैव कृषि एवं पोषाहारीय तथा औषधीय प्रयोजनों के लिए खाद्य पदार्थों के परीक्षण और प्रसंस्करण से संबधित है का उपयोग करना स्थायी कृषि विकास के लिए अनावश्यक होगा।

—समतामूलक कृषि विकास जो क्षेत्र दर क्षेत्र, किसान दर किसान, लिंग दर लिंग हो और जो स्थानीय बाजार की माँग को पूरा करे एवं राष्ट्रीय आवश्यकताओं तथा अन्तर्राष्ट्रीय बाजार के अनुरूप हो, को प्रोत्साहित करना होगा।

—खाद्य एवं पोषण सुरक्षा को सुनिश्चित करने, खासकर जनसंख्या के बढ़ते दबाव के आलोक में, जिसके लिए 2.5 प्रतिशत की वार्षिक दर से कृषि विकास का लक्ष्य प्रस्तावित किया

गया है, को प्राप्त करने के लिए कृषि के अन्तर्गत क्षेत्रफल विस्तार करना फसल तीव्रता को कम से कम वर्तमान की तुलना में डेढ़ गुना बढ़ाना आवश्यक होगा। इसके लिए उत्पादकता में कम से कम सवा गुने की वृद्धि करनी होगी तथा उच्च पोषण वाली फसलों के अन्तर्गत क्षेत्रफल विस्तार की योजना बनानी पड़ेगी। साथ ही साथ दलहन, तेलहन, फल, सब्जी, एवं पशु उत्पादन को खेती प्रणाली में निश्चित स्थान देना होगा।

—आर्थिक सुरक्षा एवं रोजगार के अधिक अवसर पैदा करने के उद्देश्य से वर्षा आधारित एवं सिंचित बागवानी, पुष्पकृषि, कन्द एवं मूल फसलों, सुगंधित एवं औषधीय फसलों, मधुमक्खी पालन,मशरूम उत्पादन, लाह एवं रेशम। तसर उत्पादन, आदि को बढ़ावा देना होगा। यानि स्थानीय खेती पद्धतियों को विविधतापूर्ण बनाकर उनमें उपयुक्त तकनीकों को उपयोग करना होगा तथा इन उद्यमों को कम लागत वाली प्रौद्योगिकियों के प्रयोग से अधिक लाभकारी बनाना होगा।

—निर्यात में वृद्धि कर विदेशी मुद्रा के अर्जन हेतु वर्धित गुणवत्तापूर्ण उत्पादन, कटाई पश्चात प्रबंधन खासकर प्रसंस्करण एवं परिरक्षण की तकनीकों को बढ़ावा देना होगा तथा गुणवत्ता विनियमन तंत्र की स्थापना करना होगा।

—कृषि विविधिकरण में पशुपालन एवं मत्स्यपालन पर विशेष ध्यान देने की जरूरत होगी। भोजन में जन्तु प्रोटीन की उपलब्धता बढ़ाने तथा निर्यात हेतु अधिशेष के सृजन प्रयासों में सूअर, बकरी एवं भेड़ पालन, दुग्ध उद्योग, कुक्कुट एवं बत्तख पालन एवं जलकृषि के विकास को उच्च प्राथमिकता देनी होगी। साथ ही जोत एवं भारवाही पशुओं की भूमिका बढ़ाने के लिए एक ठोस पशु प्रजनन नीति बनाने की आवश्यकता होगी।

—गैर पारम्परिक ऊर्जा स्रोतों के विकास में कृषि, वानिकी एवं पशुपालन क्षेत्रों की महत्त्वपूर्ण भूमिका होती है। इस आलोक में प्रस्तावित कृषि नीति में आवश्यक प्रावधान करने होंगे।

—उपयुक्त कृषि प्रौद्योगिकी के सृजन एवं विस्तार हेतु कृषक सहभागी परियोजनाओं को अमल में लाना होगा जिसमें क्षेत्र की जैव-भौतिक एवं किसानों की सामाजिक-आर्थिक तथा उपलब्ध आधारभूत संरचनाओं को ध्यान में रखकर तकनीकी सृजन, आकलन, परिष्करण एवं हस्तांतरण की योजनाएँ बनाने की आवश्यकता होगी। किसानों के पारम्परिक ज्ञान एवं आधुनिक विज्ञान के समन्वय से आर्थिक एवं तकनीकी दृष्टिकोणों तथा पर्यावरणीय एवं लिंग भेद की चिन्ताओं के मद्देनजर जैव प्रौद्योगिकी और दूर संवेदन प्रौद्योगिकी के माध्यम से ये कार्य करने होंगे।

इसके लिए अनुसंधान, विस्तार एवं कृषकों के बीच सम्पर्क को मजबूत बनाने की आवश्यकता होगी। पंचायत स्तर कृषि सूचना केन्द्र जिसमें कम्प्यूटर, टेलीविजन, रेडियो एवं टेलीफोन की महत्त्वपूर्ण भूमिका होगी।

—झारखंड क्षेत्र में पहले से ही कृषि क्षेत्र में पूँजी की बेहद कमी रही है। अत: क्षेत्रीय असंतुलनों को कम करने के लिए इस क्षेत्र में यथेष्ट पूँजी निवेश करना पड़ेगा।

—छोटे एवं सीमांत कृषकों की बहुलता को ध्यान में रखते हुए स्वयं सहायता समूह बैंकिंग प्रणाली को प्रोत्साहित करना होगा।

—स्थानीय किसानों खासकर जनजातीय समुदायों में सहकारी भावना पहले से मौजूद है। आवश्यकता है यहाँ सहकारी आन्दोलन को प्रभावी बनाने की। इसके लिए सहकारी समितियों के गठन एवं उन्हें और अधिक स्वायत्तता एवं प्रचलनात्मक स्वतंत्रता मिलनी चाहिए।

—किसानों को उनके बौधिक सम्पदा तथा पारम्परिक अमूल्य ज्ञान का अधिकार मिले इसके लिए सरकार को पेटेन्टिंग नियमों को प्रचारित करने की आवश्यकता होगी।

—कृषि के क्षेत्र में मानव संसाधन विकास, उपयोगी शोध, प्रशिक्षण एवं प्रसार कार्यों को और अधिक मजबूती प्रदान करने के उद्देश्य से झारखण्ड क्षेत्र के एक मात्र कृषि विश्वविद्यालय को और अधिक शक्ति प्रदान करने की आवश्यकता होगी तथा विभिन्न प्रकार के शिक्षण, प्रशिक्षण एवं शोध कार्यों के लिए क्षेत्रीय स्तर पर महाविद्यालयों, शोध संस्थानों एवं प्रशिक्षण केन्द्रों की स्थापना करना होगा।

—प्राथमिकता के आधार पर प्रत्येक जिले में एक कृषि विज्ञान केन्द्र स्थापित करने के उद्देश्य से झारखण्ड के शेष 12 जिलों के लिए राज्य सरकार को प्रयास करना होगा।

—कृषि विकास में अनुसंधान एवं प्रसार कार्यों के अतिरिक्त जिस बात की अधिक महत्ता है, वह है समय पर एवं उचितमूल्य पर गुणवत्तापूर्ण कृषि उपादानों यथा बीज, पौध सामग्रियों, उर्वरकों, कृषि रसायनों, उपकरण एवं यंत्रों आदि की उपयुक्त स्थान पर उपलब्धता सुनिश्चित करना।

इसके लिए एक प्रभावी बीज एवं पौध सामग्री नीति की आवश्यकता होगी, जिसके अन्तर्गत सरकारी, गैर-सरकारी एवं निजी क्षेत्रों की सहभागिता के आधार पर उत्पादन एवं वितरण का प्रबंध करना होगा। उपादान प्रबंधन में पंचायतों एवं ग्राम सभाओं की महत्त्वपूर्ण भूमिका हो सकती है। कम से कम पंचायत स्तर पर किसानों के प्रबंधन में एक ही जगह पर सभी तरह के उपादानों एवं सूचनाओं को मुहैया करना पड़ेगा।

—कृषि क्षेत्र को निर्माण क्षेत्र के समान अधिकतम लाभ यानि, ऋण, एवं अन्य अनुदानों की आसानी से उपलब्धता, कृषि वाणिज्य उद्योगों के विकास तथा प्रभावी वितरण प्रणाली के विकास को बढ़ाने के लिए विशेष सरकारी प्रयास करने पड़ेंगे।

—राष्ट्रीय कृषि बीमा स्कीम को झारखण्ड क्षेत्र में सभी किसानों एवं सभी फसलों के लिए लागू करना होगा, क्योंकि विभिन्न प्राकृतिक आपदाओं एवं मूल्य अस्थिरता के कारण किसानों की स्थिति असंतोषजनक बनी हुई है।

—ऐसा देखा जा रहा है कि केन्द्र सरकार द्वारा मुख्य कृषि उत्पादों के लिए न्यूनतम समर्थन मूल्य घोषित करने के बावजूद किसानों को उन्हें औने-पौने कीमत पर बेचना पड़ रहा है। अतः राज्य सरकार को जिंसों की खरीद समर्थन मूल्य पर करने की गारंटी देनी होगी।

—किसानों में कुशल प्रबंधन क्षमता के विकास के लिए खासकर युवाओं को विशेष प्रकार के प्रशिक्षण देने की आवश्यकता होगी, जिसमें तकनीकी कौशल, वित्तीय प्रबंधन एवं समूह निर्माण आदि को सम्मिलित कर उनकी क्षमता का भरपूर विकास किया जा सके।

सारांश

झारखंड में कृषि की वर्तमान स्थिति, किसानों के सामाजिक-आर्थिक परिवेश तथा भूमि एवं जलवायवीय परिस्थितियों के आलोक में उत्पादन से संबंधित समस्याओं के विश्लेषण की आवश्यकता है। इसके द्वारा ही जैव-भौतिकी कारकों एवं अन्य अवरोधों की पहचान हो सकेगी तथा उपयुक्त तकनीकी एवं अन्य हस्तक्षेपों के माध्यम से कृषि विकास के लक्ष्य को हासिल किया जा सकेगा। कृषि विकास की योजनाओं के निर्माण एवं क्रियान्वयन में कृषकों की सहभागिता को केन्द्र बिन्दु बनाना होगा तथा विभिन्न क्षेत्र विशेष एवं कृषक श्रेणी के आधार पर प्राथमिकता तय करनी पड़ेगी। उद्देश्यों की काल बद्ध प्राप्ति हेतु सरकारी तंत्र में प्रबल इच्छा शक्ति एवं पारदर्शी कार्य संस्कृति के विकास की आवश्यकता है। गैर-सरकारी तंत्र से सरकार को सामंजस्य स्थापित करना होगा तथा राज्य में स्थित कृषि शिक्षा, अनुसंधान एवं प्रसार से संबंधित संस्थानों को सुदृढ़ एवं सबल बनाकर विज्ञान एवं प्रावैधिकी को बढ़ावा देना होगा। प्रदेश के कृषि विभाग में प्रचलित प्रसार ढाँचे में व्यापक परिवर्तन की आवश्यकता होगी जिसके स्वरूप को नई प्रसार योजनाओं के अनुभवों के विश्लेषण के आधार पर तय किया जा सकता है।

कृषि की अर्थव्यवस्था

एम.एल. सिंह

झारखंड क्षेत्र जिसमें छोटानागपुर और संतालपरगना के 18 जिले सम्मिलित हैं, 79714 वर्ग कि.मी. क्षेत्रफल में फैला हुआ है। यह बिहार के सम्पूर्ण भौगोलिक क्षेत्र का 46.9% है। इस क्षेत्र के कुल 26.9% क्षेत्रफल में खेती की जाती है और यहाँ राज्य की कुल आबादी का 23.9% भाग निवास करता है। इस क्षेत्र की सम्पूर्ण कृषि-भूमि और आबादी का अनुपात निम्न है जो कि 26.4% है और अपेक्षाकृत बड़ा भूभाग 30.1% वनों से आच्छादित है। कुल 15.7% क्षेत्र बंजर है और 24.9% क्षेत्र असिंचित है। यहाँ की भूमि में खनिज सम्पदा प्रचुर मात्रा में है। इसके बावजूद यहाँ की 71% जनता कृषि पर निर्भर है। यहाँ की आमदनी का 43% कृषि से प्राप्त किया जाता है।

बिहार के उत्तरी और दक्षिणी क्षेत्रों की तुलना में इस क्षेत्र में कृषि के लिए आवश्यक भूमि और जल अधिक उपयुक्त नहीं है। इस क्षेत्र का एक बड़ा भूभाग पठार है। यहाँ की ऊँची-नीची भूमि के कारण भूमि का कटाव अधिक होता है। अधिकतर मिट्टी अम्लीय और पीली है जिसमें सूक्ष्म पोषक तत्त्वों की मात्रा एवं जलधारण क्षमता बहुत ही कम है। भूमि का एक बड़ा भाग एक-दो फसल काटने के बाद परती छोड़ दिया जाता है ताकि भूमि की उर्वरा शक्ति को पुनः कायम किया जा सके। लगभग 60% भूमि टांड़ है और शेष 40% दोन है।

इस क्षेत्र की कृषि पिछड़ी हुई अर्थव्यवस्था को प्रतिबिंबित करती है जिसमें पारंपरिक खेती से अलग हटकर अब तक कोई परिवर्तन नहीं हुआ है। झारखण्ड क्षेत्र की कृषि अर्थव्यवस्था के पिछड़ेपन की दशा को प्रस्तुत करना और इसके लिए उत्तरदायी कारकों एवं कृषि के विकास की संभावनाओं को तलाशना इस शोधपत्र का उद्देश्य है।

कृषि पिछड़ेपन की स्थिति

कम उपज और स्थिर वृद्धि दर झारखंड क्षेत्र की कृषि की विशेषताएँ हैं। इस क्षेत्र की एकमात्र बड़ी फसल धान है जिसकी खेती लगभग 61% खेती योग्य भूमि पर की जाती है। दूसरी फसलें जो कम महत्त्वपूर्ण हैं उनके नाम हैं मक्का, गुड़ और गेहूँ। इन फसलों को कुल कृषि क्षेत्र के क्रमशः 6.4%, 2.4% और 2.7% क्षेत्र में उगाया जाता है। कुल उपजाऊ क्षेत्र के 7% भाग में दालें उगाई जाती हैं। विभिन्न राज्यों एवं राष्ट्रीय उपज के औसत की अपेक्षा इस राज्य में लगभग सभी फसलों की उपज कम होती है।

सारणी-1 : प्रति हेक्टेयर किलोग्राम में उपज, त्रिवार्षिक 1995-96 तक तुलनात्मक विवरण

फसल	*झारखंड*	*बिहार*	*भारत*	*पंजाब*	*हरियाणा*
	1133	1179	1865	3426	2730
धान	1651	1980	2474	3957	3639
गेहूँ	1596	1811	1548	1987	1600
मक्का	576	739	587	740	740
कुल अनाज	1109	1317	1517	3489	2472

उपर्युक्त सारणी से स्पष्ट है कि विभिन्न भारतीय राज्यों में फसलों के उत्पादन के औसत और राष्ट्रीय औसत की अपेक्षा झारखंड में फसलों के उत्पादन का औसत बहुत कम है । पुनः धान की उपज झारखंड में पंजाब की अपेक्षा एक तिहाई है और हरियाणा में धान की उपज का 42% है। पंजाब और हरियाणा की अपेक्षा यहाँ गेहूँ की उपज क्रमशः 42% और 45% है। मक्का के मामले में उत्पादन का विचलन कुछ खास नहीं है परंतु पंजाब और हरियाणा राज्यों की तुलना में यहाँ दलहन का उत्पादन 78% है। केवल फसलों का उत्पादन ही झारखण्ड में बहुत कम नहीं है बल्कि कृषि उत्पादन की दर भी बहुत धीमी है।

कुछ मामूली फसलों जैसे महुआ, चना और गन्ने को छोड़कर 1969 से 96 के बीच लगभग सभी फसलों की उत्पादन की वृद्धि दर कम पाई गई है, जहाँ तक बिहार राज्य और राष्ट्रीय उत्पादन का प्रश्न है। धान जो एकमात्र महत्त्वपूर्ण फसल है, उसके उत्पादन की दर भी केवल 0.4% प्रति वर्ष है। जबकि राज्यों में धान के उत्पादन की वार्षिक दर 1.08% एवं राष्ट्रीय धान के उत्पादन की राष्ट्रीय दर 2.34% है। गेहूँ भी इस क्षेत्र की प्रमुख फसल है लेकिन उसकी वृद्धि दर भी मात्र 1% है जबकि राष्ट्रीय औसत 2.81% है।

पिछड़ेपन के कारक

आधुनिक लाभ जैसे संकर बीज, सिंचाई, उर्वरक, कीटनाशी रसायन और कृषि उपकरणों के मामले में झारखंड में बहुत कम तरक्की हुई है जिसके कारण फसल उत्पादन लगातार कम हो रहा है जबकि देश के बहुत से भागों में इन उपायों का अधिक प्रयोग हुआ है और 1994-95 में उत्पादन में बहुत अधिक वृद्धि हुई है। 1994-95 वर्ष में झारखंड के केवल 12.3% उन्नतिशील प्रजाति के धान बोए गए जबकि यह औसत राज्यों में 35.6% तथा राष्ट्रीय स्तर पर 74.6% रहा। पुनः इस क्षेत्र में गेहूँ उगाए जाने वाले क्षेत्र का भाग 37.9% क्षेत्र संकर प्रजाति का गेहूँ उगाने में किया गया जबकि राज्यों में इसका औसत 79.5% और राष्ट्रीय औसत 90.7% रहा। झारखंड में उर्वरकों के उपयोग की दर 22.2 किग्रा/हेक्टेयर रही जबकि राष्ट्रीय औसत 76 किग्रा रहा। आधुनिक कृषि यन्त्र और मशीनों जैसे ट्रैक्टर, थ्रेशर, पम्पसेट, ट्यूबवेल का प्रयोग 60 के दशक से भारतीय कृषि में बहुत अधिक बढ़ा है। फिर भी झारखंड के किसान पारंपरिक कृषि औजारों और विधियों का ही प्रयोग करते आ रहे हैं। खेतों की जुताई मुख्यतः पशुओं द्वारा की जाती है। खेतों में मिट्टी के ढेलों को फोड़ने के लिए लकड़ी का सहारा लिया जाता है जिसके दूसरे सिरे पर 5-6 किग्रा का वजन रहता है। जमीन का समतलीकरण लकड़ी की छड़ी से किया जाता है।

संचित क्षेत्र का बड़ा भाग खोदे गए कुएँ से लट्ठा और कुंडी की सहायता से जल निकालकर किया जाता है। झारखण्ड में आधुनिक कृषि यन्त्रों एवं सहायक साधन सामग्रियों का प्रयोग बहुत कम होता है।

कृषि में आधुनिक संकर फसलों की तकनीक को लागू करने के लिए आश्वस्त सिंचाई की भूमिका बहुत महत्त्वपूर्ण होती है। फिर भी झारखण्ड में सिंचाई सुविधाओं की भारी कमी है। 1995-96 की अवधि में कुल 2115,000 हेक्टेयर बोए गए क्षेत्र में से केवल 162,334 हेक्टयेर की ही सिंचाई की जा सकी थी। कुल बोए गए क्षेत्र में सिंचित क्षेत्र का प्रतिशत इस अवधि में मात्र 7.68% ही रहा। यह अनुपात राज्यों के 34% और राष्ट्र के 31% औसत के आगे बहुत ही कम था।

1995-96 के सिंचाई के आँकड़ों से पता चलता है कि कुल सिंचित क्षेत्र के 78% भाग की सिंचाई इस अवधि में केवल तालाबों से की गई। यदि कुछ अन्य स्रोत थे तो वे भी वर्षा के जल पर आश्रित थे जिन्हें अनिश्चित ही कहा जाएगा। वास्तव में, झारखंड क्षेत्र के कुल सिंचित क्षेत्र के 2% से भी कम क्षेत्र में आश्वस्त सिंचाई की सुविधा थी। सिंचाई की सुविधाओं के अभाव में किसानों को वर्षा पर आधारित होना पड़ता है जो कि सदैव अनिश्चित और असामयिक होती है और अक्सर ऐसे समय में वर्षा नहीं होती जब पौधों की वृद्धि के लिए सिंचाई की नितान्त आवश्यकता होती है। किसानों को आधुनिक संसाधनों जैसे संकर बीजों और उर्वरकों का प्रयोग वर्षा के अभाव में खतरा मोल लेने जैसा लगता है। वर्षा पर आश्रित होने के कारण यहाँ की कृषि मौसम आधारित हो जाती है जो खास तौर से मध्य जून से दिसंबर माह के बीच होती है। धान की कटाई के बाद केवल थोड़ा-सा भूभाग ही जिसमें नमी होती है अथवा जिसकी सिंचाई की व्यवस्था होती है, रबी की फसलों और सब्जियाँ उगाने के काम आता है। फसलों को उगाने की तीव्रता 111% से भी कम होती है। इस क्षेत्र में खेतों पर कार्य करने वाले श्रमिकों को गैर फसली मौसमों में बेरोजगार रहना पड़ता है और वे काम की तलाश में अन्य क्षेत्रों में चले जाते हैं।

कृषि-विकास की संभावनाएँ

भू-भौतिक परिस्थितियों के विषम होने के बावजूद झारखण्ड क्षेत्र में फसलें उगाने और पैदावार बढ़ाने की अपार संभावनाएँ हैं। इस राज्य में भूमिगत जल-क्षमता 482 करोड़ घनमीटर/वर्ष है परन्तु अब तक इसका केवल 4.1% ही सिंचाई के काम आता है। किसान अक्सर छिछले जलस्रोतों का उपयोग सिंचाई हेतु करते हैं अथवा वे खुले कुओं की मदद लेते हैं। ड्रिलिंग सुविधा के अभाव में वे अधिकतर गहराई में स्थित जल का उपयोग नहीं कर पाते हैं, जब तक यह सुविधा उन्हें सरकार द्वारा सस्ती दरों पर उपलब्ध नहीं कराई जाए। इस क्षेत्र में गरीब किसान भाड़े पर लेकर ड्रिलिंग मशीनों की सुविधा का भी उपयोग नहीं कर पाते। उल्लेखनीय है कि दकन और हरियाणा के बड़े भूभाग 150 से 200 फीट गहरे जलस्रोतों का उपयोग करते हैं। और उनके भूमिगत जल के दोहन की दर बहुत अधिक है। उदाहरण के तौर पर यह दर हरियाणा में 80.2%, तमिलनाडु में 60.4%, आंध्र प्रदेश में 23.8%, कर्नाटक में 26.9% और केरल में 15.3% भूमिगत जल का दोहन किया जाता है।

इसमें संदेह नहीं कि झारखंड राज्य में बहुत कम बहुवार्षिक नदियाँ हैं जिनमें जनवरी-फरवरी तक पर्याप्त जल रहता है। फिर भी उस जल का उपयोग नहरों के माध्यम से सिंचाई करने में किया जा सकता है। सरकार ने पहले से ही कुछ नदियों को चिन्हित कर रखा है जैसे अमानत, आफंगा, शंख और घाघरा जिनसे नहरें निकाली जा सकती हैं लेकिन अर्थ की कमी के कारण वह कार्य शुरू नहीं किया जा सका है। इसके अलावा बहुत-सी नदियाँ एवं जलस्रोत ऐसे हैं जिनमें वर्षाकाल में जल भरा रहता है। उदह सिंचाई योजनाओं के अन्तर्गत उनके जल का उपयोग किया जा सकता है। इस उद्देश्य से इस क्षेत्र में बिहार हिल एरिया लिफ्ट इरिगेशन कार्पोरेशन की स्थापना की गई थी। अब तक इस कार्पोरेशन ने 314 लिफ्ट इरिगेशन योजनाओं को पूरा किया है जिसमें 53795 एकड़ भूमि सम्मिलित है। परन्तु वास्तविक स्थिति यह है कि अब तक केवल 3094 एकड़ भूमि की ही सिंचाई संभव हो सकी है। बहुत-सी योजनाएँ रखरखाव इत्यादि के साधनों की कमी के कारण पूरी नहीं हो पाई हैं। विद्युत की कमी एवं तारों की चोरी भी इसके पीछे कुछ अन्य कारण हैं।

झारखण्ड क्षेत्र में सिंचाई के साधनों में वृद्धि करके यहाँ की कृषि व्यवस्था का विकास किया जा सकता है। इस क्षेत्र के गुमला जिले के संबंध में रमजान आसारी की मध्यम सिंचाई परियोजना से स्पष्ट होता है कि रागी को छोड़कर अन्य सभी फसलों की पैदावार इस परियोजना द्वारा काफी अधिक बढ़ाई जा सकी अपेक्षाकृत उस क्षेत्र के जहाँ परियोजना को लागू नहीं किया गया। प्रमुख फसलों जैसे धान की पैदावार को 60.3% और मक्के की पैदवार को 30.5% तक बढ़ाया जा सका। अन्य फसलों की पैदावार में वृद्धि को 7.1 से 21.7% तक बढ़ाया गया। पुनः प्रति हेक्टेयर उर्वरकों की खपत बहुत अधिक थी। उदाहरण के लिए प्रोजेक्ट एरिया में उर्वरकों की खपत प्रति हेक्टेयर 66.7 कि.ग्रा. प्रति हेक्टेयर थी जबकि नॉन-प्रोजेक्ट एरिया में उर्वरकों की खपत 21.3 कि.ग्रा. प्रति हेक्टेयर थी। प्रोजेक्ट एरिया में उच्च उत्पादन वाली फसलों की प्रजातियों का प्रतिशत धन के लिए 58.4, मक्का के लिए 77.9 और गेहूँ के लिए 92 था। वहीं गैर-परियोजना क्षेत्र में क्रमशः 21.3%, 55.6% और 71.2%।

हाल में झारखंड बागवानी उत्पादन के क्षेत्र में महत्त्वपूर्ण रूप में उभरा है। इस क्षेत्र में और इस क्षेत्र के चारों ओर शहरी उपभोक्ता केंद्रों के विकास के कारण इन उत्पादनों के लिए बाजार तैयार हो चुके हैं। यहाँ के किसानों ने इस अवसर का लाभ उठाया जिसके परिणामस्वरूप किसानों ने सब्जियों की खेती करना शुरू किया है जिनमें मटर, फूलगोभी, बंदगोभी, आलू, बैंगन इत्यादि प्रमुख हैं। सड़क और संचार की सुविधाओं के बढ़ने के साथ-साथ ये किसान अपनी फसलों के उत्पादनों अर्थात् फलों और सब्जियों को न केवल बाजारों जैसे राँची, जमशेदपुर, लोहरदगा, डालटनगंज, गढवा आदि में भेजने लगे हैं बल्कि कलकत्ता, राउरकेला, भिलाई आदि अन्तर्राष्ट्रीय बाजारों में भी भेज रहे हैं। सिंचाई की सुविधाओं में वृद्धि से सब्जियों और फलों (पपीता, आम, लीची आदि) के उत्पादन को काफी सीमा तक बढ़ाया जा सकता है। बिरसा कृषि विश्वविद्यालय के वैज्ञानिकों ने विभिन्न फसलों की उन्नतिशील प्रजातियों का अनुसंधान किया है जिनसे 2-3 गुना अधिक उत्पादन प्राप्त किया जा सकता है। यदि सिंचाई की सुविधाएँ बढ़ती हैं तो यहाँ के किसान इन नवीन उन्नतिशील प्रजातियों की फसलों को उगाकर

उत्पादन को बढ़ा सकते हैं।

यहाँ के किसान अपने कृषि उत्पादन को मिश्रित फार्म व्यवस्था द्वारा जैसे डेयरी पालन, मुर्गीपालन, शूकर पालन, मत्स्य पालन, बागवानी द्वारा फल उत्पादन आदि के माध्यम से बहुत अधिक बढ़ा सकते हैं। स्थानीय स्तर पर दूध, अंडा, मांस, फल आदि के उत्पादन द्वारा स्थानीय माँगों को पूरा किया जा सकता है जो कि अभी तक नहीं हो पाया है। ऐसे उत्पादन आज भी बड़ी मात्रा में अन्य राज्यों जैसे तमिलनाडु, आंध्र प्रदेश और कर्नाटक से आयात किए जाते हैं।

झारखंड में कृषि उत्पादन को बढ़ाने के लिए सरकारी स्तर पर भी भारी निवेश की आवश्यकता है। इसके लिए सिंचाई की सुविधाओं में वृद्धि, जलछाजन कार्यक्रम, ग्रामीण सड़कों का निर्माण, ग्रामीण विद्युतीकरण आदि की तीव्र आवश्यकता है। इस क्षेत्र में औसतन 1300–1400 कि.मी. वार्षिक वर्षा होती है लेकिन अधिकतर जल नदियों में चला जाता है जिससे भूमि का कटाव भी बढ़ता है। जलछाजन कार्यक्रम के अन्तर्गत मेंड़ बनाना, सीढ़ीनुमा खेत बनाना, जलसंग्रह, सामाजिक वानिकी, कृषि वानिकी आदि को इस क्षेत्र में लागू किया जा रहा है। परन्तु इन कार्यक्रमों का क्रियान्वयन अपर्याप्त है। झारखंड के लगभग 70% गाँवों में या तो विद्युत व्यवस्था नहीं है अथवा विद्युत की आपूर्ति बहुत कम होती है और 65% गाँव सड़कों द्वारा मंडियों और शहरों से संबद्ध नहीं हैं। केवल 20% मंडियों को बाजार विनिमय पद्धति में लाया गया है परन्तु बाजार विपणन अधिनियम को ठीक से लागू नहीं किया जा रहा है। अभी भी बाजारों में क्रय-विक्रय की पुरानी पद्धतियाँ लागू हैं जिनके कारण किसानों को अपने परिश्रम का उचित मूल्य नहीं मिल पाता है। अधिकांश मंडियों में यार्ड, गोदाम, शीतगृह आदि की सुविधाएँ नहीं हैं। इन सुविधाओं के अभाव के कारण किसानों को अपने कृषि उत्पाद को उसी दिन बेच देना पड़ता है जिसके कारण उनकी आमदनी पर असर पड़ता है।

अंत में यह निष्कर्ष निकलता है कि पिछले अनेक वर्षों से झारखंड में कृषि का विकास स्थिर हो चुका है फिर भी इस क्षेत्र में कृषि उत्पादकता को बढ़ाने की अपार संभावनाएँ हैं। इसके लिए ऊपर सुझाए गए उपायों को करना अत्यन्त जरूरी है।

पशुपालन-ग्रामीण विकास की धुरी

डॉ. नीरज कुमार वर्मा

झारखंड राज्य भारतवर्ष का एक ऐसा राज्य है जो प्राकृतिक संपदाओं एवं खनिज की मात्रा में देश के सभी राज्यों की तुलना में काफी सम्पन्न है। इस प्राकृतिक धन की अथाह मात्रा एवं क्षमता के बावजूद इस राज्य की लगभग 57% जनसंख्या गरीबी रेखा के नीचे गुजर-बसर कर रही है। इस राज्य की बहुत बड़ी जनसंख्या लगभग 76.75% ग्रामीण इलाके में रह रही है। फलतः ग्रामीण जनसंख्या को लक्ष्य करते हुए बहुत सारी विकास योजनाओं का क्रियान्वयन किया जा रहा है।

ग्रामीण झारखंड की सामाजिक एवं आर्थिक स्थिति मुख्यतः कृषि एवं कृषिजन्य सक्रियताओं पर निर्भर है। यहाँ के कृषक मुख्यतः लघु एवं सीमान्त कृषक हैं। यहाँ के कुल कृषि कर्मियों में से लगभग 30% कृषि श्रमिक हैं। यहाँ की पारम्परिक कृषि की उत्पादकता काफी कम है। यहाँ की मिट्टी की उर्वरा क्षमता भी काफी कम है। अम्लीय मिट्टी, मिट्टी में पोषक तत्त्वों की कमी, सिंचाई की कमी (खरीफ फसल में 8-10% एवं रबी में 3-5% सिंचाई की व्यवस्था उपलब्ध है) कृषकों द्वारा खास फसल के प्रति पसंद एवं नापसंद आदि कारणों की वजह से अधिकांश कृषि योग्य भूमि (80-90%) में एकल फसल की प्राप्ति होती है। इस राज्य में केवल 10-20% किसान ही अपनी वार्षिक आवश्यकता की पूर्ति के बराबर अनाज पैदा कर पाते हैं। करीब 30% कृषक अपनी वार्षिक आवश्यकता के स्थान पर केवल छह माह की जरूरतों की पूर्ति लायक अनाज का उत्पादन कर पाते हैं तो शेष काफी मुश्किल से करीब तीन माह की आवश्यकताओं के लायक अनाज पैदा कर पाते हैं।

कृषि की इस कतिपय सीमाओं की वजह से पशुपालन झारखण्ड की ग्रामीण जनसंख्या के विकास का एक महत्त्वपूर्ण कारक है। पशुपालन के माध्यम से ग्रामीण अर्थव्यवस्था के विकास के साथ-साथ ग्रामीण रोजगार, स्थानीय आवश्यकताओं की पूर्ति होती ही है, साथ ही पशुओं के उत्पादों यथा मांस, अण्डा, दूध के उपभोग से ग्रामीणों के पोषण स्तर में भी सुधार होता है। ऊन, चमड़ा, पंख आदि का उपयोग विभिन्न वस्तुओं के निर्माण में होता है, तो दूसरी तरफ पशुओं के मल-मूत्र, गोबर आदि का कृषि कार्य के लिए एक बेहतरीन कम्पोस्ट खाद के रूप में उपयोग होता है।

पशुओं की इन्हीं विभिन्न तरह की उपयोगिताओं की वजह से झारखंड के ग्रामीण इलाके के अधिकांश घरों में पशु जैसे गाय, भैंस, बकरी, सूकर, मुर्गी, बत्तख आदि रखे जाते हैं। ग्रामीण झारखण्ड के जनजाति परिवार के घरों में आज भी मांस उत्पादन करने वाले पशु एवं पक्षियों को प्राथमिकता के आधार पर पाला जाता है क्योंकि जनजातीय परिवार में मांस उनके भोजन का

एक महत्त्वपूर्ण भाग है, साथ ही इन मांस हेतु पाले जाने वाले छोटे पशु–पक्षी यथा बकरी, सूकर, भेड़, मुर्गी, बत्तख पर काफी कम पूँजी के निवेश की जरूरत होती है तथा आवश्यकता पड़ने पर शीघ्र ही इन्हें बेच कर नकद राशि की प्राप्ति की जा सकती है। फलतः ग्रामीण झारखण्ड में पशुपालन ग्रामीणों के विकास में अहम भूमिका का निर्वाह कर रहा है। पशुपालन के माध्यम से स्वरोजगार के अवसर भी बढ़ रहे हैं। कहीं–कहीं तो लोग मुख्य व्यवसाय के साथ–साथ पशुपालन को एक अतिरिक्त आमदनी प्राप्त करने हेतु भी अपना रहे हैं। दूसरे शब्दों में पशुपालन के माध्यम से लोग झारखण्ड में रोजगार के अवसर सृजित कर रहे हैं। इससे ग्रामीण अर्थव्यवस्था के सुदृढ़ीकरण, न्यूनतम पौष्टिक आवश्यकताओं की पूर्ति जैसे महत्त्वपूर्ण कार्य भी हो रहे हैं।

झारखंड राज्य के सुदूर ग्रामीण एवं शहरी इलाकों तक पशुपालन के विकास एवं विस्तार हेतु वर्तमान में पशुपालन एवं मत्स्य विभाग झारखण्ड सरकार अपने विभिन्न कार्यालयों द्वारा कई योजनाओं का संचालन कर रही है। वर्तमान में इस विभाग में मुख्यालय स्तर पर एक निदेशालय, क्षेत्रीय स्तर पर 3 प्रमण्डलीय, 13 जिला एवं 25 अनुमण्डलीय स्तर के पशुपालन कार्यालय पहले से कार्यरत हैं। इस वित्तीय वर्ष में राज्य स्तर पर निदेशालय, पलामू में एक प्रमण्डलीय कार्यालय तथा गढ़वा, बोकारो, सिमडेगा, लातेहार, जामवाड़ा, कोडरमा, सरायकेला तथा पाकुड़ जिला में पशुपालन कार्यालय के प्रारम्भ होने की संभावना है।

पशुपालन विभाग में विभिन्न नौ शीर्ष के अधीन व्यय का विकलन कर विभिन्न गैर–योजनात्मक योजनाओं को संचालित एवं नियंत्रित किया जा रहा है। ये शीर्ष हैं—

1. निदेशन और प्रशासन
2. पशु चिकित्सा सेवाएँ और पशु स्वास्थ्य
3. पशु और भैंस विकास
4. कुक्कुट विकास
5. भेड़ और ऊन का विकास
6. सूकर विकास
7. चारा और दाना विकास
8. विस्तार और प्रशिक्षण
9. प्रशासनिक अन्वेषण और सांख्यिकी

झारखंड राज्य के पशुओं के स्वास्थ्य की देखरेख एवं रोगों के निदान तथा पशुपालन स्वास्थ्य की रक्षा हेतु विभाग द्वारा कुल 23 प्रांतीय कृत पशु चिकित्सालय एवं 382 प्रथम वर्गीय पशु चिकित्सालय कार्यरत हैं।

वित्तीय वर्ष 2002–2003 में इन पशु चिकित्सालयों द्वारा किए गए कार्य इस प्रकार से हैं—

1. चिकित्सा की गई पशुओं की संख्या – 7,66,023
2. बधियाकरण की संख्या – 89,561
3. टीकाकरण की संख्या – 2,98,854

राज्य के अधिकांश गाय एवं भैंस देशी नस्ल के हैं जिनकी उत्पादन क्षमता काफी कम है। राष्ट्रीय परिप्रेक्ष्य में झारखण्ड राज्य दुग्ध उत्पादन में काफी पीछे है। यहाँ के दुधारू पशुओं की

औसत दुग्ध उत्पादन क्षमता मात्र 460 ग्राम प्रतिदिन है, जबकि राष्ट्रीय औसत 2.81 किलोग्राम प्रतिदिन है। 'इण्डियन काउंसिल ऑफ मेडिकल रिसर्च' द्वारा प्रति व्यक्ति प्रतिदिन 220 ग्राम दूध की आवश्यकता बताई गई है। परन्तु झारखंड राज्य में प्रति व्यक्ति दूध की उपलब्धता मात्र 50 ग्राम है, जबकि राष्ट्रीय औसत 221 ग्राम प्रतिदिन है। इस राज्य में प्रजनन योग्य गो जाति के पशुओं की संख्या लगभग 1.87 मिलियन तथा प्रजनन योग्य भैंस जाति के पशुओं की संख्या लगभग 0.29 मिलियन है। इनसे प्रतिवर्ष लगभग 0.39 मिलियन टन दूध का उत्पादन होता है। झारखंड में पाए जाने वाले देशी गो पशु आकार में छोटे एवं कम वजन के होते हैं। इनका वजन 100 से 150 कि.ग्रा. होता है तथा मुख्यतः ये चराई पर ही निर्भर करते हैं। इन्हें अलग से संतुलित आहार एवं विटामिन आदि नहीं दिया जाता है। फलतः ये शुरू के दो-तीन महीनों तक 200-250 ग्राम तक ही दूध दे पाती हैं। इसके पश्चात धीरे-धीरे दूध देना बन्द कर देती हैं। साथ ही दो बछड़ों के जन्म के बीच की अवधि झारखण्ड में काफी अधिक है। यह दो से ढाई वर्षों तक की होती है।

झारखंड के मुख्य शहरों के इर्द-गिर्द के गाँवों एवं औद्योगिक शहर जैसे राँची, जमशेदपुर, हजारीबाग, धनबाद, बोकारो आदि में काफी संख्या में संकर नस्ल की गाएँ पाली जाती हैं। इसके साथ ही भैंस पालन भी होता है। झारखंड के साहेबगंज, गोड्डा, दुमका, पाकुड़, देवगढ़ आदि शहरों में काफी संख्या में भैंस रखी जाती हैं।

झारखंड के पिछड़ी जातियों एवं आदिवासियों में दुग्ध उत्पादन हेतु गो-पशु रखने की रुचि काफी कम है। ये कृषि-कार्य, गोबर-उत्पादन, गाड़ी-खींचने आदि कार्य हेतु ही मुख्य रूप से गो-पशुओं का पालन करते हैं। इन पशुओं को चरागाह या सामुदायिक भूमि में चरने हेतु छोड़ दिया जाता है। वर्षा ऋतु के पश्चात जब घास या चारे की कमी होती है तब इन पशुओं को मात्र सूखे पुआल खिलाकर ही रखा जाता है। कुछ पशुपालक अपनी गायों से दूध लेते भी नहीं हैं। ग्रामीण इलाकों में लोग पशुओं को अलग से संतुलित आहार भी नहीं देते हैं। देहातों में रहने वाली काफी जनजातियों में दूध के उपयोग करने की परंपरा भी काफी कम है। हालाँकि शिक्षित एवं शहरों से जुटे कुछ जनजातियों जैसे उरांव, संथाल आदि में इन दिनों दुग्ध उत्पादन हेतु गो-पालन की प्रवृत्ति में धीरे-धीरे बढ़ोतरी हो रही है।

झारखंड के 22 जिले 'ऑपरेशन फ्लड' के कार्यक्रमों की कमी की वजह से 'दुग्ध क्रांति' के लाभों से वंचित रहे हैं। वर्तमान में राज्य का डेयरी विकास निदेशालय इस दिशा में विकास हेतु कार्रवाई कर रहा है। राज्य में 848 प्राथमिक सहकारी दुग्ध समितियाँ जिनमें कुल सदस्यों की संख्या 51,276 है तथा 12 जिला सहकारी दुग्ध समिति 'अमूल' पैटर्न पर कार्यरत हैं। यहाँ कुल 9 दुग्ध शीतल केन्द्र जिनकी कुल क्षमता 28,000 लीटर दूध प्रतिदिन की है, परन्तु ये प्रतिदिन मात्र 3,000 लीटर दूध की क्षमता का ही उपयोग कर पाते हैं।

इसका मुख्य कारण दुग्ध शीतल के आसपास के इलाकों में कम दुग्ध की उपलब्धता है। फिर भी राज्य में कुल 22,000 लीटर दुग्ध प्रतिदिन क्षमता के कुल 7 अतिरिक्त दुग्ध शीतल संयंत्र स्थापित करने की योजना पर कार्रवाई चल रही है।

राज्य में तीन दुग्ध प्रोसेसिंग डेयरी राँची, जमशेदपुर एवं बोकारो में कार्यरत हैं। इनकी स्थापित क्षमता 60 हजार, 1 लाख एवं 25 हजार लीटर दुग्ध प्रतिदिन है, परन्तु इनकी कार्यरत क्षमता

37,000, 67,000 एवं 39,000 लीटर प्रतिदिन है। इसके अलावा राज्य में पशुओं को संतुलित आहार उपलब्ध कराने के उद्देश्य से राँची में एक पशु आहार कारखाना राज्य सरकार द्वारा चलाया जा रहा है जिसकी स्थापित क्षमता 100 टन प्रतिदिन एवं कार्यरत क्षमता 26 टन प्रतिदिन है।

राज्य सरकार डेयरी निदेशालय के सहायक निदेशक मुकुल कुमार सिंह के अनुसार वर्तमान में राँची एवं आसपास के इलाकों से मात्र 6-7 हजार लीटर दूध प्रतिदिन प्राप्त होता है, शेष लगभग 1.36 लाख लीटर दूध प्रतिदिन बिहार एवं सीमावर्ती अन्य राज्यों से खरीदा जाता है जिस पर लगभग 50 करोड़ रुपया प्रतिवर्ष का भुगतान किया जाता है।

डेयरी निदेशालय, झारखंड, राँची द्वारा झारखंड राज्य के कुछ चयनित जिलों में एक सर्वेक्षण कराने के पश्चात गो-पशु से संबंधित कुछ जानकारियाँ प्राप्त की गई हैं। सर्वेक्षण हेतु चयनित जिले हैं—राँची, लोहरदगा, गुमला (सिमडेगा सहित), हजारीबाग (चतरा एवं कोडरमा सहित)। इन जिलों से प्राप्त सर्वेक्षण का विश्लेषण करने के पश्चात राज्य के गो-पशु से संबंधित निम्नवत् जानकारियाँ सामने आती हैं—

1. गो-पशु संख्या की संरचना
   (क) प्रति घर रखे गए पशु - 1.25
   (ख) दुधारू पशु - 18%
   (ग) प्रजनन योग्य मादा पशु - 16%
   (घ) कार्य हेतु रखे गए पशु - 56%
   (ङ) नवजात/युवा पशु - 10%
2. दुधारू पशु प्रति घर - 1.41
3. घरों में रखे गए दुधारू पशु का प्रतिशत - 31%
4. दुधारू पशुओं की संरचना (प्रतिशत में)
   (क) देशी गाय - 80.75%
   (ख) संकर गाय - 4.25%
   (ग) भैंस - 15%
5. दुधारू पशुओं का उत्पादन (लीटर प्रतिदिन)
   (क) देशी गाय - 0.78
   (ख) भैंस - 1.23
6. दुधारू गो पशुओं का उत्पादन (प्रतिशत में) (गायों द्वारा)
   (क) 0 लीटर - 15
   (ख) 0 - 0.5 लीटर - 23
   (ग) 0.5 - 1 लीटर - 35.50
   (घ) 1 लीटर से अधिक - 26.50
7. दुधारू भैंस का उत्पादन (प्रतिशत में)
   (क) 0 लीटर - 4.25
   (ख) 0 - 0.5 लीटर - 3.50

(ग) 0.5 लीटर - 1 लीटर - 15.25

(घ) 1 लीटर से अधिक - 77

8. दुग्ध उत्पादन एवं बिक्री (मि.ली. प्रति व्यक्ति)

उत्पादन - 70.50 मि.ली. /व्यक्ति

विक्रय - 32.75 मि.ली./व्यक्ति

झारखंड में अधिकांशत: पशु चराई पर ही आश्रित हैं। केवल लगभग 30% पशुओं को घरों में बाँधकर खिलाया जाता है एवं उन्हें कुछ हद तक संतुलित आहार दिया जाता है। झारखंड में सांडों की दोहरी उपयोगिता है। ग्रामीण इलाकों में पशुपालन इनसे प्रजनन कार्य एवं कृषि कार्य दोनों ही लेते हैं।

झारखंड में डेयरी उद्योग के विकास के मार्ग पर कुछ बाधाएँ हैं। इनके समाधान के पश्चात ही राज्य में डेयरी उद्योग एवं दुग्ध उत्पादन को ऊँचाई पर पहुँचाया जा सकता है। झारखंड में पशुओं हेतु हरे चारे पैदा करने का प्रचलन काफी कम है। केवल कुछ संस्थानों एवं वैज्ञानिक ढंग से चलाए जा रहे डेयरी अपने हेतु हरे चारे का उत्पादन करते हैं। वर्ष 2000 के आधार पर झारखंड में हरे चारे की 2563.85 लाख टन की आवश्यकता का आकलन किया गया है। इसके विपरीत यहाँ के जंगल, कृषि योग्य बेकार जमीन, खाली पड़ी जमीन तथा कृषि योग्य भूमि पर उपजाए जाने वाली फसलों से लगभग 5874.01 लाख टन चारे उत्पादन की क्षमता है। इसके लिए बृहद् प्रचार-प्रसार कार्यक्रम तथा उन्नत किस्म के हरे चारे के बीज उपलब्ध कराने की आवश्यकता है। साथ ही साथ पशुपालकों को प्रेरित करने एवं वैज्ञानिक तकनीकों से परिचित कराने हेतु हरे चारे की नर्सरी की नेटवर्क की स्थापना करने का काफी लाभ मिलेगा।

झारखंड के दुधारू पशुओं में देशी नस्ल के पशुओं की संख्या काफी अधिक है। जिनकी उत्पादन क्षमता भी काफी कम है। इनकी उत्पादन क्षमता बढ़ाने हेतु कृत्रिम गर्भाधान की तकनीक को सशक्त बनाते हुए पशुपालकों तक पहुँचाना होगा। साथ ही पशु चिकित्सालयों को वैज्ञानिक उपकरणों से लैस करना होगा जिससे पशुपालकों को शीघ्रता से चिकित्सा की सेवा प्राप्त हो सके। साथ ही ग्रामीण इलाके के पशुओं को भी संतुलित आहार देने हेतु प्रसार कार्यक्रम को शक्तिशाली ढंग से पुनर्गठित करते हुए प्रस्तुत करना चाहिए। इनसे देशी पशुओं के साथ-साथ संकर नस्ल के पशुओं को भी लाभ प्राप्त होगा। झारखण्ड के संकर नस्ल के दुधारू पशुओं में बांझपन एवं गर्भ विज्ञान सम्बन्धी काफी समस्याएँ हैं। इसका मुख्य कारण पशुओं को संतुलित आहार, खनिज लवण एवं वैज्ञानिक देखरेख की कमी है।

राज्य में कृत्रिम गर्भाधान के कार्य में मुख्य भूमिका का निर्वाह करने हेतु राँची के होटवार में एक हिमांकित शुक्र कोष (फ्रोजेन सीमेन बैंक) कार्यरत है। फिलहाल इस संस्थान की स्थिति अच्छी नहीं है। फलत: अन्य राज्यों से यहाँ उन्नत नस्ल के पशुओं के हिमांकित शुक्र मँगाए जा रहे हैं तथा यह कार्य निजी क्षेत्र में लगे लोगों द्वारा किया जा रहा है। इसके साथ ही ग्रामीण इलाकों में कई लोगों द्वारा तरल नाइट्रोजन के छोटे सिलेण्डर लेकर हिमांकित शुक्र द्वारा पशुओं में कृत्रिम गर्भाधान का कार्य किया जा रहा है। इन गैर-तकनीकी लोगों के द्वारा इस तकनीकीपूर्ण कार्य के निष्पादन से कई प्रत्यक्ष एवं अप्रत्यक्ष हानियाँ हो रही हैं। पशुओं के बीच बीमारियाँ बढ़ रही हैं। पशुओं में विदेशी उन्नत पशु के अंश का हिस्सा काफी बढ़ता जा रहा है

जिसके काफी दुष्परिणाम सामने आ रहे हैं।

हालाँकि यह कार्य पशु चिकित्सा परिषद्, नई दिल्ली के निर्देशों का सीधा उल्लंघन है। परिषद् के अनुसार कृत्रिम गर्भाधान एवं अन्य तकनीकी कार्य रजिस्टर्ड पशु चिकित्सक के माध्यम से ही कराया जाना चाहिए। परन्तु अभी तक इस दिशा में कोई भी सरकारी नियंत्रण कार्य नहीं कर रहा है। फलतः रोक-टोक के अभाव में गैर-पशु चिकित्सकों द्वारा किए जा रहे पशुओं में कृत्रिम गर्भाधान के दूरगामी हानिकारक प्रभाव पड़ने की संभावना से इनकार नहीं किया जा सकता। फिलहाल विभिन्न योजनाओं के अन्तर्गत राज्य में कुल 651 कृत्रिम गर्भाधान केन्द्र स्थापित हैं। इसके अलावा राज्य के 4 जिलों यथा राँची, जमशेदपुर, धनबाद तथा गढ़वा में चार चलन्त कृत्रिम गर्भाधान सह-पोलीक्लीनिक की स्थापना की स्वीकृति प्राप्त हो चुकी है। इस योजना के अन्तर्गत चलन्त रूप में कृत्रिम गर्भाधान की सुविधा, मल-मूत्र नमूनों की जाँच तथा टीकाकरण आदि की सुविधा प्रदान करना है। यह बहुत शीघ्र ही प्रारम्भ होने वाली है।

झारखंड राज्य की अधिकांश गाय तथा भैंसों की नस्ल देशी है जिनकी उत्पादन क्षमता काफी कम है। पशुओं की उत्पादन क्षमता में वृद्धि लाने के लिए नस्ल सुधार की वैज्ञानिक तकनीक पूरे विश्व में एक सर्वमान्य एवं सफल माध्यम के रूप में अपनाई जा रही है। भारत सरकार की अनुशंसा एवं दिशा-निर्देशों के अनुरूप झारखंड राज्य में पशुपालन विभाग द्वारा कई नस्ल सुधार की योजनाएँ संचालित की जा रही हैं जिनका विवरण इस प्रकार से है—

1. प्रमाणित सांडों के ग्राम्य क्षेत्रों एवं राष्ट्रीय विस्तार प्रखण्डों में वितरण।
2. गहन पशु विकास प्रखण्ड हेसांग, राँची।
3. आदर्श ग्राम प्रखण्ड की योजना—राज्यान्तर्गत विभिन्न स्थानों पर कुल 14 आदर्श ग्राम प्रखण्ड। बृहद् नगर आदर्श ग्राम प्रखण्ड स्थापित हैं।
4. फ्रोजेन शुक्र कोष, होटवार, राँची तथा 400 उपकेन्द्रों की स्थापना की योजना।
5. गो-सदन की स्थापना की योजना।
6. राजकीय पशु प्रक्षेत्र, होटवार (राँची), सरायकेला तथा गोरियाकरमा (हजारीबाग) की योजना।
7. सांड़ पोषण प्रक्षेत्र, गोरियाकरमा की योजना।

झारखंड के लगभग सभी इलाकों में लोगों के बीच कुक्कुट पालन प्रचलित है। ग्रामीण इलाकों में अधिकांशतः देशी नस्ल की मुर्गियाँ एवं बत्तखें पाली जाती हैं। देशी मुर्गियाँ अपने चमकदार रंगों की वजह से काफी पसंद की जाती हैं। इन देशी मुर्गियों के अण्डे एवं मांस की माँग काफी है। ग्रामीण क्षेत्र के जनजाति समुदाय में रंगीन देशी मुर्गियाँ एवं बत्तखें अण्डे एवं मांस की दोहरी उपयोगिता के मद्देनजर पाली जाती हैं। इनके कई धार्मिक अनुष्ठानों में रंगीन मुर्गे या मुर्गियाँ ही प्रयोग में लाई जाती हैं।

आज झारखंड ग्रामीण एवं शहरी क्षेत्र में भी मुर्गीपालन एक स्वरोजगार के सशक्त माध्यम के रूप में अपनाया जा रहा है। इससे कम समय एवं कम पूँजी में अधिक लाभ कमाने की

संभावना रहती है। साथ ही साथ मुर्गी का मांस एवं अण्डे के रूप में उत्तम कोटि का पोषक आहार भी उपभोक्ताओं को प्राप्त हो रहा है।

राज्य में लोगों के बीच मुर्गीपालन एवं बत्तख पालन के प्रति बढ़ते रुझान को प्रोत्साहित करने हेतु राज्य सरकार द्वारा होटवार राँची में एक कुक्कुट एवं एक बत्तख प्रजनन प्रक्षेत्र तथा बोकारो में एक कुक्कुट प्रजनन प्रक्षेत्र स्थापित किया गया है।

इन प्रजनन प्रक्षेत्रों में कुक्कुट पालन, बत्तख पालन संबंधी व्यावहारिक प्रशिक्षण, प्रत्यक्षण एवं उन्नत नस्ल के चूजों का उत्पादन किया जाता है। होटवार स्थित कुक्कुट प्रक्षेत्र में वर्तमान में ह्वाइट लेग हार्न, रोड आइलेड रेड (आर.आई.आर.) तथा रंगीन ब्रायलर्स तथा बत्तख प्रजनन प्रक्षेत्र में बंगलौर की खाकी कैम्पवेल नस्ल के बत्तख हैं। बोकारो में कुक्कुट प्रक्षेत्र में मुर्गियों के साथ-साथ कुछ वर्ष पूर्व बटेर पालन भी सफलतापूर्वक किया गया। होटवार के कुक्कट प्रक्षेत्र में 2000 लेयर्स मुर्गी (अण्डा देने वाली) एवं 5000 ब्रायलर्स मुर्गी (मांस हेतु) तथा बत्तख प्रजनन प्रक्षेत्र में 2000 खाकी कैम्पवेल नस्ल के बत्तख रखने की क्षमता है। यहाँ लेयर्स, ब्रायलर्स एवं बत्तख के चूजों का उत्पादन भी होता है। यहाँ का बत्तख प्रजनन प्रक्षेत्र झारखंड का एकमात्र सरकारी बत्तख प्रक्षेत्र है जहाँ खाकी कैम्पवेल नस्ल के बत्तख रखे एवं इनके चूजे उत्पादित किए जाते हैं। झारखंड में यहाँ से उत्पादित खाकी कैम्पवेल नस्ल के चूजों की काफी माँग है क्योंकि ये बत्तख तालाब या पानी के स्रोत के साथ तो रखे जाते हैं, साथ ही पानी के अभाव में डीप लीटर सिस्टम में मुर्गी की तरह पाले जा सकते हैं तथा इनकी अण्डा उत्पादन की क्षमता देशी बत्तख की तुलना में काफी अधिक है। देशी बत्तख 60-80 तक अण्डे प्रतिवर्ष देती है तो खाकी कैम्पवेल नस्ल की बत्तखें 150-250 अण्डे प्रतिवर्ष तक देती हैं। ये बत्तखें डक वायरल हेपाटाइटिस एवं अफलाटाक्सिकोसिस (Aflatoxicosis) जैसी बीमारियों की वजह से ज्यादा प्रभावित होती हैं। इनसे इनकी शिशु एवं वयस्क मृत्यु दर काफी बढ़ जाती है। साथ ही जीवित बचे बत्तखों की शारीरिक वृद्धि दर एवं अण्डा उत्पादन क्षमता काफी घट जाती है।

झारखंड के ग्रामीण इलाकों में बत्तख के अण्डे एवं मांस काफी पसंद किया जाता है, विशेषकर जाड़े के मौसम में। फलत: बत्तख के अण्डों एवं मांस की यहाँ माँग काफी है तथा मुर्गी के अण्डों एवं मांस की तुलना में इससे अधिक मूल्य भी बत्तख पालकों को प्राप्त होता है। राँची के रामकृष्ण मिशन भी अपने छोटे मुर्गीफार्म एवं छोटी हैचरी मशीन द्वारा बत्तख के चूजों का उत्पादन करता है तथा ग्रामीणों को इस संबंध में प्रशिक्षण भी देता है। क्षेत्रीय कुक्कुट प्रक्षेत्र होटवार, राँची के सेवानिवृत्त सहायक निदेशक (कुक्कुट) डा. ब्रजनन्दन प्रसाद वर्मा के अनुसार झारखंड क्षेत्र की महिलाओं को यदि कुक्कुट पालन में प्रशिक्षण देकर स्वरोजगार हेतु मुर्गीपालन करने हेतु प्रेरित किया जाए तो यह एक सफल प्रयास साबित होगा। झारखंड क्षेत्र की महिलाएँ काफी मेहनती एवं कर्मठ हैं। वे स्वरोजगार के इस तरह के प्रयास में एक सफल प्रबंधक की भाँति कार्य कर सकती हैं। झारखंड में मुर्गी के अण्डों एवं मांस की काफी माँग है। इसकी पूर्ति हेतु यहाँ प्रतिदिन आंध्रप्रदेश से प्रतिदिन लाखों अण्डे मँगाए जाते हैं। साथ ही साथ पड़ोसी राज्यों जैसे पश्चिम बंगाल के कई निकटवर्ती शहरों से ब्रायलर्स मुर्गियाँ भी बड़ी संख्या में झारखंड में मँगाई जा रही हैं। यदि इस राज्य में मुर्गीपालन बढ़ेगा तो काफी लोगों को स्वरोजगार तो मिलेगा

ही, साथ ही राज्य का करोड़ों रुपया दूसरे राज्यों में जाने से बचेगा जिसका दूरगामी सकारात्मक प्रभाव यहाँ के आर्थिक विकास एवं सामाजिक जीवन स्तर में दिखेगा।

भारत सरकार ने एक केन्द्र प्रायोजित योजना भी झारखंड राज्य में प्रारम्भ की है जिसके माध्यम से लो-इनपुट बर्ड के उपयोग से मुर्गीपालन एवं बत्तख पालन को बढ़ाया जा सके। इस योजना में स्वीकृत राशि का 80 प्रतिशत केन्द्र सरकार एवं 20 प्रतिशत राज्य सरकार वहन कर रही है।

झारखंड राज्य में होटवार के कुक्कुट प्रक्षेत्र में 13,500 अण्डों की क्षमता के दो सेटर एवं 5000 अण्डों की क्षमता के दो हैचर चूजा उत्पादन हेतु स्थापित हैं। इसी प्रकार से बोकारो के कुक्कुट प्रक्षेत्र में 5000 अण्डों की क्षमता का एक इन्क्यूबेटर (चूजा निकालने की मशीन) स्थापित है। सरकारी अनुदान पर राँची की कई सहयोगी समितियों द्वारा हैचरी स्थापित कर चूजा उत्पादन प्रारम्भ किया गया था, परन्तु उचित देखरेख के अभाव, तकनीकी ज्ञान की कमी एवं सही ढंग से मार्केटिंग नहीं करने की वजह से सभी हैचरी वर्तमान में बंद हैं। कई निजी क्षेत्रों में भी हैचरी स्थापित हुए थे परन्तु वे भी कुछ समय तक चलने के पश्चात दूरदर्शिता का अभाव, सही पैरेन्ट स्टॉक की कमी, अधिक उत्पादन लागत आदि कारणों की वजह से बन्द हो गए हैं। इनमें से एक-दो हैचरी वर्ष के कुछ माह तक ही बाहर से निषेचित अण्डे मँगवाकर चूजा उत्पादन करती हैं। फलतः निकटवर्ती राज्यों में स्थापित बड़ी-बड़ी हैचरियों से उत्पादित चूजे झारखंड के बाजार में अपना आधिपत्य जमाए हुए हैं।

भारत के दक्षिणवर्ती राज्यों की तुलना में झारखंड के मुर्गीपालकों को कम सरकारी अनुदान की सुविधा है। झारखंड के मुर्गीपालकों को मुर्गियों के खाद्यान्न में किसी भी प्रकार का अनुदान नहीं मिलता है, फलतः इस राज्य में मुर्गीपालन में खाद्यान्न का खर्च काफी ज्यादा हो जाता है जो उत्पादन लागत को काफी बढ़ाता है एवं लाभ को घटाता है। प्रतियोगी बाजार में स्पर्द्धा के माहौल में अधिक उत्पादन लागत की वजह से लम्बे समय तक इस व्यवसाय में टिके रहने में काफी कठिनाई होती है। इसी कारण झारखंड में अण्डा देने वाली मुर्गियों (लेयर्स) के बड़े प्रक्षेत्र नगण्य हैं। आंध्र प्रदेश से इस राज्य में मँगाए जाने वाले अण्डे की दर से ज्यादा लागत खर्च यहाँ के लेयर्स फार्म में पैदा किए जाने वाले अण्डे की होती है। फलतः राज्य में निजी क्षेत्र में अण्डों हेतु लेयर्स फार्म की संख्या में बढ़ोतरी नहीं हो पाती है। इसी प्रकार इन दिनों यहाँ ज्यादा उत्पादन खर्च (लागत खर्च) की वजह से मांस हेतु पाली जाने वाली ब्रायलर मुर्गियों के छोटे-छोटे फार्म पर प्रतिकूल असर पड़ा है। काफी कम लाभ एवं कड़ी प्रतिस्पर्द्धा की वजह से कुछ वर्ष पूर्व स्थापित छोटे-छोटे ब्रायलर फार्म अब धीरे-धीरे बन्द हो रहे हैं। पड़ोसी राज्यों से काफी सस्ते मूल्य पर मँगाई गई ब्रायलर मुर्गियाँ झारखंड में धड़ल्ले से बिक रही हैं। फलतः यहाँ की छोटी-छोटी ब्रायलर मुर्गी फार्म सरकारी संरक्षण के अभाव में टिक नहीं पा रहे हैं। फार्म बन्द हो रहे हैं एवं हजारों स्वरोजगार में जुटे युवक/युवतियाँ पुनः बेरोजगार हो रहे हैं। इसके अलावा इनके साथ अप्रत्यक्ष रूप से दाना (खाद्यान्न), औषधि, टीकौषधि, उपकरण एवं विपणन व्यवसाय से जुड़े कई गुना ज्यादा लोगों के समक्ष भी रोजगार का संकट पैदा हो रहा है।

दूसरे राज्यों से झारखंड राज्य में मँगाए जाने वाले अण्डे एवं मुर्गियों पर किसी भी प्रकार का सरकारी नियंत्रण का अभाव है। इनकी किसी भी प्रकार की वैज्ञानिक छानबीन नहीं होती है जिसकी वजह से कई बार इन माध्यमों से हानिकारक बीमारियों के खतरनाक जीवाणु-विषाणु राज्य के पक्षियों में फैल कर बड़ी संख्या में बीमारियों को फैला देते हैं जिनसे मनुष्य का स्वास्थ्य अछूता नहीं रह पाता। सरकारी नियंत्रण में वैज्ञानिक जाँच के अभाव में बाहर के राज्यों से मँगाए जाने वाली मुर्गियाँ एवं अण्डों की वजह से कभी भी खतरनाक बीमारियाँ तेजी से फैल कर भयानक रूप ले सकती हैं एवं आर्थिक एवं स्वास्थ्य संबंधी गहरा आघात दे सकती हैं।

झारखंड के ग्रामीण एवं शहरों के निकट के इलाकों में सूकर पालन का कार्य काफी लोगों द्वारा पसंद किया जाता है। यहाँ की जनजातियों में सूकर पालन का कार्य एक अतिरिक्त आय के स्रोत के रूप में किया जाता है। यहाँ सूकर के मांस को भी काफी लोगों द्वारा चाव से उपयोग किया जाता है। देहात के हाट एवं बाजारों में भी सूकर मांस की बिक्री होती है।

झारखंड राज्य में सूकर पालन के विकास हेतु राज्य सरकार एवं बिरसा कृषि विश्वविद्यालय कांके, राँची द्वारा काफी कार्य किया गया है। राज्य सरकार द्वारा होटवार (राँची), कांके (राँची), गोरियाकरमा (हजारीबाग), गोलपहाड़ी (हजारीबाग) में स्थित अपने सूकर प्रक्षेत्रों के माध्यम से किसानों के बीच सूकरों को सरकारी दर पर वितरित किया जा रहा है एवं इच्छुक सूकर पालकों को सूकर विकास पदाधिकारी के कार्यालय द्वारा सूकर पालन में दस दिवसीय प्रशिक्षण भी दिया जाता है। राज्य सरकार के सूकर प्रक्षेत्रों में लैंड रेस, लार्ज ह्वाइट योर्कसायर, हैम्पसायर, चरमुखा, टैमवर्थ आदि उन्नत नस्ल के विदेशी नस्ल के सूकर रखे जाते हैं। यहाँ के सूकरों को झारखंड राज्य बनने के पूर्व राष्ट्रीय स्तर पर सिक्किम में हुई एक प्रदर्शनी में कई पुरस्कार (करीब ढाई दर्जन) यहाँ के सूकरों को प्राप्त हो चुके हैं।

बिरसा कृषि विश्वविद्यालय में सन् 1973-74 में छात्रों की पढ़ाई के दौरान प्रदर्शन हेतु एक सूकर प्रक्षेत्र छोटे स्तर पर खोला गया था जो धीरे-धीरे बढ़ते-बढ़ते आज एक बृहद् सूकर प्रक्षेत्र के रूप में स्थापित हो गया है। इसमें भारतीय कृषि अनुसंधान परिषद्, नई दिल्ली एवं विश्व बैंक (बी.पी.डी.पी. कार्यक्रम) द्वारा काफी आर्थिक सहयोग विभिन्न कार्यक्रमों के तहत दिया गया है। पुनः 1994-95 में विश्व बैंक द्वारा दिए गए आर्थिक सहयोग द्वारा बिहार पठारी विकास परियोजना के तहत सूकर-विकास के क्षेत्र में बिरसा कृषि विश्वविद्यालय द्वारा काफी कार्य किया गया।

इसी दौरान टैमवर्थ (विदेशी नस्ल) एवं देशी नस्ल के संयोग से एक काले रंग का टी. एण्ड डी. नस्ल के सूकर का एक नया नस्ल विकसित किया गया। इसके काले रंग एवं तेजी से विकसित होने के गुण की वजह से झारखंड के सभी इलाकों में इस नस्ल की काफी माँग है। यह नस्ल 8 माह में करीब 65-70 कि.ग्रा. वजन को प्राप्त कर लेता है जबकि इतनी अवधि में देशी नस्ल मात्र 20-22 कि.ग्रा. का वजन ही प्राप्त कर पाता है। सूकर की इस नई नस्ल के विकास हेतु वैज्ञानिकों के एक दल को राष्ट्रीय स्तर का *फखरुद्दीन अली अहमद* पुरस्कार भी प्राप्त हो चुका है। इस वैज्ञानिक दल के एक सदस्य डॉ. सन्तकुमार सिंह के अनुसार, टी. एण्ड डी. नस्ल

का प्रदर्शन ग्रामीण वातावरण में काफी अच्छा है। इसे रसोई, होटल आदि का बचा हुआ जूठा खाद्य पदार्थ, धान का भूसा, खराब हुए अनाज, मनुष्यों हेतु अनुपयोगी शाक-सब्जी आदि का प्रयोग करके भी पाला जा सकता है। इसी कारण से 1994-95 से 1999-2000 के दौरान बिरसा कृषि विश्वविद्यालय द्वारा 2038 सूकर वितरित किए गए हैं। इसके अलावा इस अवधि में कुल 1717 सूकर पालकों को प्रशिक्षण भी दिया गया है। आज सूकर पालन से झारखंड के पशुपालक अपनी प्रगति के मार्ग पर अग्रसर हो रहे हैं।

झारखंड के सूकर पालकों को बिचौलिए के शोषण से बचाने एवं पौष्टिक किस्म के प्रोटीन आहार के उत्पादन के उद्देश्य से राँची के कांके में एक बेकन फैक्ट्री की स्थापना की गई थी परन्तु विगत कुछ वर्षों से तकनीकी खामियों की वजह से यह बेकन फैक्ट्री बन्द पड़ी हुई है। प्रारम्भ में पूरे भारत में आठ स्थानों पर बेकन फैक्ट्री की स्थापना की गई थी। राँची की बेकन फैक्ट्री उनमें से एक है। इसकी प्रतिदिन की क्षमता 50 सूकरों की थी। परन्तु फैक्ट्री के शीतगृह में एक मामूली सी खराबी बढ़ती चली गई और अन्ततः फैक्ट्री बन्द हो गई। इसका प्रतिकूल प्रभाव यहाँ के सूकर पालकों पर पड़ा। सूकरों की बिक्री में सूकर पालकों का शोषण बढ़ने लगा है। पूर्व में फैक्ट्री के दरों से ज्यादा दर से ही सूकरों की बिक्री स्थानीय बाजारों में होती थी परन्तु बेकन फैक्ट्री के बन्द होने के पश्चात सूकर पालकों को उचित मूल्य नहीं मिल पाता है तथा बिचौलियों द्वारा शोषण भी काफी बढ़ गया है। साथ ही विदेशी नस्ल के सूकरों के विपणन से भी काफी नकारात्मक प्रभाव पड़ा है। इसके निराकरण हेतु स्थानीय सूकर पालक अपनी एक सहयोगी समिति का निर्माण कर उसके माध्यम से दूसरे राज्यों तक सूकरों की विपणन व्यवस्था को एक नया स्वरूप देने हेतु प्रयासरत हैं। परन्तु सरकारी सहयोग के अभाव में यह प्रयास धीमी गति से अग्रसर है। फलतः इसका परिणाम मिलने में काफी समय लगने की संभावना है। सूकर पालकों को निश्चित विपणन की व्यवस्था प्रदान करने हेतु झारखंड में सरकारी स्तर पर बन्द पड़े बेकन फैक्ट्री को खुलवाने के साथ-साथ एक नई बेकन फैक्ट्री की भी झारखंड में स्थापना करनी चाहिए, तभी सूकर-पालन को झारखंड में एक नया आयाम प्राप्त होगा। साथ ही सूकर पालकों को प्रोत्साहित करने हेतु बन्द की गई योजनाओं को समीक्षा के पश्चात संशोधित रूप में लागू करने से सुदूर ग्रामीण इलाकों में भी लोग स्वरोजगार हेतु सूकर पालन को अपनाने लगेंगे। इससे सरकारी नौकरी का दबाव तो कम होगा ही, साथ में ग्रामीण क्षेत्र के विकास में भी प्रगति होगी।

झारखंड राज्य में आज भी मांस उत्पादन एवं चमड़ा तथा ऊन उत्पादन में इस क्षेत्र में भेड़ एवं बकरियों की महत्त्वपूर्ण भूमिका है। परन्तु यहाँ की देशी नस्ल के भेड़ एवं बकरी आकार में काफी छोटे हैं जिसकी वजह से इनकी उत्पादकता एवं गुणवत्ता कम है। इनके नस्ल सुधार द्वारा इनकी उत्पादन क्षमता एवं गुणवत्ता में वृद्धि होगी साथ ही पशुपालकों की आर्थिक स्थिति में भी बढ़ोतरी होगी। इन्हीं उद्देश्यों से राज्य सरकार द्वारा राज्य में भेड़ एवं बकरी के नस्ल सुधार हेतु कई कार्यक्रम चलाए जा रहे हैं। चतरा के बृहत् भेड़ प्रजनन प्रक्षेत्र में शाहाबादी नस्ल के भेड़ों को विदेशी नस्ल के भेड़ों से प्रजनन करा कर उन्नत संकर नस्ल तैयार कराया जाता है। राज्य के

भेड़ बहुल तीन जिलों जैसे पू. सिंहभूम, प. सिंहभूम तथा पलामू में ऊन कतरन व ब्रांडिंग केन्द्र स्थापित हैं जहाँ केन्द्र के माध्यम से स्थानीय भेड़पालकों को इस क्षेत्र में तकनीकी जानकारियाँ एवं सुविधाएँ प्रदान की जाती हैं।

इसी प्रकार बकरियों के नस्ल सुधार करके इनकी मांस एवं दूध की उत्पादन क्षमता में वृद्धि करने हेतु राज्य के पशुपालन विभाग द्वारा दो प्रक्षेत्र स्थापित करके इस दिशा में कार्य किया जा रहा है। बीटल तथा ब्लैक बंगाल नस्ल के संकर बकरों के उत्पादन हेतु चतरा, हजारीबाग (भेड़ प्रजनन प्रक्षेत्र के साथ में) में बीटल ब्रीड बकरा प्रक्षेत्र तथा ठेठाईटांगर (गुमला) में ब्लैक बंगाल बकरा प्रक्षेत्र स्थापित हैं।

झारखंड में ब्लैक बंगाल, बीटल, जमुनापाड़ी, बारबेरी नस्ल की बकरियाँ पाली जाती हैं। परन्तु ब्लैक बंगाल नस्ल की संख्या यहाँ अधिक है। जमुनापाड़ी नस्ल की संकर नस्ल (हाफ ब्रीड) इस जलवायु एवं इलाके में अच्छे परिणाम नहीं दे पा रही है। इस इलाके में बीटल की संकर नस्ल (हाफ ब्रीड) की बकरियाँ काफी अच्छी साबित हो रही हैं। ये 6 माह में लगभग 15 कि.ग्रा. वजन तक हो जाते हैं तो देशी नस्ल (बंगाल) करीब 7-8 कि.ग्रा. वजन तक की हो पाती है। इनसे करीब 0.5 कि.ग्रा. से 0.750 कि.ग्रा. प्रतिदिन दूध की प्राप्ति लगभग 110-125 दिनों तक होती है। इस क्षेत्र में लम्बे समय (लगभग 15 वर्ष) तक के वैज्ञानिक शोध के पश्चात् राँची पशु चिकित्सा महाविद्यालय के वरीय वैज्ञानिक डॉ. डी.के. सिंह 'द्रोण' के अनुसार झारखंड के लिए बीटल नस्ल की बकरियाँ सर्वोत्तम हैं। अत: बीटल नस्ल के बकरों का उपयोग यहाँ की देशी नस्ल की बकरियों के नस्ल सुधार हेतु किया जाना चाहिए।

झारखंड राज्य बकरी-पालन को बढ़ावा देने एवं उचित आर्थिक वातावरण के निर्माण हेतु डॉ. द्रोण ने कुछ सुझाव भी दिए हैं—

1. झारखंड में कम से कम एक से दो बीटल नस्ल की बकरियों के प्रजनन प्रक्षेत्र की स्थापना होनी चाहिए।
2. ग्रामीण क्षेत्र में बीटल की संकर नस्ल को बढ़ावा देने हेतु 1 बीटल बकरा प्रति 40 मादा बकरियों की दर से वितरित किया जाना चाहिए।
3. बकरी के नर बच्चों को मात्र 2 माह की उम्र में ही बधियाकरण करवा देना चाहिए। इससे उनके वजन में अच्छी वृद्धि होती है।
4. 9 माह की उम्र में बेचने योग्य बकरा एवं बकरियों की बाजार में बिक्री कर देनी चाहिए।
5. अधिक मांस उत्पादन हेतु बकरियों को 10 कि.ग्रा. का वजन प्राप्त होने पर ही वध करना चाहिए।
6. सरकारी या निजी क्षेत्र में एक टेनेरी (चमड़ा तैयार करने का कारखाना) स्थापित किया जाना चाहिए। इससे बकरियों की खाल की प्रोसेसिंग में आसानी होगी एवं किसानों को बकरियों की अच्छी कीमत प्राप्त होगी।
7. बकरियों के इलाज हेतु विस्तृत व्यवस्था की जानी चाहिए।

इस क्षेत्र के भेड़ मुख्यत: मांस एवं कारपेट ऊन हेतु पाले जाते हैं। इनसे प्रति कटाई मात्र

0.5–0.750 कि.ग्रा. ऊन प्रति भेड़ की प्राप्ति होती है तथा ऊन की गुणवत्ता भी निम्न स्तर की होती है। इस क्षेत्र की छोटानागपुरी भेड़ की नस्ल सुधार हेतु कोरीडेल नस्ल के नर भेड़ का उपयोग करना चाहिए। इसके अलावा इस क्षेत्र की छोटानागपुरी नस्ल के भेड़ों के विकास, नस्ल सुधार आदि कार्य हेतु एक अलग से भेड़ प्रजनन प्रक्षेत्र स्थापित करना चाहिए।

बिहार (झारखंड) में 1982 की पशुगणना के पश्चात् अभी तक इस क्षेत्र में पशुगणना का कार्य नहीं हो पाया है। 15 सितम्बर 2003 से झारखंड में एक लम्बे अरसे के पश्चात् पशुगणना का कार्य प्रारम्भ हुआ है। फलतः इस क्षेत्र के पशुओं की संख्या के बारे में विभिन्न लोगों ने विभिन्न तरीकों को अपना कर पशुओं की संख्या के बारे में अनुमानित संख्या प्रस्तुत की है। राँची पशु चिकित्सा महाविद्यालय के वरीय वैज्ञानिक डॉ. के. सिंह द्रोण ने पशुओं की वृद्धि दर के आधार एवं 1982 की पशुगणना के आधार पर झारखण्ड के पशुओं की सन् 2001 में एक अनुमानित संख्या का आकलन किया है जो इस प्रकार से है—

(संख्या 000 में)

		झारखंड		(% में)	
पशुओं की जाति	*1982 **	*1992 अनुमानित*	*2001*	*जनसंख्या में वृद्धि 1982–92*	*भारत 1992 ***
गौ	6801.402	9211.138 (4.50)	12145.806	35.43	204533.000
भैंस	1027.535	1190.091 (1.43)	1359.322	15.82	83499.000
भेड़	978.035	1238.094 (2.44)	1534.494	26.59	50799.000
बकरी	3953.614	5614.1319 (4.87)	7972.0673	42.00	115278.000
सूकर	420.234	451.205 (3.53)	481.255	7.37	12795.000
कुक्कुट	6376.000	9830.5168	14623.8768	54.18	

* सेलेक्टेड प्लान स्टैटिस्टिक्स बिहार सरकार, 1986

** पशुपालन विभाग, भारत सरकार, 1997

( ) में दी गई संख्या भारत की संख्या प्रतिशत में

2001 में झारखंड के पशुओं की जनसंख्या का अनुमान पशुओं की वृद्धि दर (सन् 1982–92) के आधार पर किया गया है।

झारखंड में पशुपालन के क्षेत्र की बाधाएँ

(1) **उच्च गुणवत्ता के जर्म प्लाज्म का अभाव** : झारखंड राज्य में ऐसी कोई संस्था नहीं है जो किसानों/पशुपालकों को उनकी आवश्यकता के अनुरूप, स्थानीय वातावरण के अनुसार सभी प्रकार के उच्च गुणवत्ता एवं उत्पादन क्षमता के पशु-पक्षी उपलब्ध करा सके। सरकारी प्रयास के तहत कुछ पशु-पक्षी कार्यरत हैं, परन्तु इनके सुदृढ़ीकरण, वैज्ञानिकीकरण एवं इनकी संख्या को बढ़ाने की आवश्यकता है। इस राज्य में गौ, भैंस, बकरी, भेड़, सूकर, कुक्कुट, खरगोश आदि के केन्द्रीय (न्यूक्लियस) प्रक्षेत्र की आवश्यकता है जहाँ स्थानीय माँग के अनुरूप उच्च गुणवत्ता के पशु-पक्षी रखे जाएँ तथा इनसे तैयार बच्चे पशुपालकों को वितरित किए जाएँ। इसके अलावा सभी प्रकार के पशुओं के प्रजनन हेतु पंचायत स्तर पर कृत्रिम गर्भाधान या नर पशु की व्यवस्था की जानी चाहिए।

(2) **उच्च गुणवत्ता के हरे-चारे एवं संतुलित आहार का अभाव** : राज्य में काम्फेड द्वारा संचालित मात्र एक पशु आहार कारखाना होटवार, राँची में स्थापित है। सुदूर ग्रामीण क्षेत्र के पशुपालक अपने स्तर पर मकई का दर्रा, बादाम की खली, सरसों तिसी की खली आदि पशुओं को काफी अल्प मात्रा में देते हैं जिनसे पशुओं की पूरी आवश्यकता की पूर्ति नहीं हो पाती है। फलतः उनका उत्पादन काफी कम हो जाता है। इसके अलावा हरे चारे एवं संतुलित आहार के अभाव में पशुओं की प्रजनन क्षमता, रोगों से लड़ने की प्रतिरोधक क्षमता आदि पर भी काफी प्रतिकूल अ़सर पड़ता है। राज्य के पशुपालकों में अपने पशुओं को हरा चारा खिलाने की प्रवृत्ति काफी कम है। इसके अलावा पशुओं हेतु किसान अपने खेतों में हरा चारा नहीं लगाते हैं। पशुपालकों के बीच हरा चारा पैदा करने एवं पशुओं को संतुलित आहार देने के लिए प्रेरित करने की आवश्यकता है। पशुपालकों को इस बात की जानकारी देनी होगी कि खेतों में मकई या मड़ुआ पैदा करने से बेहतर है कि वे अपने खेतों में बरसीम (हरे चारे) की खेती करें। इन सबके लिए उचित प्रचार-प्रसार, प्रशिक्षण एवं जिला या प्रमण्डलीय स्तर पर हरे चारे की नर्सरी एवं छोटे पशुआहार कारखाने की स्थापना करने की आवश्यकता है।

(3) **वैज्ञानिक तरीके से प्रजनन-नीति का अभाव** : झारखंड राज्य में सरकार द्वारा इस राज्य के पशुओं के लिए कोई भी प्रजनन-नीति का निर्धारण नहीं किया गया है। फलतः गैर-तकनीकी व्यक्तियों द्वारा मनमाने ढंग से पशुपालकों को बहकाकर निजी लाभ हेतु नर-पशु या कृत्रिम-गर्भाधान द्वारा प्रजनन-कार्य किया जाता है। यहाँ के पशुपालक इसके दूरगामी हानिकारक प्रभाव के बारे में अज्ञानी हैं। इस दिशा में नीति-निर्धारण एवं कठोर नियंत्रण हेतु सरकारी पहल की आवश्यकता है।

(4) **उचित विपणन व्यवस्था का अभाव** : झारखंड राज्य में पशुओं के उत्पादों के विपणन की व्यवस्था में बिचौलियों का बोलबाला है, जिससे निरन्तर पशुपालकों का शोषण हो रहा है। पूर्ववर्ती बिहार सरकार के दौरान मुर्गीपालकों के उत्पादों की विपणन हेतु सहायक कुक्कुट क्रय-विक्रय पदाधिकारी की व्यवस्था की गई जो कुक्कुट पालकों को उनके उत्पादों की बिक्री में सहयोग करते थे। परन्तु झारखण्ड राज्य में इस पद को समाप्त किए जाने से मुर्गीपालकों पर इसका प्रतिकूल असर पड़ा है। अपने उत्पादों की बिक्री नहीं होने तथा उचित मूल्य की प्राप्ति

नहीं होने की वजह से ग्रामीण पशुपालन को एक व्यवसाय के रूप में अपनाने से हतोत्साहित हो रहे हैं। इस समस्या के निराकरण हेतु एक सशक्त नेटवर्क वाली संस्था की स्थापना राज्य सरकार द्वारा की जानी चाहिए।

(5) **पशु स्वास्थ्य सेवा में वैज्ञानिक सुविधा का अभाव :** राज्य के प्रत्येक प्रखण्ड स्तर पर पशु चिकित्सालय की स्थापना की गई है एवं उसमें पशु चिकित्सक भी कार्यरत हैं। परन्तु इन पशु चिकित्सालयों में वैज्ञानिक उपकरणों, रोग जांच की मशीन, ऑपरेशन थियेटर, कृत्रिम गर्भाधान की सुविधा, आवश्यक औषधि आदि का अभाव है। फलतः चिकित्सा कार्य में काफी कठिनाई होती है। कई पशु स्वास्थ्य केन्द्र में तो भवन की स्थिति भी काफी जर्जर है जो कभी भी धराशायी हो सकती है। कई स्थानों पर तो पशु चिकित्सालय निजी भवनों में चल रहे हैं जिनका किराया कई वर्षों से बकाया है। कई चिकित्सा केन्द्रों में तो चिकित्सा हेतु न्यूनतम सामग्रियों की कमी है। फलस्वरूप वैज्ञानिक तरीकों से पशु चिकित्सा कार्य करने में काफी कठिनाई है। इन सभी बिन्दुओं के निराकरण हेतु सशक्त सरकारी पहल की जरूरत है।

(6) **प्रशिक्षण का अभाव :** झारखंड राज्य में पशुपालकों, पशु चिकित्सकों एवं पशुपालन के विभिन्न कार्यों में लगे लोगों को एक समय अन्तराल पर प्रशिक्षण देने की आवश्यकता है ताकि वे अपने ज्ञान को विश्वस्तरीय परिवर्तन एवं विकास के अनुरूप बढ़ा सकें।

साथ ही इस राज्य में उच्च शिक्षा प्राप्त पशु चिकित्सकों हेतु कोई विशेष मानदेय, सुविधा आदि का अभाव है जिससे विशेषज्ञता प्राप्त पशु चिकित्सक अपने उच्च मनोबल के साथ कार्य करने में असमर्थ हैं।

झारखंड राज्य में पशुपालन के विकास की गति को त्वरित एवं विकसित करने हेतु निम्न बिन्दुओं पर ध्यान केन्द्रित करते हुए नीति-निर्धारण करने की जरूरत है—

(1) **सिंगल विण्डो सिस्टम :** वर्तमान समय में राज्य के पशुपालकों की बढ़ती हुई आवश्यकता, जिज्ञासा एवं समस्याओं के निराकरण करने हेतु सिंगल विंडो सिस्टम लागू करने की आवश्यकता है। इससे एक ही स्थान पर पशुपालकों को चारा, चिकित्सा, उन्नत नस्ल के पशु, कृत्रिम गर्भाधान, नई तकनीकी जानकारियाँ, प्रशिक्षण आदि की सुविधा प्राप्त होगी। ऐसी व्यवस्था प्रत्येक प्रखण्ड स्तर पर होने से राज्य में पशुपालन के क्षेत्र में अभूतपूर्व विकास देखने को मिलेगा।

(2) **विश्वस्तरीय बाजार पर ध्यान :** वर्तमान परिप्रेक्ष्य में झारखंड राज्य से कई पशु उत्पादों के विश्व के दूसरे देशों में निर्यात की संभावना है। परन्तु इसके लिए आधारभूत संरचना में परिवर्तन लाने, पशुओं को रोगमुक्त करने एवं सरकारी लाल फीताशाही को न्यून करने की आवश्यकता है।

साथ ही आयात-निर्यात संबंधी जानकारियाँ अनुदान एवं ऋण प्राप्त करने की प्रक्रिया आदि के संबंध में लोगों तक ज्ञान एवं प्रेषित करने हेतु नेटवर्क स्थापित करने की आवश्यकता है। इसके अलावा विश्वस्तरीय नियम कानून के अन्तर्गत पशु उत्पादों के निर्यात हेतु सहयोगी समितियों एवं निजी उद्यमियों को भी प्रोत्सहित करने की आवश्यकता है।

(3) पशुपालन के क्षेत्र में शोध कार्य, जागरूकता, उत्पादन एवं विपणन को बढ़ावा देने

हेतु विभिन्न स्तरों पर नए तरीके से कार्य करने की आवश्यकता है। इसमें पशु चिकित्सकों, उद्यमियों, व्यवसायियों, पशुपालकों, गैर-सरकारी संस्थाओं आदि के बीच जागरूकता लाने एवं प्रोत्साहित करते हुए इनकी सहभागिता सुनिश्चित करने हेतु प्रयास करना चाहिए।

(4) पशुपालन के छोटे उत्पादकों की समस्याओं के मद्देनजर तकनीकी पक्ष, प्रशासनिक पक्ष एवं शोध तथा प्रचार-प्रसार की सक्रियता को इस प्रकार से ढालने की आवश्यकता है जिससे एक छोटा पशुपालक भी निश्चिंत होकर चैन से पशुपालन के कार्य को एक व्यवसाय के रूप में प्रारम्भ कर सके।

(5) पशुपालन संसाधन विकास : झारखंड के एकमात्र पशु चिकित्सा महाविद्यालय, कांके, राँची को सरकारी सहयोग से सुदृढ़ीकरण करने की आवश्यकता है, ताकि अत्यधिक वैज्ञानिक कुशलता के साथ पशु चिकित्सा विज्ञान के विशेषज्ञ इस महाविद्यालय से उत्तीर्ण होकर पशुपालन के कार्यों में अपनी सेवा प्रदान कर सकें। इसके अलावा समय-समय पर पशु चिकित्सा विज्ञान के पाठ्यक्रम में भी क्षेत्र विशेष की आवश्यकताओं के अनुरूप परिवर्तन करने की आवश्यकता है।

संक्षेप में झारखंड राज्य के विकास में पशुपालन की अहम भूमिका को नकारा नहीं जा सकता तथा भविष्य में इसे एक उद्योग के रूप में मान्यता एवं सुविधा प्रदान कर प्रत्यक्ष एवं अप्रत्यक्ष रूप से काफी लोगों को इसमें जोड़ते हुए राज्य के सामाजिक एवं आर्थिक विकास के एक सशक्त स्तम्भ के रूप में इसे स्थापित किए जाने की संभावना है।

झारखंड राज्य के देशी पशु-पक्षियों के चरित्रों की सूची जिन्हें विकसित एवं सुधार करने की आवश्यकता है।

1. गो-पशु
   (i) न्यून दुग्ध उत्पादन (1-2 लीटर/दिन)
   (ii) देर से वयस्क बनना (4-4.5 वर्ष)
   (iii) दो बछड़ों के जन्म के बीच के अधिक अंतराल (करीब 2 वर्ष)
2. भैंस
   (i) न्यून दुग्ध उत्पादन (1-1.5 कि.ग्रा./ दिन)
   (ii) देर से वयस्क बनना (4-5 वर्ष)
   (iii) बछड़ों के जन्म के बीच लम्बा अन्तराल (करीब 3 वर्ष)
   (iv) गर्मी के मौसम में प्रजनन संबंधी समस्या
   (v) धीमी वृद्धि दर
3. बकरी
   (i) छोटा शरीर का आकार
   (वयस्क का वजन करीब 14-16 कि.ग्रा.)
   (ii) बच्चों की आवश्यकता से भी काफी कम दूध उत्पादन
   (iii) धीमी विकास दर
   (iv) अत्यधिक शिशु मृत्यु दर
4. भेड़
   (i) छोटा शरीर का आकार
   (वयस्क वजन करीब 15-18 कि.ग्रा.)

		(ii) ऊन उत्पादन
		(iii) धीमी वृद्धि दर
		(iv) दूध उत्पादन
		(v) प्रजनन संबंधी समस्याएँ
5.	सूकर	(i) छोटा शरीर का आकार (करीब 25–30 कि.ग्रा. 19 वर्ष की उम्र में)
		(ii) कम बच्चों का जन्म (4–6 बच्चे प्रति प्रसव)
		(iii) शिशु मृत्यु दर
6.	कुक्कुट	(i) न्यून अण्डा उत्पादन क्षमता (60–70 अण्डा प्रति वर्ष)
		(ii) कम शरीर का वजन (0.75–1.0 किग्रा 6 माह की उम्र में)
		(iii) कम आहार परिवर्तन की क्षमता

परिशिष्ट–1

राज्य के जिलों में सृजित पशु अस्पताल, पशु चिकित्सालय
तथा कृत्रिम गर्भाधान केन्द्रों का विवरण

क्र.	*जिला का नाम*	*पशु अस्पताल/चिकित्सालय की संख्या*	*कृत्रिम गर्भाधान केन्द्रों की संख्या*
1.	दुमका	31	49
2.	जामताड़ा		
3.	देवघर	15	05
4.	गोड्डा	17	24
5.	साहेबगंज	30	50
6.	पाकुड़		10
7.	हजारीबाग	47	27
8.	चतरा		03
9.	कोडरमा		03
10.	गिरिडीह	38	07
11.	धनबाद	27	13
12.	बोकारो		04
13.	राँची	48	143
14.	लोहरदगा	12	31
15.	गुमला	26	45
16.	सिमडेगा		
17.	चाईबासा	49	79
18.	सरायकेला		

19.	जमशेदपुर	21		51
20.	पलामू	44		101
21	गढ़वा			06
22.	लातेहार			
	कुल	405		651

प्रखण्ड पशुपालन पदाधिकारियों की संख्या 211

परिशिष्ट-2

पशु प्रजनन प्रक्षेत्रों का प्रतिवेदन जनवरी 03 तक

मद का नाम	*पशु प्रक्षेत्र गौरियाकरमा*	*पशु प्रक्षेत्र होटवार*	*पशु प्रक्षेत्र सरायकेला*	*सांड़ पोषण प्रक्षेत्र गौरियाकरमा*
स्थापना वर्ष	1955	1959	1955	1955
प्रक्षेत्र का क्षेत्रफल				
सिंचित	100.00	–	–	40.00
असिंचित	436.59	195.00	90.00	60.00
अन्य	1244.00	419.98	115.00	213.75
कुल	**1780.59**	**614.98**	**205.00**	**317.75**
पशुओं को रखने की क्षमता	350	780	126	100
नस्ल	**रेड सिंधी**	**मुर्रा**	**हरियाणा एवं मुर्रा**	-
वर्तमान प्रक्षेत्र में पशुओं की संख्या	55	78	63	22

परिशिष्ट-3

कुक्कुट एवं बत्तख प्रक्षेत्रों का भौतिक प्रतिवेदन जनवरी 03 तक

कुक्कुट प्रक्षेत्र होटवार, राँची						उत्पादित	कुक्कुट
प्रक्षेत्र में कुक्कुटों को रखने की क्षमता			वर्तमान में कुक्कुटों की संख्या			अण्डों की संख्या	प्रक्षेत्र बोकारो
लेयर	ब्रॉयलर	कुल	लेयर	ब्रॉयलर	कुल		
2000	5000	7000	3417	783	4200	87995	–

बत्तख प्रक्षेत्र होटवार, राँची		उत्पादित
प्रक्षेत्र में बत्तख	वर्तमान में बत्तखों	अण्डों की

रखने की क्षमता			की संख्या				संख्या
नर	मादा	कुल	नर	मादा	ग्रोवर	कुल	
200	2000	2200	05	30	229	264	19559

परिशिष्ट-4

भेड़ एवं बकरा प्रक्षेत्र हजारीबाग का भौतिक प्रतिवेदन जनवरी 03 तक

क्रम	*कार्यमद*	*भेड़ प्रक्षेत्र चतरा*	*बकरा प्रक्षेत्र चतरा*
1.	प्रक्षेत्र का रक्वा		
	1. सिंचित	43.01 एकड़	भेड़ प्रक्षेत्र, चतरा
	2. असिंचित	27.87 एकड़	में ही स्थापित है।
2.	वर्तमान में भेड़ा-भेड़ी व बकरा-बकरी की संख्या	236	113

परिशिष्ट-5

सूकर प्रक्षेत्रों का भौतिक प्रगति प्रतिवेदन जनवरी 03 तक

क्रम	*सूकर प्रक्षेत्र*	*होटवार, राँची*	*कांके राँची*	*गौरियाकरमा हजारीबाग*	*गोलपहाड़ी जमशेदपुर*
	वर्तमान में प्रक्षेत्र में सूकरों की संख्या				
1.	प्रजनन योग्य	21	138	09	12
2.	वयस्क	23	22	20	
3.	युवा	34	107	22	
4.	बच्चे	16	68	11	04

गव्य विकास प्रक्षेत्र के अन्तर्गत अधीनस्थ कार्यालयों की सूची

क्रम	*कार्यालय/स्थापना का नाम*	*कार्यक्षेत्र*
1.	क्षेत्रीय गव्य विकास कार्यालय, राँची	सम्पूर्ण झारखंड राज्य
2.	क्षेत्रीय उप गव्य विकास कार्यालय, दुमका	संतालपरगना प्रमंडल
3.	जिला गव्य विकास कार्यालय, राँची	राँची जिला
4.	जिला गव्य विकास कार्यालय, लोहरदगा	लोहरदगा जिला
5.	जिला गव्य विकास कार्यालय, पलामू	पलामू जिला
6.	जिला गव्य विकास कार्यालय, गुमला	गुमला जिला
7.	जिला गव्य विकास कार्यालय, सिमडेगा	सिमडेगा जिला

8.	जिला गव्य विकास कार्यालय, चाईबासा	चाईबासा जिला
9.	जिला गव्य विकास कार्यालय, जमशेदपुर	पूर्वी सिंहभूम जिला
10.	जिला गव्य विकास कार्यालय, बोकारो	बोकारो जिला
11.	जिला गव्य विकास कार्यालय, हजारीबाग	हजारीबाग एवं चतरा जिला
12.	जिला गव्य विकास कार्यालय, साहेबगंज	साहेबगंज जिला
13.	जिला गव्य विकास कार्यालय, दुमका	दुमका जिला
14.	जिला गव्य विकास कार्यालय, गिरिडीह	गिरिडीह एवं कोडरमा जिला
15.	जिला गव्य विकास कार्यालय, गोड्डा	गोड्डा जिला
16.	जिला गव्य विकास कार्यालय, सरायकेला	सरायकेला जिला
17.	गव्य प्रसार इकाई, लातेहार	लातेहार जिला
	समेकित गव्य विकास योजना, तोरपा	तोरपा, रनिया, कामडारा एवं लापुंग प्रखण्ड
18.	समेकित गव्य विकास योजना, नेतरहाट	नेतरहाट, महुआडांड़
19.	दुग्ध शीतक केन्द्र साहेबगंज	साहेबगंज एवं पाकुड़
20.	दुग्ध शीतक केन्द्र, बुण्डु	बुण्डु क्षेत्र
21.	दुग्ध शीतक केन्द्र, खूंटी	खूंटी क्षेत्र
22.	दुग्ध शीतक केन्द्र, लातेहार	लातेहार जिला
23.	ग्रामीण डेरी सह दुग्ध शीतक केन्द्र, लोहरदगा	लोहरदगा जिला
24.	दुग्ध आपूर्ति योजना, धनबाद	धनबाद जिला
25.	किसान प्रशिक्षण केन्द्र, राँची	संपूर्ण झारखंड

झारखंड राज्य के अन्तर्गत जिला दुग्ध उत्पादन सहकारिता संघों की सूची

क्र.	*संघ का नाम*	*कार्यक्षेत्र जिला*	*वर्तमान स्थिति*
1.	राँची जिला दुग्ध उत्पादक सहकारी संघ लि.,	राँची राँची	कार्यरत
2.	लोहरदगा जिला दुग्ध उत्पादक सहकारी संघ लि., लोहरदगा	लोहरदगा	कार्यरत
3.	गुमला जिला दुग्ध उत्पादक सहकारी संघ लि., गुमला	गुमला/सिमडेगा	कार्यरत
4.	चाईबासा जिला दुग्ध उत्पादक सहकारी संघ लि., चाईबासा	पश्चिमी सिंहभूम एवं सरायकेला	कार्यरत
5.	पूर्वी सिंहभूम जिला दुग्ध उत्पादक सहकारी संघ लि., जमशेदपुर	पूर्वी सिंहभूम	कार्यरत
6.	हजारीबाग जिला दुग्ध उत्पादक सहकारी संघ लि., हजारीबाग	हजारीबाग, चतरा एवं कोडरमा	कार्यरत

7.	धनबाद–बोकारो जिला दुग्ध उत्पादक सहकारी संघ लि., बोकारो	बोकारो एवं धनबाद	कार्यरत
8.	दुमका जिला दुग्ध उत्पादक सहकारी संघ लि., दुमका	दुमका एवं जामताड़ा	कार्यरत
9.	गोड्डा जिला दुग्ध उत्पादक सहकारी संघ लि., गोड्डा	गोड्डा	कार्यरत
10.	देवघर जिला दुग्ध उत्पादक सहकारी संघ लि., देवघर	देवघर	कार्यरत
11.	साहेबगंज जिला दुग्ध उत्पादक सहकारी संघ लि., साहेबगंज	साहेबगंज एवं पाकुड़	कार्यरत
12.	पलामू जिला दुग्ध उत्पादक सहकारी संघ लि., पलामू	पलामू, गढ़वा एवं लातेहार	कार्यरत

राष्ट्रीय परिप्रेक्ष्य में झारखंड राज्य के अन्तर्गत गव्य विकास की वर्तमान स्थिति

क्रम	*विवरण*	*भारत*	*झारखंड*
1.	कुल गायों की सं. (मिलियन में)	204.58	7.34
2.	प्रजनन योग्य गायों की सं. (मिलियन में)	62.68	1.87
3.	कुल भैंस की सं. (मिलियन में)	84.21	1.08
4.	प्रजनन योग्य भैंस की सं. (मिलियन में)	42.46	0.29
5.	दूध उत्पादन क्षमता (किलो ग्राम प्रतिदिन)	2.78	0.46
6.	प्रति व्यक्ति दूध की उपलब्धता (ग्राम प्रतिदिन)	221	50
7.	कुल दूध उत्पादन प्रति वर्ष (मिलियन में)	81.30	0.39
8.	कुल प्राथमिक दुग्ध उत्पादन सहयोग समितियों की संख्या	77531	848
9.	कुल दुग्ध उत्पादक सदस्यों की संख्या (हजार में)	9875.00	51.27
10.	समितियों द्वारा प्रतिदिन औसत दूध संग्रहण (हजार ली. में)	12894	10
11.	डेरियों द्वारा प्रतिदिन दूध बिक्री की मात्रा (हजार में)	11126	163
12.	दूध विधायन क्षमता (हजार ली. में)	27084	235

झारखंड राज्य के अन्तर्गत स्थापित दुग्ध शीतक केन्द्रों की वर्तमान स्थिति

क्रम	योजना का नाम	स्थान	किस योजना के तहत स्थापित है	स्थापना वर्ष	क्षमता ली. प्रतिदिन	कार्यरत बल	वर्तमान हस्तन ली. प्रतिदिन
1.	दुग्ध शीतक केन्द्र गढ़वा	गढ़वा	राज्य एवं जि.ग्रा.वि.अभि.निधि	1991	2000		बंद
2.	दुग्ध शीतक केन्द्र, लातेहार	लातेहार	राज्य एवं जि.ग्रां.वि.अभि.निधि	1988	2000	500	संचालित
3.	दुग्ध शीतक केन्द्र, नेतरहाट	नेतरहाट	राज्य निधि	निर्माणाधीन	2000	–	बंद
4.	दुग्ध शीतक केन्द्र, डाल्टनगंज	डाल्टनगंज	राज्य एवं जि.ग्रा.वि.अभि.निधि	निर्माणाधीन	2000	–	निर्माणाधीन
5.	ग्रामीण डेरी सह दुग्ध शीतक केन्द्र, लोहरदगा	लोहरदगा	राज्य एवं जि.ग्रा.वि.अभि.निधि	1984	10000	2000	निर्माणाधीन
6.	दुग्ध शीतक केन्द्र खूँटी	खूँटी	राज्य निधि	1978	2000		निर्माणाधीन
7.	दुग्ध शीतक केन्द्र, बुण्डु	बुण्डु	राज्य निधि	1978	2000		निर्माणाधीन
8.	दुग्ध शीतक केन्द्र, चाईबासा	चाईबासा (प.सिंहभूम)	राज्य एवं जि.ग्रा.वि.अभि.निधि	1994	2000		निर्माणाधीन

9.	दुग्ध शीतक केन्द्र, गुमला	गुमला	राज्य एवं जि.ग्रा.वि.अभि.निधि	1987	2000		बंद
10.	दुग्ध शीतक केन्द्र, हजारीबाग	हजारीबाग	राज्य एवं जि.ग्रा.वि.अभि.निधि	1987	4000	400	संचालित
11.	दुग्ध शीतक केन्द्र, साहेबगंज	साहेबगंज	राज्य निधि	1988	2000	5	बंद
12.	दुग्ध शीतक केन्द्र, सरायकेला	सरायकेला	राज्य निधि	निर्माणाधीन	2000	4	निर्माणाधीन
13.	दुग्ध शीतक केन्द्र, गोड्डा	गोड्डा	केंद्र प्रायोजित समेकित गव्य विकास कार्यक्रम	निर्माणाधीन	4000	–	निर्माणाधीन
14.	दुग्ध शीतक केन्द्र, दुमका	दुमका	केंद्र प्रायोजित समेकित गव्य विकास कार्यक्रम	निर्माणाधीन	2000	–	निर्माणाधीन
15.	दुग्ध शीतक केन्द्र, गिरिडीह	गिरिडीह	केंद्र प्रायोजित समेकित गव्य विकास कार्यक्रम	निर्माणाधीन	2000	–	निर्माणाधीन
16.	दुग्ध शीतक केन्द्र, देवघर	देवघर	केंद्र प्रायोजित समेकित गव्य विकास कार्यक्रम	निर्माणाधीन	2000	–	निर्माणाधीन

बिहार राज्य मिल्क प्रोड्यूसर्स सहकारी फेडरेशन लि., पटना के अन्तर्गत संचालित डेयरी परियोजनाओं की सूची

क्रम	योजना का नाम	अद्यतन पूँजीगत परिव्यय	स्थान	स्थापना वर्ष	क्षमता ली. प्रतिदिन	वर्तमान हस्तन ली. प्रतिदिन	वित्तीय स्थिति
1.	राँची डेयरी	501.39 लाख	एच.ई.सी. सेक्टर 2 धुर्वा, राँची	मार्च 1991	60,000	36,650	विगत 2 वर्षों से शुद्ध लाभ में
2.	जमशेदपुर डेयरी	568.01 लाख	गम्हरिया, जमशेदपुर	1984	1,00,000	66,700	–
3.	बोकारो डेयरी	259.81 लाख	बी.एम.–4 के निकट	अगस्त 1979	25,000	39,000	–
4.	कैटल फील्ड फैक्टरी	277.67 लाख	होटवार, राँची	जुलाई 1992	100	26	विगत 5 वर्षों से शुद्ध लाभ में

विजन 2010 अन्तर्गत झारखंड राज्य में दूध उत्पादन व उपलब्धता का लक्ष्य

क्रम	*विवरण*	*2001 –02*	*2002 –03*	*2003 –04*	*2004 –05*	*2005 –06*	*2006 –07*	*2007 –08*	*2008 –09*	*2009 –10*	*2010 –11*
1.	दुधारू पशुओं की संख्या (मिलियन में)	216	2.20	2.24	2.28	2.32	2.36	2.40	2.50	2.55	2.30
2.	प्रति दुधारू मवेशी औसत प्रतिदिन दूध उत्पादन क्षमता (किलो ग्राम में)	0.460	0.60	0.750	1.00	1.25	1.50	1.75	2.00	2.5	3.00
3.	कुल दूध उत्पादन (प्रति वर्ष मि.टन.)	0.39	0.48	0.61	0.83	1.06	1.29	1.53	1.82	2.33	2.52
4.	प्रति व्यक्ति दूध की उपलब्धता (प्रतिदिन ग्राम में)	50	70	90	110	130	150	170	190	210	220
5.	अपेक्षित वृद्धि दर (प्रतिशत में)	–	23.07ल	27.08ल	36.06ल	53.01ल	35.43ल	27.32ल	12.32ल	9.76ल	5.55ल

संदर्भ

1. पशुपालन एवं मत्स्य विभाग झारखण्ड सरकार का 2002-2003 का प्रगति प्रतिवेदन
2. स्टेटस एवं प्रोस्पेक्ट्स ऑफ लाइम स्टॉक एण्ड पॉल्ट्री प्रोडक्शन इन झारखंड—डॉ. डी.के. सिंह 'दोण'
3. डेयरी डेवलपमेंट सेक्टर—श्री मुकुल कुमार सिंह
4. मुर्गीपालन व्याख्यानमाला—डॉ. नीरज कुमार वर्मा
5. वेटनरी टुडे—त्रैमासिक पत्रिका—संपादक—डॉ. नीरज कुमार वर्मा
6. डॉ. सन्तकुमार सिंह—बिरसा कृषि विश्वविद्यालय से वार्तालाप
7. डॉ. ब्रजनन्दन प्रसाद वर्मा—सेवा निवृत्त सहायक निदेशक (कुक्कुट) क्षेत्रीय, कुक्कुट प्रक्षेत्र होटवार, राँची से वार्तालाप

बृहद् उद्योग : बड़े सपने

शिशिर चौधरी

उद्योगों का वर्गीकरण एक जटिल समस्या है। सामान्य रूप से उद्योगों का वर्गीकरण उत्पादन के पैमाने के आधार पर, कच्ची सामग्री के आधार पर, पूँजी की मात्रा के आधार पर, श्रमिकों की संख्या के आधार पर, उत्पादित वस्तु की प्रकृति इत्यादि पैमाने पर होता है। प्रस्तुत लेख में बृहद् उद्योग से अभिप्राय भारी किस्म के उद्योग से है एवं इसमें उत्पादन के पैमाने को आधार लिया गया है।

इस लेख में प्रमुख रूप से तीन बिन्दुओं को रखा गया है—

1. राज्य में स्थित प्रमुख बृहद् उद्योगों की स्थिति
2. औद्योगिक क्षमता एवं संभावनाएँ
3. उद्योगों का भविष्य

बृहद् उद्योग की स्थापना के दृष्टिकोण से एवं इसे सुचारु रूप से कार्यशील होने के लिए सबसे आवश्यक घटकों में पूँजी, विद्युत एवं कच्ची सामग्री की पूर्ति है। विशेष रूप से कच्ची सामग्री के दृष्टिकोण से झारखंड राज्य को प्रकृति ने अपार खनिज संपदा से युक्त किया है और इससे यहाँ खनिज आधारित उद्योग के लिए मार्ग प्रशस्त हुआ। यहाँ देश में उपलब्ध खनिजों का लगभग 25% भण्डार उपलब्ध है एवं देश में उत्पादित खनिज के उत्पादन का लगभग 40% उत्पादन होता है। राज्य के विभिन्न उद्योगों को निम्नलिखित वर्गों में विभाजित किया गया है—

1. लोहा एवं इस्पात उद्योग
2. मोटरगाड़ी उद्योग
3. खनन उद्योग
4. रसायन एवं उर्वरक उद्योग
5. गैर लौह अयस्क उद्योग
6. सीमेंट उद्योग

लौह आधारित उद्योग

1. टाटा आयरन एवं इस्पात कारखाना (TISCO)

यह झारखंड ही नहीं अपितु सम्पूर्ण भारत का लोहे का पहला बड़ा कारखाना है। इसकी स्थापना प्रसिद्ध व्यवसायी जमशेदजी टाटा ने 1907 ई. में की थी। इसमें ढले लोहे का उत्पादन प्रथम बार

सन् 1911 में हुआ था एवं इस्पात का उत्पादन सन् 1913 में किया गया।

प्रमुख कच्ची सामग्री के रूप में प्रयुक्त लौह अयस्क गुरु महिसानी की पहाड़ियों एवं नोआमुण्डी से प्राप्त होता है जो यहाँ से लगभग 100 कि.मी. दूर हैं। दूसरी महत्त्वपूर्ण कच्ची सामग्री के रूप में कोकिंग कोयले का प्रयोग होता है जो झरिया की खानों से मिलता है। जमशेदपुर का कारखाना दक्षिणी पूर्वी रेलमार्ग एवं राष्ट्रीय राजमार्ग द्वारा कोलकाता एवं मुम्बई से जुड़ा है।

यहाँ के प्रमुख उत्पाद हैं—सलाखें, गर्डर, चादरें, रेल के पहिए, फिश प्लेट इत्यादि।

वर्तमान में यह उद्योग आधुनिकीकरण एवं विवेकीकरण की दिशा में अग्रसर है। इसकी उत्पादन क्षमता 40 लाख टन हो गई है। सन् 1997-98 में टिस्को ने बिक्री योग्य इस्पात का 3.01 मिलियन टन मात्रा का उत्पादन किया था जो कि संस्थापित क्षमता का 110% था।

2. बोकारो का इस्पात कारखाना (BSL)

इसकी स्थापना चतुर्थ पंचवर्षीय योजना अवधि में सार्वजनिक क्षेत्र के अन्तर्गत की गई थी। इसका निर्माण दो चरणों में सम्पन्न हुआ था। इसकी स्थापना 1968 में की गई थी एवं वर्ष 1972 में इसकी प्रथम भट्ठी ने कार्य प्रारम्भ कर दिया था।

स्थितिक दृष्टिकोण से झरिया कोयला क्षेत्र की निकटता होने से इसे लाभ पहुँचा।

वर्तमान में इसकी उत्पादन क्षमता 40 लाख इस्पात पिण्डों की है।

3. एल्युमिनियम उद्योग

इण्डियन एल्युमिनियम कम्पनी के नाम से एक कारखाना 1938 में स्थापित किया गया। इसकी एक इकाई झारखंड के भुरी में स्थित है। बाक्साइट की प्राप्ति भुरी से 32 किलोमीटर दूर लोहरदगा की खानों से की जाती है। यहाँ एलुमिना तैयार किया जाता है। दामोदर घाटी से पानी व कोयला मिल जाता है। भुरी से एलुमिना अलबाये (केरल) को भेजा जाता है।

इंजीनियरिंग उद्योग

इस उद्योग के अन्तर्गत अनेक प्रकार की मिश्रित धातुएँ, पूँजीगत माल, मशीनरी, ढांचे, पुर्जे, मशीनी औजार इत्यादि का निर्माण किया जाता है।

झारखंड राज्य के इस श्रेणी के महत्त्वपूर्ण उद्योगों में भारी इजीनियरिंग निगम लिमिटेड राँची का नाम आता है।

1. भारी इंजीनियरिंग निगम लिमिटेड, राँची

(Heavy Engineering Corporation Ltd.)

इसकी स्थापना 1958 में की गई थी। इसके अन्तर्गत तीन इंजीनियरिंग कारखाने हैं।

1. भारी मशीनें बनाने का कारखाना : यह रूसी सहयोग से स्थापित किया गया है। इस कारखाने की वार्षिक उत्पादन क्षमता 80 हजार मीट्रिक टन भारी मशीनों के निर्माण की है।

2. फाउण्ड्री फोर्स कारखाना : इस कारखाने की वार्षिक क्षमता प्रति वर्ष 1 लाख 40 हजार मीट्रिक टन की है। इसकी स्थापना में चेकोस्लोवाकिया से सहयोग मिला है।

3. भारी मशीनी औजार बनाने का कारखाना : यह कारखाना बोकारो व भिलाई स्टील प्लांट को मशीनी उपकरण, इस्पाती संरचनाएँ एवं मशीनी औजार की पूर्ति करता है। यह कारखाना अब लोहे के ढले हुए विशेष उत्पादों के उपकरणों तथा मशीनी औजारों का निर्यात भी करता है। इसकी उत्पादन क्षमता 55 हजार मीट्रिक टन की है। वर्तमान में एच.ई.सी. को एक रुग्ण उद्योग घोषित कर दिया गया है एवं यह बी.आई.एफ.आर. के अधीन चला गया है। केन्द्र सरकार के स्तर पर इस इकाई के विनिवेश के प्रयास चल रहे हैं।

2. टाटा इंजीनियरिंग एवं लोकोमोटिव कम्पनी लिमिटेड (TELCO)

इस कम्पनी के नाम में इंजीनियरिंग शब्द का प्रयोग किया गया है परन्तु प्रमुख रूप से यह एक मोटरगाड़ी उद्योग की श्रेणी में आता है।

इस उद्योग में उत्पादन 1952 में प्रारम्भ हुआ। इसकी रेल इंजन बनाने की क्षमता प्रारम्भ में 50 थी जोकि द्वितीय पंचवर्षीय योजना में बढ़कर 100 हो गई। इस कारखाने से 1300 पूर्ण निर्मित इंजन की आपूर्ति की गई। रेल इंजन का उत्पादन जून 1970 में बन्द हो गया।

वर्तमान में टेल्को दो इकाइयों में विभाजित हो गई है।

1. टेल्को 2. टेल्कॉन

टेल्को (जमशेदपुर) की इकाई में प्रमुख रूप से बसों, ट्रकों इत्यादि के चेसिस बनाए जाते हैं। यहाँ पर 10 प्रकार के ट्रकों के मॉडल बनाए जाते हैं। टेल्को का प्रारम्भ यद्यपि जमशेदपुर में हुआ, इसकी अन्य इकाइयाँ लखनऊ, धारवाड़, पुणे में स्थापित की गईं। टेल्को का एक प्रमुख उत्पाद इंडिका कार का निर्माण पुणे की इकाई में होता है। टेल्कॉन इकाई में जोकि जमशेदपुर अवस्थित टेल्को के विभाजन से बनी है, प्रमुखतः फोर्सलिफ्ट, खनन उपकरण इत्यादि का निर्माण होता है।

रासायनिक एवं सम्बन्धित उद्योग

सीमेंट उद्योग के क्षेत्र में सीमेंट उत्पादन समूह (ष्टष्ट) का प्रमुख स्थान है। इसकी तीन इकाइयाँ झारखंड में स्थित हैं—

1. खेलाड़ी 2. चाईबासा 3. सिंदरी

झारखंड राज्य में सीमेंट उत्पादन में कच्चे माल के रूप में प्रयुक्त कोयला, चूना-पत्थर, चिकनी मिट्टी प्रचुर मात्रा में उपलब्ध है।

जमशेदपुर शहर एक सुनियोजित रूप में औद्योगिक नगर के रूप में विकसित हुआ है। इस नगर की पहचान हालाँकि महान उद्योगपति सर जमशेदजी के नाम से है किन्तु कालान्तर में यहाँ कतिपय अन्य उद्योग विकसित हुए जोकि भारी उद्योगों की श्रेणी में आते हैं।

1. टिनप्लेट कम्पनी ऑफ इण्डिया लिमिटेड
2. इण्डियन केबल कम्पनी लिमिटेड
3. इण्डियन ट्यूब कम्पनी
4. इण्डियन स्टील एवं वायर प्रोडक्ट्स
5. टाटा रॉबिन्स फ्रेजर लिमिटेड

ताँबा उद्योग

ताँबा उत्पादन में झारखंड देश में अग्रणी स्थान रखता है। भारत सरकार की सार्वजनिक क्षेत्र की इकाई हिन्दुस्तान कॉपर लिमिटेड की स्थापना घाटशिला में की गई। वर्तमान में घाटशिला कारखाने की उत्पादन क्षमता 9800 मीट्रिक टन प्रतिवर्ष है। इसे बढ़ाकर 16500 मीट्रिक टन प्रतिवर्ष करने का प्रयास किया जा रहा है। यहाँ के प्रमुख उत्पादन में ताँबे के संद्रायण, निद्रायण, शोधन एवं ताँबे के चादर एवं तार बनाने का कार्य किया जाता है।

उर्वरक उद्योग

सिदरी खाद एवं कारखाना

इसका प्रारम्भ 1951 में सार्वजनिक क्षेत्र के अन्तर्गत किया गया। यह कारखाना सिंदरी में दामोदर नदी के किनारे स्थित है। खाद बनाने के लिए आवश्यक कच्चे माल के रूप में जिप्सम राजस्थान से मँगाया जाता है जबकि कोयला रानीगंज एवं झरिया के खदानों से प्राप्त होता है। प्रारम्भ में यहाँ केवल अमोनियम सल्फेट का उत्पादन होता था। वर्तमान में यूरिया एवं दुइरा नमक का भी उत्पादन होता है। यह एक आधुनिक कारखाना है एवं इसके पाँच भाग हैं—

1. पावर प्लांट2. गैस प्लांट 3. अमोनिया प्लांट
4. सल्फेट प्लांट 5. गैस ओवन प्लांट

औद्योगिक संभावनाएँ

यह सर्वविदित है कि जिस प्रकार से जर्मनी में रूड़ प्रदेश प्राकृतिक खनिज सम्पदाओं के लिए प्रसिद्ध है उसी प्रकार भारत में झारखंड का अग्रणी स्थान आता है। अत: झारखंड को भारत का रूड़ प्रदेश कहा जाता है।

निस्सन्देह इस राज्य को खनिज सम्पदा से ओत-प्रोत करने में प्रकृति ने किसी प्रकार की कमी नहीं की है।

स्पष्ट रूप से झारंखड राज्य में खनिज आधारित उद्योगों की विशाल संभावनाएँ हैं। वर्तमान में विद्यमान इकाइयाँ सर्वथा अपर्याप्त हैं।

उद्योगों की स्थापना के लिए आवश्यक सुविधाएँ

अपार खनिज सम्पदा के अतिरिक्त झारखंड राज्य के अन्तर्गत प्रगुख तकनीकी शिक्षाग संस्थान हैं—इण्डियन स्कूल ऑफ माइन्स, धनबाद; रीजनल इंस्टीट्यूट ऑफ टेक्नोलोजी, जमशेदपुर; जेवियर लेबर रिसर्च इंस्टीट्यूट, जमशेदपुर; सेण्ट्रल फ्यूल रिसर्च इंस्टीट्यूट आदि।

राज्य की प्रथम औद्योगिक नीति (2001) के तहत आगामी पाँच वर्षों में 10% वार्षिक औद्योगिक वृद्धि दर नियत की गई है।

इस लक्ष्य को प्राप्त करने की दिशा में निर्यात प्रोसेसिंग क्षेत्र एवं विशेष आर्थिक क्षेत्र के रूप झारखंड को विकसित करने का प्रयास किया जा रहा है। इसी प्रकार ज्ञान आधारित उद्योगों को प्रोत्साहित करने की बात की जा रही है।

खनिज आधारित उद्योग के उचित विकास के लिए एक स्पष्ट खनिज नीति की आवश्यकता है जिसका अब तक सर्वथा अभाव है।

बृहद् उद्योगों के विस्तार के लिए विद्युत की निर्बाध आपूर्ति आवश्यक है। इस दिशा में भी विशेष ध्यान देने की बात है। साथ ही यातायात व्यवस्था को और अधिक सक्षम बनाने के लिए सड़कों पर भी लगातार ध्यान देने की आवश्यकता है।

रोशन हुआ रेशम उद्योग

ललन कुमार चौबे एवं डॉ. गार्गी

भारतीय रेशम उद्योग में तसर रेशम का महत्त्वपूर्ण योगदान है। यद्यपि स्थूल रूप में रेशम शब्द का अर्थ गैर-शहतूती रेशम के रूप में लिया जाता रहा है परंतु गैर-शहतूती कीटों से तैयार रेशम में तसर का स्थान इसलिए उल्लेखनीय है कि कुल उत्पादन में इसका योगदान सर्वाधिक है। झारखंड राज्य के परिप्रेक्ष्य में इसकी महत्ता और भी बढ़ जाती है क्योंकि तसर रेशम उद्योग आदिवासियों का परंपरागत उद्योग है एवं इनकी संस्कृति से अभिन्न रूप से जुड़ा हुआ है। भले ही रेशम उद्योग का लिपिबद्ध वैज्ञानिक साहित्य ज्यादा पुराना नहीं है परंतु इसका इतिहास अतीव प्राचीन है। फुटकर रूप में रामायण, महाभारत आदि अनेक पौराणिक ग्रंथों में भी इसकी चर्चा हुई है। कहा जाता है कि सीता को उपहार के रूप में कृमिजन्य धागों से बनी जो मोती-जड़ी साड़ी मिली थी वह रेशम की ही थी। कालान्तर में हिन्दी के प्रसिद्ध कवि अमीर खुसरो ने भी अपनी कविताओं में उन्नत किस्म के रेशम का उल्लेख किया है। इन तथ्यों से इस उद्योग की प्राचीनता का बोध होता है। भारत में तसर रेशम का जो उत्पादन होता है, उसमें झारखंड राज्य अग्रणी भूमिका निभाता है। एक अध्ययन के अनुसार झारखंड की तीस जनजातियाँ इस उद्योग से जुड़ी हुई हैं। इसका कारण इस उद्योग का वनों पर आधारित होना है। इसका दूसरा पक्ष यह भी है कि वनों से इन आदिवासियों का खास तौर पर गहरा लगाव है।

झारखंड राज्य का क्षेत्रफल 79714 वर्ग किलोमीटर एवं इसकी आबादी 2,18,43,911 है। यहाँ प्रति वर्ग कि.मी. जनसंख्या का घनत्व 274 व्यक्ति है। कुल 23,253 वर्ग कि.मी. में जंगल फैले हुए हैं जिनमें जनजाति समुदाय के 60,44,010 लोग इस उद्योग में लगे हुए हैं। अगर प्रतिशत में इन तथ्यों को व्यक्त किया जाए तो कहा जा सकता है कि पूरे राज्य का 29.3% क्षेत्र वनाच्छादित है एवं 27.66% आबादी इनमें निवास करती है। यह उचित होगा कि झारखंड में तसर उद्योग स्थिति को सही ढंग से दर्शाने के लिए झारखंड में जिलावार वन क्षेत्र एवं जनजातीय आबादी का ब्यौरा प्रस्तुत किया जाए। यह ब्यौरा निम्न तालिका में द्रष्टव्य है—

तालिका-1

झारखंड में जिलावार वन क्षेत्र एवं जनजातीय आबादी

क्र.स.	जिला	कुल क्षेत्र.	वन क्षेत्र एवं (हेक्टेयर)	कुल आबादी प्रतिशतता	जनजातियों क ी व आबादी प्रतिशतता
1.	दुमड्ढा	621200	62913	1495709	621484
			(10.13)		(41.55)
2.	गोड्डा	211000	31316	861182	216047
			(14.84)		(25.09)
3.	देवघर	247900	34632	933113	110985
			(3.97)		(12.76)
4.	साहेबगंज	160000	63534	1301088	507321
			(4.27)		(38.99)
5.	पाकुड़	18050000	–	–	–
6.	हजारीबाग	504900	320889	2843544	250586
			(28.74)		(8.81)
7.	धनबाद	2086000	158419	2674651	225282
			(22.99)		(8.42)
8.	गिरिडीह	294100	158419	2225480	271924
			(22.99)		(12.22)
9.	बोकारो	286100	–	–	–
10.	चतरा	370600	–	–	–
11.	कोडरमा	241000	–	–	–
12.	राँची	769800	159140	2214048	964422
			(20.67)		(43.56)
13.	लोहरदगा	149100	44358	288886	162964
			(29.75)		(56.41)
14.	गुमला	907700	137084	1153976	816988
			(15.10)		(70.80)
15.	पूर्व सिंहभूम	353300	122824	1613088	466572
			(34.76)		(28.92)
16.	प. सिंहभूम	99070	323487	1787955	978069
			(32.65)		(54.70)

लेकिन हाल के कुछ वर्षों में कतिपय कारणों से तसर रेशम के उत्पादन में लगातार गिरावट

आई है और इसे दूर करने की आवश्यकता है। यहाँ तसर उद्योग की स्थिति पर व्यापक विचार-विमर्श करने हेतु विभिन्न योजना अवधि में झारखंड राज्य में हुए तसर रेशम उत्पादन का विवरण प्रस्तुत किया जा रहा है।

तालिका-2

विभिन्न योजना अवधि के दौरान झारखंड राज्य में तसर रेशम उत्पादन

योजना अवधि	*वर्ष*	*राज्य में उत्पादन (टन में)*
पहली योजना	1951-52	46.80
	1952-53	43.56
	1953-54	46.80
	1954-55	46.80
	1955-56	52.65
दूसरी योजना	1956-57	54.00
	1957-58	54.00
	1958-59	72.00
	1959-60	71.11
	1960-61	76.77
तीसरी योजना	1961-62	78.80
	1962-63	81.87
	1963-64	79.55
	1964-65	85.91
	1965-66	106.82
ट्रांजिशनल	1966-67	112.05
	1967-68	115.61
	1968-69	89.45
चतुर्थ योजना	1969-70	113.00
	1970-71	199.00
	1971-72	168.00
	1972-73	207.00
	1973-74	128.00
पंचम योजना	1974-75	237.00
	1975-76	215.00
	1976-77	235.00
	1977-78	300.00
ट्रांजिशनल	1978-79	216.00
	1979-80	300.00

षष्ठ योजना	1980-81	168.00
	1981-82	170.00
	1982-83	149.00
	1983-84	275.00
	1984-85	290.00
सप्तम योजना	1985-86	331.00
	1986-87	438.00
	1987-88	351.00
	1988-89	215.00
	1989-90	267.00
ट्रांजिशनल	1990-91	281.00
	1991-92	222.00
अष्टम योजना	1992-93	265.00
	1993-94	168.00
	1994-95	168.00
	1995-96	128.00
	1996-97	135.00
नवम योजना	1997-98	144.00
	1998-99	120.00
	1999-2000	95.00
	2000-2001	120.00
	2001-2002	99.00

झारखंड में तसर उद्योग की संभावनाएँ

उल्लेखनीय है कि झारखंड देश का प्रमुख तसर उत्पादक राज्य है जहाँ 60 हजार कीटपालक परिवार तसर संवर्धन में लगे हुए हैं एवं एक आँकड़े के अनुसार वर्ष 1992-93 के दौरान 265 मीट्रिक टन तसर रेशम का उत्पादन हुआ। इस राज्य में कुल 73 हजार करघे चल रहे हैं जिनमें 10.5% रेशम धागे का उपयोग हो रहा है। अगर उपलब्ध संसाधनों का विवेकपूर्ण उपयोग किया जाए तो तसर कोसों, धागों एवं वस्त्रों के उत्पादन में उल्लेखनीय वृद्धि हो सकती है। इस उद्योग को समृद्ध करने से राज्य में न सिर्फ आर्थिक उन्नति लाई जा सकती है अपितु पर्यावरण एवं पारिस्थितिकी में वांछित सुधार भी संभव हो सकता है। इतना ही नहीं इससे वानिकी एवं कुटीर उद्योगों के विकास का नया द्वार भी खुलेगा। कोसा उत्पादक जिन्हें आम तौर पर तसर रेशम कीटपालक के रूप में जाना जाता है, की संख्या राज्य में लगभग 60 हजार है जो पूरे देश के कीटपालकों के 50% के बराबर है। रोचक तथ्य यह है कि तसर रेशम उद्योग से न केवल घरेलू बाजार की आवश्यकताओं की पूर्ति होती है अपितु इससे प्रति वर्ष 15-40 करोड़ रुपए की विदेशी मुद्रा का अर्जन भी होता है। गौर करने लायक है कि झारखंड में उद्योग एवं खनन की

व्यापक संभावनाएँ हैं परंतु लंबे समय तक अर्थव्यवस्था को सुस्थिर रखने के लिए सिर्फ ये ही पर्याप्त नहीं है। बदलते परिवेश में वन संपदा एवं पर्यावरण संरक्षण, ग्रामीण नियोजन एवं बंजर भूमि का उचित उपयोग तथा कुटीर उद्योगों की स्थापना की दृष्टि से तसर उद्योग पर अधिक ध्यान देने की जरूरत है।

झारखंड के वनों में साल एवं आसन के पेड़ बहुतायत से मिलते हैं जो तसर रेशमकीट के प्रमुख भोज्य पौधे हैं। इनके अतिरिक्त तसर रेशमकीट के गौण भोज्य पौधे भी आसानी से इन वनों में उपलब्ध हैं। इसके अलावा राज्य की अप्रयोज्य बंजर भूमि पर तसर भोज्य पौधों को लगाकर, वनाच्छादित कर तसर रेशम कीटपालन किया जा सकता है। ऐसा करने से बेरोजगार श्रम शक्ति का उचित उपयोग हो सकेगा एवं तसर उद्योग के माध्यम से लाखों लोगों को रोजगार देकर विकास की मुख्यधारा में लाया जा सकता है। इसी प्रकार रेशम कीटपालन में लगाए गए लोगों के अनुपात के कोसोत्तर प्रक्रियाओं में भी लोगों को शामिल किया जा सकता है। ऐसा कर नवसृजित राज्य में बेरोजगारों को रोजगार प्रदान करने का सुनहरा अवसर दिया जा सकता है।

तसर की खेती आय का एक अच्छा साधन है। एक अध्ययन के अनुसार एक कृषक परिवार 200 रोगमुक्त चकत्ते का कीटपालन कर 6000–10000 वाणिज्यिक कोसों की उगाही कर सकता है जिससे उसे नॉन–फार्मिंग सीजन (खेती खलिहानी के लिए अनुपयुक्त समय) के 50 दिनों की अवधि में 4800 से 8000 रुपए तक की आय हो सकती है। यह वैयक्तिक स्तर पर किए गए प्रयासों से संभावित आय है। यदि सामूहिक रूप से इस कार्य में जुटा जाए और सामूहिक बीजागार की अवधारणा को मूर्त रूप दिया जाए तो इससे आय में और बढ़ोतरी हो सकती है।

पूर्व में तसर रेशम उत्पादन पूर्णतः वनों पर आधारित था परंतु विगत कुछ वर्षों से तसर रेशमकीट भोज्य पौधों के 4'–4' अथवा 6'×6' दूरी पर सघन उद्यान लगाने की पद्धति न केवल तसर रेशम कीट बीज फार्मों वरन कृषक स्तर पर भी अपनाई जा रही है। तसर रेशम कीट भोज्य पौधों के सघन उद्यान ग्रामों के आसपास की खाली भूमि व कृषकों की खेती योग्य भूमि में भी लगाए जा सकते हैं। तसर रेशमकीट खाद्य पौधे सड़कों, रास्तों के किनारे भी सामाजिक वानिकी कार्यक्रम के अन्तर्गत लगवाए जाने चाहिए। झारखंड राज्य में निम्नकोटि, बंजर भूमि व झाड़ीनुमा जंगलों में तसर रेशमकीट भोज्य पौधे, वनरोपण कार्यक्रम के तहत लगवाए जा सकते हैं। जनसंख्या में तेजी से वृद्धि होने के कारण प्रति व्यक्ति कृषि योग्य भूमि की उपलब्धता में कमी हुई है। वर्तमान परिस्थितियों में यह अपरिहार्य हो गया है कि प्रति इकाई भूमि से होने वाली पैदावार व आय को बढ़ाया जाए। एक अनुमान के अनुसार सन् 2002 में प्रति व्यक्ति उपलब्ध कृषि योग्य भूमि सिमट कर केवल 0.2 हेक्टेयर के आसपास पहुँच्च गई है जो कि दो दशक पूर्व लगभग 0.34 हेक्टेयर थी। ऐसी विकट परिस्थिति में मिश्रित खेती एक अनिवार्यता हो गई है। इससे ग्रामीण क्षेत्रों से शहरों की ओर होने वाले पलायन को भी रोका जा सकेगा। वर्तमान परिस्थितियों में मिश्रित खेती एक आशाजनक विकल्प है। तसर रेशमकीट पालन के साथ–साथ अन्य बहुपयोगी फसलों यथा दालों, अनाजों, सब्जियों आदि की मिश्रित खेती द्वारा न केवल ग्रामीण क्षेत्रों के विकास में महत्त्वपूर्ण भूमिका निभाई जा सकती है अपितु धनाढ्यों से गरीबों की ओर होने वाले पूँजी प्रवाह को भी बढ़ाया जा सकता है। तसर रेशम उत्पादन की आधुनिक तकनीक का व्यापक प्रचार–प्रसार करने से न सिर्फ तसर रेशम प्राप्ति हेतु वनों पर निर्भरता कम

होगी अपितु जलावन तथा चारे की समस्या का भी समाधान होगा। इसके अतिरिक्त कुछ तसर भोज्य पौधे तथा हर्रा (टर्मिनेलिया चेबुला) व बहेड़ा (टर्मिनेलिया बेलेरिका) सुप्रसिद्ध औषधि 'त्रिफला' के दो अवयव हैं। अन्य तसर भोज्य पौधों के भी अनेकानेक औषधीय व वाणिज्यिक गुणों का दोहन करके अतिरिक्त लाभ कमाया जा सकता है। रेशम कीटों के उत्सर्ग के भूमि पर गिरने एवं उनके विघटन से मृदा को पोषक तत्त्वों की प्राप्ति से भूमि की उर्वरा शक्ति में वृद्धि होती है।

भारत के ग्रामीण क्षेत्र भारतीय अर्थव्यवस्था की रीढ़ माने जाते हैं। ग्रामीण क्षेत्रों में रेशम उद्योग श्रृंखलाबद्ध वाणिज्यिक गतिविधियों द्वारा ग्रामीण लोगों के लिए रोजगार उपलब्ध करवाता है। तसर रेशम उत्पादन श्रम आधारित है जिसमें अनेकों गतिविधियों में मानव श्रम सृजन के अवसर हैं। तसर रेशम संवर्धन द्वारा बेरोजगारी की समस्या के समाधान में सहायता मिलेगी। स्थानीय ग्रामीणों को रेशम उत्पादन और वन प्रबन्धन में प्रशिक्षण व सुविधाएँ देकर वनों को बिना हानि पहुँचाए तसर रेशम उत्पादन कार्य करने हेतु प्रेरित किया जा सकता है। इन सबसे ग्रामीण क्षेत्रों व जनजातीय लोगों में बेरोजगारी की समस्या के समाधान में सहायता मिलेगी। रोजगार की खोज में शहरों की ओर होने वाला पलायन भी कम होगा।

भारत की लगभग 50% जनसंख्या महिलाओं की है जिसमें से 70% महिलाएँ ग्रामीण क्षेत्रों में रहती हैं। सर्वेक्षण आधारित जानकारी के अनुसार ग्रामीण तथा शहरी क्षेत्रों को मिलाकर रेशम उद्योग में महिलाओं की 50-60% भागीदारी है। कृषि क्षेत्र में आने वाले व्यवसायों में महिलाओं की यह सर्वाधिक भागीदारी है। अतएव झारखंड राज्य में रेशम उद्योग में महिलाओं की सहभागिता द्वारा उनके उत्थान की दिशा में भी महत्त्वपूर्ण योगदान दिया जा सकता है।

झारखंड जैसे विकासशील राज्य के लिए पर्यावरण संरक्षण एक अनिवार्यता है। उत्पादन की निरंतरता के लिए प्राकृतिक संसाधनों को विनाश से बचाने के साथ-साथ पर्यावरण संरक्षण भी आवश्यक है। जंगल सदियों से बड़ी संख्या में लोगों की आजीविका के साथ-साथ औद्योगिक गति का मुख्य आधार रहे हैं जो अब लकड़ी की कमी से प्रभावित होने लगी है। अतएव तसर रेशम संवर्धन द्वारा न केवल उल्लिखित समस्याओं के समाधान में योगदान दिया जा सकता है अपितु तसर रेशमकीट प्रजातियों के संरक्षण एवं भोज्य पौधों के संवर्धन द्वारा पर्यावरण संरक्षण के कुछ अन्य पहलुओं पर भी ध्यान दिया जा सकता है। आधुनिक युग में जैव विविधता संरक्षण को एक अनिवार्य गतिविधि का दर्जा दिया गया है। तसर रेशम उत्पादन के अतिरिक्त जलावन व पशु चारे की प्राप्ति एवं भूमि की उर्वरा शक्ति के संरक्षण आदि लाभ भी प्राप्त किए जा सकते हैं। धागाकरण, कताई व बुनाई की प्रक्रियाओं को अपनाकर अर्थोपार्जन और भी बढ़ाया जा सकता है, यदि कृषकों को उचित प्रशिक्षण दिया जाए।

केन्द्रीय तसर अनुसंधान एवं प्रशिक्षण संस्थान, राँची में किए गए सतत अनुसंधानों के पश्चात विकसित तसर रेशम उत्पादन की आधुनिक प्रौद्योगिकियों के अनुपालन द्वारा न केवल तसर खाद्य पौधों की पत्तियों में गुणात्मक व परिमाणात्मक सुधार लाया जा सका है अपितु रेशम कीटपालन भी निश्चित व सुगम हुआ है। जो कि निश्चित रूप से तसर उद्योग द्वारा पूर्व में होने

वाली आय से अधिक आय अर्जन की गारंटी प्रदान करता है।

राज्य में तसर संवर्धन हेतु केन्द्रीय तसर अनुसंधान एवं प्रशिक्षण संस्थान, राँची की भूमिका

झारखंड में तसर उद्योग की व्यापक संभावनाओं को देखते हुए एवं इसे सुदृढ़ करने की दृष्टि से भारत सरकार द्वारा वर्ष 1964 में राँची में केन्द्रीय तसर अनुसंधान केन्द्र की स्थापना की गई। बाद में इसे और उन्नत कर वर्ष 1980 में केन्द्रीय तसर अनुसंधान एवं प्रशिक्षण संस्थान का रूप दिया गया। पहले देश भर में फैले 22 बुनियादी बीज प्रगुणन एवं प्रशिक्षण केन्द्र इसी संस्थान के नियंत्रण में थे लेकिन बाद में अनुसंधान एवं प्रशिक्षण को प्राथमिकता देने के ख्याल से इन्हें इस संस्थान से अलग कर दिया गया। उत्तम गुणवत्ता के बीजोत्पादन एवं बीजापूर्ति की समुचित व्यवस्था के लिए बिलासपुर (छत्तीसगढ़) में बुनियादी तसर रेशमकीट संगठन की स्थापना की गई। संस्थान की गतिविधियों को सुव्यस्थित रूप से संचालित करने के लिए इसे विभिन्न अनुभागों में बाँटा गया है। अनुभागवार संक्षिप्त क्रियाकलाप यहाँ द्रष्टव्य है—

तकनीकी अनुभाग : अनुसंधान संबंधी जानकारी
: समन्वय
: अनुसंधान उपलब्धि का संकलन
: वैज्ञानिक प्रकाशन

सामान्य प्रशासन : पुस्तकालय
: भंडार
: अनुरक्षण
: वाहन
: स्थापना
: लेखा
: लेखा परीक्षा
: हिन्दी

वृक्ष संवर्धन प्रभाग : पादप प्रजनन एवं आनुवंशिकी
: पादप शरीर क्रिया विज्ञान एवं ऊत्तक संवर्धन
: पादप रोग विज्ञान
: सस्य-विज्ञान

कीट प्रभाग : तसर कीट प्रजनन एवं आनुवंशिकी
: तसर कीट शरीर क्रिया विज्ञान
: तसर बीज प्रौद्योगिकी
: तसर कीटपालन प्रौद्योगिकी
: तसर कीट रोग विज्ञान
: पीड़क जन्तु प्रबन्धन

रसायन अनुभाग	:	मृदा रसायन
	:	कीट जैव-रसायन
	:	पादप जैव-रसायन
कोसोत्तर		
प्रौद्योगिकी प्रभाग	:	धागाकरण
	:	कताई
	:	वस्त्र रूपांकन एवं बुनाई
	:	परीक्षण एवं रंगाई
सांख्यिकीय प्रभाग	:	प्रयोगों का सांख्यिकीय अभिकल्पन
	:	आँकड़ों का विश्लेषण
	:	सामाजार्थिक सर्वेक्षण
प्रसार एवं प्रौद्योगिकी	:	क्षेत्रीय तसर अनुसंधान केन्द्र (उष्ण कटिबंधीय)
स्थानांतरण अनुभाग	:	क्षेत्रीय तसर अनुसंधान केन्द्र (शीतोष्ण)
	:	अनुसंधान विस्तार केन्द्र (उष्ण कटिबंधीय)
	:	अनुसंधान विस्तार केन्द्र (शीतोष्ण)
प्रशिक्षण प्रभाग	:	प्रशिक्षण प्रदान करता है

- सरकारी कर्मचारियों को
- अधीनस्थ इकाइयों के कर्मचारियों को
- राज्य सरकार द्वारा प्रायोजित उम्मीदवारों को
- स्वयंसेवी संस्था के उम्मीदवारों को
- कृषकों को

संस्थान का प्रशिक्षण अनुभाग गैर-शहतूती रेशम में विभिन्न प्रशिक्षण पाठ्यक्रमों का संचालन करता है जो निम्नानुसार हैं—

क्र.स.	*पाठ्यक्रम*	*अवधि*
1.	स्नातकोत्तर डिप्लोमा	15 माह
2.	पुनश्चर्या प्रशिक्षण पाठ्यक्रम	2 सप्ताह
3.	अल्पावधि प्रशिक्षण पाठ्यक्रम	6 माह
	(क) स्नातकोत्तर	6 माह
	(ख) स्नातक	6 माह
	(ग) उच्च माध्यमिक	6 माह
4.	कृषक प्रशिक्षण कार्यक्रम	2 माह
5.	कैप्सूल प्रशिक्षण पाठ्यक्रम	1 से 2 सप्ताह
6.	अभिमुखीकरण प्रशिक्षण पाठ्यक्रम	1 सप्ताह

अब तक संस्थान द्वारा लगभग 12,000 से अधिक व्यक्तियों को उपर्युक्त प्रशिक्षण पाठ्यक्रम में प्रशिक्षण प्रदान किया जा चुका है। संक्षेप में संस्थान के निम्नलिखित मुख्य उद्देश्य हैं—

- तसर उद्योग से संबंधित सभी पहलुओं पर अल्पकालीन एवं दीर्घकालीन अनुसंधान की व्यवस्था करना।
- एन्थीरिया माईलिट्टा की पारि-प्रजातियों से संबंधित सर्वेक्षण एवं उनके स्थायित्व संबंधी अनुसंधान।
- तसर बीज, धागे एवं वस्त्र उत्पादन से संबंधित तकनीकों का विकास करना।
- वर्तमान अनुसंधान/तकनीकों का स्थल विशेष हेतु अनुकूलन करना।
- विकसित तकनीकों को प्रयोक्ता तक प्रदर्शन एवं अन्य प्रसार माध्यमों द्वारा पहुँचाना।
- राज्य के रेशम विभागों को बुनियादी बीजों की आपूर्ति करना।
- तसर उद्योग से संबंधित समस्याओं की पहचान एवं संभाव्य निदान की खोज।
- नई तकनीकों के व्यवहार में आने वाली रुकावटों को दूर करने के लिए उपाय खोजना।
- कीटपालकों एवं बुनकरों को वर्तमान तकनीकों एवं आवश्यकताओं के अनुरूप प्रशिक्षित करना।
- राज्य रेशम विभाग के कर्मचारियों एवं प्रायोजित व्यक्तियों तथा स्वयंसेवी संस्था के कार्यकर्ताओं को तसर उद्योग के विभिन्न आयामों में प्रशिक्षण देना।
- कीटपालकों द्वारा उत्पादित कोसों को मजबूरी में कम दाम पर बिकने से बचाने के लिए समर्थन मूल्य पर खरीद की व्यवस्था करना।
- क्षेत्र एवं मौसम के अनुकूल प्रजातियों की पहचान, विकास एवं प्रसार।
- ओक तसर की संभावनाओं का पता लगाना एवं उसे उद्योग के रूप में विकसित करना।

उल्लेखनीय है कि इस संस्थान की कई इकाइयाँ पूरे देश में तसर उद्योग के विकास के लिए प्रयासरत हैं। झारखंड राज्य में इसके अधीनस्थ/संबद्ध निम्नांकित केन्द्र हैं—

1. क्षेत्रीय तसर अनुसंधान केन्द्र, दुमका (वर्ष 1964 से कार्यरत)
2. अनुसंधान विस्तार केन्द्र, हाटगम्हरिया, चाईबासा (वर्ष 1974 से कार्यरत)
3. बुनियादी बीज गुणन व प्रशिक्षण केन्द्र, खरसवां, प. सिंहभूम (वर्ष 1978 से कार्यरत)
4. बुनियादी बीज गुणन व प्रशिक्षण केन्द्र, काठीकुंड दुमका (वर्ष 1980 से कार्यरत)
5. बुनियादी बीज गुणन व प्रशिक्षण केन्द्र, मधुपुर, देवघर (वर्ष 1982 से कार्यरत)
6. कच्चा माल बैंक, चाईबासा (वर्ष 1972 से कार्यरत)

तसर कृषि को उद्योग का व्यापक स्वरूप देने के लिए कई स्तरों पर पहल करने की जरूरत है। उल्लेखनीय है कि सबसे पहले झारखंड राज्य, रेशम विभाग को इस दिशा में आगे आना होगा। राज्य रेशम विभाग को अपने तकनीकी अधिकारियों/कर्मचारियों को राज्य भर में संबद्ध क्षेत्रों में फैलाना होगा एवं वन विभाग से सह-सम्पर्क करना होगा। वनों के रखरखाव एवं उन्नयन के लिए वन विभाग को सक्रिय होना पड़ेगा। इसी प्रकार उत्तम कोटि के बीजों के उत्पादन के लिए केन्द्रीय तसर अनुसंधान एवं प्रशिक्षण संस्थान द्वारा विकसित प्रौद्योगिकियों को अपनाने के लिए कृषकों को प्रेरित करना होगा। न केवल बीज उत्पादन अपितु तसर रेशम उद्योग

के विभिन्न पहलुओं यथा भोज्य पौधा संवर्धन, कीटपालन एवं बीजागार तकनीक आदि के क्षेत्र में संस्थान द्वारा उपयोगी तकनीक विकसित की गई है। इनका उपयोग कर तसर कोसों की पैदावार बढ़ाई जा सकती है। पैदावार बढ़ने से आय में बढ़ोतरी होगी और स्वाभाविक रूप से लोग इस उद्योग की ओर आकृष्ट होंगे।

संदर्भ

1. स्मारिका, अखिल भारतीय राजभाषा तकनीकी सेमिनार, 23–24 जनवरी, 1997
2. केन्द्रीय रेशम बोर्ड के विभिन्न वर्षों के वार्षिक प्रगति प्रतिवेदन
3.

लाख से लाखों काम

के.के. कुमार, आर. रमणि, एम.एल. भगत

किसी भी राज्य की अर्थव्यवस्था का मेरुदंड है कृषि एवं उद्योग, जिससे इसकी आत्मनिर्भरता होती है साथ ही यह समृद्ध होता है। आधुनिक परिवेश में जबकि जनसंख्या माल्थस की दर में बढ़ रही है जिसके कारण कृषि भूमि की कमी दिनानुदिन होती जा रही है साथ ही कृषि के प्रति अरुचि साफ नजर आ रही है जिसका परिणाम है औद्योगिकीकरण ताकि अर्थव्यवस्था का संतुलन डाँवाडोल न हो जाए। औद्योगिकीकरण झारखंड जैसे पठारी राज्य में अति महत्त्व रखता है। झारखंड का पठारी इलाका लाख उत्पादन में देश में अग्रणी है। भारत में लाख उत्पादन में इसका योगदान लगभग दो–तिहाई है। यह पठारी भाग समुद्र तल से लगभग 650 मीटर पर अवस्थित है। औसत वर्षा 900 से 1400 मि.मी. सालाना है। तेईस प्रतिशत जमीन जंगलों से आच्छादित है। ढाल के कारण एक बड़ा भूभाग कटावग्रस्त है तथा बारह प्रतिशत बंजर है। सिर्फ तीस प्रतीशत जमीन पर खेती होती है जिसमें चार प्रतिशत जमीन को नहर की सुविधा उपलब्ध है और जमीन भी समतल नहीं है। यहाँ के निवासियों को कृषि की तुलना में वन्य–उत्पादों पर निर्भर रहना एक मजबूरी है। इन वन्य–उत्पादों में लाख का स्थान सर्वोपरि है क्योंकि अर्थव्यवस्था में इसका योगदान करीबन 27 प्रतिशत है।

अनादि काल ई.पू. 1500 ई. से ज्ञात लाख एक प्राकृतिक राल है जिसका विविध उपयोग प्राचीन काल से प्रचलित है। अथर्ववेद में लाख को यों महिमा–मंडित किया गया है—

रात्री माता नमः पितार्यमा ते नितामहः।
सिलाची नाम वा असि सा देवनामसि स्वसा॥

लाख एक अत्यंत सूक्ष्म कीट का दैहिक स्राव है जो वह अपने रक्षार्थ तरल रूप में निकालता है और हवा के सम्पर्क में आते ही कठोर हो जाता है। जिसके अंदर कीट सुरक्षित रहकर अपना जीवन–चक्र पूरा करता है। यही कठोर आवरण या पपड़ी ही व्यावसायिक राल कहलाता है जो विभिन्न उद्योगों में प्रयुक्त होता है। इस कीट की दो प्रजातियाँ होती हैं जिसे कुसुमी एवं रंगीनी लाख कहते हैं। एक प्रजाति से एक वर्ष में दो फसलें मिलती हैं जिसमें बैसाखी का उत्पादन सर्वाधिक होता है। लाख की खेती झारखंड में मुख्यतः तीन पेड़ों कुसुम, बेर तथा पलास पर की जाती है जिन्हें पोषक वृक्ष कहा जाता है क्योंकि लाख कीट का संवर्धन सभी पेड़ों पर नहीं होता है। लाख के पोषक वृक्षों से फसल के परिपक्व होने के पूर्व अरी लाख या बीहन लाख के संचारण के पश्चात् प्राप्त फूंकी लाख से लाख प्राप्त किया जाता है। लाख लगी डंडियों को चाकू से छीलकर लाख की पपड़ियों को अलग कर दिया जाता है जिसे छिली लाख

कहते हैं। इसी लाख से परिष्करण के बाद चौरी, चपड़ा एवं बटन लाख बनाता है। लाख का परिष्करण लाख के कारखानों में होता है। लाख उद्योग का जनक यदि एंजेलो बंधु को कहा जाए तो यह कोई अतिशयोक्ति नहीं होगी क्योंकि इन्होंने सन् 1855 में काशीपुर बंगाल में इसकी स्थापना की थी। उस वक्त लाख रंजक का ही महत्त्व था। राल को उप-उत्पाद माना जाता था। रंजक साठ रुपए मन (37.32 किलोग्राम) तथा राल 15 रुपए मन बिकता था। लाख उद्योग की शुरुआत झारखंड में सन् 1850 ई. में प्रारम्भ हुई। एक अंग्रेजी फार्म ने राँची लैक कम्पनी के नाम से यहाँ सात कारखाने स्थापित किए जिनमें एक राँची में, पाँच बुण्डू में तथा एक अड़की में लगा जिसका मालिकाना हक एवं पूँजी भारतीयों की थी। फिलहाल झारखंड में 62 लाख के कारखाने हैं जिसमें लाख का अर्द्ध-परिष्कृत रूप चौरी तथा पूर्ण परिष्कृत रूप चपड़ा तथा बटन लाख बनता है। चपड़ा बनाने की दो विधियाँ हैं जिसे भट्टा विधि तथा यांत्रिक आधुनिक विधि कहते हैं। इन दोनों विधियों से हस्तनिर्मित तथा मशीन निर्मित चपड़ा बनता है जो कि लाख का शुद्ध रूप है।

यों तो लाख का उपयोग मुख्यत: पेंट और वार्निश बनाने में किया जाता है। सर्वप्रथम इसका उपयोग पृष्ठविलेप संयोजन के रूप में हुआ साथ ही वार्निश, प्रारम्भिक एवं प्रलाक्ष के रूप में हुआ। लाख का सामंजस्य प्लास्टिक साँचा, विद्युत उपकरण एवं मुद्रण रोशनाई में किया जाने लगा। शैल-रसायन पर आधारित तदनुकूल कृत्रिम राल के आविष्कार होते ही इसके बुरे दिन आ गए। फिर भी इसके अद्‌भुत संयोजी गुण जैसे ताप-सुघट्यता, अल्कोहल एवं क्षारों में घुलनशीलता, फिल्म बनाने की उत्कृष्ट प्रवृत्ति, हाइड्रोकार्बन तथा अन्य अघुल्य घोलक अवरोधी, विभिन्न पृष्ठों पर विलक्षण आसंजन तथा विद्युत रोधी गुणों के कारण भिन्न-भिन्न उद्योगों से जुड़ा हुआ है जिसमें उल्लेखनीय हैं—

पोलीयमूरेथेन्स

लाख में हाइड्रोक्सिल मौजूद होने के कारण टॉलिन डिस्सोसायनेट से प्रतिक्रिया करा कर पोलीयमूरेथेन्स में परिणत किया जाता है जिसकी जरूरत प्रत्यास्थलन बनाने, विलेप द्रव्य, अपघर्षण-अवरोधी, तैलीय-अवरोधी एवं संघात-अवरोधी में होता है। लाख एवं तीसी तेल में 25 प्रतिशत टॉलिन डिस्सोसायनेट मिलाने से उत्तम संयोजन बनता है।

दंत-पट्टी संयोजन

दंत-पट्टी बनाने में लाख का उपयोग किया जाता है क्योंकि लाख अहानिकारक राल है। इसका संयोजन दो प्रकार से होता है—एक उच्च कंपन अवरोधी तथा दूसरा अल्पकालिक जमने वाला होता है।

तार वर्णोपचार अवरोधी यौगिक

चपड़े को बुक कर उसमें गंध राल मिलाया जाता है फिर इसे अरंडी के तेल में 100 डिग्री सेल्सियस में मिलाकर यह यौगिक प्राप्त किया जाता है जिसका उपयोग विद्युत तार के खुले छोर, कट संधि आदि के अवरोधी में होता है।

फिसलन-रहित वस्त्र एवं कागज

लाख का प्रयोग फिसलन-रहित वस्त्र एवं कागज में किया जाता है।

फिरकी बल्क (इनामल)

चपड़ा, तीसी तेल तथा लाल शीशा से बना या तीसी तेल, वसा अम्ल एवं ग्लीसिरीन से बना वार्निश का इस्तेमाल जूट तथा सूती मिलों में लगी फिरकियों पर किया जाता है जिससे उनकी सुरक्षा के साथ चमक भी आ जाती है।

अश्ममुद्रण वार्निश

यह वार्निश अश्ममुद्रण के पश्चात् प्राप्त अनावरित छाया में सहायक होता है। पहले इस कार्य में आयातित वार्निश का व्यवहार होता था। चपड़े से बना यह वार्निश संतोषप्रद तथा आयातित वार्निश का विकल्प है।

मोहर या सील

मोहर लगाने में लाख का उपयोग सर्वविदित है। दस्तावेजों, पार्सल आदि में मोहर लगाने में लाख की जरूरत होती है। लाख ही इसमें प्रमुख घटक होता है। इसका राल तंतुज या कागज पर दृढ़ आसंजन, चमक, सुस्पष्ट छाप तथा मजबूती प्रदान करता है। आजकल कई उत्पादक लाख के बदले कृत्रिम राल एवं रंग का प्रयोग करते हैं जो कि कमजोर एवं भंजक होता है।

मिट्टी के बर्तन का प्रलेप

चपड़ा जलीय अमोनिया का 20 से 25 प्रतिशत घोल में मिट्टी के बर्तनों पर 130 से 140 डिग्री सेल्सियस तापमान पर 3 से 4 घंटे तक सुखाने पर बर्तन जल अप्रवेश्य हो जाता है साथ ही उसमें चमक भी आ जाती है। विलेप के पश्चात् इन बर्तनों में भोजन सामग्री विशेषत: जूस रखने के लिए उत्तम होता है।

काष्ठ-खिलौना प्रलाक्ष छड़

विरंजित लाख में समान मात्रा गें गंधराल तशा 2 से 5 प्रतिशत सुघट्यकारी के मिश्रण को गलाकर हल्के रंग का प्रलाक्ष-छड़ बनाया जाता है। ये छड़ स्वत: या टिटोनियम डाईऑक्साइड के वर्णक मिलाकर लकड़ी के खिलौनों पर पॉलिश के काम आता है जो काफी चमकदार होता है।

मुद्रण-स्याही

मुद्रण-स्याही उद्योग में लाख प्रचुर मात्रा में प्रयोग किया जाता है जहाँ यह घोल के रूप में स्प्रिट या जल में उपयुक्त वर्णकों बंधकों के साथ व्यवहार करता है। जलरोधी एवं कला-स्याही बनाने में भी लाख का प्रयोग किया जाता है। यह स्याही अमोनिया तथा सुहागा में चपड़े को घोलकर बनाया जाता है।

चूड़ी-निर्माण एवं आभूषण भराई

कुटीर उद्योगों में लाख से लुभावनी चूड़ियों का निर्माण किया जाता है जो देश में ही नहीं, विदेशों में भी विख्यात है। कावलीन या सोप स्टोन शैलखड़ी जैसे अकार्बनिक पूरक तथा लाख के मिश्रण से चूड़ियाँ बनाई जाती हैं। यदि इसमें कागज की लुगदी मिला दी जाए तो इसके टूटने की संभावना कम हो जाती है। नकली स्वर्णाभूषण में भी लाख का उपयोग किया जाता है। इन आभूषणों के भीतरी जगहों में जो खालीपन होता है उसमें लाख गलाकर भर दिया जाता है जिससे उसका वजन बढ़ जाता है। साथ ही पिचकने का डर नहीं रहता है एवं ठोस सोने या चाँदी का लगता है।

नट-बॉल्ट ढीलापन रोक हेतु संयोजन

कंपनशील उपकरणों के नट एवं बॉल्ट के ढीलापन की रोकथाम में लाख का प्रयोग किया जाता है। इसमें मोमरहित लाख संयोजन का उपयोग किया जाता है। साधारण चपड़े से संतोषप्रद परिणाम नहीं मिलता है। बॉल्ट को वार्निश में डुबोकर गीली अवस्था में ही नट लगाना चाहिए। सूखी अवस्था में नट लगाने से अच्छा परिणाम नहीं मिलता है।

विस्फोटक एवं आतिशबाजी

बहुत समय से विस्फोटक तथा आतिशबाजी उद्योग में लाख को मूल्यवान व्यापारिक वस्तु की मान्यता प्राप्त है। इन उद्योगों में लाख के विविध उपयोग होते हैं। विशेषत: कारतूस एवं खोखा के लिए जलरोधी वार्निश, बारूद के मिश्रण का मंदक जो रॉकेट (अग्निबाण) में लगता है एवं विस्फोटक मिश्रण के लिए आसंजन तथा बंधनद्रव्य बनाने में लाख का उपयोग किया जाता है। आधुनिक अनुसंधान से यह ज्ञात हुआ है कि लाख तथा अमोनियम परक्लोरेट रॉकेट में नोदक के रूप में प्रयुक्त किया जा सकता है।

खाद्य-पदार्थ एवं फल पर विलेप

पाश्चात्य देशों में खाद्य सामग्री, फलों एवं विशेषकर चॉकलेट पर लाख को विलेपित किया जाता है क्योंकि इसका राल फफूंद वृद्धि तथा निर्जलन को रोकता है। साथ ही इसकी ताजगी एवं सुगंध को लम्बे अंतराल तक सुरक्षित रखता है। इसके लिए कई संयोजन पेटेंट प्राप्य हैं। अहानिकारक होने के कारण यह शरीर में कोई दुष्प्रभाव नहीं करता है। पुष्प-उद्योग में भी इसका विलेप किया जाता है ताकि लम्बी दूरी तय करने पर भी इसकी ताजगी बरकरार रहे। आयुर्वेदिक दवाओं में टेबलेट या कैप्सूल विलेप द्रव्य के रूप में अधिकतर लाख का ही प्रयोग किया जाता है।

उपरोक्त उद्योगों के अलावा लाख का उपयोग रत्न-फलकन, नाखून पॉलिश, कार पॉलिश, दर्पण विलेप, मोम रंगीन खड़िया, जूते के तल्ले के कठोरपन प्रदान करने में, टोपी फेल्ट हैट एवं कॉफी बीज में चमक, चपड़ा-बंधित अबरख उत्पादन (माइकानाइट) निर्माण में होता है।

लाख का अतीत चाहे जैसा भी रहा हो परन्तु वर्तमान एवं भविष्य काफी उज्ज्वल है। सिर्फ लाख उद्योग जिसमें सिर्फ चौरी, चपड़ा या बटन लाख बनता है, इसका प्रसार कठिन है। अतः अन्य कृत्रिम रालों से मिलाकर लाख उद्योग का चहुंमुखी विकास हो सकता है। केवल लाख उद्योग ही नहीं बल्कि लाख के साथ-साथ उपरोक्त उद्योगों का भी झारखंड में यदि विकास किया जाए तो इसमें कोई संदेह नहीं कि यह राज्य समृद्धि के मामले में किसी भी राज्य से दूसरे नम्बर पर नहीं रहेगा।

ऊर्जा स्वावलंबन के लिए जद्दोजहद

डॉ. जनार्दन मिश्र

झारखंड राज्य का उदय बिहार के विभाजन से हुआ है। 15 नवम्बर 2000 को यह राज्य अस्तित्व में आया। इस राज्य का कुल क्षेत्रफल 79714 वर्ग किलोमीटर है। झारखंड राज्य की उत्तरी सीमा बिहार को, पश्चिमी सीमा छत्तीसगढ़/मध्य प्रदेश, द. सीमा उड़ीसा एवं पूर्वी सीमा पश्चिमी बंगाल को छूती है।

झारखंड की संरचना बड़ी ही जटिल प्राचीनतम चट्टानों से हुई है। यहाँ प्राचीन प्री-कैम्बियन से लेकर आधुनिक युग तक की चट्टानें मिलती हैं। अतः झारखंड में खनिज सम्पदा का भंडार है। इसे भारत का खनिज भण्डार भी कहा जाता है। यहाँ देश में पाए जाने वाले खनिज पदार्थों का 40% से 100% तक जमाव पाए जाते हैं। इस प्रकार झारखंड रत्नगर्भा धरती है।

झारखंड में कार्यरत औद्योगिक इकाइयों की वर्तमान स्थिति से यह स्पष्ट है कि बोकारो, जमशेदपुर, हजारीबाग, राँची एवं धनबाद में तथा इसके आसपास सहायक औद्योगिक इकाइयाँ स्थापित कर इन औद्योगिक इकाइयों के उत्पाद को उप-उत्पाद के रूप में व्यवहार में लाया जा सकता है। परन्तु इन सबों के लिए ऊर्जा आवश्यक है। सभी प्रकार के छोटे से लेकर बड़े कारखाने यातायात के उपकरण, ईंट पकाने के भट्ठे, खानों की खुदाई तथा घरेलू चूल्हे एवं प्रकाश के साधन सभी ऊर्जा पर ही निर्भर हैं। इस प्रकार शक्ति के साधन उतने ही महत्त्वपूर्ण हैं जितने खनिज। खनिज पदार्थों का उपयोग भी शक्ति के साधनों पर ही निर्भर करता है।

भारत में कोयला, पेट्रोलियम तथा जल विद्युत ऊर्जा के महत्त्वपूर्ण संसाधन हैं। सौर एवं ज्वार ऊर्जा ने अभी हाल ही में इस क्षेत्र में पदार्पण किया है। वर्तमान समय में ऊर्जा के कुल उत्पादन का लगभग 55% कोयला एवं पेट्रोलियम से प्राप्त तापीय विद्युत, 42% जल-विद्युत एवं 3% परमाणु ऊर्जा के रूप में प्राप्त होती है। झारखंड अति प्राचीन चट्टानों से निर्मित है अतः पेट्रोलियम का यहाँ अभाव है। यहाँ ऊर्जा के संसाधन के रूप में कोयला एवं उससे प्राप्त विद्युत तथा जल-विद्युत का विशेष महत्त्व है। इन शक्तियों के प्रति यूनिट उत्पादन में जल-विद्युत सबसे सस्ती पड़ती है।

कोयला

कोयले को उद्योगों की जननी एवं शक्ति का प्रतीक माना गया है। यह पृथ्वी के अन्दर दबी वनस्पति का परिवर्तित रूप है। ऊपर की चट्टानों के दबाव से इससे आक्सीजन तथा हाइड्रोजन निकल जाता है और कार्बन रह जाता है। कोयले में उपस्थित कार्बन ही उसे ऊर्जा के साधन के

उपयुक्त बनाता है। यह कार्बन युग (Carbonifanus age) की परतदार चट्टानों में मिलता है। झारखंड में झरिया, बोकारो, गिरिडीह, करनपुरा, डाल्टनगंज एवं रामगढ़ क्षेत्र महत्त्वपूर्ण कोयला खनन क्षेत्र हैं। राज्य में कोयले के सुरक्षित भण्डार 62084.85 मिलियन टन हैं जो भारत का 32.09त्र है। यहाँ का वार्षिक उत्पादन 80 मिलियन टन से अधिक है। कोयला मुख्यत: तीन प्रकार का होता है—ऐंथ्रेसाइट, बिटुमिनस एवं लिग्नाइट। यहाँ मुख्यतः बिटुमिनस प्रकार का कोयला मिलता है।

प्राप्ति के क्षेत्र (Areas of occurence)

झारखंड का शत प्रतिशत कोयला गोंडवाना क्षेत्र की खानों से प्राप्त होता है। अधिकांश कोयला क्षेत्र नदी घाटियों में स्थित है।

कोयला के संचित भंडारों एवं उत्पादन की दृष्टि से यह राज्य देश में प्रथम स्थान रखता है। यहाँ से देश का 42% कोयले का उत्पादन होता है। यहाँ के प्रमुख कोयला क्षेत्र निम्न हैं—

(1) झरिया : यह कोयला क्षेत्र राज्य के धनबाद जिले में दामोदर की घाटी में स्थित है। यह कोयला रानीगंज तथा बराकर शृंखला की अवसादी चट्टानों में मिलता है। यह क्षेत्र झारखंड प्रांत का ही नहीं, बल्कि सम्पूर्ण देश का सर्वाधिक महत्त्वपूर्ण कोयला उत्पादक क्षेत्र है। यह भाग प. बंगाल के रानीगंज से 48 किमी पश्चिम में लगभग 438 वर्गकिमी क्षेत्र में विस्तृत है। यहाँ उत्तम किस्म के बिटुमिनस कोयले के 1862 करोड़ टन भंडार सुरक्षित हैं। यहाँ कोयले की करीब 20 परतें पाई जाती हैं। इनकी कुल मोटाई 65 मीटर है। इस क्षेत्र से प्रांत का आधे से अधिक कोयला उत्पादन होता है। यहाँ से प्राप्त कोयले का उपयोग मुख्यत: जमशेदपुर, आसनसोल, कोलकाता एवं कुल्टी के इस्पात कारखानों में किया जाता है।

(2) बोकारो : यह क्षेत्र झरिया से 32 किमी पश्चिम में दामोदर की सहायक बोकारो नदी की घाटी में विस्तृत है। यह 674 वर्ग किमी क्षेत्र में फैला हुआ है। यह पूर्वी तथा पश्चिमी बोकारो में बँटा हुआ है। पश्चिमी बोकारो में 4-3 मीटर मोटी 23 परतें हैं। जबकि पूर्वी बोकारो में कोयले की 20 परतें मिलती हैं। बोकारो की करगली परत लगभग 30 मीटर मोटी है। यहाँ के कोयले का उपयोग बोकारो तथा राउरकेला के इस्पात कारखानों में होता है।

(3) चन्द्रपुरा : यहाँ घटिया किस्म के कोयले का उत्पादन होता है जो चन्द्रपुरा के तापीय विद्युत केन्द्र के उपयोग में लाया जाता है।

(4) करनपुरा : यह क्षेत्र ऊपरी दामोदर की घाटी में बोकारो से पश्चिम में स्थित है। उत्तरी करनपुरा एवं दक्षिणी करनपुरा में विभक्त होते हुए यह 1500 वर्ग किमी क्षेत्र में फैला है। यहाँ कोयले की खनन योग्य 22 परतें हैं।

(5) गिरिडीह : यह क्षेत्र गिरिडीह के पश्चिम वाराकुट नदी की घाटी में लगभग 28 वर्ग किमी क्षेत्र में फैला है। यहाँ कोयले की 20 परतें हैं जो करीब 28 मीटर मोटी हैं। यहाँ का कोयला धातुशोधन के लिए काम में लाया जाता है।

(6) सोन घाटी कोयला क्षेत्र : निचली सोन घाटी में औरंगा, हुटार तथा डाल्टनगंज क्षेत्र कोयले के उत्पादन के लिए महत्त्वपूर्ण हैं। यहाँ कोयला सामान्य श्रेणी का मिलता है। औरंगा क्षेत्र 250 वर्ग किमी क्षेत्र में एवं हुटार क्षेत्र 200 वर्ग किमी क्षेत्र में फैला हुआ है। यहाँ 10 से.मी.

से लेकर 14 मीटर तक की मोटाई वाली कोयले की परतें पाई जाती हैं। राजहरा के निकट 14 मीटर मोटाई वाली परतें मिलती हैं।

विद्युत-शक्ति

झारखंड में ऊर्जा के दृष्टिकोण से कोयले के बाद विद्युत का ही स्थान आता है। यहाँ तापीय विद्युत एवं जल विद्युत दोनों का साथ-साथ अध्ययन करेंगे।

झारखंड में बिजली की कहानी सन् 1935 से आरम्भ होती है। प्रारंभ में स्व. चुन्नीलाल एवं स्व. गणपत राय के संयुक्त नाम से उन्हें बिजली का लाइसेंस मिला। सन् 1937 में दी राँची इलैक्ट्रिक सप्लाई क.लि. का गठन हुआ। इसका प्रबन्धन बुधिया ब्रदर्स (प्रा.) लि. नामक एक अन्य कम्पनी को सौंपा गया। तीन उच्च स्तरीय क्षमता वाले डीजल जेनेरेटिंग सेट एवं कुछ दिनों तक एक स्टीम टर्बाइन इकाई द्वारा 50 के दशक तक इस कम्पनी द्वारा बिजली उत्पादन होता रहा। बाद में इस कम्पनी द्वारा राँची के कोकर नामक स्थान पर एक रिसीविंग स्टेशन लगाया गया।

यहाँ ग्रिड से उपलब्ध 33 के.वी. के बिजली को कई ट्रांसफार्मरों द्वारा 11 के.वी., फिर 6.6 के.वी. पर स्टेप डाउन कर सार्वजनिक वितरण एवं उपयोग के अनुरूप बनाया जाता था।

झारखंड में 1948-57 के बीच दामोदर घाटी निगम (डी.वी.सी.) की तीन जलविद्युत परियोजनाएँ बनीं। ये थीं बराकर नदी पर तिलैया एवं मैथन तथा दामोदर पर पंचेत। उस समय बोकारो में थर्मल पावर स्टेशन स्थापित हो चुका था। 1951-52 में रामगढ़ में डी.वी.सी. द्वारा एक 33 के.वी. का पावर सब-स्टेशन लगा। आरंभ में डी.वी.सी. द्वारा बोकारो में बिजली का उत्पादन होता था और वहाँ से 132 के.वी. लाइन पर रामगढ़ के नईसराय सब-स्टेशन तक ट्रांसमिशन होता और वहाँ से बिहार विद्युत विभाग द्वारा यह बिजली खरीदकर पुन: कोकर सब-स्टेशन तक ट्रांसमीट किया जाता था। यहाँ से पूरे दक्षिण बिहार में वितरण की व्यवस्था की जाती थी।

झारखंड का पहला 132/33/25 के.वी. पावर सब-स्टेशन सन् 1960 में राजखरसावां में बिहार विद्युत बोर्ड द्वारा चालू हुआ। 60 के दशक में पतरातु थर्मल पावर स्टेशन (पी.टी.पी.एस.) स्थापित हुआ जो तत्कालीन बिहार विद्युत बोर्ड के स्वामित्व में पहला बृहत् उत्पादक इकाई था। 70 के दशक में स्वर्णरिखा जलविद्युत शक्ति की दो इकाइयाँ आईं। पहला गैतलसूत से लगभग 5 किमी दूर एवं दूसरा यहाँ से 15 किमी दूर। इनकी विशेषता यह है कि एक ही जलस्रोत एवं जल भंडार से दो स्थानों पर बिजली उत्पादित होती है। अंतत: 90 के दशक में बोकारो के निकट ही टेनुघाट थर्मल पावर स्टेशन की स्थापना हुई जो एक स्वतंत्र निगम के रूप में संचालित हुआ।

इस प्रकार बिजली का जाल पूरे प्रांत में फैला और एक विशालकाय सार्वजनिक उपक्रम का विस्तार होता चला गया। इतनी विशाल संरचना के बावजूद मानव स्तरों के भिन्न-भिन्न स्तरों पर बिजली की वर्तमान उपलब्धता बड़ी ही असंतोषजनक है। झारखंड की राजधानी राँची में बिजली की औसत उपलब्धता 24 घंटे में मात्र 12-14 घंटे है। प्रांत के अन्य शहरों का क्या कहना!

बिजली संकट के मामले में झारखंड की स्थिति देश के अन्य भागों की तुलना में बहुत भिन्न नहीं है। भिन्नता संकट के स्वभाव एवं संकट की तीव्रता पर है। समस्या के समाधान के लिए जो प्रयास किए जा रहे हैं, उनमें अजीब शिथिलता है। दूसरे प्रांतों में ट्रांसफार्मरों एवं अन्य आवश्यक उपकरणों के रखरखाव पर समयानुसार ध्यान भी दिया जाता है। पर यहाँ तो सब कुछ नष्ट एवं ध्वस्त होने के बावजूद ध्यान नहीं दिया जाता। यहाँ ट्रांसफार्मरों पर ओवरलोड रहता है जिससे वे जल्दी खराब होते हैं। यहाँ उपभोक्ताओं पर भी भार रहता है। शहर में पानी की सप्लाई व्यवस्था बिजली पर ही निर्भर है। जब बिजली की ही दयनीय अवस्था है तब पानी सप्लाई का क्या कहना!

अणु शक्ति

ऊर्जा संसाधन के रूप में आणविक खनिजों का महत्त्वपूर्ण स्थान है क्योंकि इस शताब्दी के समाप्त होने तक ऐसा अनुमान है कि अच्छे किस्म का कोयला तथा उसके भंडार आदि प्राप्त न होंगे। यद्यपि भारत में आणविक शक्ति का विकास बहुत कम हुआ है फिर भी झारखंड क्षेत्र में आणविक खनिजों का पर्याप्त भंडार है। महत्त्वपूर्ण आणविक खनिज निम्न हैं—

1. **यूरेनियम :** यह प्री कैम्ब्रियन युग की चट्टानों में अन्य खनिजों के साथ पाया जाता है। यहाँ यूरेनियम दो प्रकार के पाए जाते हैं—पेग्माटाइट पिच्डब्लैण्ड एवं यूरेनियम कम्पाउण्ड। उत्पादन के दृष्टिकोण से जादूगोड़ा क्षेत्र सबसे महत्त्वपूर्ण है। एक अनुमान के अनुसार यहाँ 40 लाख टन यूरेनियम निक्षेपित है जो लगभग 426 मीटर की गहराई तक पाया जाता है।

2. **इलमेनाइट :** यह खनिज अबरख प्रधान पेग्माटाइट चट्टानों के रंध्रों में पाया जाता है। आणविक शक्ति से चालित पनडुब्बियों में यह विशेष रूप से प्रयोग में लाया जाता है।

3. **थोरियम :** यह राँची पठार एवं धनबाद के क्षेत्रों में पाया जाता है। झारखंड में 2 लाख टन भंडार इसके सुरक्षित हैं।

उपर्युक्त आणविक खनिजों के अतिरिक्त वेटेलियम, मोनोजाइट और जिरकन झारखंड के विभिन्न क्षेत्रों में पाए जाते हैं।

उपर्युक्त तथ्यों से स्पष्ट है कि झारखंड में ऊर्जा संसाधनों का विशाल भंडार है। झारखंड को ऊर्जा के मामले में स्वावलम्बी होना चाहिए पर वास्तविकता कुछ और है। कोयला तो ऊर्जा के रूप में बड़े-बड़े कारखानों तक ही सीमित है। आणविक ऊर्जा का पूरा विकास नहीं हुआ है। अत: इस प्रांत को किसी न किसी रूप में विद्युत ऊर्जा पर ही निर्भर करना पड़ रहा है। विद्युत दो तरह से प्राप्त होते हैं—तापीय एवं जल विद्युत।

झारखंड में बोकारो, चन्द्रपुरा, पतरातु जैसी कई तापीय विद्युत इकाइयाँ स्थापित हैं पर भ्रष्टाचार के कारण पर्याप्त उत्पादन नहीं हो पा रहा है। यहाँ भ्रष्टाचार ईंधन की सप्लाई से ही शुरू हो जाता है। विद्युत उत्पादन के लिए जिस तरह का कोयला अपेक्षित है, उससे घटिया दर्जे का कोयला सप्लाई होता है ताकि दोनों स्तरों पर मूल्य के भीतर परसेंटेज खाया जा सके। इससे मशीनें तो खराब होती ही हैं, साथ ही उत्पादन भी कम होता है।

ऊर्जा की कमी का एक कारण बिजली चोरी भी है। हमें भी यह समझना होगा कि बिजली के लिए उचित भुगतान किया जाए। प्रति यूनिट बिजली का उत्पादन खर्च लगभग 3 रु.

40 पैसे है जबकि औसत बिक्री दर 2 रु. 30 पैसे ही है। 1 रु. 10 पैसे सब्सिडी होती है। हमें सब्सिडी कल्चर से ऊपर उठना होगा।

बिजली की खराब स्थिति का एक कारण राष्ट्रीय उपक्रमों का राज्य विद्युत बोर्डों पर बकाया होना भी है। एन.टी.पी.सी. का झारखंड के राज्य विद्युत प्रतिष्ठानों पर लगभग 1675.86 करोड़ रुपए बकाया है।

उत्पादन के स्तर पर भी झारखंड में एक विशाल जलविद्युत केन्द्र दामोदर घाटी निगम (डी.बी.सी.) की स्थापना की गई जो अमेरिका के टेनेंसी वैली कारपोरेशन (टी.वी.सी.) के समान संरचना की है। यह एक बहुउद्देशीय एवं अन्तर्राज्यीय परियोजना है। यहाँ से प.बंगाल, बिहार, झारखंड (तत्कालीन बिहार) के अन्तर्गत एवं उड़ीसा में बिजली सप्लाई का लक्ष्य रखा गया विशेषकर इस क्षेत्र की औद्योगिक संरचना को। पर कभी भी पर्याप्त विद्युत उत्पादन इन संयंत्रों से सुलभ नहीं हो सका। टाटा, बोकारो जैसे बड़े लौह इस्पात उत्पादन के संस्थानों के पास अपने कैप्टिव प्लांट थे। आज प्रांत को हर छोटी-बड़ी औद्योगिक इकाइयाँ या तो डीजल आधारित विभिन्न क्षमता वाले जेनरेटरों या कैप्टिव बिजली इकाइयों पर निर्भर हैं। घरेलू इस्तेमाल में भी जेनरेटर एवं इन्वर्टर का ही प्रयोग होता है।

ग्रामीण विद्युतीकरण मखौल होकर रह गया है। वे सारे के सारे गाँव जहाँ सर्वेक्षण हुआ या पोल गाड़े जा सके या जहाँ तक तार पहुँच पाया, वे सभी विद्युतीकृत गाँव (इलेक्ट्रिफाइड विलेज) के आँकड़ों में दर्ज हो गए जबकि 10% गाँवों तक भी बिजली नहीं पहुँच पाई।

विद्युत ऊर्जा खपत की दर जनता के जीवन स्तर की गुणवत्ता का परिचायक है। झारखंड की जनता को विकसित क्षेत्रों की जनता के जीवन स्तर के समकक्ष लाने के लिए विद्युत उपयोग स्तर में वृद्धि करनी होगी। इस लक्ष्य के करीब पहुँचने के लिए बिजली की बचत के साथ ही उत्पादन क्षमता के विस्तार पर बल देने की आवश्यकता है। बिजली की अनेकों विशालकाय संरचनाएँ तो बन गईं परन्तु दक्षतापूर्ण उत्पादन, संचरण, वितरण एवं आपूर्ति का लक्ष्य पूरी तरह असफल रहा। अतः नए आर्थिक सुधार के तहत निजीकरण पर बल दिया गया है। ऊर्जा संकट के लिए जनता कम दोषी नहीं है। उसे भी कर्तव्यनिष्ठ एवं ईमानदार होना होगा। अन्यथा सारी की सारी विशाल संरचनाएँ व्यर्थ साबित होंगी।

झारखंड के सड़क संसाधन

डॉ. सी.के. सिंह

झारखंड भारत का 28वाँ राज्य है। झारखंड के सृजन ने यहाँ के लोगों में काफी आशाएँ एवं अपेक्षाएँ जगाई हैं। 75% लोग झारखंड के ग्रामीण क्षेत्र में रहते हैं। अत: सुदूर जगहों पर ग्रामीण क्षेत्र में रह रहे लोगों का विकास हो, यह राज्य की प्राथमिकता होनी चाहिए। लोगों के जीवन का गुण-स्तर क्या है, यह उनकी खरीददारी क्षमता से ही पता चलता है। लोगों के जीवन-स्तर को बढ़ाने के लिए राज्य के सर्वांगीण विकास की आवश्यकता है। इसके लिए मूलभूत संरचनाओं एवं संसाधनों का विकास होना जरूरी है। वर्तमान में राज्य में जो संरचनाएँ एवं संसाधन हैं—वे पर्याप्त नहीं हैं।

झारखंड राज्य छोटानागपुर, पलामू एवं संतालपरगना क्षेत्र में फैला हुआ है तथा यहाँ अनुसूचित जनजाति आबादी की जनसंख्या भी काफी है। झारखंड से संबंधित कुछ आवश्यक सूचनाएँ इस प्रकार हैं—

जनसंख्या	: 269.094 लाख
पुरुष	: 138.613 लाख
महिला	: 130.481 लाख
जनसंख्या का ग्रामीण : शहरी अनुपात	: 77.75 : 22.25
क्षेत्रफल	: 79714 वर्ग कि.मी
जिलों की संख्या	: 22
जनसंख्या का घनत्व	: 338 प्रतिवर्ग कि.मी.
साक्षरता	:
पुरुष	: 55.98%
महिला	: 32.27%

राज्य के करीब 22.68% क्षेत्र की जमीन कृषि योग्य है तथा करीब 50% वन भूमि एवं वेंस्टलैण्ड है। राज्य में पर्याप्त खनिज संसाधन उपलब्ध हैं। छोटी-बड़ी नदियों जैसे शंख, कोयलकारो, सुवर्णरेखा, दामोदर, बराकर, खुदीया, गुमानी, अजय, मयूराक्षी, जुमार, बासलोई आदि महत्त्वपूर्ण जल स्रोत हैं।

राज्य के विकास हेतु निम्नलिखित संरचनाएँ/संसाधन होते हैं—

परिवहन	ऊर्जा
हाउसिंग	शिक्षा

उद्योग	कृषि
जल संसाधन	स्वास्थ्य
टेलीकम्यूनिकेशन	सुन्दर पर्यावरण
अन्यान्य	

कुछ संरचनाएँ वाणिज्य/व्यापार दृष्टिकोण से उपयोगी होती हैं तो कुछ सामाजिक दृष्टिकोण से। परिवहन संरचना/संसाधन दोनों ही दृष्टिकोण से आवश्यक एवं उपयोगी हैं और अन्य संरचनाओं के विकास में भी अहम भूमिका निभाती हैं।

परिवहन संरचनाएँ निम्नलिखित हैं—

सड़क	सड़क परिवहन
रेल	नागरिक विमान (सिविल एवीएशन—वायुमार्ग)
पोर्ट तथा जलमार्ग	

झारखंड राज्य के लिए पोर्ट एवं जलमार्ग की संभावना नहीं है और राज्य में यह परिवहन का साधन नहीं है। रेल तथा वायुमार्ग पर यहाँ चर्चा नहीं करके सड़क संसाधन पर ही विशेष चर्चा की जा रही है। सड़क संसाधन ही विकास का मूलमंत्र है। सड़क के माध्यम से ही रेल एवं वायुयान तक पहुँचा जा सकता है। जबसे मानव का अस्तित्व है तब से पगडंडी, कच्चा रास्ता आदि दिनोंदिन विकसित होता रहा है। सड़क हमारी सभ्यता का प्रतीक है, हमारा जीवन-साथी है तथा व्यवसाय एवं रोजी-रोटी का साधन है। झारखंड राज्य में जहाँ पर्याप्त वायुमार्ग सुविधा नहीं है, रेल सुविधा नहीं है, वहाँ सड़क संसाधन ही आवागमन के आम साधन हैं जिसे विकसित करने की अति आवश्यकता है। सड़क संसाधन एवं सड़क परिवहन से ही अन्य सारी संरचनाओं एवं संसाधनों का विकास संभव है और यही गरीबी उन्मूलन का साधन भी है।

झारखंड की जमीन एवं मिट्टी, यहाँ का भूगोल, प्राकृतिक सम्पदा एवं प्रकृति ऐसी है कि सड़क संसाधन को तेजी से विकसित करने की प्राथमिकता और आवश्यकता है।

झारखंड राज्य में निम्नलिखित श्रेणियों के सड़क संसाधन उपलब्ध हैं—

श्रेणी		*लगभग लम्बाई (कि.मी.)*
राष्ट्रीय उच्च पथ (एन.एच.)	:	1656.26
राज्य उच्च पथ (एन.एच.) एवं एम.डी.आर	:	6400.00
ग्रामीण पथ (ओ.डी.आर. एवं विलेज पथ)	:	23,500.00
म्युनिसिपल पथ	:	6500.00

पूरे देश के कुल एन.एच. लम्बाई का करीब 3.2% एन.एच. झारखंड राज्य में पड़ता है।

इन पथों की दशा लगभग इस प्रकार है—

क्र.सं.	*पथ*	*अच्छी दशा में*	*फेयर दशा में*	*खराब दशा में*
1.	एन.एच.	40%	25%	35%
2.	एस.एच. एवं एम.डी.आर.	30%	28%	42%
3.	ग्रामीण पथ (ओ.डी.आर. सहित)	20%	25%	55%

4.	म्युनिसिपल पथ	30%	30%	40%

राज्य में एन.एच. के करीब 20% लम्बाई सिंगल लेन का है।

संतालपरगना क्षेत्र में साहेबगंज जिला में मात्र करीब 96 कि.मी. लम्बाई ही एन.एच. है (एन.एच. 80 का)। राज्य पथ एवं एम.डी.आर. का करीब 90% लम्बाई सिंगल लेन ही है।

राज्य में नव-अधिग्रहीत एन.एच.

एन.एच.-98 (औरंगाबाद-डाल्टनगंज पथ का अंश)	:	55.4 कि.मी.
एन.एच.-99 (डोभी-चतरा-बालूमाथ-संदवा पथ की कुछ लम्बाई छोड़कर)	:	105 कि.मी.
एन.एच.-100 (चतरा-सिमरिया-हजारीबाग-विष्णुगढ़- बबगोदर)	:	133 कि.मी.
एन.एच.-75 (यू.पी. सीमा नगर उटारी-गढ़वा-पड़वामोड़-डाल्टनगंज-लातेहार-कुरु-राँची)	:	261 कि.मी.
कुल लम्बाई	:	554.40 कि.मी.

उक्त चारों नव अधिग्रहीत एन.एच. पूर्व में राज्य उच्च पथ थे। इसमें एन.एच.- 98 तथा एन.एच.-75 का नगर उटारी-गढ़वा-पड़वामोड़ तक की लम्बाई (करीब 77 कि.मी.) की दशा दयनीय है।

झारखंड राज्य के कुछ कोरीडोर हैं जो काफी महत्त्वपूर्ण एवं उपयोगी हैं जिन्हें चौड़ीकरण एवं मजबूतीकरण करने की अति आवश्यकता है। इसमें जो लम्बाई एन.एच. नहीं है उनको एन.एच. के रूप में परिवर्तित होना चाहिए लेकिन तत्काल इन महत्त्वपूर्ण कोरीडोर को राज्य योजना मद से ही चौड़ीकरण/उन्नयण/सुदृढ़िकरण करके कम दो-लेन का सुन्दर, सुगम एवं सुदृढ़ पथ के रूप लाना प्राथमिकता है। ये कोरीडोर हैं—

1. बिहार सीमा रजौली-बरही-हजारीबाग-रामगढ़-राँची-जमशेदपुर-बहरागोरा महामार्ग (380 कि.मी.)

यह बिहार सीमा रजौली से जी.टी. रोड बरही तक एन.एच. 31 है तथा बरही से हजारीबाग, राँची होते हुए बहरागोरा तक एन.एच. 33 है। इस महामार्ग का फोर-लेनिंग अत्यावश्यक है।

2. यू.पी. सीमा नगर उटारी से गढ़वा-डाल्टनगंज-लातेहार-चन्दवा-राँची-धनबाद-गोविन्दपुर-जामतारा-दुमका-लिट्टीपाड़ा-बरहेट-साहेबगंज-गंगा नदी-मनिहारी घाट-बिहार सीमा तक (700 कि.मी. लगभग)

इसमें गोविन्दपुर-साहेबगंज तक लम्बाई राज्य पथ है, शेष एन.एच. है।

3. तमार-खूंटी-तोरपा-कोलेबीरा-सिमडेगा-बीरमित्रापुर-उड़ीसा सीमा तक (करीब 250 कि.मी.)

इसमें तमार-खूँटी-तोरपा-कोलेबीरा तक राज्य पथ है और शेष एन.एच. 23 है।

4. राँची-खूँटी-बंदगाव-चक्रधरपुर-चाईबासा-उड़ीसा सीमा-जैतगढ़ तक (300 कि.मी. लगभग)

यह राज्य उच्च पथ है।

5. कोडरमा–जमुआ–देवघर–दुमका–रामपुरहाट (पश्चिम बंगाल सीमा) तक (करीब 260 कि.मी.)

यह राज्य उच्च पथ है।

ये पाँचों महत्त्वपूर्ण कोरीडोर हैं जिन पर प्राथमिकता से चौड़ीकरण/मजबूतीकरण कार्य प्रारम्भ हुआ है जिन्हें जल्द से जल्द पूरा करना है।

माननीय प्रधानमंत्री महोदय ने राष्ट्रीय उच्च पथ विकास परियोजना (एनएच डीपी) जो एक महत्त्वाकांक्षी योजना है, की शुरुआत की और यह अच्छी प्रगति पर है। इसके अन्तर्गत निम्नलिखित महामार्ग हैं :

1. स्वर्णिम चतुर्भुज परियोजना जो चार महानगर दिल्ली, कोलकाता, चेन्नई एवं मुम्बई को जोड़ता है।

2. उत्तर–दक्षिण महामार्ग जो कश्मीर को कन्याकुमारी से जोड़ता है।

3. पश्चिम–पूरब महामार्ग जो पोरबन्दर को सिलचर से जोड़ता है।

उक्त तीनों महामार्गों का 4–6 लेन चौड़े एन.एच. के रूप में चौड़ीकरण एवं मजबूतीकरण किया जा रहा है और इसकी कुल लम्बाई करीब 14,000 कि.मी. है। इसी तर्ज पर झारखंड राज्य में उक्त अंकित पाँच कोरीडोर को पाँच महामार्ग के रूप में विकसित करने की प्राथमिकता राज्य सरकार ने निर्धारित की है।

प्रधानमंत्री ग्राम सड़क योजना (पी.एम.जी.एस.वाई.)

माननीय प्रधानमंत्री महोदय ने सभी गाँवों को ऑल वेदर पथों से जोड़ने के लिए प्रधानमंत्री ग्राम सड़क योजना बनाई है और विभिन्न चरणों में 207 तक सभी गाँवों को लिंक करने का लक्ष्य है।

झारखंड राज्य में प्रथम चरण (2000–2001) में 61 पैकेज में कुल 168 पथ लिए गए थे जिनकी लागत करीब 148 करोड़ रुपए है। द्वितीय चरण (2001–2002) में 95 पैकेज में 202 पथों को लिया गया है जिनकी लागत करीब 242 करोड़ रुपए है। तृतीय चरण (2002–2003) एवं (2003–2004) में कुल 400 करोड़ रुपए की योजनाएँ ली जाने वाली हैं जिनकी तैयारी चल रही है।

प्रधानमंत्री ग्राम सड़क योजना भारत सरकार द्वारा वित्त सम्पोषित है।

मुख्यमंत्री ग्राम सेतु योजना (एम.एम.जी.एस.वाई.)

झारखंड राज्य में ग्रामीण पथों पर पड़ने वाले नदियाँ, नाले जो अनजुड़े हैं पर पुल–पुलिया बनाने का कार्यक्रम लिया गया है जिसे 2005 तक पूरा करने का लक्ष्य है। इसमें तीन श्रेणियों के पुल–पुलिया बन रहे हैं—

1. 30 मीटर से ऊपर लम्बाई के
2. 30 मीटर से नीचे लम्बाई के
3. पुलिया

30 मीटर से ऊपर लम्बाई के 473 अदद, 30 मीटर लम्बाई से नीचे के कुल 617 अदद

और कुल करीब 1700 पुलिया का निर्माण करना है। 30 मीटर से ऊपर के पुलों के सर्वेक्षण करने एवं डी.पी.आर. तैयार करने के लिए अनुभवी कन्सलटेण्ट्स को रखा गया है।

इसके अतिरिक्त पथनिर्माण विभाग, झारखंड द्वारा भी कई पुलों की योजनाएँ ली गई हैं और प्रगति पर है।

आशा है कि 2005 तक राज्य में सभी अनजुड़े गैप्स पर पुल-पुलिया बन जाएँगे जो एक बहुत बड़ी उपलब्धि होगी।

राज्य की राजधानी राँची के चारों तरफ आउटर रिंग रोड का निर्माण

झारखंड की स्थापना के बाद राँची में वाहनों के आवागमन की संख्या तथा वाहन भार में अत्यधिक वृद्धि हुई। वर्तमान राँची शहर से हटकर ग्रेटर राँची बसाने का कार्यक्रम है जहाँ विधानसभा, सचिवालय, विश्वविद्यालय, स्पोर्ट्स काम्पलेक्स, आवासीय परिसर आदि नए सिरे से सुनियोजित ढंग से बनना है। पुराने राँची और ग्रेटर राँची के बाहर-बाहर आउटर रिंग रोड बनाना है। यह 4-6 लेन का रोड होगा और आन्तरिक पथों/एप्रोच पथों से लिंक रहेगा। आउटर रिंग रोड की लम्बाई करीब 120 कि.मी. होगी।

इसी तरह अन्य शहरों में भी क्रमशः बाईपास बनाने का कार्यक्रम है।

व्यस्त रेलवे लेवल क्रोसिंग पर ऊपरी पुल बनाना

पूर्वी रेलवे एवं द. पूर्वी रेलवे पर कुल 32 व्यस्त रेलवे लेवल क्रोसिंग चिन्हित हैं। प्रथम चरण में 16 अदद आर.ओ.बी. बनाने का कार्य रेलवे को सौंपा गया है। कार्यक्रम है कि 2010 तक सभी 32 अदद आर.ओ.बी./आर.यू.बी. का निर्माण पूरा हो जाएगा जिससे सड़क संसाधन सुगम एवं सुरक्षित हो जाएगा।

सड़क संरचना विकास योजना-2010

झारखंड राज्य में 2010 तक सड़क परिवहन निर्माण/चौड़ीकरण/मजबूतीकरण तथा पुल निर्माण कार्य पूरा करने का कार्यक्रम प्रस्तावित है—

1. शॉर्ट-टर्म योजना (2004)
2. मिड-टर्म योजना (2007)
3. लौंग-टर्म योजना (2010)

इन तीनों समयबद्ध योजनाओं के कार्यान्वयन की प्राथमिकता तय की गई है। प्राथमिकतानुसार क्रमशः निम्नलिखित कार्यों का कार्यान्वयन किया जाना है। मुख्य-मुख्य कार्य ये हैं—

1. राजधानी राँची को जिला मुख्यालयों से जोड़ने वाले पथों का विकास।
2. अन्तरजिला मुख्यालयों को जोड़ने वाले पथों का उन्नयन/चौड़ीकरण।
3. अन्तर्राज्यीय पथ।
4. राज्य पथों का चौड़ीकरण एवं मजबूतीकरण।
5. पुल निर्माण।
6. कमजोर पुलों का प्रतिस्थापन/पुनर्निर्माण।

7. राँची आउटर रिंग रोड का निर्माण।
8. आर.ओ.बी./आर.यू.बी का निर्माण।
9. पर्यटन स्थलों को जोड़ने वाले पथों का उन्नयन।
10 राज्य के अन्य शहरों के बाईपास का निर्माण।
11. फ्लाईओवर का निर्माण।
12. नक्सल प्रभावित पथों का उन्नयन।
13. पथों का 4-लेनिंग।
14. विविध।

पथ निर्माण में मशीनीकरण

पथ निर्माण कार्य में क्रमशः मशीनीकरण को अपनाने का कार्यक्रम है ताकि आधुनिक मशीन/उपकरण से उच्च गुण स्तर पर टिकाऊ पथ का निर्माण हो।

पथों के रखरखाव/संघारण

सृजित पथ/पुल परिसम्पत्ति को वैज्ञानिक / तकनीकी तरीका से रख-रखाव/संघारण की आवश्यकता है जिस पर बल दिया जा रहा है।

मॉनीटरिंग एवं गुण-नियंत्रण

कार्यों के समय कार्यान्वयन एवं गुण-नियंत्रण हेतु मॉनीटरिंग एवं गुण-नियंत्रण व्यवस्था स्थापित की जा रही है।

प्रशिक्षण

अभियंतागण, पदाधिकारीगण एवं कर्मचारीगण के तकनीकी एवं प्रबंधन क्षमता बढ़ाने के लिए प्रशिक्षण की व्यवस्था जरूरी है। इस क्षेत्र में भी प्रयास किया जाना चाहिए।

वित्तीय व्यवस्था एवं फंडिंग

विभिन्न स्रोतों से वित्त की व्यवस्था एक महत्त्वपूर्ण पहलू है। राज्य बजट, भारत सरकार से वित्त पोषण, निजी संस्थानों की सहभागिता, विश्व बैंक, नबार्ड आदि वित्तीय संस्थानों से वित्त की व्यवस्था की जानी है। अभी राज्य बजट से पथ-पुल योजनाओं का वहन हो रहा है। फिर धीरे-धीरे क्रमशः बाहरी संस्थानों से वित्त की व्यवस्था हो सकती है।

जनता एवं सबों का सहयोग प्रार्थित है ताकि राज्य सरकार सुन्दर, सुगम, सुदृढ़ सड़क सुविधा तैयार करने में सफल हो।

ऑर्गेनाइजेशन डेवलपमेंट, तकनीकी लोगों की ज्यादा सहभागिता तथा आपसी सहयोग पर ही सड़क संसाधन का विकास होगा।

झारखंड के ग्रामीण विकास में हाट बाजार
पलामू प्रमंडल का एक विशेष अध्ययन

डॉ. डी.के. सिंह

जिस प्रकार विकसित देशों अथवा प्रदेशों के विकास में नगरों की महत्त्वपूर्ण भूमिका होती है, उसी प्रकार विकासशील प्रदेशों में जहाँ नगरों या बड़े शहरों का अभाव है, ग्रामीण विकास में छोटे शहरों या हाट बाजारों की महत्त्वपूर्ण भूमिका होती है। नगर अथवा शहर, विकास संप्रेषण के महत्त्वपूर्ण केंद्र होते हैं परन्तु दूरी बढ़ने के साथ-साथ उनका प्रभाव भी घटता जाता है। ऐसी स्थिति में एक खास परिधि में बड़े शहरों के चारों ओर अपेक्षाकृत छोटे शहर विकसित होते हैं जो बड़े नगरों से संप्रेषण ग्रहण कर अपने प्रभाव क्षेत्र में नवाचारों को संप्रेषित करते हैं। इस प्रकार से विकास से संबंधित उपकरण बड़े शहरों से छोटे शहर और वहाँ से ग्रामीण स्तर तक पहुँचते हैं। बड़े और छोटे केंद्रों के बीच यह संबंध शृंखलाबद्ध होता है। बड़े शहरों से छोटे शहर और ग्रामीण स्तर तक उपयोग के लिए जो वस्तुएँ पहुँचती हैं वे द्वितीय और तृतीय स्तर की उत्पाद होती हैं। जैसे दवा, सिले कपड़े इत्यादि। ग्रामीण स्तर से प्राथमिक उत्पाद (अनाज, फल, सब्जी इत्यादि) छोटे केंद्रों से संग्रहित होकर बड़े शहरों में पहुँचते हैं। इस प्रकार से शहर ग्रामीण प्रदेशों की और ग्रामीण प्रदेश शहरों की जरूरत की पूर्ति करते हैं। गाँव एवं शहरों के बीच यह संबंध जितना विकसित होगा उस प्रदेश में उसी अनुपात में विकास होगा।

शहरों एवं गाँवों के बीच यह अंत:संबंध विकसित प्रदेशों में स्पष्ट रूप से दृष्टिगोचर होता है। नवाचारों के प्रभाव से ग्रामीण परिवेश को विकसित होने पर विकास की प्रक्रिया तीव्र होती है जिससे बड़े शहरों के आसपास के ग्रामीण क्षेत्रों में नवीन कस्बे या 'सेट-लाइट' टाउन विकसित होते हैं। भारत में दिल्ली, बंगलौर, हैदराबाद, मुम्बई नगर से 100 से 150 कि.मी. तक की दूरी पर अवस्थित प्रदेश इसके उदाहरण हैं।

उपरोक्त बातों से यह स्पष्ट है कि ग्रामीण प्रदेशों में विकास संप्रेषण में नगरों अथवा शहरों की महत्त्वपूर्ण भूमिका है। झारखंड राज्य में यदि कुछ शहरों को छोड़ दिया जाए तो अधिकतर क्षेत्रों में इस प्रकार के नगरों का अभाव है जिसके कारण नवाचारों को ग्रामीण स्तर तक पहुँचने में काफी देर होती है। दूसरी ओर आर्थिक और सामाजिक दृष्टि से पिछड़ा ग्रामीण परिवेश चाहकर भी उसे ग्रहण करने में या तो अक्षम होता है या उसके बारे में अनभिज्ञ रहता है। वैसे राज्य में जहाँ 77% आबादी गाँवों में रहती हो, 61.6% लोग गरीबी रेखा से नीचे हों, 95% ग्रामीण जैविक ऊर्जा पर निर्भर हों, लगभग आधी आबादी अशिक्षित हो, 75% से भी अधिक लोग कृषि

पर निर्भर हों, 60% किसान खेतों से 3 से 5 महीने की रोटी जुटा पाते हों, लगभग 85% भूमि में एक ही फसल बोई जाती हो, 10% से भी कम भूमि सिंचित हो, नगरीकरण की प्रक्रिया का धीमा होना स्वाभाविक है क्योंकि नगरों का विकास का स्रोत उसकी पृष्ठभूमि होती है। साधारणत: कृषि प्रदेशों में अवस्थित नगरों का कार्य द्वितीय और तृतीय स्तर के उत्पादों कच्चे माल को परिष्कृत कर बने सामान—वनस्पति, कपड़े, नमक, दवा इत्यादि और नवाचारों को गाँवों तक पहुँचाना और ग्रामीण क्षेत्र के प्राथमिक उत्पादों अनाज, फल, सब्जी इत्यादि को शहरों में पहुँचाना है। झारखंड के ग्रामीण प्रदेश अपने सीमित संसाधनों के कारण एक सीमा के बाहर न तो प्राथमिक स्तर के उत्पादों की आपूर्ति करने की स्थिति में हैं और न ही द्वितीय या तृतीय स्तर के उत्पादों को ग्रहण करने की स्थिति में।

यह विडम्बना ही है कि अकूत खनिज और वन संपदा, साल में 140 सेंटीमीटर से अधिक वर्षा, अनुकूल कृषि योग्य जलवायु और विशाल कृषि योग्य भूमि के अतिरिक्त प्रचुर मानवीय संसाधन होने के बावजूद जिस राज्य में प्रति हेक्टेयर कृषि उत्पादन सामान्य से काफी कम (0.98 टन प्रति हेक्टेयर) हो, कृषि पर निर्भर 75% लोग अपनी जरूरत से भी कम अनाज उत्पन्न करते हों (कुल उत्पादन 19.69 लाख टन, आवश्यकता 39.70 लाख टन) मुश्किल से 10% कृषक ही जरूरत से ज्यादा अनाज उत्पादित कर पाते हों, ग्रामीण अर्थव्यवस्था की जर्जर स्थिति के सूचक हैं। पुनः सामाजिक समरसता में बढ़ती दूरी और आतंकवाद की समस्या से जूझता समाज ग्रामीण क्षेत्रों के विकास के लिए एक चुनौती है।

झारखंड में यदि खनन, औद्योगिक और जिला स्तर पर प्रशासकीय शहरी केंद्रों को छोड़ दिया जाए तो अधिकतर शहर छोटे कस्बे के रूप में हैं और एक-दूसरे से काफी दूरी पर अवस्थित हैं। ये छोटे कस्बे अधिकतर प्रखंड स्तर पर अवस्थित प्रशासकीय या अन्य कार्यों में लगे लोगों पर ही 'हाट' के अतिरिक्त शेष दिनों में निर्भर रहते हैं। जिन स्थानों में आवागमन की सुविधा जैसे रेल या बस सेवा भी उपलब्ध है, दैनिक स्तर पर व्यापारिक संस्थानों की संख्या अधिक है।

इस प्रकार से यदि देखा जाए तो झारखंड के अधिकतर नगर, औद्योगिक केंद्र या छोटे शहर तीव्र गति से 'spread out' (विकास संप्रेषण) या 'trickle down' (निम्न स्तर तक विकास) की तरंगों को पहुँचाने में सक्षम नहीं हैं। सुदूर वन प्रदेशों और ग्रामीण क्षेत्रों में स्थिति और भी दयनीय है जहाँ लगभग 90% ग्रामीण अपने सीमित संसाधनों के कारण न तो बड़े बाजारों में अपने द्वारा उत्पादित सामान को बेचने की और न ही क्रय की क्षमता रखते हैं। परिणामस्वरूप सीमित संसाधन जैसे अन्न, फल-फूल, साग सब्जी और मुर्गी अथवा बकरी इत्यादि को छोटे हाटों में बेचकर वे अपने घरेलू उपयोग की वस्तुओं जैसे मसाले, नमक, कपड़ा इत्यादि खरीदते हैं। सगे-संबंधियों से मिलते हैं। सीमित संसाधन, आवागमन की असुविधा, पुनः दूसरे दिन रोटी की चिन्ता उन्हें अपने ग्रामीण परिवेश से दूर जाने की इजाजत नहीं देती। शायद इन्हीं परिस्थितियों ने झारखंड के अधिकतर हाट बाजारों को जन्म दिया है। अतः हम कह सकते हैं कि झारखंड में, विशेषकर ग्रामीण परिवेश में सामूहिक हाट बाजार एक ऐसा स्थल है जो शिविर के रूप में सप्ताह में एक या दो दिन (आर्थिक-सामाजिक पृष्ठभूमि की क्षमता के

अनुरूप) लगभग 6 से 8 घंटों के लिए अपने प्रभाव क्षेत्र में पड़ने वाले गाँवों के लिए आर्थिक, सामाजिक और सांस्कृतिक केंद्र होता है। पुनः शाम ढलते-ढलते यह चहल-पहल गहमागहमी और क्रय-विक्रय की प्रक्रिया अगले हाट बाजार दिवस तक लुप्त हो जाती है। परन्तु फूँक जाता है अपने प्रभाव क्षेत्र में पड़ने वाले ग्रामीणों में नई स्फूर्ति और नई ज़ागृति। शहरों या बड़े विकास केंद्रों में रहने वाले लोगों के लिए प्रत्यक्ष रूप में भले ही इसका महत्त्व नहीं महसूस होता हो, परन्तु ये वही हाट हैं जो झारखंड ही नहीं बल्कि कई पड़ोसी राज्यों में उपलब्ध होने वाले साग-सब्जी, फल-फूल, जड़ी-बूटी और कई छोटे उद्योगों के लिए कच्चे माल के उद्गम स्थान हैं। दूसरी ओर इन्हीं हाटों का आकार, उनका प्रभाव क्षेत्र और उनमें होने वाले क्रय-विक्रय की प्रवृत्ति, उनकी भौगोलिक स्थिति और प्रभाव क्षेत्र में पड़ने वाले ग्रामीण और शहरी क्षेत्र की क्षमता पर निर्भर करता है। जैसे उदाहरण के लिए राँची शहर से लगभग 15-30 कि.मी. की परिधि में पड़ने वाले हाट अपेक्षाकृत अधिक साधन संपन्न और विकसित हैं। इसका मुख्य कारण उचित मूल्य और माँग एवं पूर्ति में अपेक्षाकृत अधिक संतुलन है। यहाँ किसान, शहरों की जरूरतों की पूर्ति करते हैं और शहर उनकी आर्थिक और सामाजिक स्थिति में सुधार लाने का प्रयास करता है। यही कारण है कि राँची शहर के चारों ओर फैले हाट विकास संप्रेषण, विशेषकर गाँवों में नवाचारों के फैलाव में महत्त्वपूर्ण भूमिका निभा रहे हैं। दूसरी ओर वैसे हाट जो शहरों से दूर पिछड़े वन प्रदेशों या कृषि प्रदेशों में अवस्थित हैं, सीमित माँग और पूर्ति के कारण अपेक्षाकृत छोटा और सीमित संसाधन युक्त होने के साथ-साथ पिछड़ी, ग्रामीण अर्थव्यवस्था में विकास संप्रेषण की काफी कम क्षमता रखते हैं।

आज के वैज्ञानिक युग में संचार प्रणाली के विकसित होने के कारण आर्थिक अथवा सामाजिक विकास से संबंधित सूचनाओं के संप्रेषण में भले ही दूरदर्शन रेडियो या दूरभाष महत्त्वपूर्ण भूमिका निभा रहे हैं। लेकिन आज भी झारखंड के अधिकतर गाँव में या तो विद्युत शक्ति उपलब्ध न होने के कारण या सीमित संसाधनों के कारण सूचनाओं के साथ-साथ प्रायोगिक ज्ञान से संबंधित जानकारी के लिए ये हाट-बाजार सबसे सशक्त केंद्र हैं।

झारखंड के सामान्य शहर मुख्य रूप से प्रशासकीय, आर्थिक, संस्थागत अथवा सामाजिक कार्यों जैसे शिक्षा संसाधन, न्यायिक सेवा, चिकित्सा संस्थानों तथा व्यापार इत्यादि के केंद्र भी हैं, जबकि साप्ताहिक हाट, मुख्य रूप से क्रय-विक्रय और सामाजिक सेवा जैसे सूचनाओं का आदान-प्रदान, सगे-संबंधियों से भेंट-मुलाकात तथा मनोरंजन के केंद्र के रूप में कार्य करते हैं। साधारणतः किसी भी हाट का प्रभाव क्षेत्र मुख्य रूप से उसकी सेवा की प्रवृत्ति विशेषकर क्रय-विक्रय की क्षमता और सामाजिक तथा सांस्कृतिक परिवेश पर निर्भर करता है, जैसे उदाहरण के लिए जिन हाटों की पृष्ठभूमि अधिक विकसित होती है या उसके प्रभाव क्षेत्र में किसी विशेष जाति या समूह के लोग अधिक संख्या में रहते हैं तो वैसी स्थिति में उसका प्रभाव क्षेत्र बढ़ने के साथ-साथ सामानों की उपलब्धता और उसका आकार भी बढ़ जाता है।

इस प्रकार से शहरों की सेवाओं की प्रवृत्ति के अनुसार एक श्रृंखलाबद्धता होती है। साप्ताहिक हाट मुख्य रूप से दूसरे हाट से श्रृंखलाबद्ध न होकर शहरों से जुड़े होते हैं या श्रृंखलाबद्ध होते हैं।

दूसरी बात यह है कि जहाँ शहरों में आर्थिक, सामाजिक या प्रशासकीय कार्य नियमित रूप से संपादित होते हैं, वहीं साप्ताहिक हाट चक्रानुक्रम में सप्ताह के अलग-अलग दिनों में अलग-अलग स्थानों पर अवस्थित होते हैं और पुन: एक निश्चित दिन अपने पुराने स्थान पर चले जाते हैं।

भारत में शहरों से संबंधित क्रियाकलापों पर कई विद्वानों ने अध्ययन किए हैं। झारखंड में भी कुछ भूगोलवेत्ताओं ने इस क्षेत्र में नगरों की प्रवृत्ति और क्रियाकलापों का अध्ययन किया है, लेकिन दुर्भाग्यवश साप्ताहिक हाटों से संबंधित अध्ययन अभी भी काफी सीमित हैं जबकि झारखंड राज्य की लगभग 77 प्रतिशत आबादी ग्रामीण क्षेत्रों में बसती है और अपनी दैनिक जरूरतों की पूर्ति के लिए मुख्य रूप से इन्हीं हाट-बाजारों पर निर्भर करती है। इस प्रकार से ये हाट ग्रामीण क्षेत्रों के लिए विकास एवं सेवा केंद्र हैं।

बाजारों एवं सेवा केन्द्रों की पहचान या उनकी प्रवृत्ति को मापने के लिए अलग-अलग विद्वानों ने मात्रात्मक अथवा गुणात्मक विधियों का प्रयोग किया है। जनजातीय बहुल क्षेत्रों में व्यापारिक कार्यकलाप हैं। बड़े शहरों से लेकर छोटे 'हाटों' तक शृंखलाबद्धता का निर्धारण करने के लिए मात्रात्मक विधियों का प्रयोग तो किया जा सकता है लेकिन इनकी उपयोगिता काफी सीमित है, क्योंकि विशेषकर जनजातीय बहुल क्षेत्रों में अभी भी प्रखंड, अनुमंडल अथवा जिला स्तर के शहर एक-दूसरे से दूर होने के साथ-साथ आकार में काफी छोटे हैं। जिसके कारण उनके विकास संप्रेषण की क्षमता काफी सीमित है, जैसे सिमडेगा अथवा लातेहार, जिला स्तर के केंद्र तो हैं परन्तु सीमित आबादी, आर्थिक तथा सामाजिक सेवाओं की दृष्टि से अभी भी काफी पीछे हैं।

उपरोक्त बातों को ध्यान में रखते हुए पिछले लगभग ढाई दशक से झारखंड में इन हाटों की संरचना के साथ-साथ इनकी आर्थिक-सामाजिक और सांस्कृतिक भूमिका का अध्ययन और विश्लेषण करने में हम लगे हैं, जिसके आधार पर यह कहा जा सकता है कि झारखंड के ग्रामीण क्षेत्रों में विकास संप्रेषण में इन हाटों की महत्त्वपूर्ण भूमिका है। परन्तु कतिपय कारणों से इन केंद्रों की संभावित क्षमता का विकास नहीं हो पा रहा है जिससे विकास संप्रेषण की दृष्टि से ये स्थल अभी भी कमजोर पड़े हैं। झारखंड के ही कुछ ऐसे साप्ताहिक हाट हैं, जैसे बेड़ो, मानडर इत्यादि जिन्होंने एक ओर तो ग्रामीण प्रदेशों में संप्रेषण की क्रिया को तेज करने में तो दूसरी ओर ग्रामीण क्षेत्रों में उत्पादित वस्तुओं को राँची जैसे बड़े शहरों में पहुँचा कर ग्रामीणों के जीवन-स्तर में सुधार लाने में महत्त्वपूर्ण भूमिका निभाई है। दूसरी ओर वैसे क्षेत्र जहाँ शहरीकरण के साथ-साथ हाटों का विकास नहीं हो सका है अभी भी आर्थिक और सामाजिक दृष्टि से काफी पिछड़े हुए हैं।

उपरोक्त बातों को ध्यान में रखते हुए हाट-बाजारों से संबंधित झारखंड राज्य के पलामू प्रमंडल की समस्याओं का अध्ययन और विकास संप्रेषण में उनकी संभावित भूमिका का विश्लेषण करने की कोशिश की गई है जो निम्नलिखित है।

झारखंड का पलामू प्रमंडल राज्य के दक्षिण पश्चिमी भाग में अवस्थित है। इसका कुल क्षेत्रफल 12677 वर्ग किमी और 2001 की जनगणना के अनुसार इसकी कुल आबादी 31,26,165

थी। 1991 की जनगणना के समय पलामू दक्षिणी छोटानागपुर प्रमंडल का एक जिला था जिससे बाद में तीन जिलों (पलामू, गढ़वा और लातेहार) का सृजन किया गया और पलामू को प्रमंडल बनाया गया। इस प्रमंडल का प्रशासकीय केंद्र डाल्टनगंज (नया नाम मेदिनीनगर) है जो जिले का केंद्र भी है। गढ़वा और लातेहार जिले का नामकरण उपरोक्त शहरी केंद्रों के नाम पर किया गया है। मेदिनीनगर रेल पथ से राँची और हावड़ा-दिल्ली मुख्य रेल पथ को देहरीआन सोन और गढ़वा होते हुए उत्तर प्रदेश में चुनार को जोड़ता है। मेदिनीनगर से तीन मुख्य राज्यपथ इसे उत्तर में राष्ट्रीय राजमार्ग संख्या 2 (शेरशाहसूरी पथ) से बिहार के औरंगाबाद, पश्चिम में गढ़वा होते हुए छत्तीसगढ़ और पूरब में लातेहार होते हुए राँची शहर से जोड़ते हैं। इस प्रमंडल के उत्तर में बिहार, पश्चिम में उत्तर प्रदेश, दक्षिण पश्चिम में छत्तीसगढ़ राज्य और पूरब में झारखंड के उत्तरी और दक्षिणी छोटानागपुर प्रमंडल के जिले हैं।

उच्चावच या धरातलीय स्वरूप की दृष्टि से उत्तरी कोयल और सोन नदी की घाटी को छोड़कर लगभग समस्त प्रदेश असमान है। झारखंड का मनोरम पर्यटन स्थल नेतरहाट का पाट इसी प्रमंडल में अवस्थित है। आज भी इस प्रमंडल में झारखंड राज्य के सबसे सघन वन क्षेत्र अवस्थित हैं, जिसके मध्य बेतला का राष्ट्रीय उद्यान पर्यटकों के आकर्षण का मुख्य केंद्र है। दुर्भाग्यवश पिछले कुछ दशक में बृहत् पैमाने पर वैध और अवैध वृक्षों की कटाई ने अधिकांशत: उत्तरी भूभाग को वन विहीन बना दिया है जिससे पर्यावरण के साथ-साथ वन और कृषि पर आधारित अर्थव्यवस्था को अप्राप्य क्षति पहुँची है। प्रमंडल के दक्षिणी भाग में जहाँ अधिकांश वन अभी भी सुरक्षित हैं, जैसे लातेहार जिले के महुआ टार और गारू अंचल में, वहाँ वनों में बसने वाली जनजातियों की जीविका का मुख्य आधार वनोत्पाद ही हैं। इस प्रमंडल की सबसे बड़ी नदी सोन और उसकी सहायक नदी उत्तरी कोयल है। इसके अतिरिक्त अनेकों छोटी-छोटी नदियाँ हैं जिस पर कई जलप्रपात अवस्थित हैं, जैसे छेछारी घाटी में बूढ़ाघाघ जलप्रपात। खनिज संपदा की दृष्टि से भी यह प्रमंडल धनी है। यहाँ मिलने वाले प्रमुख खनिज चूना पत्थर, डोनोमाइट, ग्रेनाइट पत्थर और कोयला हैं। नदी घाटियों में मिट्टी उपजाऊ है परन्तु अधिकतर क्षेत्रों में भूक्षरण विशेषकर वन विहीन क्षेत्रों में एक भीषण समस्या है।

झारखंड राज्य की लगभग 78% आबादी ग्रामीण है जबकि 1991 की जनगणना के अनुसार पलामू की लगभग 95% आबादी ग्रामीण और मात्र 5% ही शहरी थी। जनसंख्या का घनत्व प्रति वर्ग किलोमीटर 240 था। ग्रामीण आबादी का 90% से अधिक लोग जैविक ऊर्जा संसाधन पर निर्भर हैं। कुल आबादी में 18.08% अनुसूचित जनजाति और 25.07% अनुसूचित जाति के लोग थे। जनजातीय आबादी मुख्य रूप से दक्षिण वन के क्षेत्रों में और अनुसूचित जाति कृषि क्षेत्रों में केंद्रित है।

उपरोक्त तथ्यों से यह ज्ञात होता है कि नगरीकरण की दृष्टि से पलामू प्रमंडल झारखंड ही नहीं बल्कि समस्त भारत के सबसे पिछड़े क्षेत्रों में एक है जो इस क्षेत्र की रुग्ण अर्थव्यवस्था की द्योतक है। अत: नगरीकरण की इतनी धीमी प्रक्रिया को समझने के लिए इसकी आर्थिक और सामाजिक संरचना का विश्लेषण आवश्यक है।

आर्थिक संरचना

पलामू प्रमंडल की लगभग 95% ग्रामीण आबादी इस बात की द्योतक है कि यहाँ की अर्थव्यवस्था मुख्य रूप से कृषि पर आधारित है। निम्न तालिका से विभिन्न कार्यों में लगी जनसंख्या की बनावट स्पष्ट होती है।

क्र.	कार्य	कुल कार्यरत जनसंख्या का % (1991)
1.	कृषि	48.17
2.	कृषि मजदूर	37.55
3.	पशुपालन, वन, मत्स्य इत्यादि	0.49
4.	खनन	0.58
5.	वस्तु निर्माण प्रोसेसरिंग इत्यादि	1.92
6.	निर्माण	1.15
7.	व्यापार एवं वाणिज्य	2.75
8.	आवागमन, संचयन, संचार	0.97
9.	अन्य सेवा इत्यादि	6.11

उपरोक्त तालिका से यह स्पष्ट है कि सम्पूर्ण प्रमंडल की अर्थव्यवस्था मुख्य रूप से कृषि पर आधारित है जिसका मुख्य क्षेत्र उत्तरी कोयल और उसकी सहायक नदियों तथा सोन घाटी में अवस्थित है। कृषि कार्य में लगे लोगों (48.17%) के बाद इस पर आधारित मजदूरों की विशाल सेना (37.55%) आर्थिक पिछड़ेपन का सूचक है। इस प्रमंडल में खनिज पदार्थों का निक्षेप है परन्तु मात्र 0.58% लोगों का इस पर निर्भर होना इनके सीमित दोहन कार्य के विकास की ओर इशारा करता है। यद्यपि ये झारखंड का मुख्य वन प्रदेश है परन्तु मात्र 0.49% कार्यरत जनसंख्या का इस पर निर्भर होना वनोत्पाद, विशेषकर, बांस, केन्दु पत्ती, महुआ, लाह इत्यादि के संकलन और निर्यात की जर्जर अवस्था का सूचक है। इस प्रकार से प्राथमिक उद्योग में लगी जनशक्ति की इतनी बड़ी जनसंख्या को देखने पर मुख्य रूप से दो बातें स्पष्ट होती हैं। सर्वप्रमुख सामाजिक समरसता की कमी विशेषकर सामंतवादी प्रवृत्ति और नक्सलवादी सोच के बीच रस्साकशी ने इस सम्पूर्ण क्षेत्र में विकास की प्रक्रिया को अवरुद्ध कर दिया है जिसके चलते सरकार के द्वारा चलाई गई कई परियोजनाएँ या तो लम्बित हैं या आधी-अधूरी हैं या निर्माण कार्य सम्पन्न होने पर भी भरपूर लाभ नहीं ले पा रही हैं। सड़कें बनी हैं, परन्तु उद्योग और व्यापार की बढ़ोतरी एक तो जर्जर आर्थिक स्थिति के कारण और दूसरे असुरक्षा की भावना के कारण पूँजी आकर्षित करने में अक्षम है। कुछ गिने-चुने उद्योग जो लगे थे वे या तो मृत हो चुके हैं या मृतप्राय हैं जैसे गुमला का सीमेंट उद्योग, डाल्टनगंज का ग्रेनाइट उद्योग इत्यादि। नवीन उद्योग पुराने उद्योगों की दुर्दशा को देखकर आकर्षित नहीं हो पा रहे हैं। किसी भी क्षेत्र में निर्माण कार्य और औद्योगिक कार्यों में लगी जनसंख्या विकास का द्योतक मानी जाती है। परन्तु सम्पूर्ण प्रमंडल में मात्र 1.92% लोगों का शिल्पकर्म और मात्र 0.31% लोगों का निर्माण कार्य में लगा

होना इस प्रदेश के पिछड़ेपन को इंगित करता है। ऐसी स्थिति में जब नए उद्योग पनप नहीं रहे हों और गिने-चुने पुराने उद्योग या तो बंद हो चुके हों या उस कगार पर हों तो नगरीकरण की प्रक्रिया का धीमा पड़ना स्वाभाविक ही है।

व्यापार एवं वाणिज्य में लगे 2.57% तथा आवागमन संचयन एवं संचार में लगे मात्र 0.97% कार्यरत लोगों की संख्या पिछड़ी अर्थव्यवस्था को प्रदर्शित करते हैं। सेवा कार्य में 6.11% लोगों का लगा होना मुख्य रूप से प्रशासकीय व्यवस्था में लगे लोगों की संख्या है।

सामाजिक संरचना

सामाजिक संरचना विकास का सूचक है जिसमें शिक्षा का सबसे महत्त्वपूर्ण स्थान है। झारखंड राज्य की तुलना में यह क्षेत्र इस दृष्टि से काफी पीछे है। जैसे उदाहरण के लिए सम्पूर्ण राज्य में 2001 में 54.13% लोग साक्षर थे। वहीं गढ़वा में मात्र 39.39% और पलामू तथा लातेहार में मात्र 45.67% लोग ही साक्षर थे। पुरुषों की तुलना में स्त्रियों में साक्षरता की स्थिति और भी दयनीय है जैसे समस्त झारखंड में 39.38% स्त्रियाँ साक्षर थीं, वहीं गढ़वा में मात्र 22.91% और पलामू तथा लातेहार में मात्र 30.50% महिलाएँ ही साक्षर थीं। लिंगानुपात की दृष्टि से भी जहाँ समस्त झारखंड राज्य में प्रति 1000 पुरुषों की तुलना में 941 महिलाएँ थीं, वहीं गढ़वा में मात्र 935 तथा पलामू एवं लातेहार में मात्र 937 महिलाएँ साक्षर थीं। इसी प्रकार स्वास्थ्य सेवा एवं अन्य सामाजिक सेवा की दृष्टि से पलामू प्रमंडल अभी भी काफी पीछे है।

उपरोक्त तथ्यों का अवलोकन करने से यह बात स्पष्ट हो जाती है कि पलामू प्रमंडल में नगरीकरण की प्रक्रिया धीमी क्यों है और ग्रामीण परिवेश पर निर्भर साप्ताहिक हाट एवं बाजारों के विकास की आवश्यकता क्यों है ? इस प्रकार समस्त प्रमंडल की कृषि आधारित अर्थव्यवस्था को अन्तर्मुखी जीवन निर्वाह अर्थव्यवस्था कहा जा सकता है जिसके परिणामस्वरूप जनसंख्या वृद्धि की तुलना में (मेदिनीनगर को छोड़कर) लगभग अन्य सभी छोटे शहरों और कस्बों की आबादी में बहुत ही धीमी प्रगति हुई है जिसे प्राकृतिक जनसंख्या बढ़ोतरी कहा जा सकता है।

पलामू प्रमंडल में शहरीकरण की प्रवृत्ति निम्न तालिका से स्पष्ट है—

क्र.	*शहर का नाम*	*जनसंख्या 1971*	*1991*	*मुख्य कार्यशील ज.सं. 1991*	*कार्य-श्रेणी 1971*	*1991*
1.	डाल्टनगंज	32,367	56,323	13,076	सेवा व्यापार	सेवा व्यापार परिवहन
2.	गढ़वा	15,228	27,751	7,010	प्राथमिक कार्य व्यापार सेवा,	व्यापार सेवा, प्राथमिक कार्य
3.	हुसैनाबाद	10,563	17,307	4,074	प्राथमिक कार्य, सेवा	प्रा. कार्य, सेवा व्यापार
4.	लातेहार	15,228	15,078	3,807	सेवा एवं प्रा. कार्य	प्रा. कार्य, सेवा व्यापार
5.	नेतरहाट	2,527	3,348	895	सेवा	प्रा. कार्य, सेवा

6.	बरवाडीह	–	6642	1676	–	परि. सेवा व्यापार
7.	देवरीकलां	–	4,719	1,102	–	सेवा, प्रा. कार्य व्यापार
	कुल शहरी आबादी	75,813	1,31,168	31,693	प्रा. कार्य, व्यापार सेवा	सेवा, प्रा. कार्य व्यापार

उपरोक्त तालिका से यह स्पष्ट है कि सम्पूर्ण प्रमंडल में शहरी आबादी की वृद्धि दर धीमी है। डाल्टनगंज और गढ़वा को छोड़कर अन्य शहर छोटे कस्बे के रूप में ही विकसित हो सके हैं। नेतरहाट जिसे शहर का दर्जा दिया गया है, उसकी जनसंख्या मात्र 3,348 थी जिसमें मात्र 895 व्यक्ति ही कार्यशील थे। 50% से अधिक लोग कृषक या कृषि मजदूर थे और मात्र 357 व्यक्ति सेवा में लगे थे। निर्माण कार्य एवं व्यापार में लगे लोगों की संख्या मात्र 24 और गृह उद्योग में लगे लोगों की संख्या मात्र 10 थी।

इस क्षेत्र में डाल्टनगंज के बाद दूसरा मुख्य शहर गढ़वा है जिसकी जनसंख्या में 20 वर्षों में मात्र 12523 व्यक्ति की वृद्धि हुई है। हुसैनाबाद में दो दशक में मात्र 4,074 की वृद्धि हुई है। लातेहार एक ऐसा शहर है जिसकी जनसंख्या 1971 में 15,228 थी, 1991 में घटकर 15,078 हो गई। यह नगरीकरण की प्रवृत्ति के ह्रास का ज्वलन्त उदाहरण है। पूरे प्रमंडल में 20 वर्षों में सिर्फ दो नए कस्बे, बरवाडीह (6642) और देवरीकलां (4,719) शहरों की श्रेणी में जुटे हैं। पिछले बीस वर्षों में (1971-91) एकाध शहर को छोड़कर लगभग सभी शहरों की कार्य प्रवृत्ति में या तो कोई परिवर्तन नहीं हुआ है या नाममात्र का परिवर्तन परिलक्षित होता है।

इन शहरों का सबसे दुखद पहलू यह है कि समस्त पलामू प्रमंडल की कुल आबादी 1,31,168 में से मात्र 31,693 (1991) ही मुख्य रूप से कार्यरत है। लिंगानुपात की दृष्टि से 71,141 पुरुषों की तुलना में 60,027 और कुल मुख्य रूप से कार्यरत आबादी (31,693) में मात्र 2526 महिलाएँ हैं।

किसी भी प्रदेश के विकास में नगरों की महत्त्वपूर्ण भूमिका होती है। शहरों की कार्य प्रवृत्ति को देखकर यह अनुमान होता है कि यहाँ के शहरों में रहने वाले अधिकतर लोगों के पास करने के लिए कोई मुख्य कार्य उपलब्ध नहीं है। मुख्य कार्यरत लोगों में महिलाओं की भूमिका लगभग नगण्य है। मौजूदा परिवेश में इस समस्या का समाधान ढूंढ़े बिना समस्त प्रमंडल का विकास संभव नहीं दिखता। यदि 20,000 से अधिक आबादी वाले दो शहरों को छोड़ दिया जाए तो शेष केंद्रस्थल अर्थात् शहर आर्थिक और सामाजिक दृष्टि से अपने प्रभाव क्षेत्र में पड़ने वाली आबादी को सही सेवा प्रदान करने की स्थिति में नहीं हैं। हाल में लातेहार को जिला का दर्जा दिया गया है जिससे इसके प्रभाव क्षेत्र में वृद्धि के साथ-साथ इसके आसपास के क्षेत्रों के विकास की संभावना जगी है। इस प्रकार से विकास संप्रेषण की दृष्टि से पलामू में नगरों का अभाव है। यहाँ जो शहर हैं बृहत् पैमाने पर ग्रामीण क्षेत्रों में विकास संप्रेषण करने में सक्षम नहीं हैं।

इसमें कोई शक नहीं कि आजादी के बाद विकास के लिए सरकारी-अर्धसरकारी संस्थाओं ने प्रयास किए हैं, जैसे प्रखंड विकास केंद्रों की स्थापना, सड़कों एवं रेल पथों का निर्माण, परिवहन सुविधाओं का विकास एवं अनेकों विकास से संबंधित संस्थाओं की स्थापना इत्यादि।

लेकिन ये केंद्र विकास के लिए अपेक्षित जरूरतों की पूर्ति नहीं कर पा रहे हैं। प्रस्तुत अध्ययन का उद्देश्य विकास से संबंधित केंद्रों का भौगोलिक विवरण और विकास में उनकी भूमिका का अवलोकन करने के साथ-साथ उससे संबंधित संभावित केंद्रों का पता लगाना और वर्तमान केंद्रों को और सशक्त बनाने की संभावनाओं को ढूँढ़ना है।

विकास केंद्रों के स्थानिक वितरण, उनके द्वारा प्रदत्त सेवाओं के स्वरूप के साथ-साथ उनके प्रभाव क्षेत्र में आवागमन की सुविधाओं का विश्लेषण किए बिना सही स्थिति को समझ पाना मुश्किल है। पलामू प्रमंडल में जहाँ बड़े नगरों का अभाव है (1,00,000 से ऊपर जनसंख्या के नगर) और छोटे नगर। शहर सीमित संसाधनों से युक्त हैं वैसी स्थिति में सामुदायिक विकास केंद्रों और ग्रामीण बाजारों अथवा 'हाटों' की भूमिका काफी महत्त्वपूर्ण हो जाती है क्योंकि यही दो ऐसे स्थान हैं जो ग्रामीण स्तर पर सबसे अधिक सेवा प्रदान करते हैं।

पलामू प्रमंडल में जहाँ अभी भी लगभग 94% जनसंख्या ग्रामीण हो, जिसकी जीविका का आधार कृषि हो, आधी से अधिक जनसंख्या गरीबी रेखा के नीचे हो, निश्चित रूप से 'हाट' अथवा ग्रामीण बाजार और प्रखंड विकास केंद्र निकट भविष्य में भी सबसे महत्त्वपूर्ण भूमिका निभाएँगे। इस प्रमंडल में अवस्थित विकास केंद्रों को सेवाओं के प्रकार और क्षमता के आधार पर हम शृंखलाबद्ध कर सकते हैं जो निम्न तालिका से स्पष्ट होगा—

क्र.	*केंद्रों की संख्या*	*प्रभाव क्षेत्र के गाँवों की संख्या*	*सेवा दिए जाने वाली जनसंख्या*	*प्रभाव क्षेत्र (किमी में)*
1.	ग्रामीण बाजार*-190	19	12211 (ग्रामीण)	67
2.	प्रखंड-25	143	92801 (ग्रामीण)	508
3.	दैनिक बाजार-6	597	386670 (ग्रामीण) 26876 (शहरी)	2124.8

* साप्ताहिक हाटों एवं गाँवों की विवरणी 1971 की पलामू जिले की जनगणना रिपोर्ट पर आधारित है। अन्य सूचनाएँ 1991 की भारतीय जनगणना शृंखला बिहार की प्राथमिक जनगणना Abstract पर आधारित हैं।

उपरोक्त तालिका से विभिन्न प्रकार के हाट-बाजारों और उनके प्रभाव क्षेत्र में पड़ने वाली जनसंख्या का अनुमान किया जा सकता है। सामान्यतः पलामू प्रमंडल के लगभग सभी दैनिक बाजारों और प्रखंड केंद्रों पर भी साप्ताहिक हाट लगते हैं, लेकिन ये हाट कितने बड़े या छोटे अथवा कितने प्रकार की सेवाओं से युक्त होंगे उस स्थान विशेष की महत्ता और उसके प्रभाव क्षेत्र की क्षमता पर निर्भर करता है।

पलामू प्रमंडल में सन् 2002 में तीन जिले (गढ़वा, पलामू, लातेहार), 6 प्रमंडल (गढ़वा सदर, नगर ऊँटारी, डाल्टनगंज सदर, हुसैनाबाद, छतरपुर एवं लातेहार सदर) और 32 प्रखंड थे।

प्रखंड विकास केंद्र मुख्य रूप से ग्रामीण क्षेत्रों की सुविधा को ध्यान में रखकर बनाए गए हैं। ये प्रखंड रेवेन्यु और ग्रामीण विकास से संबंधित कार्यों जैसे कृषि विकास, पशु पालन, स्वास्थ्य सेवा, बाल विकास, ग्रामीण रोजगार, लघु सिंचाई, ग्राम स्तर पर पेय ग्राम की सुविधा,

ग्रामीण आवास तथा गाँवों में आवागमन के साधनों के साथ किसानों को ऋण और लघु तथा ग्रामोद्योग जैसी अनेकों सुविधाएँ उपलब्ध कराते हैं। यद्यपि ये केंद्र ग्रामीण विकास से संबंधित अनेकों कार्यक्रमों को बनाते हैं परन्तु इनमें कई खामियाँ हैं। उनमें सबसे बड़ी कमी अधिकतर केंद्रों में नगरीकरण का अभाव और उनके प्रभाव क्षेत्र की आर्थिक और सामाजिक बदहाली है। आज भी ये प्रखंड केंद्र ग्रामीण क्षेत्रों को आवागमन के साधन से नहीं जोड़ पाए हैं जिससे ग्रामीणों (विशेषकर वन क्षेत्रों में) अभी भी उससे 40 कि.मी. की पैदल यात्रा कर इन केंद्रों पर पहुँचते हैं। उसी प्रकार से कुछ प्रखंडों का भौगोलिक क्षेत्र इतना बड़ा है या जनसंख्या इतनी अधिक है कि प्रखंड स्तर पर विकास से जुड़े कर्मचारी ग्रामीणों से सही संपर्क स्थापित नहीं कर पाते। उसी प्रकार से ग्रामीण भी अपनी समस्याओं को प्रखंड स्तर तक नहीं पहुँचा पाते जिसके कारण विकास से संबंधित अधिकतर योजनाओं की जानकारी या तो ग्रामीणों को नहीं मिल पाती या बिचौलिया इनको ठग कर अधिकतर मिलने वाली सहायता को झटक लेते हैं।

सामान्यत: प्रखंड स्तर के सारे केंद्रों पर साप्ताहिक हाट लगते हैं। दुर्भाग्यवश ग्रामीण क्षेत्रों से बहुत कम मात्रा में ही विक्रय सामग्री इन बाजारों में पहुँच पाती है। जिसका मुख्य कारण अधिकतर लोगों के जीवन निर्वाह का कृषि पद्धति पर निर्भर होना या भूमिहीन होना है। इस प्रमंडल के वन प्रदेशों में अभी भी लोग सीमित मात्रा में उत्पन्न अनाज या दैनिक उपयोग को निम्न वस्तुओं के बदले ज़रूरत की वस्तुओं का आदान-प्रदान कर लेते हैं। इस प्रकार की प्रथा निश्चित रूप से प्राचीन व्यापारिक पद्धति की द्योतक है जहाँ लोगों के पास इतने सीमित संसाधन थे कि उसे बेचने की बजाय बहुत ही जरूरी उपयोग की वस्तुओं से बदल दिया जाता है। सामान्यत: ये सारे कार्य साप्ताहिक हाटों में ही सम्पन्न होते हैं।

इस प्रकार से ये हाट यहाँ के ग्राम्य जीवन की आर्थिक और सामाजिक स्थिति का परिचायक हैं। इन हाट-बाजारों की उत्पत्ति कैसे हुई, इससे संबंधित अनेकों मत हैं। इस उलझन में न पड़कर इतना तो माना ही जा सकता है कि ये हाट शायद उन्हीं केंद्रों या गाँवों के समीप विकसित हुए जहाँ लोगों को इकट्ठा होने में अधिक सुविधा के अतिरिक्त आर्थिक और सामाजिक सुविधाएँ बेहतर थीं। अपनी पृष्ठभूमि की क्षमता के अनुरूप ये हाट सप्ताह में एक, दो या तीन दिन लगते हैं। सम्पूर्ण प्रमंडल में लगभग 39 ऐसे स्थान हैं जहाँ सप्ताह में दो-तीन दिन और 157 स्थानों पर एक दिन ये हाट लगते हैं। सभी दैनिक बाजारों और प्रखंडी स्तर पर साप्ताहिक हाट लगते हैं। बड़े दैनिक बाजारों में लगने वाले साप्ताहिक हाट मुख्य रूप से क्रय-विक्रय के सबसे बड़े केंद्र होते हैं जिस पर प्रखंड स्तर के और ग्रामीण हाट निर्भर हैं।

ये साप्ताहिक हाट सामाजिक और सांस्कृतिक मिलनस्थल भी हैं। यही वह स्थान है जहाँ लोग दूसरे गाँव के अपने दोस्तों, सगे-संबंधियों से मिलते हैं या उनकी जानकारी प्राप्त करते हैं। ग्रामीण राजनीति में रहने वाले लोग इन हाटों को नहीं भूलते। अधिकतर राजनीतिक विचारों का आदान-प्रदान या निर्णय इन्हीं बाजारों में होता है। सामाजिक समस्याओं का समाधान और शादी-ब्याह का निर्णय भी इन्हीं हाटों में होना सामान्य बात है। इन्हीं हाटों से आधुनिक जीवन शैली का प्रवाह गाँवों तक होता है। यही वह स्थान है जहाँ लोग बड़े बाजारों से आने वाले लोगों से मिलते हैं और उनके बोलचाल तथा विचारों से प्रभावित होने के साथ-साथ नई-नई जानकारी

प्राप्त करते हैं। दूसरे शब्दों में, हाट ग्रामीण परिवेश में विकास की तरंगों को फैलाने का केंद्र हैं।

पलामू प्रमंडल जैसे कृषि प्रधान क्षेत्र में पशुधन की महत्त्वपूर्ण भूमिका है। यही कारण है कि कुछ विशेष स्थानों पर या साल में एक या दो बार पशु मेला भी लगता है। इसके अतिरिक्त धार्मिक या सांस्कृतिक रीति-रिवाज से जुड़े मेले का भी आर्थिक और सामाजिक दृष्टि से ग्रामीण परिवेश में काफी महत्त्व है।

गाँवों में लघु उद्योग और कुटीर उद्योग में निर्मित सामग्रियों की खरीद-बिक्री के भी ये प्रमुख केंद्र हैं जहाँ लोग कृषि कार्य में उपयुक्त होने वाली सामग्री से लेकर गृह निर्माण और दैनिक उपयोग की अन्य सामग्री जैसे कुदाल, खुरची, रस्सी, बुनकरों द्वारा निर्मित चादर इत्यादि खरीदते हैं। कृषि कार्य से संबंधित कुछ अन्य चीजें जैसे उन्नत बीज, खाद और दवाइयाँ भी इन बाजारों में उपलब्ध होती हैं। ये बाजार ग्रामीण कर्ज के भी लेन-देन के केंद्र हैं जहाँ भोले-भाले और गरीब लोग गरीबी और मजबूरी के अतिरिक्त अज्ञानतावश ऊँची दर पर कर्ज लेते हैं और उसके बोझ से दबते चले जाते हैं।

इस प्रकार कहा जा सकता है कि कृषि प्रधान और वनाच्छादित पलामू प्रमंडल के क्षेत्रों में साप्ताहिक हाटों की ग्राम्य जीवन में महत्त्वपूर्ण भूमिका है। इन केंद्रों पर अधिक से अधिक सुविधाओं का विकास निश्चित रूप से ग्रामीण में विकास की गति को तीव्र करेगा। मौजूदा प्रखंड विकास केंद्र और बड़े शहर ग्रामीण स्तर तक विकास संप्रेषण की दृष्टि से काफी पिछड़े हैं। गाँवों के विकास की कड़ी बहुत हद तक इन हाटों के विकास से जुड़ी है। अत: तीव्र गति से गाँवों का विकास इन हाटों में विकास से जुड़े संसाधनों की उपलब्धि पर निर्भर है। इन हाटों में निम्नलिखित कुछ आधारभूत संरचनाएँ और सुविधाएँ ग्रामीण विकास में निश्चित रूप से सहायक सिद्ध होंगी—

1. प्रत्येक साप्ताहिक हाट को उसके प्रभाव क्षेत्र में पड़ने वाले गाँवों से जोड़ा जाए क्योंकि ये हाट अपने प्रभाव क्षेत्र के गाँवों में महत्त्वपूर्ण आर्थिक और सामाजिक भूमिका निभा रहे हैं।

2. कुछ क्षेत्र ऐसे हैं जहाँ कई कारणों से साप्ताहिक हाटों की दूरी एक-दूसरे से काफी अधिक है। अत: विकास के लिए वैसे क्षेत्रों का सर्वेक्षण कर केंद्रीय गाँव की पहचान की जाए। इन केंद्रीय गाँवों में आधारभूत संरचना का विकास कर साप्ताहिक हाट लगाए जाएँ।

3. सभी साप्ताहिक हाटों को पक्की सड़क से बड़े केंद्रों विशेषकर प्रखंड अनुमंडल और जिले रो जोड़ा जाए।

4. प्रखंड स्तर पर उपलब्ध सारी जानकारी और सहायता विशेषकर कृषि विकास, स्वास्थ्य, ऋण सुविधा, पशु स्वास्थ्य, खाद-बीज, कीटनाशक दवाओं और शिक्षा तथा महिलाओं और शिशु के स्वास्थ्य सेवा की सुविधा इन केंद्रों पर उपलब्ध की जाए।

5. कृषकों द्वारा उत्पादित वस्तुओं की उचित मूल्य पर खरीद-बिक्री की सुविधा इन केंद्रों पर उपलब्ध की जाए।

6. कृषकों या अन्य लोगों द्वारा उत्पादित वैसी वस्तुओं को जैसे साग-सब्जी, फल-फूल अथवा अंडे या मछली इत्यादि उचित मूल्य पर खरीद कर उसका सही विपणन हो।

7. शिक्षा से संबंधित सामग्री और सूचनाएँ ग्रामीणों को इन केंद्रों पर उपलब्ध हों।

8. गाँव में विकास योजनाओं से संबंधित उपलब्ध राशि के साथ-साथ संभावित योजनाओं की चर्चा संबंधित ग्रामीणों और अधिकारियों के बीच इन्हीं केद्रों पर हो।

9. केंद्र में अवस्थित इन हाट-बाजारों की दूरी घनी आबादी वाले क्षेत्रों में 5 से 6 कि.मी. और वन प्रदेशों में 6 से 8 कि.मी. से अधिक नहीं हो।

10. हाट-बाजार वाले स्थानों को केंद्रस्थल के रूप में विकसित करने के लिए कुछ बुनियादी सुविधाएँ जैसे मध्य एवं उच्च विद्यालय, स्वास्थ्य उपकेंद्र, पशु चिकित्सा उपकेंद्र, बैंक और सहयोग समितियों के अतिरिक्त डाकघर, मोबाइल या दूरभाष सेवा, विद्युत एवं पेयजल आपूर्ति, पुलिस चौकी, सामुदायिक भवन इत्यादि उपलब्ध की जाएँ।

11. ग्रामीणों को विशेषकर कृषि विकास से संबंधित सूचनाओं जैसे मिट्टी जाँच के लिए संग्रहण सुविधा, उर्वरक, उचित बीज और उचित सलाह की सुविधा भी इन केंद्रों पर उपलब्ध हो।

12. कुटीर उद्योग और लघु उद्योग से संबंधित शिक्षा और उत्पादन तथा विपणन की व्यवस्था भी इन केंद्रों पर हो।

13. प्रखंड स्तर या अनुमंडल स्तर के विकास से संबंधित सारे पदाधिकारी कम-से-कम चक्रानुक्रम में सप्ताह या महीने में एक या दो बार इन केंद्रों पर अवश्य ही उपलब्ध हों, जहाँ प्रभाव क्षेत्र के प्रत्येक गाँव की बारी-बारी से समस्याओं को सुना जाए और उनके निदान की रणनीति बनाई जाए।

14. इन हाटों में सामुदायिक भवनों का निर्माण कर संबंधित ग्रामीणों से विचार-विमर्श के बाद ही विकास की योजनाएँ बनें।

15. इन केंद्रों पर मनोरंजन और खेलकूद की बुनियादी सुविधाएँ विकसित की जाएँ।

इस प्रकार हम इन साप्ताहिक हाट-बाजार केंद्रों को व्यापार के साथ-साथ आर्थिक, सामाजिक, सांस्कृतिक केंद्र बनाकर ही विकास की किरणों को संप्रेषित कर गाँवों का समग्र विकास कर सकते हैं।

झारखंड की जनसंख्या : 2001 की जनगणना के परिप्रेक्ष्य में

डॉ. श्रीति चौधरी, डॉ. वी.के. सिन्हा एवं कान्ति कुमारी

जनसंख्या और विकास

किसी भी भूखंड को राज्य का दर्जा पाने के लिए जिन आधारभूत चार पूर्वशर्तों की आवश्यकता होती है, उनमें जनसंख्या सर्वप्रथम है। जनसंख्या के बगैर किसी राज्य की संकल्पना भी नहीं की जा सकती है। किसी भी राज्य की जनसंख्या उस राज्य का मानव संसाधन है जो विकास के साधनों का सृजनकर्ता तो है ही उसका उपभोक्ता भी होता है। 'मानव संसाधन' विकास को गति प्रदान करता है, इसके उत्पादों का संरक्षण भी करता है। यदि ध्यानपूर्वक देखा जाए तो मानव संसाधन ही विकास का साधन और साध्य दोनों है। अपनी इन विशिष्टताओं के कारण जनसंख्या किसी भी राज्य के विकास में अपनी अहम भूमिका रखती है। जनसंख्या की गुणवत्ता, इसकी संस्थापना और इसका आकार तीनों मानव विकास को निर्धारित करने में अपनी विशिष्ट भूमिका निभाते हैं। विकास की नीतियों का निर्धारण भी जनसंख्या की विशेषताओं की अनदेखी नहीं कर सकता है। विशेषकर जब हम मानव-विकास की बात कर रहे हों। ये सारे कुछ ऐसे मूलभूत कारक हैं जो जनसंख्या अध्ययन या जनांकिकी (डेमोग्राफी) की ओर हमारा ध्यान बरबस खींचते हैं।

भारत 'विविधताओं में एकता' का देश है। यहाँ के प्रत्येक प्रांत की जनसंख्या की अपनी विशिष्टता है जो उसे दूसरे प्रांत से अलग करती है। वहीं पर कुछ समानताएँ भी हैं जो उसे देश से जोड़ती हैं।

झारखंड एक नवसृजित राज्य है। इस राज्य के गठन के पीछे अवधारणा यह रही थी कि आर्थिक संसाधनों से सम्पन्न इस अलग राज्य के निर्माण से यहाँ विकास को गति मिलेगी। ऐसे में इस राज्य की जनसंख्या की विशेषताओं का अध्ययन इसलिए महत्त्वपूर्ण है ताकि क्षेत्र विशेष के लिए विकास नीतियों के निर्धारण के पहले यह जान लिया जाए कि उस क्षेत्र की जनसंख्या की संरचना कैसी है इस प्रश्न का उत्तर नियोजक को विकास नीतियों के निर्धारण और क्रियान्वयन में एक दृष्टि प्रदान करता है। साथ ही, लोकोन्मुख कार्यक्रमों के निर्माण एवं संचालन में मददगार सिद्ध होता है।

झारखंड राज्य

15 नवम्बर 2000 को देश के 28वें राज्य के रूप में गठित झारखंड राज्य का क्षेत्रफल करीब

79,714 वर्ग कि.मी. है। यह $21^{0}58'$ से $25^{0}18'$ उत्तरी आक्षांश से लेकर $83^{0}22'$ से $87^{0}57'$ पूर्वी देशान्तर के बीच अवस्थित है। इसके उत्तर में बिहार, दक्षिण में उड़ीसा, पूरब में पश्चिमी बंगाल और पश्चिम में छत्तीसगढ़ तथा उत्तर प्रदेश का सोनभद्र इलाका है। यह राज्य क्षेत्रफल में करीब-करीब पश्चिम बंगाल के बराबर है और केरल से लगभग दो गुणा बड़ा है। झारखंड का अधिकांश हिस्सा पठारी है और यह समुद्र तल से लगभग 1000 फीट की ऊँचाई पर स्थित है। कहीं-कहीं पहाड़ियाँ हैं जो 3000 से 4480 फीट तक ऊँची हैं। गंगा के मैदान से जुड़ा झारखंड का उत्तर पूर्वी हिस्सा कुछ समतल है, जबकि अधिकांश हिस्सा असमतल और पर्वतीय है जो मध्य भारत के पहाड़ी क्षेत्र से जुड़ा है।

झारखंड की जलवायु उष्ण कटिबंधीय है। यहाँ मुख्यतः तीन ऋतुएँ आती हैं जाड़ा, गर्मी और बरसात। झारखंड के भौगोलिक क्षेत्रफल का लगभग 27.66% ही जंगल से आच्छादित है, जबकि आज से 50 वर्ष पहले 50% हिस्से में वन था। संभावना है कि समस्त विकास के साथ जंगल का अधिकतम औसत 46.83% तक किया जा सकता है। झारखंड की भूमि रत्नगर्भा है। यहाँ खनिज पदार्थों की बहुलता है जिसमें कोयला, लोहा, तांबा, बाक्साइड, अबरख आदि बहुमूल्य खनिज प्रमुख हैं। देश का 32.09% कोयला और करीब उतना ही प्रतिशत लौह अयस्क का भंडार झारखंड की धरती के नीचे अवस्थित है। प्रशासनिक सुविधा के दृष्टिकोण से झारखंड को चार मुख्य प्रमण्डलों में बाँटा गया है— राँची, पलामू, सिंहभूम और संतालपरगना। इन चार प्रमण्डलों में 22 जिले और 211 प्रखंड हैं। पूरे राज्य में 14 लोकसभा सीटें हैं। इसी प्रकार 81 विधानसभा और 6 राज्यसभा सीटें हैं। सरकारी और गैर-सरकारी संस्थाओं द्वारा किए गए राज्य में मानव विकास के सर्वेक्षणों में झारखंड का स्थान अति निम्न है। अविभाजित बिहार का स्थान शिक्षा के क्षेत्र में सर्वाधिक निम्न था (PFI १९९८)। विभाजन के बाद झारखंड का स्थान बिहार से ऊपर है। भारत के विभिन्न प्रांतों को विकास के सूचकांकों पर रखा गया है जिनमें झारखंड को बैकवर्ड स्टेट या पिछड़े राज्य की श्रेणी में रखा गया है (IIPS, २००३) अन्य पिछड़े राज्य हैं बिहार, उड़ीसा, राजस्थान, मध्य प्रदेश, उत्तर प्रदेश, छत्तीसगढ़। इनमें इंडिया टुडे के अद्यतन सर्वेक्षण में राजस्थान और मध्य प्रदेश ने कुछ तरक्की की है, अन्य राज्यों की स्थिति यथावत् है। कुल मिलाकर कहा जा सकता है कि झारखंड राज्य में श्रमशक्ति की बहुलता, खनिज के भंडार एवं अच्छी जलवायु विकास के पक्ष में वातावरण तैयार करते हैं किंतु कई कारणों से अब तक यह एक पिछड़ा राज्य है। अलग राज्य के निर्माण से इसके विकास को एक नई दिशा मिलेगी सभी झारखंडियों की निगाहें इसी की ओर टकटकी लगाए हैं। प्रस्तुत आलेख में झारखंड की जनसंख्या की मुख्य जनांकीय विशेषताओं को 2001 की जनगणना के आलोक में चिन्हित करने का प्रयास किया गया है।

झारखंड और अन्य भारतीय प्रांत

भारत एक बड़ा राष्ट्र है। इसमें 29 राज्य और 6 केन्द्रशासित प्रदेश हैं। झारखंड की जनसंख्या की विशेषताओं को समझने के लिए अन्य प्रदेशों से इसकी तुलना की जा सकती है। यह तुलना हमें यहाँ की जनसंख्या की विशेषताओं को समझने में एक दृष्टि प्रदान कर सकती है। देश की

जनसंख्या की विशेषताओं का अपना एक राष्ट्रीय औसत भी है। इस औसत से तुलना करके भी हम झारखंड की जनसंख्या को समझ सकते हैं। तालिका-1 में झारखंड और कुछ भारतीय प्रांत जैसे केरल और बिहार की जनसंख्या के आँकड़े प्रस्तुत किए गए हैं। यों तो भारत के हर प्रांत की जनसंख्या की अपनी विशेषताएँ हैं पर केरल विकास की दौड़ में एक सफल राज्य माना जाता है। अभी कुछ वर्ष पहले तक वह देश का मॉडल राज्य माना जाता था जहाँ अभी तक अधिकतम मानव विकास हुआ है। क्षेत्रफल में वह झारखंड का लगभग आधा है। केरल की तुलना में झारखंड की जनसंख्या, उसका वृद्धि दर, यौन अनुपात, साक्षरता और कार्य सहभागिता कम है—इसे इस तालिका में प्रस्तुत किया गया है। इसी प्रकार बिहार झारखंड का हिस्सा था, विकास की दौड़ में वह सबसे पीछे माना जाने वाला प्रांत है, उससे भी झारखंड की तुलना कर देखा जा सकता है कि यह राज्य कितना पिछड़ा है और हमारा राष्ट्रीय औसत क्या है, कम से कम उसे प्राप्त करने के लिए कितने प्रयास की आवश्यकता है। इस उद्देश्य से झारखंड की तुलना अन्य भारतीय प्रांतों से की गई है।

आँकड़ों को देखने से पता चलता है कि झारखंड जनसंख्या के दृष्टिकोण से एक छोटा प्रांत है। इसकी जनसंख्या केरल से भी कम है। यहाँ कुल 26,909,428 व्यक्ति रहते हैं जिनमें 13861277 पुरुष और 13048157 स्त्रियाँ हैं। बिहार में देश की आबादी का 8.07% लोग रहते हैं, केरल में 3.10% जबकि झारखंड में देश की आबादी का मात्र 2.62% हिस्सा निवास करता है। देश के इन दोनों राज्यों की तुलना में यहाँ प्रति वर्ग कि.मी. जनसंख्या का घनत्व भी मात्र 338 व्यक्ति है जबकि बिहार में यह 880 और केरल में 819 है। यह बात गौरतलब है कि केरल की जनसंख्या वृद्धि दर सबसे कम है उसने जनसंख्या का स्थानापन्न दर प्राप्त कर लिया है। इसकी तुलना में झारखंड में जनसंख्या वृद्धि का दर करीब दुगुना है। केरल को जनसंख्या की स्थानापन्न दर प्राप्त करने में करीब चार दशक का समय लगा था। झारखंड में भी नियोजकों को इस हिसाब से परिवार नियोजन कार्यक्रमों और साक्षरता के कार्यक्रगों का प्रचार-प्रसार करना होगा ताकि जल्द से जल्द स्थानापन्न दर प्राप्त की जा सके।

किसी भी जनसंख्या में स्त्री-पुरुष का अनुपात उस समुदाय में स्त्रियों की स्थिति का परिचायक होता है, साथ ही अन्य सामाजिक, आर्थिक स्थिति का भी द्योतक होता है। हमारे देश में 1000 पुरुष पर 935 महिलाएँ हैं। केरल में यह अनुपात सर्वोत्तम है। वहाँ 7 वर्ष से ऊपर के उम्र में 1000 पुरुष पर 1071 महिलाएँ हैं जबकि झारखंड में 7 वर्ष के ऊपर उम्र में 1000 पुरुष पर 936 महिलाएँ ही हैं।

स्त्री-पुरुष का अनुपात 0-6 वर्ष से कम उम्र में कुछ अलग तस्वीर देता है। 0-6 से कम उम्र में 1000 पुरुषों पर महिलाओं की संख्या प्रत्येक राज्य में कम है। चाहे वह केरल हो, बिहार हो या झारखंड।

जहाँ तक जनसंख्या वृद्धि दर का प्रश्न है झारखंड में 1981-91 के दशक की तुलना में 1991-2001 में मात्र एक (01) प्वाइंट की गिरावट आई है। 81 के दशक में यह 24.03 था जबकि 91 में यह 23.19 हुआ है। केरल में यह गिरावट करीब 5 प्वाइंट का है और बिहार में तो यह बढ़ गया है और बढ़ोतरी भी अच्छी-खासी (5.05) है। भारत की जनसंख्या वृद्धि में

बिहार, उत्तर प्रदेश, मध्य प्रदेश, महाराष्ट्र, आंध्रप्रदेश आदि राज्यों ने अपना सर्वाधिक महत्त्वपूर्ण योगदान किया है। झारखंड की स्थिति अन्य राज्यों की तुलना में अच्छी है। यह एक शुभ शकुन है और यदि अन्य बातों का ध्यान रखा जाए तो 'जनसंख्या विस्फोट' जैसी कोई बात यहाँ नहीं होने जा रही जिससे टिकाऊ विकास को बहुत खतरा है। हाँ, प्रजनन और बाल स्वास्थ्य कार्यक्रमों को ईमानदारीपूर्वक चलाने से राज्य में अच्छे विकास परिणाम मिलेंगे इसमें शक नहीं है। पिछले दो दशकों से भारत की जनसंख्या वृद्धि का दर घटा है। केरल, तमिलनाडु, गोवा आदि राज्यों की वृद्धि दर में कमी आई है, झारखंड की भी जनसंख्या वृद्धि दर में कमी आई है (-0.84)। यद्यपि यह गिरावट कम है, पर यह एक अच्छा संकेत है जिसे परिवार-कल्याण और साक्षरता के कार्यक्रमों द्वारा बल प्रदान किया जा सकता है और विकास को गति दी जा सकती है।

तालिका में प्रस्तुत साक्षरता के आँकड़े झारखंड में साक्षरता की स्थिति को बताते हैं। केरल देश का सर्वाधिक साक्षर राज्य है। बिहार सर्वाधिक निरक्षर। झारखंड की स्थिति बिहार से केवल एक ऊपर है। कहा जा सकता है कि झारखंड को शिक्षा और साक्षरता के क्षेत्र में काफी मेहनत की आवश्यकता है। पूरे देश में 1991-2001 के दशक में निरक्षरों की संख्या में कमी आई है। यह कमी केरल में सर्वाधिक है। बिहार में यह उल्टा है। यहाँ पुरुष और स्त्री दोनों ही निरक्षर बढ़े हैं। झारखंड की स्थिति थोड़ी संतोषजनक है। यहाँ पुरुष निरक्षर की संख्या में कमी आई है, पर स्त्री निरक्षर की संख्या बढ़ गई है। यह इस बात की ओर संकेत है कि स्त्री साक्षरता पर अधिक बल देने की आवश्यकता है।

आर्थिक तरक्की में कार्यसहभागिता एक महत्त्वपूर्ण परिवर्त्य माना जाता है। भारत की जनगणना में कुल कामगारों की पाँच श्रेणियाँ की गई हैं। पूरे देश में जनसंख्या का अधिक हिस्सा अकृषक कार्यों में लगा है। परन्तु झारखंड में अधिकांश लोग कृषि और कृषि मजदूर हैं। नियोजक को योजनाओं में कृषि सुविधाओं में वृद्धि और अन्य रोजगार के साधनों के सृजन की आवश्यकता है। केरल और बिहार में भी अकृषक मजदूरों की संख्या अधिक है पर झारखंड में यह कम है।

तालिका-1 में प्रस्तुत आँकड़ों के आधार पर झारखंड की जनसंख्या के संबंध में कुछ तथ्यों को निम्न प्रकार से रखा जा सकता है।

1. जनसंख्या के दृष्टिकोण से झारखंड न तो अत्यधिक न ही बहुत कम बल्कि एक Optimum जनसंख्या वाला प्रांत है।
2. जनसंख्या का घनत्व बहुत अधिक नहीं है।
3. कुल वृद्धि दर में कमी दृष्टिगत होती है।
4. स्त्री पुरुष अनुपात राष्ट्रीय औसत से अधिक है।
5. देश की कुल जनसंख्या वृद्धि में इसका योगदान मात्र 2.60% है।
6. प्रांत की अधिकांश जनसंख्या निरक्षर है।
7. स्त्री साक्षरता का प्रतिशत राष्ट्रीय औसत से काफी कम है।
8. प्रांत की अधिकांश जनसंख्या कृषि कार्यों में लगी है।

ऊपर की गई विवेचना झारखंड की जनसंख्या की सामान्य विशेषताओं से हमारा परिचय

करवाती है। ये अंत:प्रांतीय विभिन्नताएँ हैं। प्रत्येक राज्य की जनसंख्या की राज्य के अन्दर भी कुछ विशेषताएँ होती हैं जिन्हें जानना जनसंख्या अध्ययन के लिए आवश्यक है। इसके लिए हमने झारखंड के 18 जिलों की जनसंख्या की संरचना को आधार बनाया है। झारखंड के 18 जिलों की जनसंख्या जिलावार कितनी है, जिलावार उनका घनत्व, वृद्धि दर तथा उसकी विशेषताओं का संक्षेप में वर्णन आलेख के इस भाग में करना अपेक्षित समझा गया है ताकि जिला स्तर पर योजना बनाते समय जिले की विशेषताओं को ध्यान में रखा जाए।

तालिका-1 : झारखंड और अन्य भारतीय प्रांत

कुल जनसंख्या	*भारत*	*बिहार*	*केरल*	*झारखंड*
पुरुष	531277078	43153964	15468664	13861277
स्त्री	495738169	39724832	16369955	13048181
कुल	1027015247	82878796	31838619	26909428
जनसंख्या का घनत्व (प्रति व.कि.मी.)	324	880	819	338
लिंग अनुपात प्रति 1000 पुरुष पर				
0-6	927	938	963	966
7 वर्ष से ऊपर	935	916	1071	936
जनसंख्या वृद्धि दर	330.80	28.43	9.42	17.84
दशकीय वृद्धि दर (प्रतिशत में)				
1981-1991	163058791 (23.86%)	12227889 (23.38%)	3644838 (14.32%)	4231842 (24.03%)
1991-2001	18067359 (21.34%)	18348242 (28.43%)	2740101 (9.42%)	5065517 (23.19%)
दशकीय वृद्धि में परिवर्तन	−2.52	5.05	−4.90	−0.84
बच्चों (0-6) वर्ष की जनसंख्या				
बालक	81911041	8375532	1861669	2440025
बालिका	75952104	7859007	1791909	2356163
कुल जनसंख्या में भागीदारी का %	–	8.07	3.10	2.62
देश की जनसंख्या वृद्धि में योगदान (% में)	–	10.1 (1991-01)	1.5 (1991-01)	2.8 (1991-01)

	–	7.50 (1981–91)	2.24 (1981–91)	2.60 (1981–91)
कुल जनसंख्या के आकार की दृष्टि से स्थान	–	तीसरा	बारहवाँ	चौदहवाँ
साक्षरता राज्यों में स्थान	–	चौतीसवाँ	पहला	तैंतीसवाँ
साक्षरता दर				
पुरुष	75.85	60.32	94.02	67.94
स्त्री	54.16	33.57	87.86	39.38
निरक्षरों की संख्या (1991)				
पु.	128099211	13128759	786620	4038827
स्त्री	200068077	18857757	1788537	6182038
(2001)				
पु.	106654066	13799477	789032	3661286
स्त्री	189554886	21169173	1770311	6481777
निरक्षरों की संख्या में दशकीय परिवर्तन				
पु.	21445145 कमी	670718 वृद्धि	2412 कमी	377541 कमी
स्त्री.	10513191 कमी	2311416 वृद्धि	18226 कमी	299739 वृद्धि
कार्यसहभागिता				
कुल कामगार	402512190	28080004	10291258	10127733
कृषक(%)	31.71	29.14	7.19	38.59
कृषक मजदूर (%)	26.69	48.18	16.67	28.26
गृह उद्योग में लगे मजदूर (%)	4.07	42.72	3.54	4.15
अन्य मजदूर (%)	37.52	63.20	73.19	29.00

स्रोत — भारत की जनसंख्या 2001 का पेपर-1 रजिस्ट्रार जेनरल एवं सेन्सस कमिश्नर भारत, कंट्रोलर डिपार्टमेंट ऑफ पब्लिकेशन, सिविल लाइन्स, दिल्ली।

झारखंड के विभिन्न जिलों में कुल जनसंख्या (स्त्री-पुरुष), जनसंख्या का घनत्व एवं दशकीय वृद्धि दर

तालिका-2 में झारखंड के 18 जिलों में स्त्री-पुरुष जनसंख्या, जनसंख्या की वृद्धि दर एवं उसके घनत्व के आँकड़े प्रस्तुत किए गए हैं। जनसंख्या की दृष्टि से राँची सबसे बड़ा जिला है जिसकी

जनसंख्या लगभग 2800000 है। इसके बाद धनबाद तथा हजारीबाग का स्थान है। कुल राज्य में यद्यपि जनसंख्या का घनत्व बहुत अधिक नहीं है (338 प्रति वर्ग कि.मी.) फिर भी कुछ ऐसे जिले हैं जिनमें जनसंख्या का घनत्व बहुत अधिक है। उदाहरण के लिए धनबाद में जनसंख्या का घनत्व 1167 व्यक्ति प्रति वर्ग कि.मी. है। बोकारो में भी जनसंख्या का घनत्व 621 व्यक्ति प्रति वर्ग कि.मी. है। ये दोनों जिले खनन एवं उद्योग धंधों के केन्द्र हैं जहाँ राज्य की अधिक जनसंख्या रोजगार के लिए निवास करती है। पश्चिमी सिंहभूम, गढ़वा, पलामू और चतरा ऐसे जिले हैं जहाँ जनसंख्या का घनत्व कम है। ये जंगल वाले इलाके हैं जिसमें जंगलों की प्रधानता के कारण कम लोग रहते हैं।

झारखंड के विभिन्न जिलों में जनसंख्या वृद्धि दर में काफी असमानता है। गढ़वा, चतरा तथा गिरिडीह आदि जिलों में 1981 के दशक में भी और 1991 के दशक में भी जनसंख्या वृद्धि दर अधिकतम है। सर्वाधिक वृद्धि दर चतरा में है जो 2001 में करीब 3 अंक नीचे आया है। गुमला और पं. सिंहभूम में जनसंख्या वृद्धि दर काफी कम है। गुमला एक ऐसा जिला है जहाँ 1981-91 की तुलना में जनसंख्या वृद्धि दर बढ़ा है। लोहरदगा और गोड्डा में भी इसी तरह के रुझान हैं। पलामू और पाकुड़ में भी इसी तरह की बात दृष्टिगत होती है। यदि इन जिलों की जनसंख्या वृद्धि दर का ग्राफ नीचे होता तो पूरे राज्य में जनसंख्या वृद्धि दर में 1991 की तुलना में 2001 में जनसंख्या वृद्धि दर में सार्थक कमी आती किंतु ऐसा नहीं है। अत: जनसंख्या वृद्धि दर में पिछले दशक की तुलना में मात्र एक अंक की कमी आई है। इसे आगे के वर्षों में काफी नीचे जाना होगा तभी यहाँ जनसंख्या स्थानापन्न दर (2.1) को प्राप्त किया जा सकता है।

यौन अनुपात

जनसंख्या में स्त्री-पुरुष का अनुपात विकास के अनेक प्रतिमानों का द्योतक होता है। झारखंड में पिछले 100 वर्षों में यौन अनुपात के आँकड़े तालिका-3 में प्रस्तुत किए गए हैं। स्पष्ट है कि आज से 100 वर्ष पूर्व यानि 1901 में कुल 1000 पुरुषों पर स्त्रियों की संख्या 1032 थी जो उत्तरोत्तर घटती ही गई है। 1991 में यह घटकर 922 हो गई जो पिछले दशक में कुछ बढ़कर 941 हुई है।

तालिका-2

झारखण्ड के विभिन्न जिलों की वृद्धि दर

क्रम	जिला	पुरुष	स्त्री	कुल	भौगोलिक क्षेत्रफल (कि.मी.)	जनसंख्या का घनत्व 2001	1981-1991	वृद्धि दर 1991-2001
1.	गढ़वा	5,34,433	4,99,718	10,34151	4044	251	32.07	29.05
2.	पलामू	10,79829	1012175	2092004	8705	240	25.87	26.80
3.	चतरा	402565	388115	790680	3706	213	32.43	29.05
4.	हजारीबाग	1167526	1109582	2277108	6147	370	28.63	24.02
5.	कोडरमा	249276	249407	498683	1312	380	28.08	26.32
6.	गिरिडीह	958904	942660	1901564	4975	382	28.92	27.9
7.	देवघर	606688	554682	1161370	2479	468	31.64	24.46
8.	गोड्डा	543784	503480	1047264	2110	496	20.71	21.61
9.	साहिबगंज	477366	450218	927584	1599	580	19.69	25.89
10.	पाकुड़	358414	343202	701616	1806	388	21.57	24.34
11.	दुमका	894849	859722	1754571	6112	282	23.45	17.31

12.	धनबाद	1277516	1116918	2394434	2052	1167	22.70	22.82
13.	बोकारो	937188	838773	1775961	2861	621	32.57	22.11
14.	रांची	1436423	1347154	2783577	7698	362	21.42	25.72
15.	लोहरदगा	184405	180000	364405	1491	244	25.72	26.14
16.	गुमला	674455	671065	1345520	9077	148	13.44	16.60
17.	प. सिंहभूम	1052711	1027554	2080265	9907	210	20.88	16.35
18.	पू. सिंहभूम	1024945	953726	1978671	3533	560	16.98	22.66
	झारखण्ड	13861277	13048151	26909428		338	23.19	24.03

स्रोत : भारत की जनगणना 2001 का पेपर–1 रजिस्ट्रार जेनरल एवं सेन्सस कमिश्नर, भारत

तालिका-3 : झारखंड में पिछले 100 वर्षों में यौन अनुपात
(स्त्रियों की संख्या प्रति 1000 पुरुषों पर)

वर्ष	*प्रति 1000 पुरुष पर स्त्रियों की संख्या*
1901	1,032
1911	1,021
1921	1002
1931	989
1941	971
1951	961
1961	960
1971	945
1981	940
1991	922
2001	941

स्रोत : भारत की जनगणना 2001

झारखंड के 18 जिलों की जनसंख्या के यौन अनुपात के आँकड़े तालिका-4 में प्रस्तुत किए गए हैं। गौरतलब है कि राज्य के विभिन्न जिलों में यौन अनुपात में असमानता दृष्टिगत होती है। कोडरमा, झारखंड का ऐसा जिला है जिसमें 1000 पुरुषों पर 1001 औरतें हैं जबकि धनबाद में 1000 पुरुषों पर मात्र 874 स्त्रियाँ हैं। इन आँकड़ों के आलोक में इन जिलों में लैंगिक असमानता और महिला हिंसा के तथ्यों की खोज जनसंख्या अध्ययन के नए आयामों को तलाशने का आमंत्रण प्रदान करती है। बोकारो और धनबाद दोनों क्रमशः उद्योग और खनन संबंधित जिले हैं, दोनों में स्त्रियों की संख्या कम होने के सह कारक तलाशे जाने चाहिए। झारखंड के 18 जिलों में 7 वर्ष से नीचे के बच्चों का यौन अनुपात एक दूसरी तस्वीर पेश करता है। गोड्डा में इस आयु वर्ग में यौन अनुपात सर्वाधिक है। पूर्वी सिंहभूम में यह सर्वाधिक कम है। ये आँकड़े इस बात की खोज की ओर हमारा ध्यान आकृष्ट करते हैं कि क्या लड़कों की तुलना में लड़कियाँ कम पैदा होती हैं? क्या पैदा होने से पहले उनकी हत्या होती है? या कौन से सामाजिक-जैविक कारक इसके जिम्मेवार हैं?

तालिका-4 : झारखंड के विभिन्न जिलों में 7 वर्ष से ऊपर की
जनसंख्या में स्त्री-पुरुष अनुपात (2001)

क्र.स.	*ज़िले*	*यौन अनुपात*
1.	कोडरमा	1001
2.	गुमला	995
3.	गिरिडीह	983
4.	लोहरदगा	976

5.	प. सिंहभूम	976
6.	चतरा	964
7.	दुमका	961
8.	पाकुड़	958
9.	हजारीबाग	950
10.	साहिबगंज	943
11.	राँची	938
12.	पलामू	937
13.	गढ़वा	935
14.	पू. सिंहभूम	931
15.	गोड्डा	926
16	देवघर	914
17.	बोकारो	895
18.	धनबाद	874

स्रोत : भारत की जनगणना 2001

झारखंड में साक्षरता

भारतीय संविधान के नीति-निर्देशक तत्वों की धारा 45 में यह प्रावधान है कि 14 वर्ष से कम आयु के बच्चों को राज्य की ओर से निःशुल्क शिक्षा दी जाएगी। 1968 की शिक्षा नीति में इस बात को पुनः दुहराया गया और पूरे देश में सार्वजनिक नामांकन की सुविधा तथा शिक्षा की गुणवत्ता में सुधार के साथ-साथ 14 वर्ष के बच्चों को निःशुल्क शिक्षा की बात की गई।

इन वायदों का क्या हुआ—सारी अनुशंसाएँ कहाँ गईं? भारत की जनगणना 2001 के आँकड़े इस संबंध में प्राप्त तथ्यों को सामने रखते हैं।

तालिका-5 : झारखंड में बच्चों (0-6 वर्ष) में स्त्री-पुरुष अनुपात (घटते क्रम में) - 2001

क्र.	*जिले*	*यौन अनुपात (प्रति 1000 पुरुष बच्चों पर स्त्री-बच्चियाँ)*
1.	गोड्डा	996
2.	चतरा	984
3.	गुमला	977
4.	दुमका	976
5.	पलामू	974
6.	देवघर	973
7.	प. सिंहभूम	973
8.	कोडरमा	972
9.	साहिबगंज	972

10.	पाकुड़	968
11.	हजारीबाग	965
12.	गिरिडीह	961
13.	गढ़वा	960
14.	राँची	960
15.	धनबाद	953
16.	बोकारो	946
17.	लोहरदगा	942
18.	पूर्वी सिंहभूम	941

स्रोत : भारत की जनगणना 2001

किसी भी समाज में मानव विकास को मापने के मापदंडों में शिक्षा/साक्षरता का महत्त्वपूर्ण स्थान है। विकास के अन्य मापदंडों की कुंजी साक्षरता/शिक्षा को ही माना जाता है। साक्षरता/शिक्षा व्यक्ति को सशक्त बनाती है, उसकी क्षमताओं को बढ़ाती है और परिष्कृत भी करती है। उसमें व्यक्तिगत और सामाजिक चेतना उत्पन्न करती है तथा अपने और अपने आसपास के परिवेश के बारे में उसे सचेत करती है। इस अर्थ में शिक्षा एक महत्त्वपूर्ण विकासात्मक परिवर्त्य है। विकास के दूसरे महत्त्वपूर्ण मुद्दों को प्राप्त करने में शिक्षा उत्प्रेरक का कार्य करती है।

भारत की जनगणना में साक्षरता जो शिक्षा का मौलिक प्रत्यय है, के संबंध में आँकड़े एकत्रित किए गए हैं। एक ऐसा व्यक्ति जो सात वर्ष से ऊपर की आयु का है और पढ़-लिख सकता है अर्थात् जिसमें तीन 'ऋह्य' की क्षमता है—अर्थात् वह पढ़ सकता है, लिख सकता है और छोटे हिसाब-किताब कर सकता है, को साक्षर कहा जा सकता है। झारखंड के विभिन्न जिलों में साक्षरों की संख्या और उनका प्रतिशत तथा स्त्री और पुरुषों की संख्या से संबंधित आँकड़े तालिका-6 में प्रस्तुत किए गए हैं। स्पष्ट है कि राज्य में साक्षरता दर काफी कम है। कुल साक्षरता दर मात्र 54.13 है। इसमें स्त्रियों की साक्षरता की दर और भी कम है। तालिका-7 में झारखंड के विभिन्न जिलों में पुरुष साक्षरता के आँकड़े प्रस्तुत किए गए हैं। पूर्वी सिंहभूम जिले में पुरुष साक्षरता सर्वाधिक (80.08) दर्ज की गई है जबकि पाकुड़ में यह सबसे कम (40.19) है। इसी प्रकार स्त्री साक्षरता के आँकड़े तालिका-8 में प्रस्तुत किए गए हैं। ये आँकड़े भी घटते क्रमानुसार हैं अर्थात् स्त्री साक्षरता भी सर्वाधिक (57.95) पूर्वी सिंहभूम में है जबकि पाकुड़ में यह सर्वाधिक कम 20.44 है।

स्त्री-पुरुष साक्षरता में यह अन्तर विकास की राह में अधिक बाधक है। समाजशास्त्रीय अध्ययन इस बात की पुष्टि करते हैं कि विकास के लिए पुरुषों से अधिक स्त्री का शिक्षित होना आवश्यक है। स्त्री-पुरुष साक्षरता की इस खाई को तालिका-9 में दिखाने का प्रयास किया गया है।

यह बात बिलकुल स्पष्ट नजर आती है कि 1991 की तुलना में 2001 की जनगणना में साक्षरता का प्रतिशत प्रत्येक जिले में बढ़ा है। स्त्री साक्षरता भी पुरुष साक्षरता के साथ-साथ बढ़ी है। सबसे अधिक वृद्धि हजारीबाग जिले में दृष्टिगत होती है(16.84) जबकि सबसे कम वृद्धि (6.58) पाकुड़ में दिखाई देती है। पूरे झारखंड में 1991 की तुलना में 2001 में 12.74 अंकों

की साक्षरता वृद्धि हुई है स्त्री साक्षरता में थोड़ी अधिक 13.86 अंकों की वृद्धि हुई है। इतनी वृद्धि के बावजूद भी झारखंड की अधिकांश जनसंख्या अभी निरक्षर है।

स्त्री-पुरुष साक्षरता में अन्तर झारखंड की जनसंख्या के साक्षरता की एक बड़ी विशेषता है। 1991 से 2001 में यह अन्तर बढ़ा है या घटा है, इस संबंध में आँकड़े तालिका-9 में ही प्रस्तुत किए गए हैं। गौरतलब है कि कुछ जिलों में स्त्री-पुरुष साक्षरता का अन्तर 1991 की तुलना में 2001 में बढ़ गया है जैसे गढ़वा ही एकमात्र ऐसा जिला है, इसके अलावा प्रत्येक जिले में स्त्री-पुरुष साक्षरता का अन्तर कम हुआ है। यह एक अच्छा संकेत है और आशा की जा सकती है कि आगे यह अन्तर और कम होगा तथा स्त्री-पुरुष साक्षरता में बराबरी हासिल कर पाएँगे। कुल मिलाकर पूरे झारखंड में स्त्री-पुरुष साक्षरता की खाई कम हुई है यद्यपि यह कमी बहुत सार्थक नहीं है।

झारखंड में साक्षरता के संबंध में प्राप्त आँकड़ों के आधार पर कुछ महत्त्वपूर्ण बिन्दु निम्नलिखित तरह से चिन्हित किए जा सकते हैं—

1. साक्षरता की दृष्टि से झारखंड राष्ट्र का दूसरा सबसे बड़ा निरक्षर राज्य है।
2. राज्य के विभिन्न जिलों में साक्षरता की दर में पर्याप्त अन्तर है।
3. स्त्री साक्षरता यद्यपि बढ़ रही है फिर भी स्त्री-पुरुष साक्षरता में काफी अन्तर है।

झारखंड में कार्य सहभागिता

किसी भी राज्य की जनसंख्या अपने जीविकोपार्जन के लिए किसी न किसी कार्य का सहारा लेती है। झारखंड राज्य और इसके जिलों के जीविकोपार्जन का मुख्य स्रोत कृषि कार्य है। भारत की जनगणना 2001 में आर्थिक क्रियाकलापों या कार्य सहभागिता की पाँच श्रेणियाँ की गई हैं। और इन श्रेणियों में पूरी जनसंख्या को बाँटा गया है। ये पाँच श्रेणियाँ या कार्य-कोटियाँ निम्नलिखित हैं—

कृषक : वे लोग जो अपनी, सरकारी या किसी भी जमीन पर खेती करते हैं और खेती करके पैसा कमाते हैं। यह खेती अनाज, जूट, गन्ना, तम्बाकू या किसी भी तरह के दलहन-तेलहन की हो सकती है। फल सब्जी की भी खेती हो सकती है पर वे व्यक्ति जो अपनी जमीन किसी दूसरे को दे देते हैं, कृषक नहीं कहलाते या इस श्रेणी में नहीं आते।

कृषि मजदूर : वे स्त्री या पुरुष जो दूसरे के खेतों में मजदूरी (पैसे, अनाज) के लिए काम करते हैं।

घरेलू उद्योग में कार्यरत व्यक्ति : वैसे उद्योग जो घरों में एक या एक से अधिक व्यक्ति के सहयोग से ग्रामीण या शहरी इलाकों में चलाए जाते हैं। उनके कार्यरत व्यक्ति जो किसी पेशेवर कार्य में नहीं लग कर इन उद्योगों में छोटा या बड़ा कोई कार्य कर रहे हैं, इस श्रेणी में आते हैं।

अन्य कामगार : वैसे काम करने वाले लोग जो न तो कृषि में, न ही उद्योग में कार्य करते हैं जैसे सरकारी नौकर, शिक्षक, वकील, डाक्टर, व्यापारी, खनन या बड़े उद्योग में कार्य करने वाले अफसर या चपरासी आदि।

अकामगार : भारत की जनगणना 2001 में कार्य नहीं करने वालों की एक अलग श्रेणी है जिसे नॉन-वर्कर या अकामगार कहा गया है। वैसे लोग जो कोई आय अर्जन नहीं करते जैसे विद्यार्थी, बिना पैसों का घरेलू काम पर आश्रित (बच्चे और बूढ़े), भिखारी, रायल्टी पाने वाले, सूदखोर आदि इस श्रेणी में आते हैं।

झारखंड में कार्य सहभागिता के रुझान (1961-2001)

आजादी के एक दशक बाद अर्थात् 1961 से अब तक 2001 में झारखंड की जनसंख्या का मुख्य पेशा या कार्य क्या रहा है, इसे तालिका-10 में प्रस्तुत किया गया है। यदि ध्यान से देखा जाए तो निम्नलिखित बातें स्पष्ट होती हैं—

1. 1961 में कुल कामगारों की 66.24% जनसंख्या कृषि कार्य में लगी थी ज ा 2001 में घट कर 38.59 हो गई।
2. 1961 में मात्र 9.99% जनसंख्या कृषक मजदूर थी जो 2001 में बढ़कर 28.26 हो गई।
3. इस तरह कृषि कार्य कम हो गया पर कृषक मजदूर बढ़ गए।
4. गृह उद्योगों में लगे मजदूरों की संख्या में कोई विशेष वृद्धि नहीं हुई। 1961 में यह 3.93% थी जो 2001 में 4.14% हो गई।
5. अन्य मजदूर या कामगारों की संख्या में करीब 10% की वृद्धि हुई है।
6. कार्य सहभागिता के आँकड़ों में कृषक स्त्री की संख्या में काफी ह्रास हुआ है। जबकि स्त्री कृषक मजदूरों और अन्य कामगारों का प्रतिशत बढ़ा है।

तालिका-11 में स्त्री-पुरुष कामगारों का प्रतिशत 1961 से 2001 तक दर्शाया गया है। 1961 में स्त्री या पुरुष का जितना प्रतिशत कार्य में संलग्न था 2001 में वह प्रतिशत घट गया है। यह एक चौंकाने वाला तथ्य है। ये आँकड़े यह दर्शाते हैं कि जनसंख्या वृद्धि की वजह से या अन्य कारणों से कार्य कम हुए हैं जिससे कार्य सहभागिता घटी है। सरकारी और गैर-सरकारी प्रयत्न ऐसे होने चाहिए कि कार्य के अवसर बढ़ें तभी झारखंड का समुचित विकास हो सकता है।

झारखंड के विभिन्न जिलों में कार्यसहभागिता

झारखंड राज्य की औसत कार्यसहभागिता दर 37.64% है। इसमें जिलावार विभिन्नता दृष्टिगत होती है। गुमला झारखंड का वैसा जिला है जिसमें कार्यसहभागिता की दर सर्वाधिक है (49.13, 2001)। सबसे कम कार्यसहभागिता वाला जिला धनबाद है (27.71, 2001)। (तालिका-12)

झारखंड के विभिन्न जिलों में अकृषक कार्यों में लगे लोगों की संख्या में भी अन्तर है (तालिका-13)। धनबाद में अकृषक कार्य में लगे लोगों का प्रतिशत सर्वाधिक है (76.23) जबकि गुमला में यह सर्वाधिक कम (13.04) है।

तालिका-14 और तालिका-15 में क्रमश: झारखंड के वैसे ब्लॉक की सूची प्रस्तुत की गई

है जिनमें कार्यसहभागिता दर सर्वाधिक और सर्वाधिक कम है। सिमडेगा, कर्रा और गोपीकांदर में कार्यसहभागिता दर सर्वाधिक है जबकि झरिया, जोरापोखर और सिन्द्री धनबाद, केन्दुआडीह आदि में सर्वाधिक कम प्रतिशत में कार्यसहभागिता है। इन आँकड़ों के आलोक में यह एक अध्ययन का विषय बनता है कि कम कार्यसहभागिता वाले ब्लाक या जिलों को कार्य उपलब्ध कराया जाए ताकि वे आर्थिक आत्मनिर्भरता प्राप्त कर सकें।

तालिका-16 में झारखंड के विभिन्न जिलों में कुल स्त्री-पुरुष कामगार (सीमान्त+मुख्य) की संख्या प्रस्तुत की गई है और इस कुल संख्या का कितना प्रतिशत किस कार्य श्रेणी में सहभागी है, इसके आँकड़े प्रस्तुत किए गए हैं। इन आँकड़ों को ग्रामीण एवं शहरी क्षेत्रों के आधार पर भी बाँटा गया है। प्रत्येक जिले के कार्यसहभागिता की अपनी कुछ विशेषताओं के बावजूद कुछ बातें स्पष्ट होती हैं—

1. झारखंड के ग्रामीण इलाकों में गृह उद्योगों की तुलना में कृषि कार्य की प्रधानता है, शहरी इलाकों में कृषि कार्य करने वालों का प्रतिशत कम है।
2. शहरी इलाकों में अधिकांश लोग विभिन्न पेशेवर कार्यों में संलग्न हैं।
3. दोनों ही इलाकों में कार्यसहभागिता की दर पंजाब, हरियाणा, चण्डीगढ़ आदि प्रांतों से काफी कम है अत: अधिक रोजगार सृजन की आवश्यकता है।

कार्यसहभागिता के दृष्टिकोण से झारखंड की तुलना बिहार और केरल से की गई है और आँकड़ों को तालिका-17 में प्रस्तुत किया गया है। देखा जा सकता है कि झारखंड और बिहार में कार्यसहभागिता का रुझान करीब-करीब राष्ट्रीय औसत के समान है यद्यपि बिहार की तुलना में झारखंड में कार्यसहभागिता दर अधिक है। केरल की स्थिति इन दोनों राज्यों से अलग है। यहाँ कृषि कार्य करने वालों का प्रतिशत बहुत कम है अधिकांश लोग अकृषि कार्यों में अर्थात् नौकरी व्यवसाय आदि में संलग्न हैं। कार्यसहभागिता के आँकड़ों के आधार पर सरकारी और गैर-सरकारी आर्थिक पैकेजों के क्रियान्वयन में सहायता मिल सकती है।

झारखंड के निवासियों का जीवन स्तर

सन् 2001 की जनगणना इस सहस्राब्दि की प्रथम जनगणना है। इस जनगणना की एक प्रमुख विशेषता यह रही है कि मकान सूचीकरण कार्य के दौरान सम्पूर्ण देश के विभिन्न राज्यों एवं उनके विभिन्न ब्लाकों के प्रत्येक परिवार से जो सूचनाएँ एकत्र की गई हैं, उनके आधार पर शृंखला-ज का निर्माण किया गया है। रहन-सहन की स्थिति को जानने के लिए प्रत्येक परिवार से मकान की स्थिति, उपलब्ध सुविधाओं और परिसम्पत्तियों के बारे में जानकारी एकत्र की गई है। यह शृंखला देश के विभिन्न क्षेत्रों के निवासियों के रहन-सहन की स्थिति को समझने में सहायक है। पूरे देश की जनसंख्या के जीवन स्तर की गुणवत्ता और परिवर्तन की गति को इसके कई संकेतकों के आधार पर माप कर प्रस्तुत करने का सफल प्रयास किया गया है। इस माप के दो प्रमुख उद्देश्य बताए गए हैं–

1. आने वाली पीढ़ियों को इसकी जानकारी मिल सके।
2. 21वीं सदी में समग्र कल्याणकारी योजनाओं और जीवन स्तर में सुधार के उपाय

किए जा सकें।

जीवन गुणवत्ता को प्रभावित करने वाले कई कारक हैं। ये कारक समुदायों की सामाजिक-आर्थिक स्थिति के अनुसार बदलते रहते हैं। कई बार तो इनमें व्यक्तिगत विभिन्नताएँ भी पाई जाती हैं। भोजन और वस्त्र के बाद आवास की स्थिति, स्वच्छता, बिजली की उपलब्धता, उपयोग में लाए जाने वाले ईंधन का प्रकार आदि व्यक्ति के जीवन स्तर को प्रभावित करते हैं।

आलेख के इस भाग में यह देखने का प्रयास किया गया है कि अच्छे जीवन स्तर के प्रमुख संकेतकों पर झारखंड की स्थिति क्या है? इसके लिए सर्वेक्षण किए गए घरों, परिवारों के आँकड़ों का प्रतिशत प्रस्तुत किया गया है। ये प्रतिशत इस बात को दर्शाते हैं कि कितने प्रतिशत घरों, परिवारों को इन संकेतकों से संबंधित सुविधाएँ उपलब्ध हैं। ये प्रमुख संकेतक हैं—

(क) आवासीय सुविधाएँ
- (क.1) घरों में कमरों की संख्या
- (क.2) मकान का स्वामित्व
- (क.3) पृथक रसोईघर की सुविधा

(ख) पेयजल की सुविधाएँ
- (ख.1) पेयजल के प्रमुख स्रोत
- (ख.2) पेयजल के स्रोत की आवास से दूरी

(ग) प्रकाश का स्रोत

(घ) स्वच्छता

(ङ) जलावन के प्रकार

(च) बिजली की उपलब्धता

(छ) विभिन्न परिसम्पत्तियों की उपलब्धता

झारखंड के विकास के संदर्भ में ये सूचनाएँ अति महत्त्वपूर्ण हैं क्योंकि ये आँकड़े राज्य गठन के बाद प्रथम जनगणना के हैं। नियोजकों एवं सरकार के लिए ये आधारभूत आँकड़े हो सकते हैं जिन पर सरकार की कल्याण योजनाओं का स्वरूप और निवेश की मात्रा निर्भर हो सकती है। इन आँकड़ों का महत्त्व और बढ़ जाता है जब विकास के लिए किए गए निवेश के प्रभाव की जानकारी लेनी होती है। विकास के लिए किए गए निवेश से इनकी तुलना कर निवेश के सकारात्मक-नकारात्मक प्रभावों को जानना आसान हो जाता है। ये आँकड़े इस अर्थ में भी महत्त्वपूर्ण हैं कि दूसरे प्रान्तों और राष्ट्रीय औसत से इनकी तुलना करके झारखंड की वास्तविक स्थिति का सही-सही आकलन किया जा सके। यहाँ हम झारखंड की तुलना देश के विकसित राज्य केरल से करेंगे साथ ही राष्ट्रीय औसत से भी इनकी तुलना करके झारखंड की स्थिति पर रोशनी डालने का एक छोटा प्रयास करेंगे।

झारखंड के निवासियों को उपलब्ध आवासीय सुविधाएँ

भोजन और वस्त्र के बाद आवास व्यक्ति की एक मूलभूत आवश्यकता है। व्यक्ति किस तरह के घर में रहता है, उसका आकार, स्वामित्व, उसमें उपलब्ध सुविधाएँ उसके रहन-सहन के स्तर का एक प्रमुख संकेतक तो हैं ही, आवास का प्रकार उसकी जीवन गुणवत्ता को निर्धारित करने

वाला भी एक प्रमुख कारक है। जनगणना की श्रृंखला–ज में झारखंड में रहने वाले परिवारों के आवासों की स्थिति पर आँकड़े उपलब्ध हैं। मुख्य रूप से आवास में कमरों की संख्या मकान का स्वामित्व और मकान में पृथक रसोईघर की उपलब्धता के आँकड़े यह दर्शाते हैं कि झारखंडी जनता की आवासीय स्थिति केरल जैसे विकसित राज्य की तुलना में तो निम्नतर है ही, राष्ट्रीय औसत से भी इसका स्थान काफी निम्न है।

कमरों की संख्या की उपलब्धता

घरों में कमरों की सख्या जीवन स्तर/ रहन–सहन के स्तर को प्रभावित करती है। आजकल कई शोध शारीरिक सन्निकटता पर किए जाते हैं, जिनमें यह बात स्पष्ट रूप से उभर कर आई है कि अधिक शारीरिक सन्निकटता व्यक्ति की कार्यक्षमता पर बुरा असर डालती है। ऐसे में कमरों की संख्या का प्रत्येक परिवार के रहन–सहन पर प्रभाव पड़ना लाजिमी है। तालिका–18 में झारखंड के परिवारों को उपलब्ध कमरों की संख्या के आँकड़े प्रस्तुत किए गए हैं। स्पष्ट है कि यहाँ अधिकतर (36.45%) लोग दो कमरे के मकान में रहते हैं। केरल में अधिकतर लोग (27.31%) तीन कमरे के मकान में रहते हैं जबकि हमारा राष्ट्रीय औसत यह बताता है कि भारत में अधिकतर परिवार (38.47%) एक कमरे के मकान में रहता है। कहा जा सकता है कि कमरों की उपलब्धता के आधार पर झारखंड की स्थिति केरल से बदतर है पर राष्ट्रीय औसत से अच्छा है। कमरों की संख्या को लेकर ग्रामीण–शहरी अन्तर बहुत स्पष्ट अन्तर दिखाई नहीं पड़ते।

मकान का स्वामित्व

परिवार जिस मकान में रहता है वह उसका अपना है या किराए का, यह भी रहन–सहन के स्तर को प्रभावित करने वाला एक महत्त्वपूर्ण कारक है। झारखंड में कुल 86.66% परिवारों का अपना मकान है, यह प्रतिशत केरल में 92.64% है जबकि राष्ट्रीय औसत से यह बहुत अन्तर नहीं रखता (86.66%)। मकान के स्वामित्व में ग्रामीण–शहरी अन्तर बड़े स्पष्ट दृष्टिगत होते हैं। ग्रामीणों में लगभग 75% परिवारों का अपना घर है, जबकि शहरों में यह प्रतिशत मात्र 11 है। ग्रामीण शहरी अन्तर केरल और राष्ट्रीय औसत में भी स्पष्ट परिलक्षित होते हैं। यहाँ भी शहरों की तुलना में गाँव में परिवारों को रहने के लिए अपना मकान है। झारखंड के 9.11% परिवार किराए के मकान में रहते हैं, केरल में यह प्रतिश्त 5.03 है और पूरे राष्ट्र के 10.54% परिवार किराए के मकान में अपना गुजर बसर करते हैं। स्पष्ट है कि झारखंड के शहरों में आवास की उपलब्धता बढ़ाने की आवश्यकता है, जिसका एक सुनिश्चित नियोजन आवश्यक है।

घरों में पृथक रसोईघर

रसोईघर से होने वाले प्रदूषण और गंदगी का स्वास्थ्य से सीधा संबंध है और स्वास्थ्य का संबंध जीवन गुणवत्ता से बिलकुल निकट का है। तालिका–24 में प्रस्तुत आँकड़े भारत, झारखंड और केरल के परिवारों में रसोईघर की उपलब्धता को दर्शाते हैं। पृथक रसोईघर की उपलब्धता झारखंड के परिवारों में सबसे कम है। लगभग साठ प्रतिशत (59.95%) परिवारों को पृथक रसोईघर की सुविधा है। जो केरल में 92.77% और राष्ट्रीय औसत 64.04% का है। पृथक

रसोईघर की उपलब्धता ग्रामीण परिवारों को अधिक है बनिस्बत शहरी परिवारों के। झारखंड के 31.43% परिवारों को पृथक रसोईघर उपलब्ध नहीं है। यह प्रतिशत केरल में मात्र 5.36 है। हमारे पूरे देश में 23.86% परिवारों को पृथक रसोई घर उपलब्ध नहीं है। कुल मिलाकर झारखंड की स्थिति केरल से बहुत निम्नतर और राष्ट्रीय औसत से भी निम्न है।

पेयजल की सुविधा

जल ही जीवन है। पानी की गुणवत्ता का व्यक्ति के स्वास्थ्य और स्वास्थ्य का सीधा संबंध जीवन गुणवत्ता से है। अत: सरकारी एजेंडे में पीने के पानी की सुविधा उपलब्ध कराना एक महत्त्वपूर्ण मुद्दा है। पेयजल की गुणवत्ता पेयजल के प्रमुख स्रोत और स्रोत की घर से दूरी पर कमोबेश निर्भर करती है।

पेयजल के प्रमुख स्रोत : तालिका-20 में पेयजल के प्रमुख स्रोतों की चर्चा की गई है। स्पष्ट है कि झारखंड में अधिकतर 51.77% परिवार कुएँ का पानी ही उपयोग में लाते हैं। केरल में भी अधिकतर परिवार (71.65%) कुएँ के पानी का उपयोग करते हैं किन्तु हमारे राष्ट्रीय औसत को देखा जाए तो बहुत कम घरों (18.17%) में कुएँ का पानी इस्तेमाल होता है। पूरे देश में अधिकतर परिवार नल (36.70%) और हैण्डपम्प (35.66%) के पानी का उपयोग करते हैं।

झारखंड के ग्रामीण इलाकों में हैण्डपम्प का उपयोग 23.41% परिवार करते हैं जबकि कुएँ 45.50% घरों में उपयोग में लाए जाते हैं। केरल के ग्रामीण इलाकों में भी कुएँ का उपयोग सर्वाधिक 57.83% है। यों तो सुरक्षा के दृष्टिकोण से हैण्डपम्प का पानी सबसे सुरक्षित है पर ग्रामीण इलाकों में ही इसका प्रचलन है। शहरों में नल का पानी भी बहुत कम घरों में उपलब्ध है। कुल मिलाकर परिवारों को स्वच्छ और स्वास्थ्यप्रद स्रोत से पेयजल मिले, इसके प्रयास की आवश्यकता है।

पेयजल के स्रोत की आवास से दूरी : पानी व्यक्ति की एक नितान्त आवश्यक आवश्यकता है जिसके अनेक उपयोग हैं। यदि घर में पानी की सुविधा उपलब्ध न हो तो परिवार को बाहर से पानी लाना या मँगाना पड़ता है जिसमें श्रम और पैसे का भी खर्च आता है। इस अर्थ में परिसर से पानी के स्रोत की दूरी रहन- सहन के स्तर को प्रभावित करती है। तालिका-21 में पेयजल के स्रोत की आवास से दूरी के आँकड़े प्रस्तुत किए गए हैं। इस आयाम पर झारखंड की स्थिति को दयनीय कहना अनुचित नहीं जहाँ केवल 20.02% घरों में ही परिसर के अन्दर पेयजल की सुविधा उपलब्ध है। 55.46% घरों में पेयजल बाहर से लाना पड़ता है। भले ही वह स्थान परिसर के नजदीक ही क्यों न हो। 24.52% परिवारों को यह सुविधा भी उपलब्ध नहीं हो पाती और उन्हें परिसर से दूर से पेयजल की व्यवस्था करनी पड़ती है। झारखंड की स्थिति की तुलना इस आयाम पर यदि केरल से की जाए तो स्पष्ट होता है कि यहाँ 71.57% घरों में पानी की सुविधा परिसर के अन्दर उपलब्ध है। केवल 11.98% घरों को ही परिसर से दूर से पानी लाना होता है। 16.46% घरों को परिसर के नजदीक ही पानी मिल जाता है। कुल मिलाकर झारखंड में परिवारों को दूर से पेयजल की व्यवस्था करनी पड़ती है, जिससे रहन-सहन का स्तर प्रभावित होता है।

प्रकाश का स्रोत : अच्छे रहन-सहन के मापदण्डों में प्रकाश के स्रोत का महत्त्वपूर्ण

स्थान है। प्रकाश के विभिन्न स्रोतों से होने वाले प्रदूषण का स्वास्थ्य पर असर होता है और जीवन गुणवत्ता प्रभावित होती है। इस अर्थ में बिजली प्रकाश का सर्वोत्तम स्रोत है। झारखंड के मात्र 24.30% घरों में बिजली प्रकाश के स्रोत के रूप में उपयोग में लाई जाती है। केरल के 70.24% घरों में बिजली का उपयोग होता है। झारखंड के 75.27% घरों में किरोसिन तेल के दीप जलाते हैं, इनसे प्रदूषण अधिक होता है जो बीमारियों का कारण बनता है। केरल के मात्र 29.09% घरों में किरोसिन प्रकाश के स्रोत के रूप में उपयोग होता है और राष्ट्रीय औसत भी काफी कम (43.30%) है।

झारखंड में प्रकाश के स्रोतों की उपलब्धता में ग्रामीण-शहरी अन्तर भी दृष्टिगत होते हैं। केवल 7.8% ग्रामीण घरों में ही बिजली की उपलब्धता प्रकाश-स्रोत के रूप में है जबकि केरल में यह प्रतिशत 49.11% है। हमारी राष्ट्रीय औसत भी झारखंड से कई गुणा बेहतर है (31.35%)। इस तरह झारखंड के गाँव और शहरों में भी प्रकाश के स्रोत के रूप में बिजली की उपलब्धता को बढ़ाना विकास के लिए अत्यावश्यक है।

स्वच्छता : स्नानगृह, शौचालय और गन्दे पानी के निकास की व्यवस्था

स्नानगृह : तालिका-23 के कॉलम 2 में झारखंड केरल और समस्त भारत के परिवारों को स्नानगृह की उपलब्धता के आँकड़े प्रस्तुत किए गए हैं। झारखंड के मात्र 15.09% घरों में घर के अन्दर स्नानगृह की सुविधा उपलब्ध है। यह प्रतिशत केरल में 62.12 है और हमारा राष्ट्रीय औसत 36.14% का है। कहा जा सकता है झारखंड के बहुत कम घरों में यह सुविधा उपलब्ध है। ग्रामीण क्षेत्रों में तो यह सुविधा और भी कम घरों में उपलब्ध है (मात्र 3.20%) जबकि ग्रामीण क्षेत्रों में भी यह सुविधा 42.34% घरों को है। राष्ट्रीय औसत को भी देखा जाए तो 16.45% घरों में ग्रामीण इलाकों में भी घर के अन्दर स्नानगृह की सुविधा उपलब्ध है।

शौचालय : यह एक चौंकाने वाला तथ्य है कि झारखंड के 80.33% घरों में कोई शौचालय नहीं है। लोग घरों के बाहर शौच जाते हैं जिससे बीमारियाँ और कई बार महामारियों के फैलने का भी भय रहता है। केरल के घरों में यह प्रतिशत मात्र 15.99 है जबकि राष्ट्रीय औसत भी इससे काफी ऊपर है (63.59%)। झारखंड के ग्रामीण इलाकों की स्थिति और भयावह है जहाँ 93.43% घरों में कोई शौचालय नहीं है। केरल में मात्र 18.67 ग्रामीण घरों में शौचालय की सुविधा नहीं है पर राष्ट्रीय औसत ग्रामीण इलाकों में दयनीय स्थिति को इंगित करता है (78.08%) (तालिका-23, कॉलम 6)। कहा जा सकता है कि शौचालय की उपलब्धता की स्थिति झारखंड में अति दयनीय है जो रहन-सहन के निम्न स्थिति की परिचायक है। ग्रागीण क्षेत्रों में स्थिति और बदतर है।

गन्दे पानी का निकास : गंदे पानी का जमाव कई प्रकार से जीवन गुणवत्ता को प्रभावित करता है, विशेषकर स्वास्थ्य स्थिति पर इसके नकारात्मक प्रभाव बड़े स्पष्ट दिखते हैं। जहाँ तक गंदे पानी के निकास का प्रश्न है, राष्ट्रीय औसत की स्थिति सर्वाधिक अच्छी है, जिसमें शायद बड़े शहरों के गंदे पानी के निकास के आँकड़े सम्मिलित हैं। केरल की स्थिति इस संकेतक पर सर्वाधिक खराब है जहाँ 80.28% घरों को पानी के निकास के लिए कोई नाली नहीं है। ग्रामीण

इलाकों में यह प्रतिशत बढ़कर 84.01 हो गया है। गन्दे पानी के निकास की सुविधा झारखंड के मात्र 23.26% (खुली नाली) और 6.30% घरों में (बन्द नाली) है। शहरी इलाकों में सुविधा उपलब्ध है पर ग्रामीण इलाकों में सुविधा का नितांत अभाव है। (तलिका-23, कॉलम 7, 8, 9)

जलावन के प्रकार

ईंधन के विभिन्न प्रकारों के उपयोग का भी रहन-सहन की स्थिति पर प्रभाव पड़ता है। लकड़ी, कोयला, फसल के अवशेष, किरोसिन, एल.पी.जी. गैस, बिजली, बायोगैस आदि जलावन के कई प्रकार हैं। अच्छे स्वास्थ्यप्रद और प्रदूषण रहित वातावरण के लिए धुआँ रहित ईंधन अच्छा माना जाता है। इस संदर्भ में यदि झारखंड भारत और केरल को देखा जाए तो झारखण्ड के अधिकतर घरों में लकड़ी (53.95) और कोयला (21.21%) ही ईंधन के रूप में प्रयोग में लाए जाते हैं। केवल 6.47% घरों में एल.पी.जी. गैस का उपयोग ईंधन के रूप में होता है। केरल में यह प्रतिशत 17.72 है जो राष्ट्रीय औसत (17.50) के करीब है। लकड़ी के ईंधन के रूप में उपयोग से प्रदूषण तो फैलता ही है, वनों की कटाई भी तेजी से होती है। झारखंड की वन सम्पदा को बचाने एवं अच्छे जीवन स्तर को बढ़ावा देने के लिए लकड़ी का ईंधन के रूप में कम इस्तेमाल होना आवश्यक है और ईंधन के दूसरे विकल्पों का उपयोग आवश्यक है। जैसे बायोगैस और एल.पी.जी. कोयला भी यहाँ बहुतायत से पाया जाता है जिसकी जलावन के रूप में उपयोगिता बढ़ाई जा सकती है। (तालिका-25)

बिजली की उपलब्धता : तालिका-26 में घरों/परिवारों को बिजली की उपलब्धता के आँकड़े प्रस्तुत किए गए हैं। झारखंड में केवल 24.30% घरों में बिजली उपलब्ध है जबकि 75.70% घरों को बिजली की सुविधा उपलब्ध नहीं है। केरल की स्थिति इसके ठीक विपरीत है। वहाँ 70.24% घरों में बिजली उपलब्ध है और लगभग 30% घरों में ही इसका अभाव है। राष्ट्रीय औसत इन दोनों के बीच का है जहाँ 55.85% घरों में बिजली उपलब्ध है और 44.15% घरों में इसका अभाव है।

बिजली की उपलब्धता में ग्रामीण-शहरी फर्क बड़े स्पष्ट रूप से नजर आते हैं। झारखंड के ग्रामीण इलाकों में यह सुविधा मात्र 7.81% घरों को प्राप्त है। जबकि केरल के ग्रामीण इलाकों में यह 49.11% है। झारखंड के शहरी इलाकों में भी बिजली की उपलब्धता केरल की तुलना में बहुत कम है। हाँ, एक आश्चर्यजनक तथ्य यह है कि झारखण्ड में जहाँ शहरों में बिजली की उपलब्धता अधिक है केरल के गाँवों में यह उपलब्धता शहरों की तुलना में अधिक है। राष्ट्रीय औसत भी करीब-करीब यही रुझान प्रकट करते हैं। जहाँ शहरों के घरों की तुलना में गाँवों में बिजली की उपलब्धता अधिक है। (24.50% शहरी/ 31.35% ग्रामीण)

विभिन्न परिसम्पत्तियों की उपलब्धता

रहन-सहन के अनेक संकेतकों में सुख-सुविधा के उन सामानों का महत्त्वपूर्ण स्थान है जो व्यक्ति का परिचय नई सूचनाओं से करवाते हैं और उनके समय की बचत करते हैं। सूचनाएँ आधुनिक युग के महत्त्वपूर्ण संसाधन हैं और समय तो है ही। सूचनाओं की उपलब्धता के लिए

रेडियो, ट्रांजिस्टर, टीवी, टेलीफोन आदि महत्त्वपूर्ण हैं जबकि साइकिल, स्कूटर, मोपेड, मोटरसाइकिल, कार-जीप, वैन जीवन को गतिशीलता प्रदान करते हैं और व्यक्ति का सशक्तिकरण करते हैं। तालिका-27 पर यदि ध्यान दिया जाए तो स्पष्ट है कि झारखंड में 39.56% घर ऐसे हैं जिनके पास ऊपर वर्णित कोई भी परिसम्पत्ति नहीं है। केरल में यह प्रतिशत मात्र 27.22% है जबकि हमारा राष्ट्रीय औसत 34.48% का है। टेलीफोन और टीवी की सुविधा भी झारखंड के घरों में बहुत कम है। (3.35% एवं 17.25% क्रमशः) केरल के घरों में यह सुविधा क्रमशः 19.07 तथा 38.83 प्रतिशत है। सूचना के साधन के रूप में रेडियो, ट्रांजिस्टर की उपलब्धता भी झारखंड में केरल और राष्ट्रीय औसत की तुलना में बहुत कम है। केरल के 59.18% घरों में ये सुविधा उपलब्ध है जबकि झारखंड में मात्र 26.37% घरों को और राष्ट्रीय औसत 35.12% का है। हाँ, झारखंड के लोगों के पास आवागमन के साधन के रूप में साइकिल करीब-करीब 50% लोगों के पास है केरल में यह प्रतिशत कम है। राष्ट्रीय औसत केरल से अच्छा है। कार, वैन या जीप की उपलब्धता भी केरल में अत्यधिक है (3.98%) जबकि झारखंड में बहुत कम (1.53)। स्कूटर, मोपेड, और मोटरसाइकिल भी झारखंड में केरल की तुलना से बहुत कम है।

ऊपर की विवेचना से स्पष्ट है कि आधुनिक जीवन की आवश्यक आवश्यकताओं की उपलब्धता झारखंड के घरों में बहुत कम है जो यहाँ के निवासियों के निम्न रहन-सहन के स्तर का उदाहरण है। देश के विकसित राज्य केरल की तुलना में तो यह निम्न है ही, राष्ट्रीय औसत से भी इसकी स्थिति निम्नतर है। एक विकसित राज्य का दर्जा पाने के लिए तथा समुचित मानव विकास के लिए नियोजकों एवं सरकार की ओर से विशेष प्रयास अपेक्षित हैं ताकि सारे आयामों पर कम से कम राष्ट्रीय औसत तक पहुँचा जा सके।

तालिका-6 : झारखंड के विभिन्न जिलों में साक्षरों की संख्या एवं साक्षरता दर

जिला	*पुरुष*	*स्त्री*	*कुल*
गढ़वा	230,77	89,762	320,533
	(54.76)	(22.91)	(39.39)
पलामू	520,077	246,413	766,490
	(59.76)	(30.50)	(45.67)
चतरा	179,084	94,082	273,166
	(53.67)	(30.50)	(43.35)
हजारीबाग	690,735	391,186	1,081,921
	(72.16)	(43.15)	(58.05)
कोडरमा	142,440	68,239	210,679
	(71.57)	(34.03)	(52.13)
गिरिडीह	476,833	202,220	679,053
	(63.07)	(27.05)	(45.16)
देवघर	331,435	144,249	475,684
	(66.93)	(32.33)	(50.53)

गोड्डा	258,025	113,159	371,184
	(58.07)	(27.98)	(43.73)
साहिबगंज	184,378	95,602	279,980
	(48.33)	(26.78)	(37.91)
पाकुड़	115,149	55,907	171,056
	(40.19)	(20.44)	(30.54)
दुमका	468,188	231,494	699,682
	(63.28)	(32.68)	(48.31)
धनबाद	871,572	496,106	1,367,678
	(80.03)	(52.93)	(67.49)
बोकारो	610,688	331,396	942,078
	(76.99)	(47.17)	(62.98)
रांची	941,317	596,509	1,537,826
	(77.76)	(52.77)	(65.69)
लोहरदगा	100,668	58,250	158,918
	(67.84)	(39.88)	(53.97)
गुमला	354,358	223,824	578,182
	(64.14)	(40.56)	(52.35)
प. सिंहभूम	575,772	295,638	871,410
	(66.23)	(34.81)	(50.70)
पूर्वी सिंहभूम	708,476	476,181	1,184,657
	(80.08)	(57.95)	(69.42)
झारखंड कुल	7,759,966	4,210,211	11,970,177
	(67.94)	(39.38)	(54.13)

स्रोत : पूर्व की तालिकानुसार

तालिका-7 : झारखंड के विभिन्न जिलों में घटते क्रमानुसार पुरुष साक्षरता

जिला	*राज्य*	*साक्षरता दर*
पूर्वी सिंहभूम	झारखंड	80.08
धनबाद	,,	80.03
राँची	,,	77.76
बोकारो	,,	76.99
हजारीबाग	,,	72.16
कोडरमा	,,	71.57
लोहरदगा	,,	67.84

देवघर	,,	66.93
प. सिंहभूम	,,	66.23
गुमला	,,	64.14
दुमका	,,	63.28
गिरिडीह	,,	63.07
पलामू	,,	69.76
गोड्डा	,,	58.07
चतरा	,,	55.67
गढ़वा	,,	54.69
साहिबगंज	,,	48.33
पाकुड़	,,	40.19

स्रोत : पूर्व की तालिका के अनुसार

तालिका-8 : झारखंड के विभिन्न जिलों में स्त्री साक्षरता घटते क्रमानुसार

जिला	*राज्य*	*साक्षरता दर*
पूर्वी सिंहभूम	झारखंड	57.95
धनबाद	,,	52.93
राँची	,,	52.77
बोकारो	,,	47.17
हजारीबाग	,,	43.15
गुमला	,,	40.56
लोहरदगा	,,	39.88
प. सिंहभूम	,,	34.81
कोडरमा	,,	34.03
दुमका	,,	32.68
देवघर	,,	32.33
पलामू	,,	30.50
चतरा	,,	30.50
गोड्डा	,,	27.98
गिरिडीह	,,	27.05
साहिबगंज	,,	26.78
गढ़वा	,,	22.91
पाकुड़	,,	20.44

स्रोत : पूर्व की तालिकानुसार

तालिका-9 : झारखंड के विभिन्न जिलों में साक्षरता में दशकीय परिवर्तन

क्र.	*जिला*	*साक्षरता में अन्तर (1991-01)*			*स्त्री-पुरुष साक्षरता दर में अन्तर*	
		कुल	*पुरुष*	*स्त्री*	*1991*	*2001*
1.	गढ़वा	13.33	15.66	11.06	27.18	31.78
2.	पलामू	12.15	12.19	12.29	29.36	29.26
3.	चतरा	15.51	15.22	16.11	26.06	25.17
4.	हजारीबाग	16.84	15.62	19.02	32.41	29.01
5.	कोडरमा	14.21	13.45	15.42	39.51	37.54
6.	गिरिडीह	12.92	13.26	13.14	35.90	36.02
7.	देवघर	12.61	12.81	12.59	34.38	34.60
8.	गोड्डा	9.71	9.51	9.98	30.56	30.09
9.	साहिबगंज	8.54	8.82	8.51	21.24	21.55
10.	पाकुड़	6.58	6.63	6.64	19.76	19.75
11.	दुमका	14.29	13.99	14.77	31.38	30.60
12.	धनबाद	13.25	12.21	15.93	30.82	27.10
13.	बोकारो	11.84	10.51	14.32	33.63	29.82
14.	राँची	14.17	12.64	16.20	28.55	24.99
15.	लोहरदगा	13.18	12.85	13.77	28.88	27.96
16.	गुमला	12.68	12.44	13.08	24.22	23.58
17.	प.सिंहभूम	11.78	11.48	12.37	32.31	31.42
18.	पू.सिंहभूम	10.37	8.90	12.45	25.68	22.13
	झारखंड	12.74	12.14	13.86	30.28	28.56

स्रोत : पूर्व की तालिकानुसार

तालिका–10 : 1961 से 2001 तक कार्यसहभागिता के रुझान (झारखण्ड) % में

जनगणना वर्ष	कृषक कामगार			कृषि कार्य में लगे मजदूर/कामगार			गृह उद्योगों में लगे मजदूर/कामगार			अन्य मजदूर/कामगार		
	स्त्री	पुरुष	कुल	स्त्री	पुरुष	कुल.	स्त्री	पुरुष	कुल	स्त्री	पुरुष	कुल
1961	31.59	34.65	66.24	5.16	4.83	9.94	1.49	2.44	3.93	3.17	16.67	19.84
1971	4.96	45.45	50.41	7.70	16.45	24.15	0.38	2.08	2.46	1.75	21.23	22.98
1981	8.01	41.74	49.75	6.95	12.17	19.12	0.57	2.11	2.68	2.37	26.08	28.45
1991	10.34	40.23	50.57	6.93	13.57	20.50	0.52	1.75	2.27	2.03	24.63	26.66
2001	14.59	24.00	38.59	13.53	14.73	28.26	1.88	2.26	4.14	4.01	25.00	29.01

स्रोत : भारत की जनगणना सीरीज–21, झारखण्ड प्रोविजनल पापुलेशन टोटल, पेपर 3 ऑफ 2001 डायरेक्टर ऑफ सेन्सस आपरेशन, झारखंड

तालिका-11 : झारखंड में पिछले चार दशकों में कार्य सहभागिता (स्त्री-पुरुष की भागीदारी)

	कामगारों का प्रतिशत	
वर्ष	*पुरुष*	*स्त्री*
1961	58.99	43.42
1971	53.09	9.76
1981	51.93	21.73
1991	48.84	23.77
2001	48.21	26.90

स्रोत : भारत की जनगणना 2001

तालिका-12 : कार्यसहभागिता दर के आधार पर झारखंड के जिलों का श्रेणीकरण

2001 में श्रेणी	*जिला*	*कार्यसहभागिता दर 2001*	*1991*	*1991 में श्रेणी*
1	गुमला	49.13	46.67	1
2	दुमका	44.42	45.17	2
3	पाकुड़	44.22	44.18	4
4	पश्चिमी सिंहभूम	44.21	44.30	3
5	लोहरदगा	42.17	41.00	5
6	साहिबगंज	42.08	37.26	8
7	गोड्डा	40.35	39.60	6
8	गढ़वा	39.29	36.17	9
9	राँची	38.79	39.29	7
10	चतरा	38.03	35.01	10
11	पलामू	38.00	34.90	11
12	देवघर	37.13	34.88	12
13	कोडरमा	35.11	33.73	14
14	पूर्वी सिंहभूम	34.98	34.29	13
15	हजारीबाग	34.74	32.62	16
16	गिरिडीह	33.97	33.38	15
17	बोकारो	28.72	31.06	17
18	धनबाद	27.71	27.71	18
19	झारखंड राज्य की औसत कार्यसहभागिता दर			37.64

तालिका-13 : झारखंड के जिलों में अकृषक काम में लगे हुए कामगारों का प्रतिशत

श्रेणी	*जिला*	*अकृषक काम में लगे हुए कामगारों का प्रतिशत (घटते क्रमानुसार)*
1.	धनबाद	76.23
2.	बोकारो	55.33
3.	पूर्वी सिंहभूम	53.93
4.	हजारीबाग	38.26
5.	कोडरमा	37.14
6.	राँची	36.71
7.	साहिबगंज	36.46
8.	देवघर	35.07
9.	पाकुड़	33.13
10.	पश्चिमी सिंहभूम	27.30
11.	गिरिडीह	25.13
12.	पलामू	20.24
13.	लोहरदगा	19.14
14.	गोड्डा	19.06
15.	चतरा	18.29
16.	दुमका	18.19
17.	गढ़वा	15.35
18.	गुमला	13.04

स्रोत : पूर्ववत

तालिका-14 : झारखंड के 10 ब्लॉक जहाँ कार्यसहभागिता दर सर्वाधिक है

क्र.	*ब्लॉक*	*जिला*	*कामगारों की संख्या (% में)*
1.	सिमडेगा	गुमला	61.07
2.	कर्रा	राँची	58.53
3.	गोपीकांदर	दुमका	56.12
4.	डुमरी	गुगला	55.48
5.	बानो	गुमला	54.75
6.	रनिया	राँची	54.42
7.	गोइलकेरा	प. सिंहभूम	54.10
8.	जलडेगा	गुमला	54.07
9.	कुमारडुगी	प. सिंहभूम	53.86
10.	लापुंग	राँची	53.80

स्रोत : पूर्ववत

तालिका–15 : झारखंड के वे 10 ब्लॉक जहाँ कार्यसहभागिता दर निम्नतम है

क्र.	*ब्लॉक*	*जिला*	*कुल कामगारों का प्रतिशत*
1.	झरिया जोरपिखर सिंद्री	धनबाद	22.64
2.	धनबाद केन्दुआडीह	धनबाद	26.04
3.	बाघमारा कतरास	धनबाद	26.54
4.	हजारीबाग	हजारीबाग	28.09
5.	बेरमो	बोकारो	28.20
6.	डाल्टनगंज	पलामू	28.35
7.	निरसा–चिरकूंडा	धनबाद	29.05
8.	गिरिडीह	गिरिडीह	30.61
9.	तोपचांची	धनबाद	30.65
10.	नावाडीह	बोकारो	30.93

स्रोत : पूर्ववत

तालिका–16 : झारखंड के विभिन्न जिलों में कुल कामगार (पुरुष–स्त्री–ग्रामीण–शहरी) एवं विभिन्न कार्यकोटियों में उनकी भागीदारी (% में)

राज्य/ जिला	*ग्रामीण शहरी*	*पुरुष स्त्री*	*कुल कामगार (मुख्य+ सीमांत)*	*कुल कामगार का % (मुख्य+सीमांत)*			
				कृषक	*कृषक मजदूर*	*सहयोगी मजदूर*	*अन्य मजदूर*
झारखंड	कुल	कुल	10,127,733	38.59	28.26	4.15	29.00
		पुरुष	6,682,839	36.37	22.32	3.43	37.88
		स्त्री	3,444,894	42.90	39.77	5.54	11.78
	ग्रामीण	कुल	8,590,029	45.12	32.86	4.36	17.67
		पुरुष	5,320,278	45.22	27.55	3.69	23.54
		स्त्री	3,269,751	44.96	41.48	5.45	8.12
	शहरी	कुल	1,537,704	2.12	2.58	2.98	92.33
		पुरुष	1,362,561	1.81	1.96	2.42	93.87
		स्त्री	175,143	4.55	7.84	7.33	80.29
गढ़वा	कुल	कुल	406,341	35.78	48.27	2.50	13.45
		पुरुष	256,235	39.86	39.09	2.47	18.59
		स्त्री	150,106	28.81	63.26	2.56	4.68
	ग्रामीण	कुल	395,148	36.60	49.36	2.44	11.61
		पुरुष	246,452	41.19	40.32	2.44	16.06
		स्त्री	148,626	28.99	64.34	2.44	4.23
	शहरी	कुल	11,193	6.83	9.96	4.71	78.50
		पुरुष	9,783	6.44	8.00	3.21	82.35

		स्त्री	1,410	9.57	23.55	15.11	51.77
पलामू	कुल	कुल	794,952	35.90	43.86	3.11	17.14
		पुरुष	513,820	37.78	37.23	2.95	22.04
		स्त्री	281,132	32.45	55.98	3.39	8.18
	ग्रामीण	कुल	764,116	37.19	45.28	3.01	14.51
		पुरुष	486,634	39.68	38.91	2.85	18.56
		स्त्री	277,482	32.84	56.46	3.30	7.41
	शहरी	कुल	30,836	3.77	8.62	5.36	82.24
		पुरुष	27,186	3.88	7.14	4.66	84.32
		स्त्री	3,650	2.93	19.67	10.63	66.77
चतरा	कुल	कुल	300,699	42.08	39.63	4.02	14.27
		पुरुष	190,794	44.63	33.91	3.24	18.22
		स्त्री	109,905	37.66	49.56	5.36	7.42
	ग्रामीण	कुल	290,646	43.40	40.84	3.67	12.08
		पुरुष	182,105	46.56	35.34	2.95	15.14
		स्त्री	108,541	38.10	50.07	4.89	6.94
	नगरीय	कुल	10,053	3.91	4.57	13.93	77.60
		पुरुष	8,689	4.10	3.90	9.29	82.71
		स्त्री	1,364	2.71	8.80	43.48	45.01
हजारीबाग	कुल	कुल	791,062	45.90	15.84	2.91	35.35
		पुरुष	531,068	37.81	11.52	2.85	47.82
		स्त्री	259,994	62.43	24.65	3.05	9.87
	ग्रामीण	कुल	655,989	54.70	18.69	3.08	23.53
		पुरुष	408,533	48.39	14.58	3.13	33.90
		स्त्री	247,456	65.11	25.49	3.00	6.41
	नगरीय	कुल	135,073	3.20	1.97	2.09	92.74
		पुरुष	122,535	2.55	1.34	1.88	94.22
		स्त्री	12,538	9.63	8.93	4.12	78.22
कोडरमा	कुल	कुल	175,088	42.59	20.27	2.86	34.28
		पुरुष	113,262	35.49	14.92	2.77	46.82
		स्त्री	61,826	55.60	30.08	3.01	11.31
	ग्रामीण	कुल	151,362	48.41	22.52	2.50	26.57
		पुरुष	92,767	42.40	17.37	2.62	37.61
		स्त्री	58,595	57.93	30.67	2.31	9.09
	नगरीय	कुल	23,726	5.46	5.91	5.15	83.47
		पुरुष	20,495	4.22	3.80	3.49	88.49
		स्त्री	3,231	13.37	19.28	15.72	51.62
गिरिडीह	कुल	कुल	646,024	41.98	32.29	3.30	22.43
		पुरुष	439,980	40.34	26.86	2.25	29.85

		स्त्री	206,044	45.49	43.89	4.05	6.57
	ग्रामीण	कुल	616,446	43.95	33.78	3.28	18.99
		पुरुष	412,646	42.95	28.56	2.94	25.55
		स्त्री	203,800	45.99	44.35	3.96	5.70
	नगरीय	कुल	29,578	0.95	1.27	3.75	94.03
		पुरुष	27,334	0.98	1.18	3.11	94.73
		स्त्री	2,244	0.62	2.36	11.58	85.52
देवघर	कुल	कुल	431,259	33.58	31.35	10.15	24.93
		पुरुष	299,872	33.60	28.01	7.47	30.92
		स्त्री	131,387	33.52	38.98	16.25	11.25
	ग्रामीण	कुल	390,643	37.01	34.46	10.63	17.91
		पुरुष	263,196	38.20	31.76	8.04	22.00
		स्त्री	127,447	34.54	40.04	15.97	9.45
	नगरीय	कुल	40,616	0.58	1.44	5.51	92.47
		पुरुष	36,676	0.57	1.09	3.39	94.95
		स्त्री	3,940	0.71	4.67	25.28	69.34
गोड्डा	कुल	कुल	422,604	33.18	47.77	4.89	14.16
		पुरुष	277,464	35.13	42.36	4.15	18.36
		स्त्री	145,140	29.45	58.09	6.31	6.15
	ग्रामीण	कुल	413,197	33.79	48.68	4.90	12.64
		पुरुष	269,052	36.06	43.47	4.17	16.31
		स्त्री	144,145	29.56	58.39	6.26	5.78
	नगरीय	कुल	9,407	6.177	7.77	4.80	81.26
		पुरुष	8,412	5.40	6.95	3.74	83.90
		स्त्री	995	12.66	14.67	13.77	58.89
साहिबगंज	कुल	कुल	390,363	31.00	32.54	7.13	29.33
		पुरुष	245,438	34.76	31.11	4.08	30.06
		स्त्री	144,925	24.64	34.96	12.31	28.10
	ग्रामीण	कुल	366,141	32.74	33.96	7.18	26.12
		पुरुष	224,339	37.59	33.05	4.12	25.24
		स्त्री	141,802	25.08	35.39	12.04	27.50
	नागरीय	कुल	24,222	4.61	11.11	6.38	77.90
		पुरुष	21,099	4.62	10.44	3.68	81.26
		स्त्री	3,123	4.55	15.63	94.59	55.24
पाकुड़	कुल	कुल	310,264	35.84	31.04	8.58	24.54
		पुरुष	187,853	39.55	29.59	3.06	27.80
		स्त्री	122,411	30.13	33.26	17.06	19.54
	ग्रामीण	कुल	300,266	36.98	32.00	8.31	22.51
		पुरुष	179,432	41.33	30.87	3.08	24.73

		स्त्री	120,834	30.52	33.69	16.57	19.22
	नगरीय	कुल	9,998	1.62	2.06	10.88	85.44
		पुरुष	8,421	1.75	2.35	2.64	93.27
		स्त्री	1,577	0.95	0.51	54.91	43.63
दुमका	कुल	कुल	779,401	47.16	34.65	4.21	13.98
		पुरुष	480,637	47.78	28.95	3.85	19.41
		स्त्री	298,764	46.17	43.81	4.78	5.25
	ग्रामीण	कुल	748,321	48.79	35.91	4.22	11.08
		पुरुष	453,924	50.22	30.51	3.90	15.37
		स्त्री	294,397	46.59	44.23	4.73	4.45
	नगरीय	कुल	31,080	7.98	4.33	3.76	83.98
		पुरुष	26,713	6.13	2.53	3.04	88.13
		स्त्री	4,367	17.88	15.37	8.17	58.58
धनबाद	कुल	कुल	663,497	14.46	9.32	2.99	73.24
		पुरुष	560,061	10.89	6.52	2.32	80.27
		स्त्री	103,436	33.79	24.45	6.62	35.13
	ग्रामीण	कुल	350,919	26.43	16.81	3.72	53.04
		पुरुष	272,782	21.46	12.60	2.84	63.11
		स्त्री	78,137	43.78	31.53	6.80	17.89
	नगरीय	कुल	312,578	1.02	0.90	2.17	95.91
		पुरुष	287,279	0.85	0.75	1.82	96.57
		स्त्री	25,299	2.95	2.60	6.08	88.38
बोकारो	कुल	कुल	510,141	23.32	21.35	3.93	51.40
		पुरुष	411,260	21.43	16.77	3.10	58.70
		स्त्री	98,881	31.21	40.36	7.35	21.08
	ग्रामीण	कुल	319,148	35.66	32.51	4.75	27.08
		पुरुष	235,779	35.68	27.60	3.71	33.01
		स्त्री	83,369	35.59	46.41	7.69	10.30
	नगरीय	कुल	190,993	2.72	2.68	2.55	92.05
		पुरुष	175,481	2.28	2.23	2.29	93.21
		स्त्री	15,512	7.65	7.85	5.52	78.98
राँची	कुल	कुल	1,079,626	44.92	18.37	3.04	33.68
		पुरुष	687,179	40.29	12.79	2.80	44.12
		स्त्री	392,447	53.02	28.13	3.45	15.41
	ग्रामीण	कुल	820,479	58.54	23.34	3.08	15.03
		पुरुष	467,948	58.46	17.91	2.95	20.67
		स्त्री	352,531	58.65	30.54	3.26	7.56
	नगरीय	कुल	259,147	1.78	2.63	2.88	92.71
		पुरुष	219,231	1.51	1.86	2.47	94.16

		स्त्री	39,916	3.30	6.83	5.15	84.72
लोहरदगा	कुल	कुल	153,683	58.12	22.73	3.00	16.14
		पुरुष	87,607	57.87	16.06	3.10	22.97
		स्त्री	66,076	58.46	31.58	2.88	7.08
	ग्रामीण	कुल	142,233	62.32	24.36	2.88	10.44
		पुरुष	77,981	64.35	17.80	3.00	14.85
		स्त्री	64,252	59.86	32.31	2.74	5.08
	नगरीय	कुल	11,450	5.97	2.58	4.51	86.95
		पुरुष	9,626	5.40	1.95	3.90	88.75
		स्त्री	1,824	8.94	5.87	7.73	77.47
गुमला	कुल	कुल	661,064	70.34	16.62	3.42	9.62
		पुरुष	358,269	71.09	12.08	3.51	13.32
		स्त्री	302,795	69.46	21.99	3.31	5.24
	ग्रामीण	कुल	642,206	72.16	16.90	3.39	7.54
		पुरुष	342,996	73.91	12.40	3.50	10.19
		स्त्री	299,210	70.15	22.07	3.27	4.51
	नगरीय	कुल	18,858	8.48	6.95	4.13	80.44
		पुरुष	15,273	7.66	5.02	3.58	83.74
		स्त्री	3,585	11.99	15.17	6.44	66.39
प. सिंहभूम	कुल	कुल	919,585	41.29	31.41	5.45	21.85
		पुरुष	540,930	41.62	22.51	5.14	30.72
		स्त्री	378,655	40.83	44.11	5.89	9.18
	ग्रामीण	कुल	821,511	45.91	34.65	5.72	13.72
		पुरुष	457,723	48.79	26.14	5.60	19.47
		स्त्री	363,788	42.30	45.35	5.88	6.47
	नगरीय	कुल	98,074	2.60	4.25	3.16	89.99
		पुरुष	83,207	2.22	2.53	2.63	92.61
		स्त्री	14,867	4.71	13.90	6.11	75.27
पू. सिंहभूम	कुल	कुल	692,080	17.81	28.25	3.21	50.72
		पुरुष	501,110	17.24	18.81	2.81	61.14
		स्त्री	190,973	19.33	53.04	4.24	23.39
	ग्रामीण	कुल	401,258	30.24	47.52	3.77	18.47
		पुरुष	245,989	34.48	37.18	3.46	24.88
		स्त्री	155,269	23.52	63.91	4.25	8.32
	नगरीय	कुल	290,822	0.68	1.67	2.44	95.22
		पुरुष	255,121	0.61	1.10	2.19	96.10
		स्त्री	35,701	1.13	5.76	4.21	88.91

स्रोत : वही

तालिका-17 : दूसरे राज्यों की तुलना में झारखंड में कार्यसहभागिता

भारत/ राज्य	कुल ग्रामीण नगरीय	कुल पुरुष स्त्री	कुल कामगार (मुख्य+ सीमांत)	कामगारों की श्रेणी कृषक	कृषक मजदूर	गृह उद्योग में लगे मजदूर	अन्य मजदूर
भारत	कुल	कुल	402,512,190	127,628,287 (31.71)	107,447,287 (26.69)	16,395,870 (4.07)	151,040,308 (37.52)
		पुरुष	275,463,736	86,328,447 (31.34)	57,354,281 (20.82)	8,312,191 (3.02)	123,468,851 (44.82)
		स्त्री	127,048,454	41,299,840 (32.51)	50,093,444 (39.43)	8,083,679 (6.36)	27,571,491 (21.70)
	ग्रामीण	कुल	310,655,339	124,682,055 (40.14)	103,122,189 (33.20)	11,709,533 (3.77)	71,141,562 (22.90)
		पुरुष	199,199,602	84,046,644 (42.19)	54,749,291 (27.48)	5,642,112 (2.83)	54,761,555 (27.49)
		स्त्री	111,455,737	40,635,411 (36.46)	48,372,898 (43.40)	6,067,421 (5.44)	16,380,007 (14.70)
	नगरीय	कुल	91,856,851	2,946,232 (3.21)	4,325,536 (4.71)	4,686,337 (5.10)	79,898,746 (86.98)
		पुरुष	76,264,134	2,281,803 (2.99)	2,604,990 (3.42)	2,670,079 (3.50)	68,707,262 (90.09)

स्त्री	15,592,717		664,429	1,720,546	2,016,258	11,191,484	
				(4.26)	(11.03)	(12.93)	(71.77)
बिहार	कुल	कुल	28,080,004	8,192,108	13,527,884	1,086,638	5,273,374
				(29.17)	(48.18)	(3.87)	(18.78)
		पुरुष	20,597,085	6,514,731	8,798,532	639,347	4,644,475
				(31.63)	(42.72)	(3.10)	(22.55)
		स्त्री	7,482,919	1,677,377	4,729,352	44,7,291	628,899
				(22.42)	(63.20)	(5.98)	(8.40)
	ग्रामीण	कुल	25,856,125	8,062,095	13,253,215	944,169	3,596,646
				(31.18)	(51.26)	(3.65)	(13.91)
		पुरुष	18,650,188	6,401,717	8,600,543	540,240	3,107,688
				(34.33)	(46.12)	(2.90)	(6.66)
		स्त्री	7,205,937	1,660,378	4,652,672	403,929	488,958
				(23.04)	(64.57)	(5.61)	(6.79)
	नगरीय	कुल	2,223,879	130,013	274,669	142,469	1,676,728
				(5.85)	(12.35)	(6.41)	(75.40)
		पुरुष	1,946,897	113,014	197,989	99,107	1,536,787
				(5.80)	(10.17)	(5.09)	(78.94)
		स्त्री	276,982	16,999	76,680	43,362	139,941
				(6.14)	(27.68)	(15.66)	(50.52)

झारखण्ड	कुल	कुल	10,127,733	3,908,235 (38.59)	2,861,939 (28.26)	420,118 (4.15)	2,937,441 (29.00)
		पुरुष	6,682,839	2,430,303 (36.37)	1,491,828 (22.32)	229,235 (3.43)	2,531,473 (37.88)
		स्त्री	3,444,894	1,477,932 (42.90)	1,370,111 (39.77)	190,883 (5.54)	405,968 (11.78)
	ग्रामीण	कुल	8,590,029	3,875,645 (45.12)	2,822,343 (32.86)	374,301 (4.36)	1,517,740 (17.67)
		पुरुष	5,320,278	2,405,683 (45.22)	1,465,957 (27.55)	196,252 (3.69)	1,252,386 (23.54)
		स्त्री	3,269,751	1,469,962 (44.96)	1,356,386 (41.48)	178,049 (5.45)	265,354 (8.12)
	नगरीय	कुल	1,537,704	32,590 (2.12)	39,596 (2.58)	45,817 (2.98)	1,419,701 (92.33)
		पुरुष	1,362,561	24,620 (1.81)	25,871 (1.90)	32983 (2.42)	1,279,087 (93.87)
		स्त्री	175,143	7,970 (4.55)	13,725 (7.84)	12,834 (7.33)	140,614 (80.29)
केरल	कुल	कुल	10,291,258	740,403 (7.19)	1,653,601 (16.07)	364,770 (3.54)	7,532,484 (73.19)

पुरुष	7,790,522	622,724	1,103,317	181,935	5,882,546	
			(7.99)	(14.16)	(2.34)	(75.51)
	स्त्री	2,500,736	117,679	550,284	182,835	1,649,938
			(4.71)	(22.00)	(7.31)	(65.98)
ग्रामीण	कुल	7,675,096	685,163	1,514,709	262,066	5,213,161
			(8.93)	(19.74)	(3.41)	(67.92)
	पुरुष	5,750,087	578,665	1,009,620	125,224	4,036,578
			(10.06)	(17.56)	(2.18)	(70.20)
	स्त्री	1,925,009	106,498	505,086	136,842	1,176,583
			(5.53)	(26.24)	(7.11)	(61.12)
नगरीय	कुल	2,616,162	55,240	138,895	102,704	2,319,323
			(2.11)	(5.31)	(3.93)	(88.65)
	पुरुष	2,040,435	44,059	93,697	56,711	1,845,968
			(2.16)	(4.59)	(2.78)	(90.47)
	स्त्री	575,727	11,181	45,198	45,993	473,355
			(1.94)	(7.85)	(7.99)	(82.22)

स्रोत : भारत की जनगणना, 2001 सीरीज-21, 2001 का पेपर 2, डायरेक्टर ऑफ सेन्सस ऑपरेशन, झारखण्ड

तालिका-18 : कमरों की संख्या की उपलब्धता के अनुसार झारखंड, भारत और केरल में घर/परिवारों का वितरण (% में)

	अलग नहीं	*एक कमरे*	*दो कमर*	*तीन कमरे*	*चार कमरे*	*पाँच कमरे*	*छः और अधिक कमरे*
झारखंड							
कुल	1.07	32.34	36.45	15.17	8.01	2.76	4.19
ग्रामीण	0.92	26.69	28.00	11.33	6.06	2.05	3.15
शहरी	0.15	5.66	8.45	3.84	1.96	0.71	1.04
भारत							
कुल	3.11	38.47	29.99	14.35	7.48	2.90	3.70
ग्रामीण	2.46	28.65	21.73	9.57	5.06	1.99	2.58
शहरी	0.65	9.82	8.26	4.78	2.43	0.91	1.12
केरल							
कुल	1.57	10.94	26.63	27.31	18.30	8.34	6.90
ग्रामीण	1.28	8.68	20.77	20.32	13.28	5.93	4.68
शहरी	0.28	2.27	5.86	6.99	5.02	2.41	2.23

तालिका-19 : मकान के स्वामित्व के अनुसार झारखंड, भारत और केरल में घर/परिवारों का वितरण (% में)

	अपना मकान	*किराए का मकान*	*अन्य*
झारखंड			
कुल	85.39	9.11	4.51
ग्रामीण	75.24	1.05	1.31
शहरी	11.15	7.46	3.20
भारत			
कुल	86.66	10.54	2.81
ग्रामीण	67.97	2.56	1.49
शहरी	18.68	7.98	1.31
केरल			
कुल	92.63	5.03	2.33
ग्रामीण	70.70	2.47	1.76
शहरी	21.93	2.55	0.56

स्रोत : भारत की जनगणना 2001, ज-शृंखला, मकानों, परिवारों को उपलब्ध सुविधाओं तथा परिसम्पत्ति संबंधित सारणियाँ, भारत के महारजिस्ट्रार तथा जनगणना आयुक्त (2003)।

कुल सर्वेक्षित परिवारों /घरों की संख्या - झारखंड - 4862590

केरल - 6,595,206

भारत - 191, 963, 935

तालिका–20 : पेयजल के प्रमुख स्रोतों के अनुसार झारखंड, भारत और केरल में परिवारों/घरों का वितरण (% में)

	नल	*हैण्डपम्प*	*ट्यूबवेल*	*कुआँ*	*तालाब*	*नदी/नहर*	*झरना*	*अन्य*
झारखंड								
कुल	12.56	26.98	3.10	51.77	0.38	2.73	1.36	1.12
ग्रामीण	2.09	23.41	2.26	45.50	0.27	2.54	1.32	0.79
शहरी	10.46	3.57	0.83	6.27	0.11	0.19	0.04	0.33
भारत								
कुल	36.70	35.66	5.56	18.17	1.01	1.01	0.74	1.15
ग्रामीण	17.49	31.12	4.13	16.01	0.92	0.96	0.67	0.73
शहरी	19.20	4.54	1.43	2.10	0.09	0.05	0.07	0.43
केरल								
कुल	20.40	1.10	1.89	71.85	0.77	0.53	1.89	1.57
ग्रामीण	10.41	0.86	1.38	57.83	0.73	0.52	1.86	1.35
शहरी	9.99	0.24	0.50	14.02	0.04	0.01	0.03	0.22

तालिका–21 : पेयजल के स्रोत की आवास से दूरी के आधार पर झारखंड, भारत और केरल में घरों/परिवारों का वितरण

	परिसर में	*परिसर के नजदीक*	*परिसर से दूर*
झारखंड			
कुल	20.02	55.46	24.52
ग्रामीण	7.56	49.76	20.87
शहरी	12.46	5.70	3.65
भारत			
कुल	38.97	44.34	16.70
ग्रामीण	20.68	37.28	14.07
शहरी	18.29	7.06	2.62
केरल			
कुल	71.57	16.46	11.98
ग्रामीण	51.79	13.04	10.12
शहरी	19.78	3.42	1.86

तालिका-22 : प्रकाश के प्रमुख स्रोतों के आधार पर झारखंड, भारत और केरल में घर/परिवारों का वितरण (% में)

	बिजली	*किरोसिन*	*सौर*	*अन्य तेल*	*अन्य*	*कोई नहीं*
झारखंड						
कुल	24.30	75.27	0.21	0.10	0.06	0.06
ग्रामीण	7.81	70.09	0.16	0.07	0.03	0.03
शहरी	16.49	5.18	0.05	0.04	0.02	0.03
भारत						
कुल	55.85	43.30	0.27	0.10	0.16	0.32
ग्रामीण	31.35	40.06	0.21	0.08	0.12	0.22
शहरी	24.50	3.25	0.07	0.02	0.04	0.16
केरल						
कुल	70.24	29.09	0.50	0.06	0.07	0.03
ग्रामीण	49.11	25.31	0.40	0.05	0.05	0.02
शहरी	21.13	3.78	0.10	0.01	0.02	0.01

स्रोत : पूर्ववत

तालिका-23 स्नानगृह, शौचालय और गन्दे पानी के निकास की सुविधा के अनुसार झारखंड, भारत और केरल में घरों/परिवारों का वितरण (% में)

	घर के अन्दर शौचालय	*पिट शौचालय*	*वाटर क्लोसेट*	*अन्य शौचालय नहीं*	*कोई शौचालय*	*बंद नाली*	*खुली नाली नहीं*	*कोई नाली*
झारखंड								
कुल	15.09	3.27	10.73	5.67	80.32	6.36	23.26	70.37
ग्रामीण	3.20	1.65	1.74	1.74	73.06	1.51	16.21	82.29
शहरी	11.89	1.61	8.99	9.93	7.26	23.79	48.57	27.64
भारत								
कुल	36.14	11.50	18.02	6.88	63.59	12.46	33.93	53.60
ग्रामीण	16.45	7.41	5.12	3.24	56.42	3.91	30.27	65.82
शहरी	19.69	4.08	12.89	3.63	7.35	34.50	43.37	22.13
केरल								
कुल	62.12	12.36	65.19	6.46	15.99	8.04	11.68	80.28
ग्रामीण	42.34	9.58	46.46	4.92	13.99	5.77	10.22	84.01
शहरी	19.77	2.78	18.37	1.54	2.00	14.85	16.04	69.11

तालिका-24 : घरों में पृथक रसोईघर की सुविधा के आधार पर झारखंड, भारत और केरल में घरों/परिवारों का वितरण (% में)

	है	नहीं है	खुले में खाना पकता है	खाना नहीं पकता
झारखंड				
कुल	59.95	31.43	8.37	0.25
ग्रामीण	45.73	25.50	6.85	0.13
शहरी	14.22	5.93	1.52	0.13
भारत				
कुल	64.04	23.86	11.77	0.33
ग्रामीण	42.80	18.83	10.25	0.16
शहरी	21.25	5.03	1.59	0.28
केरल				
कुल	92.77	5.36	1.58	0.29
ग्रामीण	68.87	4.53	1.35	0.19
शहरी	23.90	0.83	0.23	0.10

तालिका-25 : जलावन के प्रमुख प्रकार के आधार पर झारखंड, भारत और केरल में घर/परिवारों का वितरण (% में)

	लकड़ी	*फसल के अवशेष*	*गोबर*	*कोयला*	*किरोसिन*	*एल.पी. गैस*	*बिजली*	*बायोगैस*	*अन्य*	*खाना नहीं पकाते*
झारखंड										
कुल	55.94	4.32	8.93	24.21	0.93	6.74	0.67	0.14	0.85	0.25
ग्रामीण	53.38	4.04	8.67	10.25	0.22	0.61	0.12	0.04	0.74	0.13
शहरी	2.56	0.28	0.27	10.96	0.73	6.13	0.55	0.09	0.11	0.13
भारत										
कुल	52.53	10.03	9.77	2.05	6.53	17.50	0.18	0.44	0.64	0.33
ग्रामीण	46.17	9.44	9.22	0.77	1.17	4.09	0.09	0.34	0.59	0.16
शहरी	6.36	0.59	0.55	1.28	5.36	13.41	0.09	0.10	0.05	0.17
केरल										
कुल	77.14	1.77	0.06	0.05	6.73	17.72	0.10	0.76	0.09	0.29
ग्रामीण	62.98	1.39	0.04	0.03	0.71	8.93	0.06	0.53	0.07	0.19
शहरी	14.47	0.38	0.02	0.01	1.02	8.78	0.03	0.23	0.02	0.10

तालिका–26 : बिजली की उपलब्धता के आधार पर झारखंड, भारत और केरल में घर/परिवारों का वितरण (% में)

	बिजली उपलब्ध	*बिजली अनुपलब्ध*
झारखंड		
कुल	24.30	75.70
ग्रामीण	7.81	70.38
शहरी	16.49	5.32
भारत		
कुल	55.85	44.15
ग्रामीण	31.35	40.68
शहरी	24.50	3.47
केरल		
कुल	70.24	29.76
ग्रामीण	49.11	25.83
शहरी	21.13	3.92

स्रोत : पूर्ववत

तालिका–27 : परिसम्पत्तियों की उपलब्धता के आधार पर झारखंड, भारत एवं केरल में घरों/परिवारों का वितरण (% में)

	रेडियो ट्रांजिस्टर	*टीवी*	*टेलीफोन*	*साइकिल*	*स्कूटर/ मोपेड/ मोटर साइकिल*	*कार/जीप वैन*	*कुछ भी नहीं*
झारखंड							
कुल	26.37	17.25	3.35	50.32	9.35	1.53	39.56
ग्रामीण	18.41	5.22	0.67	38.52	3.11	0.45	34.64
शहरी	7.96	12.03	2.68	11.80	6.24	1.08	4.92
भारत							
कुल	35.12	31.59	9.14	43.67	11.71	2.50	34.48
ग्रामीण	22.68	13.62	2.72	30.81	4.80	0.93	29.17
शहरी	12.44	17.97	6.42	12.86	6.91	1.57	5.32
केरल							
कुल	59.18	38.83	19.07	18.45	10.00	3.98	27.22
ग्रामीण	44.10	24.17	11.74	11.78	5.54	2.14	22.46
शहरी	15.08	14.65	7.33	6.67	4.46	1.84	4.76

स्रोत : पूर्ववत

झारखंड के दर्शनीय स्थल

भारती

हजारीबाग आश्रयणी

मानव जीवन के अस्तित्व को बनाए रखने के लिए वन्य प्राणियों का संरक्षण आवश्यक है। प्रकृति की संरचना में वन्य प्राणियों का प्रमुख स्थान है।

वन्य प्राणियों की रक्षा एवं संवर्द्धन के लिए बहुत सारे राष्ट्रीय उद्यान, आश्रयणी एवं जैविक उद्यान बनाए गए हैं। इसी के अंतर्गत हजारीबाग आश्रयणी का भी निर्माण किया गया, जो प्रमुख आश्रयणियों में से एक है। यह आश्रयणी हजारीबाग जिले में स्थित है। वर्ष 1946-47 तक यह आश्रयणी जमींदारों के कब्जे में था, उससे भी पहले यह रामगढ़ के राजा के कब्जे में था। रामगढ़ के वन्य जीवन का मुख्य उद्देश्य था—शिकार एवं मनोरंजन। 1951-52 तक जंगल, अपने पुराने मालिकों के हाथ में ही था।

इस आश्रयणी का कुल क्षेत्रफल 183.23 वर्ग कि.मी. है, इसकी कुल भूमि है 3786.08 (हेक्टेयर) इस आश्रयणी के प्रमुख पेड़ हैं—साल, आसन, बीजा, धऊ, सलाई, केंद, पियार, करन्ज, बऊहिनिया, होलोरहिना, जिजिफस, बाँस इत्यादि। यहाँ के प्रमुख जानवर है—चीता, जंगली बिल्ली, साम्भर, नीलगाय, हिरण, चीतल, सूअर, भेड़िया, भालू इत्यादि। जानवरों एवं पेड़ों के अलावा बहुत सारी चिड़ियों को देख सकते हैं। उनमें प्रमुख हैं—चील, गिद्ध, कौआ आदि। आइए अब आपको इस आश्रयणी के प्रमुख आकर्षणों के बारे में बताते हैं। यह अपने आप में एक दार्शनिक स्थल है। अगर आप इस स्थान के रमणीक प्राकृतिक सौन्दर्य का लुत्फ उठाना चाहते हैं तो यहाँ के विशाल झील पर नाव की सवारी जरूर करें। सलपुरनी में नौका यात्रा की सारी सुविधाएँ उपलब्ध हैं।

यह आश्रयणी कोडरमा रेलवे स्टेशन से 50 कि.मी. दूर है एवं राँची हवाई अड्डे से यह 115 कि.मी. दूर है। यह आश्रयणी राँची-पटना मुख्य मार्ग पर स्थित है तथा हजारीबाग शहर से 30 कि.मी. दूर है।

अन्य आकर्षण

राजदेखा बाँध, सलपरनी का बाँध (जहाँ नौका यात्रा की सुविधा है), पोखरिया बाँध, टाइगर ट्रैप इत्यादि।

महुआटाँड़ भेड़िया आश्रयणी

यह आश्रयणी तब से शुरू हुई जब श्रीमान एस.पी.शाही (फॉरेस्ट ऑफिसर) की नजर भेड़ियों के एक झुण्ड पर पड़ी जो महुआटाँड़ घाटी के पास विचरण कर रहा था। यह घाटी सबकी पहुँच से बाहर है क्योंकि बुरहा और उसकी सहायक नदियाँ इससे होकर बहती हैं। ये नदियाँ मध्यप्रदेश के पहाड़ों से आई हैं। इस घाटी के प्रसिद्ध होने का कारण है यहाँ का कैथोलिक चर्च, जो बिहार का सबसे पुराना चर्च है। इस चर्च को फादर कोन्सटेन्ट लिबिस ने 1880 में स्थापित किया था।

यह आश्रयणी देश का एकमात्र ऐसा आश्रयणी है जो कि भेड़ियों के लिए खास करके बनाया गया है। बुरहा, बोहाटा एवं अक्सी नदी इस घाटी के एक सिरे से दूसरे सिरे तक जाती हैं। अत्यधिक जल बहाव से खिसकती गई है और निरंतर कटती रहती है। जो नीचे बहकर जब मैदानी क्षेत्रों में पहुँचती है तो इन क्षेत्रों की उर्वरक शक्ति बहुत बढ़ जाती है।

वर्षा एवं ठंड के मौसम में यहाँ पानी बहुत मिलता है। यहाँ भी मुख्यतः चार- मौसम हैं—ठंड, गर्मी, बरसात और पतझड़। सर्दी (शीतकाल) के मौसम में यहाँ बहुत ठंड पड़ती है। रात्रि में प्रायः कुहासा छा जाता है। यहाँ गर्मी भी बहुत पड़ती है। कभी-कभी तो तापमान 49°C तक पहुँच जाता है। वर्षा जंगल के अन्य हिस्सों की तुलना में यहाँ अधिक होती है। औसतन यहाँ 1833 मिमी वर्षा होती है जो कि पिछले 28 वर्षों के आधार पर है।

इस आश्रयणी में लगभग 30-35 भेड़िया हैं। ये भेड़िए दिन के समय बहुत चौकस रहते हैं, खासकर गर्मी के मौसम में। इस समय में ये जंगल के किसी कोने में या किसी नाले के किनारे जाकर बैठते हैं। सरनादीह इलाके के पूर्व, पश्चिम और दक्षिण क्षेत्र (जो घनी झाड़ियों से ढकी हुई है) में ये रहना पसंद करते हैं। सरनादीह और उरूम्बी जंगल ही इनका घर है। इसके आस-पास के गाँवों में सूअर और बकरी भारी संख्या में पाए जाते हैं। शाम के समय ये भेड़िए इन इलाकों में शिकार ढूँढ़ने निकलते हैं। ये भेड़िए छोटे-छोटे जानवरों का भी शिकार करते हैं।

यह आश्रयणी बारे सैन्द-महुआटाँड़ पी.डब्ल्यू.डी. पथ के दोनों ओर स्थित है। निकटतम रेलवे स्टेशन है चिपादोहर, जो कि 60 कि.मी. दूर स्थित है। राँची हवाई अड्डे से यह आश्रयणी 120 कि.मी. है।

यात्रियों के लिए सुविधाएँ

वन विश्राम गृह— अक्सी
वन विश्राम गृह — सरनादीह

अन्य आकर्षण

लोध जलप्रपात जो कि बुरहा नदी का ऊपरी हिस्सा है। राज्य का सबसे ऊँचा जलप्रपात है (120 मी.) नेतरहाट जो कि एक हिल स्टेशन है मात्र यहाँ से 40 कि.मी. की दूरी पर है।

दालमा वन्य जीवन आश्रयणी

दालमा आश्रयणी झारखंड के छोटानागपुर पठार पर स्थित है। इसकी आबादी बहुत कम है।

1992 गणना के अनुसार यहाँ मात्र 68 हाथी हैं। इसका क्षेत्रफल 193.22 sq. km है। इस आश्रयणी का विशेष क्षेत्र मात्र 35 sq. km तक ही सीमित है जबकि बाकी का हिस्सा आश्रयणी के आसपास का है।

दालमा आश्रयणी हाथियों के लिए झारखंड का सबसे अच्छा निवास स्थान है। यहाँ रहने वाले हाथियों की संख्या तो मात्र 30-35 है। लेकिन गर्मी में यह बढ़कर 76 हो जाती है। परिस्थिति विज्ञान-जीव विज्ञान की एक शाखा है, जिसका सम्बन्ध जीवधारियों का अपने वातावरण से सम्बन्धित आदतों से है। इसी के बारे में पढ़ने के लिए बहुत सारे छुपे हुए स्थान बनाए गए हैं।

इस आश्रयणी में हम पहाड़ों की एक शृंखला देख सकते हैं। ये पहाड़ विभिन्न प्रकार के हैं। जिनकी ऊँचाई 150 से 984 m तक है। इसके अलावा हम यहाँ गहरी घाटी और खुले मैदान भी देख सकते हैं। ये घाटी और मैदान पहाड़ों के बीच में स्थित हैं। जो कि वन्य जीवन व्यतीत करने वाले जीवों के लिए उत्तम निवास स्थान है। यहाँ विभिन्न प्रकार के फूल, पेड़, पौधे और जीव पाए जा सकते हैं।

यह आश्रयणी पूर्व सिंहभूम जिले के उत्तर पूर्व किनारे पर स्थित है। इसकी सीमा पुरुलिया जिले को छूती है। पुरुलिया पश्चिम बंगाल में स्थित है। इस आश्रयणी का जंगली एवं वन्य भाग सुवर्ण रेखा नदी के क्षेत्र में है। इसका भू-भाग पहाड़ी है। मैदानी भाग में मिट्टी है एवं पहाड़ी भाग में मिट्टी रेतीली और ककरीली है। यहाँ की जलवायु समशीतोष्ण है (जिसका मतलब है, नहीं अधिक गर्म नहीं अधिक ठंड) इसलिए यहाँ के वन्य जीवों पर वातावरण में बदलाव का कोई खास असर नहीं पड़ता है।

गर्मी के मौसम में भी यहाँ का अधिकतम तापमान 38°C है। औसतन वर्षा हर वर्ष यहाँ 57 inches होती है। वर्षा के औसतन दिन भी एक वर्ष में 85 होते हैं। हवा के बहाव की दिशा दक्षिण से उत्तर की ओर है। औसतन जंगल उष्णकटिबंधीय हैं, परन्तु उत्तरी भू-भाग के जंगल अलग-अलग प्रकार के भी हैं। जिसमें कि इयूगेनिया, एनोजिसस, एडिना और टर्मिनिलिया विशेष हैं। घनत्व भी अलग-अलग स्थान पर अलग-अलग है। यह 0.3 से 0.8 तक पाया गया है।

यह आश्रयणी हाथियों के लिए एक सुगम स्थल है। क्योंकि गर्मी में भी यहाँ पानी पर्याप्त मात्रा में उपलब्ध है। गर्मी में हाथी अपने आपको बचाने के लिए जंगल की कुछ विशेष जगहों पर छुपा कर रखते हैं। परन्तु ठंड के मौसम में ये एक जगह से दूसरी जगह जाते रहते हैं। ये कभी-कभी पास के गाँवों में आक्रमण भी कर देते हैं, विशेषकर जब फसल खेतों में होती है। दालमा वन्यजीवन आश्रयणी चीतों के लिए भी सुगम स्थल है। परन्तु यहाँ चीतों की संख्या बहुत कम है। क्योंकि उन्हें यहाँ कम शिकार मिलता है। इसके अलावा हम यहाँ भौंकने वाले हरिण भी देख सकते हैं, पर ये अपने आप को घने जंगली क्षेत्र में सीमित रखते हैं। ये पहाड़ियों के ऊपरी क्षेत्र में रहते हैं हालाँकि इनकी संख्या बहुत ही कम है, फिर भी ये दिखते हैं। यहाँ माउस डियर (चूहा-हिरण) भी देखे जा सकते हैं, पर इनकी संख्या बहुत ही कम है। इस आश्रयणी में बहुत सारी गुफाएँ और पत्थर हैं जो कि भालुओं के लिए एक अच्छा निवास स्थान हैं। विशेषकर

काटासिनी पहाड़ एक निवास स्थान है। रात के समय में जंगल के चारों तरफ भ्रमण करते हैं। रीसस नाम के बंदर मार्च और जून के महीनों के बीच भारी संख्या में पाए जाते हैं, यह वह समय है जब अधिकतर वृक्ष फल धारण करते हैं। बड़े आकार की गिलहरियाँ भी इस आश्रयणी में भारी संख्या में पायी जाती हैं।

यह आश्रयणी पूर्व सिंहभूम जिले के उत्तर पूर्व छोर पर स्थित है। इस आश्रयणी का इलाका जमशेदपुर शहर से काफी पास है, जो कि मात्र 5 कि.मी. की दूरी पर है। निकटतम रेलवे स्टेशन भी टाटानगर है जो कि मात्र 11 कि.मी. है।

तोपचांची वन्य जीवन आश्रयणी

तोपचांची वन्य जीवन आश्रयणी दिनांक 3.6.1978 को अधिसूचित हुआ था। इस आश्रयणी का कुल क्षेत्रफल है— 8.75 sq. km । यहाँ 12 रिजर्व फोरेस्ट तथा 2 प्राइवेट फॉरेस्ट हैं। इस आश्रयणी में एक बहुत ही सुंदर और विशाल झील है। इस झील के पीछे हरे-भरे पहाड़ हैं जो झील की शोभा और सुन्दरता को बढ़ाते हैं। यह आश्रयणी धनबाद शहर के पश्चिम में 35 कि.मी. दूरी पर स्थित है।

बनेशपुर और भवरदाहा में सूखे साल के जंगल पाए जाते हैं। यहाँ की फसल हैं—शुद्ध साल (शोरिया रोबुस्टा), असन (टर्मिनेलिया टोमेनटोसा), बीजा साल (पटीरोकारपस मारसुपिअम), धौ (एनोजिसस लेटिफोलिमा) इत्यादि।

पूरे इलाके में पूर्व के सूखे एवं मिश्रित पतझड़ी जंगल पाए जाते हैं। ऊपर वाले पत्तियों के मण्डप में प्रमुख उपज हैं—

असन, सेमल (टर्मिनेलिया टोमेनटोसा) (बोम्बैक्स सीबा) केन्दु (डायोस-पाइरस, मेलनोक्सी लोन), पियार (बुचनानिआ लेटीफोलिया), काज (ब्रिडैलिया रेटुसा), करम (एडीना कोर्डीफोलिया), भुरकुण्ड (हाइमेनो डिक्ट्योन एक्सेलसम), सिरिस (अलविज़िआ लेबेक), सिधा (लेगर स्ट्रोमिया पारवी फ्लोरा)।

इस आश्रयणी के अधिकतर इलाकों में कुप्रबंधन के कारण इसका बहुत बड़ा हिस्सा लंताना के अन्दर चला गया।

(*i*) मांसाहारी : इस आश्रयणी के प्रमुख उपजाति हैं चीता और जंगली बिल्ली।

(*ii*) प्राइमेट्स : इस उपजाति में लंगूर (प्रेसबाइटिस एनटेलस) को बहुत जगह में देखा गया है।

(*iii*) अनगुलेट्स : अनगुलेट्स उपजाति में हिरण भौंकने वाला हिरण एवं जंगली सूअर भी कभी-कभी देखे जाते हैं।

यात्रियों के लिए अन्य आकर्षण तथा सुविधाएँ

यह आश्रयणी भारत के विख्यात आश्रणियों में से एक है। यह एक ऐसी जगह में अवस्थित है जहाँ से आसनसोल, दुर्गापुर एवं कलकत्ता जैसे औद्योगिक शहर बहुत ही पास हैं। जिसके कारण लोग 300 कि.मी. का सफर एक दिन में तय करके यहाँ आ सकते हैं। शेरशाह-सूरी पथ

(N.H. 2) और हावड़ा-दिल्ली मुख्य मार्ग पर होने के कारण यह और विख्यात है। यहाँ हर वर्ष 40 से 50 हजार पर्यटक आते हैं। यहाँ एक विश्राम गृह है जो तोपचांची लेक हाउस के नाम से जाना जाता है।

लावा लौंग आश्रयणी (चतरा)

यह आश्रयणी चतरा जिले के दक्षिणी पश्चिम छोर पर स्थित है, एवं इस जिले के प्रधान मुख्यालय से मात्र 36 कि.मी. दूर है। इसके दक्षिणी ओर अमानत नदी है। यह क्षेत्र चारों ओर से घिरा हुआ है। पश्चिम के तरफ चाकों नाला तथा उत्तरी पश्चिम के तरफ अलीलाज़ान नदी है। यह पूरा इलाका लावा लैंग सीमा के दक्षिणी चतरा जंगल विभाग एवं कुण्डा सीमा के उत्तरी चतरा वन विभाग में पड़ता है।

इस आश्रयणी के जंगलों का वर्गीकरण किया गया है। यहाँ पर कई तरह के जंगलों का मिश्रण देखा जा सकता है। इन जंगलों में पत्तियों का मण्डप न बहुत बड़ा है। न छोटा है। यहाँ पर हम शुद्ध आसन (टरमी निलिया अलाटा) पा सकते हैं। निम्नलिखित जंगलों का उपविभाजन आश्रयणी में है : (1) विविध प्रकार के मिश्रित बाँस (2) निचले दर्जे का मिश्रित झाड़ वन (3) सलाईजंगल (4) निचले दर्जे के सलाई जंगल या पहाड़ी साल।

इस आश्रयणी में वनस्पतियों की निम्न प्रमुख प्रजातियाँ हैं—केट्यु, अकाशिया पिनाटा, अपिना कारीडाफोलिमा, अइले, मारमेलोस, अलबिजिया लैबेक, अलबिजिया प्रोकेश, एनोजीसस लेटीफोलिया, एलैन्जियम लैमेरकी, बहुइनिया भलिया, बहुइनिया रूसेमोसा, बहुइनिया भेरिगाटा, तथा बुटिया मोनोसपर्मो।

जब यह व्यक्तिगत सम्पत्ति था एवं जब तक इस लावा लैंग वन्यजीवन आश्रयणी की अधिसूचना नहीं हुई थी तब देश के दूसरे हिस्से से शिकारी यहाँ बड़े खेल खेलने आते थे। इस आश्रयणी की महत्त्वपूर्ण उपजातियाँ हैं—बाघ, चीता, हरिण, जंगली सूअर, नीलगाय, और सांभर।

कोडरमा वन्यजीवन आश्रयणी

कोडरमा के जंगल और गया के जंगल के कुछ हिस्से को मिलाकर कोडरमा वन्य जीवन आश्रयणी बना। यह आश्रयणी 25.02.1985 को सरकार द्वारा अधिसूचित किया गया।

कोडरमा वन्य जीवन आश्रयणी पूरा क्षेत्र हजारीबाग एवं बिहार राज्य के गया जिले में स्थित है। यह दो जंगलों के विभाग का एक हिस्सा है। जिसका नाम है कोडरमा और गया। इसका अधिकतर क्षेत्र कोडरमा जंगल के अंतर्गत पड़ता है। इसका बहुत ही कम हिस्सा गया जंगल विभाग में पड़ता है। यह आश्रयणी पटना- राँची मुख्य मार्ग पर बीचों-बीच स्थित है।

इस आश्रयणी का कुल क्षेत्र है 177795.04 हेक्टेयर जिसमें इसका भीतरी कोर क्षेत्र 3707 हेक्टेयर है तथा 14,088.04 हेक्टेयर मध्यवर्ती क्षेत्र है।

चैम्पियन एवं सेठ (1968) द्वारा किए गए सर्वेक्षण में पाया गया है कि इस सम्पूर्ण क्षेत्र में उष्ण शुष्क पर्णपाती वन हैं जिनको निम्नलिखित उप वर्गों में बाँटा गया है—

(1) शुष्क प्रायद्वीपीय साल
(2) शुष्क मिश्रित पर्णपाती वन
(3) शुष्क पर्णपाती झाड़ियाँ
(4) बौस वेलिया वन

इस आश्रयणी में वनस्पतियों की निम्न प्रमुख प्रजातियाँ है—साल, असन, बीजा, पंजन, केंदू, सलाई, महुआ, धौरा, पियार, सिंधा, जामुन, (सिज़गियम कुर्मिन), आमला (एम्बलिका ऑफ फिसिनेलिस), कचनार (बहुइनिया भेरिगाटा) खैर, (अकाशिया कटाचु), पलास (बुटिया मोनो स्पर्ना), बैर (जिजाइफुस जुजुबा) इत्यादि।

जलवायु में विविधता होने के कारण एवं भिन्न प्रकार के फल, फूल और पेड़ों के कारण यहाँ विविध प्रकार के जंगली जानवर रहते हैं। प्रमुख जंगली जानवरों का विवरण इस प्रकार है—

बाघ, चीता, साम्भर, हाईना, जंगली सूअर, नीलगाय, चित्तीवाली हिरण, भौंकने वाले हिरण, भालू, खरगोश, लोमड़ी, गिलहरी इत्यादि।

इस आश्रयणी का कुछ हिस्सा पर्यटन के उद्देश्य से खुला हुआ है। यहाँ ऊँची समतल भूमि होने के कारण यह एक दार्शनिक स्थल बन गया है। फवजादहरी पहाड़ घूमने का विशेष स्थान है। इस पहाड़ की चोटी से दूसरी पर्वत श्रृखंलाओं की सुन्दरता देखी जा सकती है।

पारसनाथ वन्य जीवन आश्रयणी गिरिडीह

झारखंड के सबसे ऊँचे पहाड़ भगवान पारसनाथ के नाम पर इसका नामांकरण किया गया है। ये 23वें जैन तीर्थंकर थे जिन्होंने इस पहाड़ पर निर्वाण प्राप्त किया था। पारसनाथ वन्य जीवन आश्रयणी निर्मित है हरे-भरे घने पारसनाथ पहाड़ से जो कि शान से शांतिपूर्वक खड़ा है। यह बहुत विशाल है एवं अति शानदार है। यह गिरिडीह शहर के दक्षिण पूर्व में 25 कि.मी. दूर पर स्थित है। पारसनाथ पहाड़ 'मधुवनी' के नाम से विख्यात है। पारसनाथ पहाड़ पारसनाथ जीवन आश्रयणी के नाम से 3.10.1978 को अधिसूचित हुआ। यहाँ के जंगल पहाड़ तक ही सीमित हैं। जंगल के क्षेत्र में जमीन ज्यादा गहरी नहीं है। जमीन की गहराई 24'' से ज्यादा नहीं है। यहाँ मुख्यत: उत्तरी मिश्रित शुष्क पर्णपाती वन और उत्तर भारत आर्द्र उष्ण पर्णपाती वन पाए जाते हैं।

पारसनाथ पहाड़ियों के बीच स्थित फूली बगान सुरक्षित वन क्षेत्र गिरिडीह डिविजन का सबसे आकर्षक और प्रेरणादायक वन क्षेत्र माना जाता है। यह एक मिश्रित साल वन है। यहाँ लताएँ बहुत ज्यादा हैं। वन में उपलब्ध नमी के कारण लीचन फर्न एवं मौसम जैसे वनस्पति का वितरण पाया जाता है। पारसनाथ पहाड़ पर बहुत से वन्य प्राणी पाए जाते हैं। चीता, साम्भर, हरिण, नीला सांड, जैसे जानवरों के उपजाति पाए जाते हैं। ऊपरी हिस्सों पर कई जगह भालू, लोमड़ी और हाईना भी देखे जा सकते हैं।

पलामू टाइगर आश्रयणी एवं बेतला राष्ट्रीय उद्यान

पलामू टाइगर संरक्षण 18वीं आश्रयणी है जिसकी स्थापना 1974 में टाइगर प्रोजेक्ट के तहत हुई थी। इसका एक लम्बा और सुनहरा अतीत है।

दिनांक 17.7.1976 को यह आश्रयणी एस.ओ.न. 1224 से अधिसूचित हुआ। इस आश्रयणी का भीतरी कोर क्षेत्र 1986 में राष्ट्रीय उद्यान घोषित हुआ है।

इस वन्य का कुल क्षेत्रफल 1026 sq.km है जिसमें इसके भीतरी कोर क्षेत्र को राष्ट्रीय उद्यान घोषित किया गया है। (231.67 sq.km)। इस आश्रयणी का कुल क्षेत्र है—794.33 sq.km।

पलामू बाँध अरण्य छोटानागपुर पठार के पश्चिम में स्थित है। यहाँ की भूसंरचना अरण्य नाइस ग्रेनाइट, हॉनलैंड और चूना पत्थर पर आधारित है। पहाड़ियों का फैलाव पूर्व से पश्चिम की ओर है तथा सतह थोड़ी ऊँची-नीची है। इस भाग की ऊँचाई करीब 300 से 1200 मीटर तक है। इस अरण्य में उत्तर से दक्षिण की वार्षिक वर्षा में बहुत फर्क है। उत्तरी भाग शुष्क है क्योंकि यहाँ सिर्फ 750mm वर्षा होती है। लेकिन दक्षिण भाग में 1250 mm वर्षा होती है। इस अरण्य में कोई नाला या नदी नहीं है। पश्चिम में एवं पूर्वी दक्षिणी में कोयल नदी है। यहाँ का पनाड़्रा नाला भी उल्लेखनीय है।

गर्मी के समय में एक महीने के लिए पूर्वी कोयल और औरंगा सूख जाते हैं। बाकी नदियाँ एवं नाले साल भर बहते रहते हैं, इसकी एक विशेषता है—वह यह कि इस अरण्य के अधिकारियों ने अरण्य में बहुत सारे नाले और झील बनाए हैं, ये जानवरों को आकर्षित करते हैं। विशेषकर बड़े शाकाहारी जानवर, कुल मिलाकर इस अरण्य में तीन दर्जन नाले एवं झील हैं। इनमें प्रमुख हैं—मधु, छउन, हतबझवा, छातुर बोथवा, खैराछी एवं कमलदह।

यहाँ गर्मी बहुत ज्यादा पड़ती है। गर्मी के साथ-साथ पश्चिमी हवा (लू) भी बहती रहती है। अधिकतम तापमान है 45^0C। गर्मी के समय में सूर्य की किरणें बहुत तेज होती हैं। मार्च से जून तक यहाँ के जंगल शुष्क एवं धूल से भरे होते हैं। जून महीने के बीच से सितम्बर तक बरसात रहती है। नवम्बर से जनवरी तक कड़ाके की सर्दी पड़ती है। ओस गिरने के साथ-साथ कभी-कभी यहाँ का तापमान 2^0C तक गिर जाता है।

परिवेश शास्त्र के आधार पर यह बताया गया कि यहाँ के जंगल शुष्क पर्णपाती हैं। प्रमुख उपजाति हैं—आसन, करम, साल, सिद्धा, बेल, अचार, सेमल, और खैर इत्यादि।

बेतला राष्ट्रीय उद्यान

एक समय था जब बेतला उत्तम किस्म के बाँस जंगलों के लिए विख्यात था, लेकिन अब बहुत ही कम बाँस वन बचे हुए हैं, क्योंकि जंगली हाथियों ने अरण्य में घुसकर बहुत सारे बाँस वनों को नष्ट किया है। यहाँ बाँस (डेन्ड्रोकेलेमस स्ट्रीकट्स) एवं साल अक्सर होते हैं।

कुछ समय पहले टीक पार्क के खुले हुए हिस्सों में टीक भी उगाया गया था।
जंगली हाथी, गौर, चीतल एवं साम्भर बेतला राष्ट्रीय उद्यान के प्रमुख आकर्षण हैं। गौर एवं चीतल बहुत ही कम देखे जाते हैं, लेकिन इसके अलावे दूसरे जानवर और पौधे भी देखे जा सकते हैं। परन्तु पर्यटक हाथियों को देखने में इतने व्यस्त हो जाते हैं कि वो इस तरफ ध्यान नहीं देते हैं।

यहाँ के प्रमुख जंगली-जानवरों की उपजातियाँ एवं संख्या (1991 के सेनसस) के अनुसार इस प्रकार है—

बाघ – 52
चीता – 54
चीतल – 15,285
साम्बर – 2,771
गौर – 778
हाथी – 110

यहाँ की विशेषता सूचक चिड़ियाँ हैं—मालावार, पाईड, हॉर्नबील, हरा कबूतर, पाराकीट, ककूक, कोमल, कौआ, ड्रोनगोस, बेबलर्स, ज़मीन ग्रीन बाखटे पर बैठने वाली चिड़ियों में है पीफाउल, जंगली फाउल, पाट्रीज एवं कोमल।

इस अरण्य में गिद्ध अक्सर पाए जाते हैं। इनके शरीर का पिछला हिस्सा सफेद रंग का होता है। कई तरह के शिकारी पक्षी भी देखे जा सकते हैं। जैसे— चोटी वाला गीदड़, पाराकीट, उल्लू, सीछ वाला उल्लू, दूसरी चिड़ियाँ हैं, नाइट जार स्टोन कुरल्यू।

झील एवं नाले पर भी कई चिड़ियाँ देखी जा सकती हैं—आइबीस, स्टोर्क, पानी में रहने वाला मुर्गा, रामचिड़ैया इत्यादि। ठंड के समय प्रवासी चिड़िया जैसे —कॉकटेल, बत्तख इत्यादि।

कमलदह झील में रहने वाला कछुआ भी देखा जा सकता है। यहाँ पर पाईयन काराईट, कोबरा इत्यादि पाए जाते हैं।

गिरगिट चामेलोन एवं मोनीटर गिरगिट पाए जाते हैं।

बेतला जाना बहुत आसान है। यह डाल्टनगंज से सिर्फ 25 कि.मी. दूर है। जबकि जिला मुख्यालय से यह मात्र 8 कि.मी. की दूरी पर है। निकटतम रेलवे स्टेशन, छीपादोहर, जो कि गिरिडीह–डेहरी ऑन सोन के लाइन में है।

भ्रमणियों को पार्क के चारों तरफ सुबह एवं शाम घुमाने की भी व्यवस्था की गई है। इसके लिए मिनी बस और जीप हैं, स्वागत कक्ष से इनको भाड़ों पर लिया जा सकता है। हर गाड़ी के साथ एक गाइड भी दिया जाता है। यहाँ एक छोटा–सा संग्रहालय भी है, जिसमें साम्भर, चीतल, गौर आदि जानवरों (मृत) को दर्शाया गया है। यद्यपि यह छोटा है किन्तु यहाँ कई आकर्षक चीजें मौजूद हैं।

बेतला में एक 'प्राकृतिक व्याख्या केन्द्र' भी बनाया जा रहा है। इसमें पर्यटकों एवं स्थानीय लोगों को बहुत सुविधा होगी। पार्क में घुसने के लिए हर वाहन के साथ एक गाइड होना आवश्यक है। अन्दर घुसने के लिए यह पार्क संध्या 5.00 बजे से 7.00 बजे तक खुला रहता है। रात के समय अन्दर जाने की अनुमति नहीं है। इस पार्क के अन्दर जब हाथी रहते हैं तब कोई स्कूटर या मोटर साइकिल अन्दर नहीं चला सकता।

भ्रमण के अन्य स्थान

(1) लोध फॉल्स : यह बिहार का सबसे ऊँचा जल प्रपात है। इसमें बुरहा नदी का पानी 465 फीट ऊँचाई से गिरता है।

(2) सुगा बाँध : जब बुरहा नदी इधर–उधर के जंगलों से होकर, चट्टानों में जाकर, फँस गई, तब निकट के जंगलों में रहने वाले पाराकीटों ने मेहनत के साथ उन चट्टानों को खोल

डाला। इस तरह एक प्रपात सा बन गया जो बहुत सुन्दर लगता है।

(3)ताताह या गर्म फव्वारा : यह बेतला से 30 कि.मी. दूर है, एवं सर्दी या ठंड के समय यह और भी आनन्ददायक प्रतीत होता है।

एक से सोलहवीं शताब्दी तक यहाँ के बहुत सारे जंगल नष्ट हो गए थे। यह जंगल आदिवासी चेरो राजाओं का था, ये जंगल औरंगा नदी के किनारे स्थित हैं। यह बेतला से 5 कि.मी. दूर है जो बेतला की सुन्दरता को चार चाँद लगाता है।

पालकोट वन्यजीवन आश्रयणी

पालकोट वन्यजीवन आश्रयणी 1990 के सरकार द्वारा अधिसूचित किया गया। इस आश्रयणी का कुल क्षेत्रफल 183.78 sq.km है। इस आश्रयणी का क्षेत्र छोटे पहाड़ों एवं ऊँचे-नीचे पहाड़ों से भरा है। इन पहाड़ियों की अधिकतम उच्चता है 872 मीटर एवं न्यूनतम उच्चता है 622 मीटर। शंख नदी, बाँकी नदी, पींजरा नदी, पैलमारा नदी एवं तोरपा नदी इस आश्रयणी के चारों तरफ बहती हैं। आश्रयणी के अन्दर टपकारा सिंचाई डैम है। एवं कैचमेंट क्षेत्र से साल भर यहाँ पानी मिलता रहता है। यहाँ का तापमान भिन्न-भिन्न है। गर्मी के मौसम में तापमान यहाँ 35^0C से 40^0C के बीच में रहता है। परन्तु ठंड के मौसम में तापमान 10^0C ये 8^0C तक गिर जाता है। वर्षा 80 cm से 100 cm तक होती है। यह आश्रयणी 22.45 N देशान्तर से लेकर 23.0 N देशांतर एवं 84.30 E अक्षांश से लेकर 84.45 E आक्षांश के बीच में पड़ता है।

साधारणतः इस आश्रयणी में पाए जाने वाले वनस्पति हैं—बड़े से मध्यम आकार के पेड़, इनके साथ झाड़ियाँ और लताएँ भी हैं। जैसे, साल, आसन, गम्हार, सलाई, पीयार, आँवला, करंज, महुआ कुसुम, आम, कटहल, इत्यादि। ये यहाँ की मुख्य फसल भी माने जाते हैं।

जीवजन्तुओं में मुख्य हैं चीता, भालू, हाईना, लकड़बग्घा, भेड़िया, बंदर, खरगोश इत्यादि। यहाँ पर पाई जाने वाली चिड़िया हैं—प्राट्रीज, कबूतर, मयूर, कोयल, उल्लू। इसके अलावा यहाँ कई तरह की बड़ी और छोटी चिड़ियाँ पाई जाती हैं।

उधुआ झील पक्षी आश्रयणी

अविभाजित बिहार की सरकार ने साहिबगंज जिले के राजमहल क्षेत्र में दो प्रमुख झीलों की अधिसूचना की थी। इसकी अधिसूचना सन् 1991 में हुई। यह भागलपुर से 117 कि.मी. दूर है। एवं साहिबगंज से 42 कि.मी. दूर है। यह गंगा के तट पर है एवं राजमहल के दक्षिण पूर्व से 10 कि.मी. दूर है। इस आश्रयणी में पत्तउरा झील (155 हेक्टेयर) एवं ब्रह्मा जमालपुर (बेरहले) 410 हेक्टेयर है। अतः इस पक्षी आश्रयणी का कुल क्षेत्र है 5.65 कि.मी.।

पताना झील स्थायी है एवं इसकी औसतन गहराई है 2 मीटर। उधुआ नाला इस झील को गंगा नदी से जोड़ता है। एवं गंगा का पानी साल भर इस नाले द्वारा झील में बहता है। यह झील पतउरा गाँव के पास है एवं छोटे पहाड़ों और फसल के ज़मीनों के बीच घिरा हुआ है। यह झील उधुआ बाजार से मात्र 2 कि.मी. दूर है।

बेरहले की तुलना में पतउरा एक विशाल और जल से परिपूर्ण जलाशय है। इन दोनों को

मिलाकर, उधुआ झील आश्रयणी का निर्माण किया गया है। ये दोनों झील बरसात एवं सर्दी के मौसम में एक-दूसरे के साथ जुड़े रहते हैं। उधुआ नाला एवं गंगा नदी का पीछे का क्षेत्र उधुआ झील को पानी देता है। इस आश्रयणी में पानी की कमी नहीं है। परन्तु यह देखा गया है कि पतउरा की तुलना में बेरहले झील में पक्षियों की गतिविधियाँ ज्यादा हैं।

इसके आसपास कुछ नम जमीनें भी हैं। जो कि पहाड़ झील के नाम से जाना जाता है। यह उधुआ बाजार से मात्र 1 कि.मी. दूर है तथा उधुआ उच्च विद्यालय के पीछे स्थित है। यद्यपि यह आश्रयणी का हिस्सा नहीं है। परन्तु यहाँ पक्षियों का जमावड़ा देखा जा सकता है। पर यह झील-पहाड़ गर्मी में सूख जाता है।

645 A.D. तक देश के इस भाग का किसी ने विस्तृत वर्णन नहीं किया था। यह उस समय की बात है जब ह्यूमेन टीसेंग (चीनी तीर्थ यात्री 645 A.D.) में भारत आया। जिस समय शाहजहाँ के बेटों के बीच लड़ाई चल रही थी। उस वक्त राजा शुजा ने अपने आप को राजा घोषित कर दिया वह भी राजमहल में। ऐतिहासिक अभिलेखों से यह पता चलता है कि पलासी के युद्ध के बाद शिराजुद्दौला और रॉबर्ट क्लाइव के बीच भंयकर युद्ध भी उधुआ नाला के पास हुआ। इसकी भौगोलिक संरचना बहुत अच्छी होने के कारण यहाँ कई युद्ध हुए। अंग्रेजों के लिए भी राजमहल बहुत ही महत्त्वपूर्ण स्थान था। जो कि ईस्ट इंडिया कम्पनी का कारोबार बंगाल में फैलाने में कारगर सिद्ध हुआ। 18वीं शताब्दी के अभिलेखन के अनुसार (ईस्ट इंडिया कंम्पनी द्वारा) राजमहल, अकबर नगर के राज्यपाल या फौजदार का मुख्यालय था। राजमहल और उसके आस-पास का इलाका मुस्लिम शहर का भग्नावशेष है। वहाँ कुछ और भग्नावशेष पाए गए हैं। जैसे शिव मन्दिर के विनाश का अंश, पुराने और नए कुएँ, सिंही दलान या मान सिंह का संगमरमर वाला कक्ष, अकबर शाही मस्जिद,पत्थर घर, मान सिंह द्वारा बनाया गया जुमामस्जिद आदि इस बात का प्रमाण है कि यह मुगलों का एक बड़ा शहर हुआ करता था।

इस आश्रयणी में पाए जाने वाले चिड़ियों के नाम निम्नलिखित हैं—ब्लू रॉक कबूतर, लार्क, गौरैया, बुलबुल, मैना आदि। यहाँ मैना की 6 जातियाँ पाई जाती हैं। जिसमें मैना और भारतीय मैना यहाँ के मूल पक्षी हैं, बैंक मैना, धूसर सिर वाली मैना, जंगली मैना और ब्राह्मणी मैना यहाँ के प्रवासी पक्षी हैं। भारतीय मैना एवं बहुरंगा मैना, बैंक मैना और धूसर सिर वाला मैना का झुण्ड देखा जा सकता है। शिकारी पक्षियों में चील, बाज, गिद्ध इत्यादि शामिल हैं।

कुछ ऐसे भी पक्षी हैं जो पानी की सतह पर रहते हैं। बड़े लम्बे पंखों वाली चिड़ियाँ जैसे—जकाना, टील्स, कोरमोरान्टस, डालर्चाक, डार्टर इत्यादि। कुछ ऐसे भी हैं जो कि मिट्टी में रहना पसंद करते हैं जैसे—बैडर्स, प्लोमर्स, कोरमोरान्टस, एगेस्टस हेरोन्स, स्टोकर्स, गंगटेलस, आई बी सीग इत्यादि। अबाबील, राम चिरैया, मक्खी खाने वाली चिड़िया, जंगली मैना इत्यादि घास में, या झील के पानी के अन्दर या पानी के समीप रहने वाले पौधों की टहनी में रहते हैं, स्राइक पाख्ता, मैना, पाराकीट इत्यादि बिजली एवं टेलीफोन के तार पर बैठना पंसद करती हैं। इनमें कुछ ऐसे भी पक्षी हैं जो शिकार के खातिर झील के पानी में तैरते हैं।

यहाँ से निकटतम रेलवे स्टेशन है राजमहल जो 13 कि.मी. दूर है।

अन्य सड़कें और रेलमार्ग

हावड़ा से	326 कि.मी. रेल मार्ग द्वारा
(भाभा–तिनपहर–राजमहल)	+ 13 कि.मी. सड़क मार्ग
हावड़ा से	284 कि.मी. रेल मार्ग द्वारा
भाभा–बढ़रवा	+ 15 कि.मी.सड़क मार्ग
दुमका से	158 कि.मी. सड़क मार्ग
साहिबगंज से	42 कि.मी. सड़क मार्ग
भागलपुर से	117 कि.मी. सड़क मार्ग
बढ़वारा	15 कि.मी. सड़क मार्ग
प्रस्तावित आश्रयणी	
गोगाबिल पक्षी आश्रयणी	
जिला – कटिहार	
कुल क्षेत्र	217.29 (एकड़)
सरकारी जमीन	75.15 (एकड़)
रियायती जमीन	143.84 और 217.99 (एकड़)

राजमहल जीवाश्म (फॉसिल) उद्यान

राजमहल का पहाड़ जुरासिक युग के पौधों एवं जीवों के अवशेष का संग्रहालय है। यह झारखण्ड के संताल परगना में स्थित है। यह $23^0 40'$–$25^0 18'$ अक्षांश एवं $87^0 28'$–$87^0 57'$ देशान्तर के बीच में पड़ता है।

भौगोलिक संरचना की दृष्टि से संताल परगना का विभाजन तीन भागों में हुआ—पहाड़ी इलाका, समतल क्षेत्र, ढलवा क्षेत्र सर्वोच्च कतार में राजमहल के पहाड़ हैं जो कि उत्तर में साहिबगंज से मोरगाबगा तक फैला हुआ है। ये मुख्यत: पठार, पहाड़, गहरी घाटियों से बने हुए हैं। साधारणत: इनकी ऊँचाई 152 मी. से 245 मी. तक है। परन्तु किसी की ऊँचाई 600 m से ज्यादा नहीं है। यहाँ पाई जाने वाली वनस्पतियों की उपजातियाँ दक्षिण अफ्रीका, आस्ट्रेलिया, न्यूजीलैण्ड एवं अंटार्कटिका के जुरासिक चट्टानों में भी पाई जाती हैं। जो एक समय में गोण्डवाना लैण्ड निर्मित करती थीं। यहाँ पाए जाने वाले जीवाश्म सामग्री मुख्यत: साधारणत: मुद्रांकित किए गए हैं। इस तरह वे सुरक्षित रहते हैं (उत्तरी क्षेत्र में), जबकि दक्षिण क्षेत्र में पत्थर से बने हुए पौधों के रूप में जीवाश्म पाए जाते हैं। राजमहल पहाड़ों के जीवाश्म अनोखे हैं तथा इनकी सुरक्षा विश्व स्तर पर की जानी चाहिए।

इतिहास

राजमहल पहाड़ों पर पेड़–पौधों के जीवाश्म के बारे में सन् 1863 में लोगों को पता चला जब ओल्ड हैम एवं मौरिस ने इन जीवाश्मों का विस्तृत वृत्तांत प्रकाशित किया। उन्होंने प्टेरिडोफाइट्स, 25 जिम्नोस्पर्म, एवं कितने ही अनेक टुकड़ों में विभक्त हुए जीवाश्मों की पहचान की। आपस

में सम्बन्ध होने के बावजूद ये अनजान हैं। फिस्टमेन्टस ने प्टेरिडोफाइट्स की 21, साइकैड्स की 26, कोर्निफर्स की 5 उपजातियों का वर्णन किया। फिर पूरे 50 वर्ष के लम्बे अन्तराल के बाद प्रो. बीरबल साहनी और सेवार्ड ने 'रिविज़न ऑफ इण्डियन गोण्डवाना प्लाण्ट्स' नामक पुस्तक प्रकाशित की। इन्होंने प्टेरिडोफाइट्स के 3 साइकैड्स के और कोनिफर के 1 और उपजातियों का पता लगाया और उनकी पहचान की। बाद में साहनी ने यहाँ गहरा अध्ययन करके 8 और कोनिफर्स प्रजातियों की खोज की इसके बाद यहाँ लगातार अध्ययन और खोज चल रहा है। इनके अध्ययनों से जुड़े महत्त्वपूर्ण विद्वानों के नाम हैं—हैंनेस, फिस्टमेन्टल, दास, मुखर्जी, बक्शी, रामास्वामी, रॉयचौधरी, सर्वाधिकारी, सुरंगी, बोस और साह, सिठोलिए, राव, मित्रा, जैन, बोहार, शर्मा, गुप्ता, जेवा-बानो, हर्ष आदि और ये हमेशा विज्ञान के लिए अपना योगदान देते रहे हैं।

पेड़-पौधे

राजमहल के पहाड़ के ऊपर स्थित गोंडवाना असाधारण तथा विरूपक दिखता है। ज्वालामुखी की शृंखला इसमें देखी जा सकती है। यहाँ हम बहुत सारे सुरक्षित एवं सुन्दर महीन पत्तियों वाले पौधों का जीवाश्म देख सकते हैं मुख्यत: टेइनो प्टेरिस एवं डीकसोनाइट्स सीकैड्स मुख्यत: पीटोलो फीलयम, इसलिए यहाँ दूर तक फैले हुए पेड़-पौधों को 'प्टाइलाफाइलम'(Ptelophyllum) Flora भी कहते हैं।

नीचे लिखे गए अधिकतर अभिलेखों से सभी जानकारी हमें आर्कियोलौजिकल सर्वे ऑफ इंडिया, बीरबल साहनी इंस्टीट्यूट ऑफ पैलियोबोटेनी, राजमहल के जीवावशेष पर श्री शर्मा के अध्ययन एवं कुछ व्यक्तिगत श्रमण एवं शोधों से मिलती है।

यदि हम सहसा खींचे हुए राजमहल पहाड़ों के जीवावशेष की तस्वीर देखें तो निम्नलिखित वर्णन पाएँगे जो कि पेड़-पौधों के विभाजन से सम्बन्धित हैं।

प्टेरोडोफाइटा (PTERIDOPHYT)

यहाँ जीवाश्म के पर्णांग (Fossil Ferm) सामान्यत: पाए जाते हैं। जड़ी-बूटियाँ झुण्ड में पाई जाती हैं। जैसे कि लाइको पोड्स इकुसीटाइटेस इत्यादि।

लाइकोप्सीडा (Lycopsida)—लाइको पीडाइट ग्रेसिलिस, सेलाजिने-लाइट्स (जो कि जीवित सेलागिनेला जैसे दिखने में हैं।)

स्फीनोप्सीडा (Sphenopsida) टुकड़ों में बँटे हुए एकुइसटाइट्स (Equisetites), राजमहालैनसीस (Rajmahalonisis) के नमूने पाए जाते हैं। जो कि जीवित एकुईसटेम(Equistum) जैसा ही दिखता है एवं यहाँ पाया जाता है।

फीलीकोप्सिडा (Filicopsida) माराटीयेलेस, माराटीओप्सिस, (Macrathopsis) मेक्रोकारपा (macrocarpa) एवं एम. रिवरसा देखे जाते हैं।

ओमूनडेलस : क्लडा फेबिस, डेन्टीकुलटा, सी. इन्डिका, सी. शाहबस्तवी, टो डाइट्स, इन्डिका कही केवल फरटाइल पौधे हैं। ओसमानडा कुलिस साहनी और ओराजमहलेसिस

पत्थर के रूप में पाए जाते हैं।

स्कीजोमालेस (Schizeales) : ऊसर एवं उपजाऊ जगह में सुन्दर महीन पत्तियों वाले पौधे क्लूकिया राजमहलेसिस कूलकिया उपजाति (ए. शर्मा) और क्लूकिया उपजाति (बी.शर्मा) पाए जाते हैं।

सीयाथियेलेस (Cyatheales) : प्रोटोसियाथे राजमहालेसिस एवं उपजाऊ पत्तियों वाला, हेडेनिया, या इर्सोप्ट्रैरोयेड सामान्य रूप से पाए जाते हैं। कोनिओपटेसि; हायमेनोफिलोएड्स डीकसोनिया राजमहलेसिस शुरू में पत्तियों वाले पौधे के रूप में आते हैं लेकिन बाद में बंजर बन जाते हैं। तीन पहाड़ियाँ सीनौसा राइजोम के रूप में पाए जाते हैं। ड्राडयोप्टेरिस इन्डिका जो कि ड्राइयोप्टेरिस जैसा है, यह पाया जाता है।

ग्लीधेनीयालेसा (Gleicheniales) : इस श्रेणी में ग्लीधेनीटीस एवं रेवाहेनसीस एवं ग्लीधेनिया ग्लीधेनिएड्स पाए जाते हैं। जो कि जीवित ग्लीधेनिया उपजाति जैसे ही हैं। यहाँ कुछ और पौधे भी पाए जाते हैं जैसे : हौस मानिया, इन्डिका एवं एच. क्रीनेट भी पाए जाते हैं। यहाँ कुछ ऐसे पौधे भी पाए जाते हैं। जिनका आपस का सम्बन्ध सन्देहजनक है।

यहाँ उपजाऊ जमीन की कमी के बावजूद महीन पत्ते वाले पौधे जैसे स्पेहनोपटेरिस की आठ उपजातियाँ पाई जाती हैं।

जिम्नोस्पर्मे (Gymnospermae) : इनमें प्रमुख जीवाश्म वनस्पति आते हैं जो कि जीवाश्म इलाकों में पाए जाते हैं। इन वनस्पतियों के पत्ते, पेड़ या पौधों का तना एवं फल पत्थरों पर अंकित प्रतीत होते हैं।

साइकेडोफाइडा (Cycadopsida)

प्टेरिडोस्पार्माप्सीडा (Pteridospermapsida) : भीन फेल्डीया इन्डिका, टी चूना खेलांसिस, टीअमर जोलेंसिर इत्यादि वनस्पति पौधे हैं। उपजातियों में गुप्तीजाइलोन अमर जोलेन्स सामान्य है।

पेंटोजाइलोप्सिडा (Pentoxylopsida) : सन् 1948 में श्री साहनी ने इन पौधों के समूह का निर्माण किया। इनमें सामान्य प्रकार है— साहनीया नीपे न्यान सीस।

गीन्कगोप्सीडा : गीन्कगोएट्स के टुकड़ों में पाए जाने वाले पत्ते सामान्य रूप से पाए जाते हैं। जी.राजमहलेसिस के पत्ते जीवित गीनकगो के जैसे ही देखने में लगते हैं।

कोनिफेरोप्सीडा : यहाँ के जंगल साधारण नहीं बल्कि सुन्दर से सजे हुए हैं। पत्ते एवं पुष्प बहुत कम ही पाए जाते हैं। तनों एवं पत्तों में सिरकोपोरजाइलोन राजमहलेसिस, निपेनियोरूहा, इन्डोफाइलम, मेसमब्रियो-जाइलोन, इलाटोक्लाडु पाए जाते हैं। पुरुषों में फल धारण करने वाले नीपनियोरूहा ग्रेन्थिया तथा निपेनो सट्रोबस साहनी के स्त्री पुष्पों का भी विवरण किया गया है।

अरूआकरेशिए साधारणतः पत्थरों पर जंगल एवं फल को प्रदर्शित करते हैं।

डैडोआइलोन, ब्रेकाइफाइलम सामान्य टहनियाँ हैं। फल धारण करने वाले अरौकेराइट्स बिन्ड्राबेनिसिस ए.नीपानिमेन्सिस जीवित अरूआकरोशि के जैसे दिखते हैं। ऑनमियोडेन्ड्रोन फ्लोरिनी भी पाए जाते हैं।

साइकैडोप्सिडा : इस समूह को बड़े आकार के पत्ते प्रदर्शित करते हैं। नीलसोनिया, साइकेडाइट्स मेकरोटेइनियोप्टेरिस आदि पेड़ों में तना एवं फल बहुत ही कम पाए जाते हैं। नीलसोनिया प्रीनसेप्स, एन. मेडलीकोटियाना, एन. भौरिना, एन. बिड्रा बैनेन्सिस, एन. साहनी, एन. डिस्टेन्स, एन. क्रसुम पाए जाते हैं।

विश्व में तीन ऐसे तने हैं जो कि पत्यथ के रूप में पाए जाते हैं, जिसमें कि दो यहीं पर पाए जाते हैं—वे हैं—सेवारडाओजाइलोन, साहनी तथा फैसिसभैरियो जाइलोन सेहते। बेइनीओप्सिर राजमहलेसिस भी यहाँ पाई जाती हैं।

बेनेडीयोप्सिडा : यहाँ साधारण रूप से पत्तों का पेड़ों के तनों एवं फल धारण करने वाले पौधों को प्रदर्शित करते हैं।

प्टाइलो फाइलस—इसका विभाजन सात उपजातियों में किया गया है।

डीक्टयोज़ेमाइट्स—5 उपजातियाँ

औक्टोज़ेमाइट्स—2 उपजातियाँ

प्टेरोफाइलम—2 उपजातियाँ

एनोमोजेमाइट्स—2 उपजातियाँ

साधारणत: तनों के समूह कम पाए जाते हैं, वे हैं बकलेन्डिया इन्डिका, बी. साहनी, बी. गुप्ताई, एवं बी.डीक्टोमा,साइनियोज़ाइलोन राजमहलेसिस तथा एस.एन्ड्रीउसील।

यहाँ दोनों पुरुष एवं स्त्री पुष्प पाए जाते हैं। पुरुष पुष्पों में विलियमसोनिया सान्टालेंसिस डब्लू कैम्पनुले टिफॉर्मिस तथा स्त्री पुष्प में डब्लू साहनी पाए जाते हैं।

टैक्सोप्सिडा : यद्यपि यह साधारण नहीं है, परन्तु टैक्साजाइलोन राजमहलेसिंस टी. कुप्रेसोएड्स की टहनी एवं लकड़ियाँ पाई जाती हैं। फल धारण करने वाले स्ट्रोबिलाइट्स पासकोई, एस. ऑन्यियोनेन्सीस आदि भी पाए जाते हैं।

झारखंड में झरने

प्राकृतिक संसाधनों से परिपूर्ण झारखण्ड में पर्यटकों को आकर्षित करने के लिए हरे भरे उपवनों की कतारें, पहाड़ियों का सिलसिला, वनों का मौन तोड़ती, जलधाराएँ, हाथियों तथा हिरणों के झुंड का स्वच्छंद विचरण, मनोहारी झील तथा कलकलाते, जलप्रपात आदि कई दर्शनीय स्थल हैं, जहाँ पर्यटन की पर्याप्त संभावनाएँ हैं। झारखण्ड में कई जल प्रपात हैं, इनमें से हरेक की अलग-अलग विशेषता और छटा है।

(1) हुंडरू जलप्रपात

यह झारखंड का सबसे प्रसिद्ध जलप्रपात है। यह राँची से करीब 42 किलोमीटर दूर स्वर्ण रेखा नदी के किनारे है। यह प्रपात 74 मीटर यानी करीब 243 फीट की ऊँचाई से गिरता है। यह झारखंड का सबसे ऊँचा जलप्रपात है। बरसात के दिनों में इसकी धारा मोटी हो जाती है। बरसात के दिनों में तो इसका दृश्य और भी सुन्दर व मनमोहक हो जाता है। इसी जलप्रपात से सिकिदरी में पनबिजली का उत्पादन किया जाता है। इस प्रपात का निर्माण राँची स्कार्प के निर्माण के समय हुआ होगा ऐसा भूवैज्ञानिकों का कहना है। इसे भ्रंश रेखा पर निर्मित प्रपात भी कहा जाता है।

(2) जोन्हा जलप्रपात

मूरी मार्ग पर इस जलप्रपात की लोकप्रियता हुंडरू के जैसी ही है। यह राँची शहर से 40 किलोमीटर दूर जोन्हा नामक गाँव के पास स्थित है। यह प्रपात राढ़ू नदी पर स्थित है तथा हुंडरू की तरह यह भी स्कार्प एवं भ्रंश रेखा पर निर्मित है। यहाँ 150 फीट ऊँचा जलप्रपात का निर्माण हुआ है। इसे गौतम धारा के नाम से भी जाना जाता है क्योंकि यहाँ गौतम बुद्ध के मंदिर का भी निर्माण किया गया है। इसके नाम पर गौतम धारा रेलवे स्टेशन भी है। इसके पास ही सीता जलप्रपात नाम का एक छोटा जलप्रपात स्थित है।

(3) दशम जलप्रपात

यह राँची शहर से 40 किलोमीटर की दूरी पर राँची टाटा मार्ग पर स्थित है। यह तैमारा के निकट काँची नदी पर स्थित है। यह जलप्रपात करीब 40 मीटर यानी करीब 130 फीट की ऊँचाई से गिरता है। इसमें दस धाराएँ हुआ करती थीं। इसलिए इसका नाम दसम पड़ा। यहाँ पानी की बौछार में स्नान करने का प्रचलन बहुत पहले से है। लेकिन पर्यटकों को यहाँ स्नान करते समय सावधानी बरतनी चाहिए।

(4) सदनी

राँची के पश्चिमी क्षेत्र यानी गुमला जिले के शंख नदी पर सदनी जलप्रपात है। इसकी धारा 61 मीटर यानी करीब 200 फीट की ऊँचाई से गिरती है।

(5) हिरणी

राँची चाईबासा मार्ग पर राँची से करीब 72 किलोमीटर दूरी पर पश्चिमी सिंहभूम जिले में हिरणी जलप्रपात है। यह प्रपात जंगल के बीच है और अपनी प्राकृतिक सुंदरता के लिए प्रसिद्ध है।

(6) गौतम घाघ और बूढ़ा घाघ

पलामू के महुआटाँड़ से दक्षिण पूर्व 10 किलोमीटर की दूरी पर गौतम घाघ जलप्रपात है। इसकी ऊँचाई 36 मीटर (120 फीट) है। उसी के पास 142 फीट की ऊँचाई वाला बूढ़ा घाघ जलप्रपात है।

(7) रजरप्पा जलप्रपात

रामगढ़ कैंट (हजारीबाग जिला) के पूरब करीब 25 किलोमीटर की दूरी पर रजरप्पा जलप्रपात है। अनोखे प्राकृतिक दृश्य के इस जलप्रपात का धार्मिक महत्व है। यहाँ मेला भी लगता है। यह जलप्रपात दामोदर नदी और भेड़ा नदी के संगम पर अवस्थित है।

(8) मोतीझरा

संथाल परगना में स्थित मोतीझरा जलप्रपात करीब 46 मीटर की ऊँचाई से गिरता है। यह गंगा की सहायक नदी पर है और राजमहल की पहाड़ियों से उतरता है।

(9) घघरी

नेतरहाट से 7 किलोमीटर उत्तर घघरी नदी पर यह जलप्रपात है। यह करीब 42 मीटर (140 फीट) की ऊँचाई से गिरता है।

इन जलप्रपातों के अलावा झारखण्ड में कई गर्म जल के झरने भी हैं। संथाल परगना और उत्तरी छोटा नागपुर प्रमण्डलों में करीब सात गर्म जल के झरने हैं। हजारीबाग जिले में जी.टी.रोड पर बड़ा हाथा से 2 किलोमीटर की दूरी पर सूरजकुंड नामक झरना है। यह सर्वाधिक गर्म जल का झरना माना जाता है। यहाँ का पानी करीब 87 डिग्री से गर्म होता है। धनबाद में दामोदर नदी से 7 किलोमीटर दूर तेतुलिया में गर्म जल का झरना है।

अन्य दर्शनीय स्थल

ऐतिहासिक स्थल

(1) टैगोर हिल

राँची शहर के अन्दर मोहराबादी में स्थित टैगोर हिल रवीन्द्रनाथ ठाकुर के परिवार से जुड़ा हुआ है। उनके बड़े भाई ने 28 अक्टूबर 1908 को लगभग 15-80 डेसीमिल जमीनें इस क्षेत्र के जमींदार हरिहर सिंह से बन्दोबस्त कराई थीं। इससे पूर्व अंग्रेज प्रशासक के. आसले ने 1842 में यहीं एक रेस्टहाउस बनवाया था, लेकिन उसके आत्महत्या करने के कारण यह जगह छोड़ दिया था। बाद में ठाकुर परिवार ने इसे मरम्मत करवाया था तथा सीढ़ियों का भी निर्माण करवाया। इसकी ऊँचाई 61 मीटर है और इस पहाड़ी के ठीक नीचे श्रीरामकृष्ण मिशन का आश्रम स्थापित है। जहाँ दिव्यायन नामक प्रशिक्षण केन्द्र भी स्थित है। कवि गुरु रवीन्द्रनाथ ठाकुर साहित्य सृजन के लिए इसी पहाड़ी पर एकान्तवास करते थे। पहाड़ी के निर्जन कोने में छोटा सा चबूतरा बना हुआ है। ऊपर सीमेंट की छतरी। वहाँ से सूर्यास्त और सूर्योदय के वक्त सामने दूर तक फैले प्रकृति के सौंदर्य को देखा जा सकता है। कहा जाता है कि कवि गुरु रवीन्द्रनाथ ठाकुर ने अपनी अमर कृति 'गीतांजलि' के कई अंशों की रचना यहीं की थी।

(2) जगन्नाथ मंदिर

राँची शहर से लगभग 10-12 कि.मी. दूर दक्षिण-पश्चिम की पहाड़ी पर प्राचीन जगन्नाथ मंदिर है। इस क्षेत्र में जगन्नाथ जी का यह एकमात्र मंदिर है। जिसकी स्थापना 1891 ई. में उड़ीसा के प्रसिद्ध पुरी के जगन्नाथ मंदिर की शैली में की गई है। मंदिर में भगवान जगन्नाथ बलभद्र तथा सुभद्रा की प्रतिमाएँ हैं। आषाढ़ महीने में यहाँ पुरी की तरह ही रथ का निर्माण कर रथ यात्रा का आयोजन किया जाता है। रथ यात्रा के दौरान यहाँ एक विशाल मेला भी लगता है। इस पहाड़ी पर से राँची के अलावा एच.ई.सी. का क्षेत्र भी साफ-साफ नजर आता है।

(3) रजरप्पा शक्तिपीठ

हजारीबाग जिले के रामगढ़ अनुमण्डल के अन्तर्गत रजरप्पा नामक स्थान पर यह प्राचीन मंदिर

स्थित है। यह मंदिर भैरवी और दामोदर नदी के संगम पर बनाया गया है। रजरप्पा स्थित शक्तिपीठ देश की 51 शक्तिपीठों में से एक है। यह माँ छिन्नमस्तिका का मंदिर है। इस संगम स्थल पर भैरवी नदी (भेड़ा नदी) 7 मीटर (23 फीट) का प्रपात बनाती है। मुख्य मन्दिर के चारों तरफ अन्य मंदिर भी हैं— यथा माँ तारा, षोडषी, भुवनेश्वरी, भैरवी बागना, कमला, मातंगी, घूमावती। भौगोलिक दृष्टि से दामोदर नदी एक दरार घाटी से प्रवाहित होती हुई बताई जाती है। यहाँ की पहाड़ियों में भ्रंश दरार की अनेक रेखाएँ देखी जा सकती हैं। यह एक सुन्दर वनभोज स्थल भी है। इसे पर्यटन स्थल के रूप में सरकार ने मान्यता भी दे रखी है। कहा जाता है कि चैतन्य महाप्रभु भी यहाँ आए थे।

(4) पारसनाथ का मंदिर

गिरिडीह जिला में पारसनाथ पहाड़ झारखंड की अमूल्य सांस्कृतिक एवं प्राकृतिक धरोहर है। यह झारखंड का सबसे ऊँचा पहाड़ है। इस पहाड़ की ऊँचाई लगभग 4449 फीट है। पूरा पहाड़ जंगल से घिरा हुआ है। जिससे इसकी प्राकृतिक छटा देखते ही बनती है। विलुप्त होती जा रही जड़ी-बूटियों के लिए भी यह पहाड़ प्रसिद्ध है। यह पहाड़ जैन धर्मावलम्बियों के लिए पवित्र धार्मिक स्थल है। इस पहाड़ पर जैन धर्म के कुल 24 में से 20 तीर्थंकरों को निर्वाण प्राप्त हुआ था। प्रथम तीर्थंकर श्री वृषभदेव थे। जिन्होंने जैन धर्म की स्थापना की थी। चौबीसवें तीर्थंकर श्री महावीर थे जिन्होंने जैन धर्म को विश्व भर में फैलाया। इस दृष्टि से यह जैनियों के लिए सबसे प्रमुख तीर्थ स्थल है। पारसनाथ पहाड़ पर प्रथम बारहवें, बाईसवें और चौबीसवें तीर्थंकर को छोड़कर शेष बीस तीर्थंकरों को निर्वाण प्राप्त हुआ था। तेईसवें तीर्थंकर श्री पार्श्वनाथ के नाम पर ही पहाड़ का नाम पारसनाथ पहाड़ पड़ा। पहाड़ के शिखर पर बीसों तीर्थंकरों के चरण चिन्ह अंकित हैं। अतः इस शिखर को 'सम्मेत शिखरजी' भी कहा जाता है। यहाँ एक जलमंदिर भी है। जिसमें 20 तीर्थंकरों की प्रतिमाएँ हैं। जल मंदिर की विशेषता यह है कि इसमें सालों भर पहाड़ से पानी आता रहता है। सम्मेत शिखर तक की चढ़ाई 9 किलोमीटर है। 4-5 घंटे की पैदल चढ़ाई चढ़ते वक्त पहाड़ से नीचे तलहटी में देखने पर जो मनोरम दृश्य देखने को मिलता है, वह अद्भुत है। यहाँ जैनियों के श्वेताम्बर और दिगम्बर दोनों ही पंथों के मंदिर बने हुए हैं। यह स्थान मधुवन के नाम से भी विख्यात है। यहाँ बड़ी-बड़ी जैन धर्मशालाएँ हैं, जिनमें ठहरने की निःशुल्क व्यवस्था है। हजारीबाग से करीब 80 किलोमीटर उत्तर पूर्व में स्थित इस तीर्थ स्थल पर सफेद एवं रंगीन पत्थरों से बना सामोसरण मंदिर, भूमिया मंदिर, राजदाह। जलाशय जैसे दर्शनीय स्थल भी हैं।

(5) वैद्यनाथ धाम

देवघर जिला में स्थित यह मंदिर हिन्दुओं का एक महान तीर्थस्थल है। भगवान शिव का मंदिर होने के कारण यह प्रसिद्ध तीर्थ स्थल शिव की नगरी तथा वैद्यनाथ धाम के नाम से जाना जाता है। वैद्यनाथ शिवलिंग द्वादश योतिर्लिंगों में प्रमुख है। वैद्यनाथ धाम में सावन महीने में जो मेला लगता है, उसमें देश, विदेश से लाखों तीर्थ यात्री दर्शन को वहाँ पहुँचते है। मंदिर लगभग 22 मीटर ऊँचा है। इस मंदिर के अलावा देवघर में नौलखा मंदिर, सत्संग नगर, रामकृष्ण मिशन सूल तथा लीला मंदिर आदि दर्शनीय स्थल हैं। शहर से 6 किलोमीटर दक्षिण पूर्व में तपोवन नामक

स्थान है जहाँ प्राकृतिक गुफाएँ और शिलाखंड दर्शनीय हैं। शहर से 16 किलोमीटर दूर त्रिकुट पर्वत है, तथा देवघर से 43 किलोमीटर दूर बासुकीनाथ का भव्य मंदिर है, जो दर्शनीय है तथा पर्यटन के लिए आकर्षण का केन्द्र है।

(6) सूर्य मंदिर

यह राँची से करीब 40 किलोमीटर की दूरी पर राँची-टाटा मार्ग पर बुण्डु के निकट स्थित है। यह मंदिर सूर्य के रथ की आकृति में बनाया गया है। सफेद संगमरमर से बनी मूर्ति तथा सूर्य के रथ के सातों घोड़ों का सौन्दर्य देखते ही बनता है। इसका निर्माण संस्कृति बिहार राँची के द्वारा कराया गया है।

(7) पहाड़ी मंदिर

राँची शहर के बीचोंबीच राँची पहाड़ी है तथा इस पहाड़ी पर है शिव का मंदिर। यह प्रकृति द्वारा प्रदत्त राँची के निवासियों के लिए एक खूबसूरत तथा अनमोल उपहार है। घुमावदार सीढ़ियों से होते हुए शिखर पर पहुँचने पर पूरा शहर नजर आता है। यहाँ हर वर्ष सावन महीने में श्रद्धालु जल चढ़ाते हैं। इसकी ऊँचाई समुद्रतल से 2140 फीट है। लोगों की मान्यता है कि यहाँ साल में नाग देवता एक बार अवश्य आते हैं।

(8) मलूटी

दुमका जिले का यह गाँव 'मंदिरों का गाँव' के रूप में विख्यात है। पश्चिम बंगाल की सीमा पर स्थित दुमका जिले का प्राचीन मलूटी गाँव द्वारका नदी के तट पर बसा है। यहाँ 74 मंदिर जीर्णावस्था में थे। उनमें से 42 मंदिरों के संरक्षण का कार्य पूरा हो चुका है। बिहार के पुरातत्व विभाग ने 1984 में पूरे गाँव को पुरातात्विक प्रांगण के रूप में विकसित करने की योजना के तहत मंदिरों का संरक्षण कार्य आरम्भ किया था। आज पूरा गाँव पर्यटन स्थल के रूप में विकसित हो रहा है। मंदिरों की पाषाण मूर्तियाँ और झलक प्राचीन स्थापत्य कला के अनोखे और दुर्लभ प्रमाण हैं। यहाँ स्थित देवी मौलिषा मंदिर तो अभी भी एक जीवन्त शक्तिपीठ माना जाता है। यहाँ के मंदिर में रामायण के विभिन्न दृश्य उभरे हुए हैं। एक प्रतिमा ऐसी भी है जिसमें राम-कृष्ण-शंकर और विष्णु को एकाकार दिखाने का अनोखा प्रयास है। मलूती से पूर्व पाषाणकाल के पत्थर के औजार और पाषाणकालीन मूर्तियों के अवशेष भी मिले हैं। यह पुरातात्विक और ऐतिहासिक दोनों दृष्टियों से महत्त्वपूर्ण और दर्शनीय गाँव है।

(9) रामरेखा

यह सिमडेगा से 27 कि.मी. पश्चिम में स्थित है। गुमला जिला का यह प्रसिद्ध धार्मिक स्थल जो रामरेखाधाम कहा जाता है। यहाँ कार्तिक पूर्णिमा के दिन बड़ा मेला लगता है। यहाँ राम का मंदिर है। कहा जाता है कि अपने वनवास काल में श्रीराम यहाँ कुछ दिनों के लिए ठहरे थे।

(10) नेतरहाट

राँची से पश्चिम में करीब 150 किलोमीटर की दूरी पर यह पाट क्षेत्र में अवस्थित है। यहाँ लोग

खासतौर पर सूर्योदय तथा सूर्यास्त देखने आते हैं। इसकी प्रसिद्धि यहाँ के आवासीय सूल के कारण है। किन्तु समुद्रतल से करीब 3700 फीट की ऊँचाई पर अवस्थित नेतरहाट शहर का मौसम सालों भर समशीतोष्ण रहता है। वर्षा के मौसम में यहाँ सिर्फ पानी की बौछारें नहीं बल्कि बादलों के बीच से गुजरता है शहर। मुख्य शहर से 10 किलोमीटर दूर 'मैगनोलिया प्वाइंट' सूर्यास्त को देखने के लिए सबसे उपयुक्त स्थान है। नेतरहाट का समूचा क्षेत्र घने जंगलों ऊँची-नीची पहाड़ियों, घाटियों और नदियों तथा झरनों से भरा हुआ है। यहाँ ऊपरी घघरी तथा लोअर घघरी नामक दो छोटे-छोटे जलप्रपात भी हैं। शहर से करीब 35 कि.मी. दूर 'सदनी' जलप्रपात तथा 'लोधा' जलप्रपात है। बलखाती कोयल नदी भी है। इस तरह नेतरहाट तथा उसके आस-पास का पूरा क्षेत्र एक लोकप्रिय पिकनिक स्पॉट के रूप में प्रसिद्ध है।

(11) जुबली पार्क

टाटा (जमशेदपुर) में स्थित यह पार्क पर्यटकों के लिए आकर्षण का केन्द्र है। टाटा आयरन एंड स्टील कम्पनी के संस्थापक जमशेदजी नौशेरवानजी टाटा की स्मृति में इस भव्य पार्क का निर्माण किया गया। हर साल 3 मार्च को जमशेदजी टाटा के जन्मदिन के अवसर पर पूरे जमशेदपुर को दुल्हन की तरह सजाया जाता है, उस वक्त जुबली पार्क का आकर्षण और भी बढ़ जाता है। जुबली पार्क का निर्माण कर्नाटक राज्य में स्थित प्रसिद्ध वृन्दावन गार्डन के तर्ज पर किया गया है। 40 एकड़ में फैले इस उद्यान में सैकड़ों किस्म के फूल, गुलाब की प्रजातियाँ तथा कई दुर्लभ प्रजातियों के पेड़ तथा मखमली घास साथ ही पानी में रंग-बिरंगे ऊँचे-ऊँचे फव्वारों के बीच शाम गुजारना मानों धरती पर स्वर्ग का आभास होने लगता है। जुबली पार्क में नौकाविहार का भी आनन्द लिया जा सकता है। इसके अतिरिक्त जमशेदपुर के आसपास डिमना

लेक, दलमा अभ्यारण्य भी पर्यटन स्थल हैं। जादुगोड़ा की यूरेनियम खान, मुसाबनी की ताँबा खान, कान्डरा का ग्लास फैक्ट्री और घाटशीला का ताँबा खान भी दर्शनीय हैं। ये सभी जमशेदपुर से 40 से 50 किलोमीटर के घेरे में स्थित हैं।

इन सब स्थानों के अलावा पूरे झारखण्ड में ऐसे अनेक स्थल हैं जहाँ प्रकृति का अनगढ़ सौन्दर्य बिखरा पड़ा है, जिन्हें विकसित कर पर्यटन केन्द्र का रूप प्रदान किया जा सकता है। इनमें प्रमुख हैं—आंजन ग्राम, उसरी जलप्रपात, तेनुघाट डैम, हापामुनी, उलिहातु, सप्तवाहिनी प्रपात, खैरा पहाड़, पलामू-किला, तोपचांची, पिठोरिया, चुटियाँ आदि अनेक ऐसे धार्मिक स्थल हैं, जिनका ऐतिहासिक महत्त्व भी है। वैसे समस्त पर्यटन स्थल विकास की राह देख रहे हैं।

□□□